La Fièvre hexagonale

Michel Winock

La Fièvre hexagonale

Les grandes crises politiques de 1871 à 1968

NOUVELLE ÉDITION REVUE ET AUGMENTÉE

Éditions du Seuil

COLLECTION « POINTS HISTOIRE »
FONDÉE PAR MICHEL WINOCK
DIRIGÉE PAR RICHARD FIGUIER

La première édition de cet ouvrage a paru aux Éditions
Calmann-Lévy en 1986.

© Éditions du Seuil, 1987, 1995, 2001

www.seuil.com

Remerciements

En tête de ce livre, je tiens à dire ma gratitude à Anne Sastourné, Jean-Pierre Azéma et Anthony Rowley, premiers lecteurs de mon manuscrit : leurs remarques et suggestions m'ont été précieuses. Je remercie aussi Colette Chambelland, pour avoir facilité mon travail à la bibliothèque du Musée social.

Avant-propos

Au moment où ce livre paraît, un quinquagénaire français peut se flatter d'avoir vécu sous quatre régimes distincts : trois républiques et une dictature sous tutelle étrangère — sans parler des gouvernements provisoires. Cette simple observation signale déjà l'instabilité de nos institutions. Si l'on prend un peu plus de recul, c'est à une bonne quinzaine de constitutions ou de textes équivalents que s'élève la consommation politique nationale depuis 1791. Pour un citoyen des îles Britanniques, de la Suisse, des Etats-Unis ou des pays scandinaves, le comportement politique des Français peut paraître frappé d'une inquiétante singularité. Même si l'on replace la France dans les zones plus tempétueuses du continent européen, les grands rythmes de son histoire gardent une forte originalité. Depuis un siècle environ, on constate, en effet, que bon nombre des pays de l'Europe du Centre et du Sud ont connu une évolution en trois temps : 1. abolition ou transformation libérale de l'ancien régime ; 2. contre-révolution dictatoriale ; 3. instauration de la démocratie libérale. Ainsi de l'Allemagne, de l'Italie, de l'Autriche, de l'Espagne, du Portugal, de la Grèce. La France, quant à elle, a suivi un autre cours. L'absolutisme renversé, elle a instauré un régime républicain et établi le sufrage universel avant les autres nations européennes. Précocité douloureuse et Révolution longtemps inachevée : les *réactions* césariennes et monarchiques, entrecoupées de nouveaux jaillissements démocratiques, ont pressé la cadence du XIXᵉ siècle jusqu'à l'effondrement de Sedan, où le second Empire a reçu son coup de grâce le 2 septembre 1870.

C'est sur ce moment-là que s'ouvre mon livre, c'est-à-dire sur l'histoire proprement dite de la République. De

1870 à nos jours, l'effervescence constituante s'est modérée. Alors que du 3 décembre 1791 au 21 mai 1870 on peut
dénombrer dix ou onze textes faisant figure de constitutions, on n'en compte que quatre depuis la chute de
Napoléon III, dont trois gardent fidélité aux principes
républicains. Pourtant, ce ralentissement dans la succession
des régimes politiques ne saurait dissimuler la fragilité
durable des modes français de gouvernement, non plus que
la précarité de l'équilibre institutionnel. La cause est
entendue : le *consensus* n'est pas un mot français. S'il tend
à le devenir, c'est depuis peu. Quel que fût le régime, de
1791 aux années 1970 la discorde a prévalu : aux trois
droites répertoriées par René Rémond (*les Droites en
France,* Aubier) s'opposaient au moins trois gauches, qui,
toutes, avaient *leur* solution. Cette rivalité passionnée
entre les multiples familles de la nation a imprimé à notre
histoire contemporaine un caractère dramatique : les crises
politiques qui la ponctuent font l'objet même de cette
étude.

Qu'entendons-nous ici par *crises politiques* ? La définition doit en être donnée pour justifier le nombre de celles
qui sont passées en revue — huit au total. Ce sont les
grandes perturbations qui ont mis en danger le système de
gouvernement républicain. De ce fait, on a éliminé une
série de tensions et de commotions publiques (séquence
anarchiste des années 1891-1893, « Panama », mouvement
social de 1919-1920, Front populaire, « Munich », grèves
dites insurrectionnelles de 1947...), dans la mesure où elles
n'ont pas exercé une véritable menace sur l'organisation
des pouvoirs à moins qu'elles ne fussent, comme l'année
1944, le dénouement d'une crise antérieure, en l'occurrence celle de 1940. Les crises retenues sont en rapport
direct avec la forme gouvernementale du pays remise par
elles en question. Il s'agit : 1. de la Commune de Paris,
dont une des causes est le danger de restauration monarchique ; 2. du 16 mai 1877, dont l'enjeu est la prééminence
disputée entre l'exécutif et le législatif ; 3. du boulangisme,
protestation contre la prépotence de la Chambre au
préjudice du suffrage universel ; 4. de l'affaire Dreyfus,
nouvelle offensive contre la souveraineté parlementaire

sous les couleurs nouvelles du nationalisme ; 5. du 6 février 1934, qui traduit le ralliement d'une partie des classes moyennes aux solutions d'autorité contre le système parlementaire ; 6. du 10 juillet 1940, qui clôt, à la faveur de la défaite, la IIIe République ; 7. du 13 mai 1958, qui achève, à l'occasion de la guerre d'Algérie, la IVe République ; 8. de Mai 1968, qui inaugure une nouvelle forme de contestation et boucle le cycle des convulsions étudié. Ces huit crises font, dans cet ouvrage, l'objet d'une analyse séparée mais, de l'une à l'autre, on suivra le jeu des continuités et des ruptures. Dans un chapitre final, je proposerai quelques thèmes de réflexion tournant autour d'un *pourquoi* récapitulatif.

L'objet de ce livre étant défini, je voudrais, pour finir ce préambule, dissiper un éventuel malentendu. Une histoire consacrée aux crises pourrait porter à se représenter la France comme le pays par excellence de la division insurmontable, de l'affrontement continu, de la guerre civile tantôt larvée, tantôt débridée — comme si l'auteur ne tendait à rien tant qu'à faire apparaître la cohésion nationale comme un leurre. On verra que la philosophie qui préside à cet ouvrage est tout autre. S'il fallait justifier mon choix — l'étude des spasmes, des ruptures, des fractures plutôt que celle des continuités, des structures, des régularités — je dirais que l'étude des divisions passées contribue, mieux que les discours unanimistes, à l'élaboration d'un « vouloir-vivre-ensemble ». Contrairement à certains propos de l'heure, l'étude historique des grandes crises incline plutôt à l'optimisme. Il faut user du mot avec prudence, mais pourquoi ne pas en faire l'aveu ? Les divisions du corps social sont aujourd'hui infiniment moindres que jadis. Il se pourrait que les Français soient enfin entrés dans l'ère démocratique, autrement dit qu'ils acceptent de confronter leurs *différences* selon une règle *commune*. Au demeurant, l'historien n'est pas un augure ; modestement, il ne peut témoigner que de ce qui a été, non de ce qui sera.

1

La Commune de Paris

La Commune traîne sur ses pas des images de feu et de sang. Le mot « crise » est trop faible pour en désigner le tumulte et l'agonie. Il faut bien pourtant prendre en compte les soixante-douze jours de cette guerre civile qui laissent une sanie au flanc de la IIIe République. Mais, à vrai dire, en ces journées de mars 1871 où se noue le drame, les Français sont-ils sûrs d'être en république ? Le pouvoir bonapartiste, abattu par la défaite militaire de Sedan, le 2 septembre 1870, avait laissé place à un gouvernement provisoire qui n'avait pour toute légitimité que les battements de mains de la foule rassemblée le surlendemain sous le balcon de l'Hôtel de Ville. Justement, après l'armistice signé le 28 janvier 1871 avec la Prusse, des élections générales avaient eu lieu le 8 février. Des élections improvisées car les Allemands occupaient une partie du territoire, Paris n'avait pas renoué ses liens avec la province, les centres urbains étaient coupés des campagnes faute de communications normales. Mais ces élections avaient été prévues par la convention d'armistice : l'Assemblée nationale qui en sortirait devait trancher du sort de la guerre. Dans leur majorité, les Français avaient glissé dans l'urne un vœu de paix ; du même coup, sans y trop prendre garde, ils avaient émis un vote hostile aux républicains, assimilés au « parti de la guerre ». Les grandes villes, Paris, Lyon, Marseille, Bordeaux, Lille, Toulouse, Nantes et bien d'autres, avaient confirmé leur choix républicain de 1869, tandis que les campagnes avaient massivement mandaté les conservateurs qui s'étaient présentés un rameau d'olivier à la boutonnière. Le scrutin départemental avait permis aux cantons ruraux de noyer les suffrages citadins. Le 12 février, quand l'Assemblée nationale se réunit à Bordeaux, les monarchistes n'en croient ni leurs yeux ni leurs oreilles : ils ont obtenu une majorité écrasante. L'heure de la revanche, tant attendue depuis 1830 ou 1848, est arrivée.

Très vite, la tension mónte entre Paris et Bordeaux ; entre la ville républicaine et la majorité « rurale » (le mot est d'Adolphe Crémieux) qui tient l'Assemblée ; entre le patriotisme outragé de la capitale et l'impatience de conclure la paix manifestée par la droite et les modérés.

L'assemblée de Bordeaux avait élu Thiers « chef du pouvoir exécutif de la République française ». Un titre qui n'engageait à rien. Dans les urgences, il y avait un ordre : d'abord la paix ; ensuite on verrait la question du régime. Du reste, aux yeux des monarchistes, il n'était point mauvais que ce fût, nominalement, la République qui assumât la défaite aux conditions sévères exigées par Bismarck : un tribut de 5 milliards de francs or, et, surtout, l'amputation des trois départements de l'Est. Les préliminaires de la paix, signés à Versailles le 26 février, avaient donné lieu deux jours plus tard à un débat pathétique à Bordeaux. Nul mieux que Victor Hugo n'y sut parler de l'Alsace et de la Moselle abandonnées, de la patrie meurtrie et du peuple de Paris humilié :

> « Depuis cinq mois, Paris combattant fait l'étonnement du monde ; Paris, en cinq mois de république, a conquis plus d'honneur qu'il n'en avait perdu en dix-neuf ans d'empire.
>
> « Ces cinq mois de république ont été cinq mois d'héroïsme. Paris a fait face à toute l'Allemagne ; une ville a tenu en échec une invasion ; dix peuples coalisés, ce flot des hommes du nord qui, plusieurs fois déjà, a submergé la civilisation, Paris a combattu cela. Trois cent mille pères de famille se sont improvisés soldats. Ce grand peuple parisien a créé des bataillons, fondu des canons, élevé des barricades, creusé des mines, multiplié ses forteresses, gardé son rempart ; et il a eu faim, et il a eu froid ; en même temps que tous les courages, il a eu toutes les souffrances. »

C'était, sur le ton oratoire, un bon résumé du siège de Paris. A une lacune près : le sentiment de la trahison partagé par beaucoup de Parisiens à l'encontre d'un gouvernement dont le caractère provisoire ne pouvait excuser les hésitations, les piétinements et finalement l'impéritie. Ce Favre, ce Trochu, ce Picard, qui avaient dirigé Paris pendant le siège et qui se retrouvaient sous les honneurs, c'est peu dire qu'une moitié de la capitale les exècre. Ce sont eux qui ont préparé le lit de cette paix honteuse, dont le projet présenté par Thiers est approuvé par l'Assemblée : 546 voix contre 107 cris. L'émotion des Parisiens était d'autant plus forte que, le 1er mars, les troupes allemandes faisaient leur entrée dans la capitale — une concession de prestige faite par Thiers à Bismarck, en échange de la conservation de Belfort où Denfert-Rochereau avait tenu jusqu'au bout l'envahisseur en respect. Les uhlans avaient foulé le pavé des Champs-Élysées, s'étaient installés à Auteuil et à Passy, dans une ville tendue de noir et frissonnant de colère muette. Le 3 mars, la parade était finie : les préliminaires étaient ratifiés. Qui ne connaît la passion patriotique des Parisiens de ce temps-là ne peut comprendre la genèse de la Commune. Au début de mars, ils sont abreuvés de honte.

Ce ressentiment s'accompagnait d'une crainte, fondée sur l'arithmétique parlementaire : une fois la capitulation légalisée, n'allait-on pas subir la restauration à la suite ? « La République est le gouvernement qui nous divise le moins », dira Thiers, mais la majorité pouvait en décider autrement. Or, au lieu de rassurer une opinion parisienne blessée par tant d'espérance trompée, tant de vains sacrifices, tant d'ardeur gaspillée, l'Assemblée de Bordeaux y est allée de toutes ses rancœurs et de toutes ses maladresses. Le 6 mars, elle décide de ne pas reprendre siège à Paris. On propose Bourges, Fontainebleau, Versailles : « La France sait que Paris est le chef-lieu de la révolte organisée », dit un orateur. Victor Hugo, qui va bientôt démissionner, émet encore ses protestations :

> « Paris s'est dévoué pour tous ; il a été la ville superbe du sacrifice. Voilà ce qu'il vous a fait. Il a plus que sauvé la vie à la France, il lui a sauvé l'honneur. Et vous vous défiez de Paris ! et vous mettez Paris en suspicion ! »

Hugo a donné à ses collègues un bon conseil : « Rentrez dans Paris, et rentrez-y immédiatement. Paris vous en saura gré et s'apaisera. Et quand Paris s'apaise, tout s'apaise. » Ces mots étaient prononcés au sein du onzième bureau de l'Assemblée mais le onzième bureau, pour « commissaire », préféra à Victor Hugo un certain Lucien Brun, hostile aux républicains. Thiers arbitra : on laisserait les administrations à Paris, l'Assemblée s'installerait à Versailles. Les Parisiens avaient bravé les Prussiens pendant plus de quatre mois ; on les remerciait en « décapitalisant » leur ville !

Pourtant, la restauration n'était pas encore à l'ordre du jour. Thiers, heureux de gouverner, jouant des divisions d'une assemblée antirépublicaine mais sans projet unifié de restauration, les uns tenant pour la branche aînée des Bourbons et les autres pour les Orléans, finit par imposer ce qu'on appela le pacte de Bordeaux. Le 10 mars, il avait expliqué à la tribune qu'il fallait d'abord réorganiser le pays ; après, après seulement, on choisirait la forme constitutionnelle du régime. Pour les républicains de Paris et des grandes villes, ce « pacte », loin de rassurer, entérinait le caractère provisoire du régime républicain. Après la défense du territoire envahi, la défense de la République entretenait l'esprit de mobilisation. Dans la capitale, la surchauffe de l'opinion était sensible. Outre le choix de Versailles comme siège de l'Assemblée, les mesures, prises à Bordeaux depuis le 15 février, ajoutaient l'une après l'autre de l'huile sur le feu, comme à plaisir : mise en question de la solde des gardes nationaux, fin des moratoires concernant le Mont-de-Piété, les effets de commerce, les loyers... Ces décisions inintelligentes, provocatrices, avaient pour résultat de solidariser la petite bourgeoisie des commerçants et des artisans avec les couches ouvrières, dans une égale hostilité aux « ruraux ».

D'où vient tant de maladresse ? Tout se passe comme si l'Assemblée conservatrice voulait régler son compte à une capitale qui, depuis 1789, s'est acharnée à détruire les colonnes de l'ordre ancien, a déposé la monarchie, attisé l'esprit de révolte et propagé l'irréligion. Ces députés, pour la plupart sans expérience, s'obstinent dans leurs préjugés sans savoir masquer leur animosité, agissent avec d'autant plus d'imprévoyance que la situation à Paris est de moins en moins contrôlable par les autorités légales. Néanmoins, il ne faudrait pas charger exclusivement les monarchistes ; les républicains du gouvernement ne sont pas plus clairvoyants. Jules Favre, qui, dès le début du siège, a désiré l'armistice « avec quelle ardeur » (c'est lui qui en fait l'aveu [1]), ne pardonne pas à ceux qui, *intra muros*, exigent la guerre « à outrance » et interdisent jusqu'à la fin de janvier un accord avec Bismarck. Lui et ses collègues du gouvernement de la défense nationale ont vécu ces mois de siège comme un mauvais rêve. Ils ont vu de près ces bataillons de révolutionnaires, toujours prêts à retourner leurs chassepots contre eux. Entre eux et ces « rouges », il n'y a pas de commune république.

A la mi-mars, Paris est plongé dans un désordre croissant. La garde nationale, recrutée depuis le siège dans toutes les couches de la société, y est devenue la plus grande force armée. Or, en raison des départs de Paris qui ont affecté au lendemain de l'armistice les quartiers bourgeois, les « bons bataillons » qui représentent les forces de l'ordre sont affaiblis, au bénéfice des bataillons populaires. Ceux-ci se sont fédérés et donné un comité central, dont l'autorité s'affirme au détriment du commandement officiel détenu par le général Aurelle de Paladines. Au 15 mars, quatorze arrondissements sur vingt sont représentés au comité central. A-t-il un programme ? Quelques principes le résument : défense de la République, les armes à la main si besoin, abolition des armées permanentes, droit de regard sur les affaires publiques. Ainsi un embryon de contre-pouvoir est en train de se développer dans une ville où les agents de l'État perdent chaque jour leur capacité d'agir.

Le 15 mars, Thiers est rentré à Paris. La prochaine session de l'Assemblée nationale doit s'ouvrir à Versailles cinq jours plus tard. Pour le chef de l'exécutif, une décision s'impose : désarmer la garde nationale, en train de se muer en milice révolutionnaire. Les armes dont elle dispose et notamment ses 227 canons alignés en grande partie sur la butte Montmartre, Jules Favre avait convaincu Bismarck, au moment de l'armistice, de n'en pas parler, sur quoi il s'explique ainsi :

> « Tout en négociant l'armistice, je ne savais si la population de Paris s'y soumettrait. Les raisons d'en douter étaient nombreuses, et le gouvernement en avait si bien la conviction qu'il entourait mes démarches du plus profond secret, craignant que leur révélation ne provoquât un mouvement séditieux. Ce mouvement aurait infailliblement éclaté avec un caractère terrible, si la Convention eût stipulé un désarmement ; nous n'avions d'ailleurs aucune force pour y procéder. C'était donc un point sur lequel une transaction m'était interdite [2]. »

Il importait alors à Thiers de réaliser, à la veille de la rentrée parlementaire à Versailles, ce qui n'avait pu être accompli dans la « fièvre obsidionale » du siège finissant. Mais, au lieu de négocier la démobilisation de ces milices patriotiques, Thiers choisit la solution de force. L'opération est lancée dans la nuit du 17 au 18 mars.

Le 18 mars

Le général Aurelle de Paladines a eu beau faire battre le rappel des bons bataillons, ses tambours sont restés à peu près sans écho : la garde nationale ne tirera pas sur la garde nationale. Ce sont les soldats de la ligne qui se sont chargés à peu près exclusivement de l'affaire. Une affaire mal préparée, mal engagée, et qui au petit matin prend mauvaise tournure. Le général Lecomte, qui commande un détachement à l'est de la butte Montmartre, s'essouffle à lancer des ordres que ses hommes n'exécutent plus. Ceux-ci mettent crosse en l'air et fraternisent avec les habitants du quartier, accourus défendre « leurs » canons. Le général est arrêté. Des gardes nationaux l'entraînent pour le mettre à l'abri au quartier général des bataillons de Montmartre. Ailleurs, rue Lepic, à Belleville, aux Buttes-

Chaumont, même scénario : les troupiers acceptent le pain et le vin des mains de la foule, regimbent contre leurs officiers et enfreignent leurs ordres. En fin de matinée, l'échec de l'armée et du gouvernement est patent. Le repli est ordonné par le général Vinoy.

A ce moment, Thiers, toujours en permanence au Quai d'Orsay, baisse l'oreille. Il tente de la persuasion par voie d'affiche — Ernest Picard, ministre de l'Intérieur, en appelant, contre « quelques hommes égarés », au bon sens et à la résolution de ceux qui veulent défendre leur « cité », leurs « foyers », leurs « familles » et leurs « propriétés ». Chiffons de papier ! Alors, à l'issue d'un rapide conseil des ministres, Thiers décide l'évacuation de Paris par le gouvernement et l'administration. Plus tard, il se vantera de son choix stratégique ; déjà, en 1848, il avait eu l'idée de faire sortir l'armée de Paris, pour mieux l'y faire rentrer en force. Cette fois, à la tête de l'État, il peut mettre ce plan à exécution. Ce départ, il ne l'a pas prévu. Sans doute envisageait-il une résistance de la part des pires têtes brûlées de la garde nationale, quelques barricades dans les bas quartiers, juste de quoi montrer en somme sa poigne aux députés convoqués pour le surlendemain. Il n'avait pas envisagé le soulèvement massif des Parisiens, les difficultés techniques de l'opération, la débandade du 88ᵉ de marche sous les vivats de la foule. Le voici, la peur aidant, qui abandonne Paris à l'initiative révolutionnaire ; replié sur Versailles, loin du danger, il va se révéler intraitable.

La tentative de récupération des canons produit par son échec un double effet : un mouvement de foule incontrôlé qui va dégénérer en violence criminelle ; la mise en place d'un contre-pouvoir, s'affrontant au pouvoir officiel de Versailles, et qui échoit en bonne logique au comité central de la garde nationale.

Le risque d'affrontement a été assumé par Thiers en toute conscience. « Il fut décidé qu'on attaquerait », dira plus tard, sans mâcher ses mots, le général Vinoy. Il s'agit bien d'une opération militaire, sans déclaration de guerre. Le peuple combattant, détenteur d'armes, était devenu un foyer de subversion, qu'un pouvoir légal était légitimé à éteindre. Encore faut-il que celui-ci y mette quelque précaution, choisisse avec sagacité le moment et la manière. Rien, dans l'attitude de Thiers, ne trahit une volonté de conciliation, ni même de la fermeté paternelle. Il a décidé, il impose, il dépêche ses troupes pour exécuter. L'historien du Consulat et de l'Empire imite le modèle de commandement du bonapartisme. Dans maintes crises, on retrouvera ce style d'autorité étatique, issu de l'absolutisme royal et de l'arbitraire impérial. Les décisions de l'État ne se négocient pas. Malheureusement pour la sécurité de l'État, l'application n'est pas toujours à la mesure du volontarisme de ses chefs. En l'occurrence, les soldats de Vinoy échouent.

A Paris, on assiste au désordre des journées révolutionnaires, dans ces moments où le contre-pouvoir n'a pas encore pris consistance. C'est la rue qui donne le ton. On se rassemble, on clame, on s'agite, on chante, on investit les casernes, on remplit le vide laissé par les gouvernementaux en déroute. C'est alors, dans cette situation de dérèglement général, de vacance étatique et d'euphorie grégaire, que les actes irréparables s'accomplissent. Le général Lecomte et l'ancien général Clément Thomas — qu'on a reconnu sur le boulevard et qu'on a arrêté — vont faire fonction de victimes émissaires. Les deux hommes, symboles d'un pouvoir détesté, sont maintenus dans un petit local de Montmartre ; quelques gardes nationaux veillent sur eux, attendant les ordres du comité central. Celui-ci, surpris par le coup de main nocturne, n'a pu se réunir que dans l'après-midi. Mais la violence de la foule va devancer la justice du contre-pouvoir qui s'organise. La provocation de Thiers et la fuite du pouvoir légal ont levé la barrière des interdits ; la cohue des obscurs, des « sans feu ni lieu », la pègre, tout ce que les auteurs du XIXᵉ siècle désignaient du nom de « populace », tout ce qu'un Georges Bataille a appelé plus tard les éléments « hétérogènes » de la société, voilà la sociologie habituelle de ces meurtres collectifs. A moins que ne s'y mêlent beaucoup de gens très ordinaires, très « homogènes », petits-bourgeois et prolétaires, renforcés par des soldats de ligne éméchés, déserteurs et vengeurs, foule composite qui libère ses pulsions agressives, force le faible barrage du nouvel ordre naissant, saisit les deux généraux et les exécute l'un après l'autre. Cet épisode fournit à Thiers le prétexte de la guerre totale : « On ne traite pas avec des assassins. »

Indépendamment de cette scène de lynchage, qu'il n'a pas suscitée, qu'il n'a pu réprimer, le comité central de la garde nationale devient un pouvoir de fait, appelé à assumer une situation qu'il n'a d'aucune façon provoquée ni créée. Dans la soirée du 18 mars, il prend une décision symétrique à celle de Thiers évacuant Paris : occuper l'espace symbolique du pouvoir légal, c'est-à-dire l'Hôtel de Ville. Jules Ferry, maire de Paris, doit céder la place. Vers dix heures du soir, le drapeau rouge flotte sur le bâtiment municipal, d'où l'on a déjà proclamé bien des gouvernements révolutionnaires.

Versailles, Paris, un État qui fuit et un contre-État qui se cherche se font face en cette soirée du 18 mars. Est-ce pour autant le début d'une guerre civile ? Ce comité central, qui siège sous le drapeau rouge, n'a pas de plan ; rien de comparable avec ce que sera le parti bolchevique à partir d'avril 1917. Il n'aspire qu'à la légalisation d'une situation qu'il n'a pas organisée : appeler les Parisiens aux urnes va être son souci le plus immédiat. Pourtant, la rupture a eu lieu avec les autorités légales ; il a fait le geste qui entame le processus révolutionnaire : forcer les lieux du pouvoir. Cela dit, il ne s'agit que de l'Hôtel de Ville, que du pouvoir municipal. Le comité central, en ce soir du 18 mars, ne prétend pas au gouvernement de la France. Les hommes qui le composent, ce ne sont pas en majorité ce qu'on appelle des révolutionnaires ; des républicains, certes, accessibles au langage de la raison. Le compromis serait-il impossible entre Paris et Versailles ?

L'effet d'intransigeance

Pendant une semaine les initiatives se succèdent de la part de ceux qui ne se résignent pas à la guerre civile. A Paris même, à côté de l'amiral Saisset nommé par Thiers le

20 mars « commandant supérieur de la Seine », une autre autorité légale, plus représentative, demeure en place et capitalise les espoirs d'un règlement pacifique : les maires d'arrondissement, qui avaient été élus pendant le siège, le 5 novembre 1870. C'est à la réunion des maires que le ministre de l'Intérieur, en quittant Paris, avait délégué l'administration provisoire de la Ville. Cette réunion élit domicile à la mairie du IIe arrondissement. Très vite, entre celle-ci et l'Hôtel de Ville on assiste à un va-et-vient de délégués. Le gouvernement ne voyait pas d'un mauvais œil des négociations qui, à tout le moins, lui permettaient de gagner du temps, de refaire ses forces et de préparer la contre-offensive. De son côté, le comité central qui aurait pu, dès le lendemain du 18 mars, pousser son avantage sur le terrain militaire refusa de suivre ceux qui préconisaient la marche sur Versailles. Une conciliation restait donc envisageable.

Au milieu de ces tentatives, l'action de Georges Clemenceau doit être mise en valeur. A trente ans, il est à la fois député de la Seine et maire de Montmartre. A Bordeaux, il a été de l'opposition républicaine qui a refusé de ratifier le projet de paix. Cependant, lors de la journée du 18 mars, dont Montmartre avait été l'un des principaux théâtres, il s'est évertué à éviter le pire. On l'a vu, ceint de son écharpe tricolore, tenter d'obtenir la libération des deux généraux arrêtés devant des enragés montrant les dents. Se sentant également éloigné d'un gouvernement agissant de vive force et des manifestations homicides de la rue enfiévrée, il prodigue en pure perte, tout au long de cette journée, des gestes de modération agissante. Dès le lendemain, il demande au comité central de laisser l'Hôtel de Ville aux maires, moyennant quoi ceux-ci exigeraient de l'Assemblée de reconnaître les droits de Paris.

Cette démarche, soutenue par d'autres députés et maires républicains, se heurte à l'intransigeance du comité. « Le mandat de l'Assemblée est terminé, dit l'un de ses membres. Quant à la France, nous ne prétendons pas lui dicter des lois — nous avons trop gémi sur les siennes — mais nous ne voulons plus subir ses plébiscites ruraux. » Lorsque Clemenceau demande des précisions, Varlin — un des membres les plus en vue de l'Internationale ouvrière — se fait plus explicite : c'est bien un conseil municipal que veulent les fédérés mais, au-delà, « les franchises communales pour Paris, la suppression de la préfecture de police, le droit pour la garde nationale de nommer tous ses officiers y compris le commandant en chef, la remise entière des loyers échus au-dessous de 500 francs, une remise proportionnelle pour les autres, une loi équitable sur les échéances, enfin nous demandons que l'armée se retire à vingt lieues de Paris⁴ ».

Dans cette discussion, en ce matin du 19 mars, une autre voix développe l'idée de compromis, celle de Benoît Malon. Dans son récit, *la Troisième Défaite du prolétariat français,* il montre à quel point, le 19 mars, la révolution parisienne restait précaire (« jamais révolution n'avait plus surpris les révolutionnaires ») :

> « C'était bien la classe ouvrière sans guides et sans chefs reconnus, qui était arrivée au pouvoir. Dans son inexpérience et sa générosité, elle ne voyait pas la situation dans sa réalité terrible. Elle ne pensait pas que ses lâches agresseurs, après avoir fui et avoir échoué dans leurs tentatives de guerre civile, reviendraient à la charge et, au prix de torrents de sang, essaieraient de dompter Paris. Elle saluait l'aurore d'un nouveau monde, sans voir que l'horizon se chargeait de tempêtes. »

Cette pensée du socialiste Benoît Malon n'est pas une reconstruction *a posteriori*. Le 19 mars, il est présent dans le débat opposant Clemenceau à Varlin. Il défend les mêmes aspirations que Varlin mais il préconise la méthode de Clemenceau : que le comité cède l'Hôtel de Ville aux mains des représentants légaux de Paris. On n'obtiendrait pas tout, mais l'Assemblée pourrait satisfaire certaines des revendications les plus importantes : « Réfléchissez, il est temps encore de trouver une politique pacifique et acceptable. »

Dès le lendemain, l'esprit de pacification doit se soumettre au zèle révolutionnaire. Le Comité des vingt arrondissements, créé en septembre 1870, qui a joué un rôle majeur au cours du siège et qui regroupe de nombreuses personnalités de l'extrême gauche, le Comité de la Corderie, qui résulte du précédent et de son union avec l'Internationale et les chambres fédérales ouvrières, ont mis en place des comités de vigilance dans tous les quartiers. C'est l'aile marchante de la révolution, que complètent les groupes blanquistes. Dans l'euphorie qui suit l'abandon de Paris par le gouvernement, le maximalisme impose sa loi aux esprits pacifiques : « Citoyens, n'écoutez pas les promesses perfides ! Vous avez repris vos canons, gardez-les ! Vous avez l'Hôtel de Ville, gardez-le ! » L'accord de la veille est devenu lettre morte ; le comité central convoque les électeurs pour le 22 mars afin d'élire le conseil municipal de Paris, dans un appel où il engage les Parisiens à choisir des « républicains socialistes connus, dévoués, intelligents, probes et courageux ». Acte insurrectionnel, puisqu'il était pris sans accord du pouvoir légal ; acte révolutionnaire, puisque l'appel était étendu à toutes les communes de France, invitées à suivre « l'exemple de la capitale en s'organisant d'une façon républicaine » pour « le triomphe définitif de la république démocratique et indivisible ».

En ce même jour, Clemenceau est allé défendre la cause de Paris à l'Assemblée de Versailles. Avec un certain nombre de républicains de gauche, il dépose une proposition de loi tendant à créer le conseil municipal élu, que Paris réclame. « Organisons, dit Clemenceau, une autorité que personne ne pourra méconnaître, car elle sortira du suffrage des citoyens, et autour de laquelle tous ceux qui voudront que l'ordre soit rétabli pourront se grouper. » Mais la majorité démontre une nouvelle fois son manque de sens politique : elle attaque l'orateur sans entendre ses raisons. « Dans ma conviction profonde, dit Clemenceau, si vous ne votez pas cette loi, nous allons aux abîmes, et je tiens à constater que je vous ai donné ce conseil [...]. Vous seriez obligés d'employer la force, et alors vous assumeriez une épouvantable responsabilité. » Mais l'intransigeance « versaillaise » est l'exacte symétrie de l'intransigeance parisienne. Le discours de la guerre civile est entamé des deux côtés. Le 21 mars, Jules Favre, ministre des Affaires étrangères, l'un des trois républicains du ministère, prononce des mots meurtriers :

> « Est-ce que nous ne savons pas que les réquisitions commencent, que les propriétés privées *vont être* violées et que nous *allons voir,* je ne dirai pas de chute en chute, mais de progrès en progrès, dans cette perversité savamment calculée, la société tout entière sapée par la base, s'effondrer [...]. Mais que l'émeute le sache bien, si l'Assemblée est à Versailles, c'est avec l'esprit de retour, pour combattre l'émeute et la combattre résolument. »

Sur ce discours, Émile Zola, qui suit les débats parlementaires pour le journal *la Cloche,* fait ce commentaire : « En somme, paroles pleines d'amertume, profondément impolitiques, et qui ne seront qu'un souffle de plus sur le foyer brûlant de la guerre civile . » Comme Clemenceau, Zola tient alors le discours de plus en plus inaudible du compromis ; comme le maire de Montmartre il ne peut se résigner à choisir entre deux intransigeances aveugles. Le 23 mars :

> « Je sors navré de la séance d'aujourd'hui, écrit-il, me demandant s'il est donc vrai que l'heure de notre agonie ait sonné. Entre les factieux de l'Hôtel de Ville et les intolérants aveugles de l'Assemblée, la France gît, saignante, frappée au cœur, se débattant dans les dernières convulsions de la mort. Et, certes, si l'histoire dit un jour que l'insurrection a poussé le pays dans l'abîme, elle ajoutera que le pouvoir régulier et légal a tout fait pour rendre sa chute mortelle. »

En ce 23 mars, l'Assemblée, par 433 voix contre 29, a voté la création en province de bataillons de volontaires pour marcher sur Paris.

A Paris, le comité central doit faire face à une première opposition : une manifestation de rue, favorable à l'Assemblée nationale, atteint la place Vendôme le 21 mars ; le lendemain, un nouveau cortège, enhardi, se heurte cette fois aux gardes nationaux de Bergeret, nouveau commandant de la place. Le sang a coulé ; force est restée au pouvoir insurrectionnel. Celui-ci est toujours décidé à en passer par les urnes. A cette fin, il désire ne pas se couper des maires et adjoints républicains, derniers vestiges sur place du pouvoir légal. Aussi les négociations ont-elles repris entre les mairies et l'Hôtel de Ville. Maires et adjoints, comme Clemenceau, Meillet, Lockroy, ne manquent pas d'audience ; ils disposent encore des bataillons bourgeois de la garde nationale, ceux qui n'ont pas rallié le comité central et se distinguent ainsi des « fédérés ». L'accord s'imposait. Il est difficile à obtenir. La date des élections est ajournée plusieurs fois ; elle est finalement fixée au dimanche 26 mars.

In extremis, un accord est trouvé entre le comité central et la réunion des maires. Ceux-ci, dont l'esprit républicain avait déjà été blessé à Versailles, le 23 mars, lorsqu'ils avaient été hués pour avoir crié « Vive la République ! », s'inquiètent fort du bruit qui court à l'Assemblée, selon lequel le pouvoir exécutif serait confié au duc d'Aumale. Celui-ci, fils de Louis-Philippe, avait été élu ainsi que son frère, le duc de Joinville, le 8 février, mais l'un et l'autre étaient retenus hors de France par les lois d'exil. Sur cette rumeur aggravant le danger de restauration, les maires acceptent de ratifier la convocation aux urnes. C'est donc conjointement que les restes du pouvoir légal à Paris et le comité central de la garde nationale appellent les Parisiens à choisir leur conseil municipal. Seule une minorité des élus a accepté de se compromettre (6 députés de la Seine sur 43, 7 maires sur 20, 32 adjoints sur 80), mais cela suffit pour donner à ce scrutin un caractère de légalité, propre à entraîner le vote d'une partie de l'opinion modérée.

La Commune, mais encore ?

Quatre-vingt-dix conseillers sont à élire, sur la base d'un siège pour vingt mille habitants. Deux types de listes sont en présence : les listes des maires et des conciliateurs, les listes révolutionnaires soutenues par les clubs qui, depuis le siège, sont devenus les cellules vivantes et vigilantes de la démocratie sociale. En ce dimanche 26 mars, l'enjeu de ces élections reste équivoque. Pour les uns, il s'agit seulement pour Paris de se donner le conseil municipal qu'il attend depuis la chute du second Empire. Pour les autres, c'est un nouveau gouvernement de la République, menacée par Versailles, qui doit sortir des urnes.

Le comité central a rendu public le sens qu'il donne au futur conseil communal :

> « Paris ne veut pas régner, mais il veut être libre ; il n'ambitionne pas d'autre dictature que celle de l'exemple ; il ne prétend ni imposer ni abdiquer sa volonté [...]. Il ne pousse personne violemment dans les voies de la République ; il est content d'y entrer le premier. »

Mais une autre déclaration, reproduite par le *Journal officiel de la Commune* du 25 mars, évoquant « l'avènement du monde des travailleurs », rappelle que le mandat du Comité est « l'établissement définitif de la République par le contrôle permanent de la Commune, appuyé par cette seule force : la garde nationale élective dans tous les grades ». De sorte que les attributs de la prochaine assemblée parisienne dépendent des résultats du vote : que la tendance des maires l'emporte, et ce serait un conseil municipal ; que celle des révolutionnaires s'impose, et ce serait une Commune, rivalisant avec le pouvoir de Versailles.

L'élection se fait sur la base des listes dressées en 1870. Sur les 484 000 inscrits, on compte 230 000 votants, soit un chiffre d'abstentions supérieur à 50 %. Depuis le début de la guerre, bien des citoyens inscrits avaient quitté Paris. Toutefois, le 8 février, les abstentions n'avaient été que de 33 %. Devant le résultat du 26 mars, on dénonça cette urne à moitié vide, ou l'on s'enchanta de cette urne à moitié pleine. Tout bien pesé, malgré le fort pourcentage d'abstentions, le nombre des suffrages exprimés, vu les circonstances, est un succès pour le comité central.

Les résultats par tendances confirment la victoire des révolutionnaires. A un Paris de l'ouest (VIIe, VIIIe, IXe, XVIe arrondissements), où les abstentions ont été très fortes, s'oppose massivement le Paris du nord et de l'est ; à

Chaillot, Belleville ; à la Chaussée-d'Antin, au Faubourg
Saint-Antoine[6]... Sur les 85 élus (tous les sièges ne sont
pas pourvus en raison des élections doubles), les listes des
maires en obtiennent 19. Devant la victoire des révolutionnaires et l'usurpation des attributions politiques par le
conseil qui se proclame « Commune de Paris », ceux-ci
refuseront de siéger ou démissionneront rapidement. Pris
comme l'aubier entre l'arbre et l'écorce, le parti conciliateur a été laminé.

Le décompte des conseillers restants prête à confusion. Il
n'existe pas de partis organisés ; certains élus professent
plusieurs allégeances. Approximativement, on peut distinguer trois groupes : une forte minorité d'internationaux
(dix-sept membres), pour la plupart ouvriers, et, proches
d'eux, une douzaine de « socialistes » ; un petit groupe
« blanquiste » de neuf élus, mais privés de Blanqui lui-
même, arrêté le 17 mars et emprisonné à Cahors ; le reste
forme un groupe mêlé de républicains de gauche, parmi
lesquels quatre anciens de la Montagne quarante-huitarde :
Delescluze, Pyat, Miot et Gambon[7]. A la suite des
élections complémentaires du 16 avril, une vingtaine de
nouveaux élus — mal élus, puisque l'on dénombre cette
fois plus de 70 % d'abstentions — viennent renforcer le
conseil de la Commune. C'est à partir de ce moment-là que
vont se dessiner puis s'affronter deux tendances : une
majorité, qualifiée parfois de « jacobino-blanquiste »,
regroupant les partisans d'un comité de salut public, et une
minorité, dont le noyau est formé des ouvriers internatio-
nalistes, hostile aux inclinations « autoritaires » des premiers.

Pour l'instant, Paris connaît la liesse des premières
heures de la révolution, les temps liminaires du ravissement
et de la congratulation. Le 28 mars, la Commune est
proclamée place de l'Hôtel de Ville, « dans une journée de
fête révolutionnaire et patriotique, pacifique et joyeuse,
d'ivresse et de solennité, de grandeur et d'allégresse »
(Jules Vallès).

Le lendemain, 29 mars, la Commune affirme son identité
révolutionnaire. A ceux qui veulent borner ses attributions
aux affaires parisiennes, une majorité réplique par l'adop-

tion d'un manifeste érigeant en principe « la Révolution victorieuse ». Quel est le contenu de cette révolution ? Il faudra attendre le 19 avril pour en avoir la définition officielle, telle qu'elle s'exprime à travers la *Déclaration au Peuple français*, dont le texte a été voté à l'unanimité moins une voix. La Commune de Paris demande « la reconnaissance et la consolidation de la République », « l'autonomie absolue de la Commune » — dont les seules limites sont « le droit d'autonomie égale pour toutes les autres communes adhérentes au contrat, dont l'association doit assurer l'unité française ». La base de cette nouvelle organisation est fédéraliste, l'influence du proudhonisme y est évidente :

> « L'unité politique, telle que la veut Paris, c'est l'association volontaire de toutes les initiatives locales, le concours spontané et libre de toutes les énergies individuelles en vue d'un but commun, le bien-être et la sécurité de tous. »

Cette révolution s'affirmait à la fois politique et sociale :

> « C'est la fin du vieux monde gouvernemental et clérical, du militarisme, du fonctionnarisme, de l'exploitation, de l'agiotage, des monopoles, des privilèges auxquels le prolétariat doit son servage, la Patrie ses malheurs et ses désastres. »

Mais cette révolution « anti-étatiste » doit faire face aux urgences, y répondre avec efficacité. Les principes énoncés, il faut prendre des *moyens* de survie, et d'abord vaincre la contre-révolution. Dilemme de toute révolution : faite pour libérer, elle doit d'abord contraindre. Qu'elle laisse faire la spontanéité, les « initiatives locales », qu'elle laisse la bride sur le cou des « masses », et la voilà plongée dans un désordre mortel ; qu'elle concentre ses forces au contraire, qu'elle se montre inflexible, qu'elle impose la terreur, et la voilà dérapant où elle ne voulait pas aller et dénaturant son génie libérateur. La guerre, la contre-révolution, le ravitaillement, la production nécessaire, comment y faire face selon les principes de la décentralisation et de la démocratie directe ? Sur ces

moyens, les communeux vont se diviser. La majorité, fidèle
à l'exemple de 1793, veut rétablir un comité de salut public,
réunissant provisoirement les pouvoirs en quelques mains,
sous le contrôle du conseil de la Commune ; la minorité
proteste contre ce « pouvoir dictatorial ». Le 15 mai, la
scission est faite : vingt-deux membres quittent la Commune, le principe du contrôle du mandataire par ses
mandants devant rester à leurs yeux intangible.

En prenant du recul, on ne peut qu'être frappé par l'effet
de dérapage dans l'évolution de la Commune. Au départ,
de quoi s'agit-il ? D'un mouvement patriotique et républicain. La genèse de la Commune remonte au siège de Paris :
sous le pouvoir d'un gouvernement de la Défense nationale, jugé irrésolu et incapable, une opinion a gagné du
terrain, dans les clubs et chez les gardes nationaux, en
faveur d'un nouveau gouvernement, d'une « Commune »,
qui prendrait toutes les mesures pour forcer le blocus et,
au-delà des murs de Paris, chasser l'envahisseur. Cette
opinion est restée minoritaire, comme l'atteste le plébiscite
organisé par le gouvernement le 1er novembre 1870. Mais la
signature des préliminaires de la paix à Versailles, la
composition monarchiste de cette Assemblée, ses mesures
économiques et financières prises au détriment d'une
population qui avait enduré quatre mois et demi de siège,
tout cela a renforcé les convictions républicaines de la
capitale. C'est l'aveuglement de l'Assemblée de Versailles,
dénoncé par Zola et tant d'observateurs, qui provoque un
changement momentané du rapport des forces à l'intérieur
de Paris au bénéfice des révolutionnaires. C'est l'impossibilité où se trouve le parti conciliateur, resté sans le moindre
appui de Thiers, à faire entendre la voix du compromis, qui
radicalise le mouvement. Deux témoins, d'avis modéré, en
ont porté témoignage parmi d'autres. Édouard Lockroy,
d'abord. Député de Paris, il ne quitte la capitale que le
15 avril, ce qui lui vaut d'être emprisonné par la police
versaillaise ; il devait faire par la suite une carrière politique
chez les radicaux :

> « La Commune, écrit-il, fut faite des désespérances, des
> déceptions et des colères du siège. Si, plus tard, des

revendications sociales s'y mêlèrent, ce fut accessoirement et, pour ainsi dire, par déviation. L'origine du mouvement est là, et aussi dans la crainte de la monarchie qui nous avait valu l'invasion et la défaite et qu'on soupçonnait l'Assemblée nationale de vouloir rétablir[8]. »

Témoignage maintenant de Jules Andrieu, membre de la Commune, dont les souvenirs ont été édités cent ans plus tard :

« On ne saurait trop le répéter, écrit-il, la révolution de Paris ne fut que le contrecoup du faux combat livré par les hommes du 4 septembre à l'ennemi national [...]. De sorte que l'ordre logique des événements a été renversé : au lieu d'avoir, comme à la fin du siècle dernier, la révolution d'abord et, ensuite, la bataille contre l'étranger, ils ont précipité d'abord la victoire de l'ennemi et, ensuite, l'intempestif déchaînement de la Révolution. Quoi qu'il en soit, ce crime est leur et leur revient tout entier. Le mouvement de Paris contre eux n'est que la réaction qui devait nécessairement faire suite à la stupide confiance qui se manifestait encore au 3 novembre, par un plébiscite. L'erreur de Paris n'est qu'une faute de date et le fond de cette erreur est une grande chose qu'ils n'ont jamais comprise : le patriotisme[9]. »

Cependant, il n'est pas douteux que la guerre civile a durci les attitudes, fortifié les extrémismes et que, sans contenu socialiste véritable (à part quelques mesures symboliques) l'affrontement entre le gouvernement de Versailles et la Commune de Paris a pris le sens d'une lutte des classes.

Une partie à trois

L'histoire de la Commune de Paris peut être questionnée sur plusieurs registres. Les historiens ont privilégié longtemps, à son propos, l'histoire du mouvement ouvrier, l'histoire des expériences socialistes, l'histoire des révolutions. C'est dans une autre série qu'on doit considérer ici la Commune : celle de l'histoire républicaine, celle des grandes crises politiques.

Dans l'historiographie socialiste, la question est souvent : pourquoi la Commune a-t-elle échoué ? Quelles leçons politiques doit-on en tirer ? La tradition marxiste-léniniste en a répété une à satiété : la principale faiblesse de la Commune, qui fut une révolution ouvrière, a été de n'avoir pas eu de parti de la classe ouvrière. La révolution d'Octobre, en Russie, administre la confirmation de cette conclusion : c'est parce qu'il existait un parti bolchevique qu'elle a pu s'imposer victorieusement. Si l'on veut bien rester un peu dans cette perspective, sans oublier la nôtre pour autant, il est notable que la situation de la France en 1871 est, *mutatis mutandis,* à peu près inverse de la situation russe de 1917.

En Russie, nous avons affaire à un mouvement révolutionnaire qui va ranger le pays sous sa loi, non seulement parce qu'il va être canalisé, récupéré et soumis progressivement à un parti d'avant-garde, disposant des cadres indispensables autant que d'une doctrine formulée, mais parce que ce parti va lancer les deux mots d'ordre que le grand nombre trouve à son gré : la paix immédiate et la terre aux paysans. Dans un pays ravagé par la guerre depuis plus de quatre ans, le gouvernement provisoire issu de la révolution de Février ne répond ni au vœu de paix, émis dans tout le pays, ni à l'espoir de réforme agraire, attendu par la masse paysanne.

Dans la France de 1871, on observe aussi un mouvement révolutionnaire dans un pays largement rural. Mais la terre, en partie du moins, est déjà largement propriété d'une petite paysannerie nombreuse, qui redoute plus qu'elle n'attend d'un mouvement parisien de « partageux ». Les assises de la République ne seront solides qu'avec le concours de cette multitude paysanne restée largement fidèle au régime impérial : pour y parvenir, il convient de la rassurer plutôt que de lui promettre la révolution. Quant à la paix, le monde rural l'a désirée très vite. Or, précisément, ce qui fait le dynamisme du mouvement révolutionnaire parisien a été sa volonté de guerre « à outrance », au cours du siège, et, après les élections du 8 février, son hostilité aux préliminaires de la paix. Là où les bolcheviks sauront éveiller la sympathie du peuple soldat et paysan, les révolutionnaires parisiens échouaient nécessairement. Entre Paris et la France rurale, le divorce était manifeste. Du reste, la Commune attendra le mois de mai pour s'adresser explicitement aux paysans.

Ce détour par la Russie bolchevique nous permet d'apprécier le caractère particulier de Paris. Les fonctions additionnées de capitale économique, politique, artistique, intellectuelle, en ont fait une ville à part. La surchauffe patriotique, dans les mois précédents, n'a fait que renforcer tout ce qui, dans sa composition sociale et ses fonctions politiques, crée sa différence. En particulier, Paris concentre la plus grosse partie du mouvement révolutionnaire, au sens large du mot. Sans doute les grandes villes de province sont elles aussi républicaines depuis longtemps ; elles aussi ont un programme de communalisme. Mais le centre de gravité politique n'est pas celui de la Commune de Paris. Le mouvement républicain de province est dominé par les radicaux ; autrement dit par le tiers parti — celui des conciliateurs, où figurent aussi bien Clemenceau, Gambetta et Victor Hugo. Jeanne Gaillard, qui a étudié les mouvements de province, nous fournit une explication sociologique de cette différence : tandis qu'à Paris les trois quarts des bataillons de la garde nationale sont issus des quartiers ouvriers, à Lyon et à Marseille cette origine ouvrière tombe à 25 %, et fléchit davantage dans les autres villes [10].

Alors qu'à Paris les républicains radicaux ont été débordés par les révolutionnaires de l'extrême gauche, dans les villes de province le radicalisme a gardé son hégémonie. Là, les « rouges » pactisent avec lui. Par exemple, à Bordeaux, *la Tribune*, organe fondé par les partisans de Gambetta, reçoit l'appui des membres de l'Internationale [11]. Même les tentatives de Communes, qui éclatent dans les départements à la suite de l'insurrection parisienne et ne sont qu'un feu de paille, présentent elles aussi un caractère de radicalisme républicain beaucoup plus évident que de révolution sociale. Après les dernières

échauffourées de Marseille, le 4 avril, seuls Paris et
Versailles gardent les armes à la main, ce qui n'empêche
pas l'existence d'un troisième protagoniste : ce tiers parti
conciliateur, majoritaire dans les grandes villes de province. Les conseils municipaux de celles-ci sont également
favorables à la République et hostiles à la guerre civile. La
« crise » de la Commune ne se réduit donc pas à une
opposition dualiste ; les républicains eux-mêmes se répar-
tissent dans les trois camps en présence :

1. *Le « bloc versaillais »* est composé de la majorité
conservatrice de l'Assemblée nationale, renforcée par une
minorité républicaine — notamment des hommes du 4
septembre : Jules Favre, Jules Simon, Ernest Picard, Jules
Ferry. Le chef de l'exécutif de la République française
passe pour « orléaniste » ; en fait, derrière le paravent du
« pacte de Bordeaux », il travaille à la perpétuation du
provisoire en République conservatrice, dont il serait le
président inévitable. « Soumettre Paris » est pour lui un
préalable.

2. *La Commune de Paris* est soutenue non seulement
par les révolutionnaires — qu'on a pu dénombrer grâce aux
scrutins qui ont eu lieu pendant le siège et qu'on estime à
70 000 électeurs, auxquels il faut ajouter leurs femmes et
leurs enfants ; elle est aussi défendue par bon nombre de
républicains patriotes, ulcérés par les actes de l'Assemblée
versaillaise faisant suite à l'inaction du gouvernement de la
Défense nationale.

3. *Le tiers parti* est le groupe de loin le plus important.
Éliminé d'abord par la double intransigeance versaillaise et
parisienne, il reprend consistance autour des municipalités
des grandes villes de province. On a cité les noms les plus
célèbres de cette tierce tendance, qui sont ceux de trois
députés démissionnaires : Gambetta, qui, malade, s'est
retiré à Saint-Sébastien ; Victor Hugo, qui a dû s'installer à
Bruxelles pour s'occuper des affaires laissées par son fils
Charles décédé ; Clemenceau, qui a quitté l'Assemblée le
27 mars. Ce tiers parti a été mis hors jeu par la radicalisation de la situation ; il ne peut s'aligner sur aucun des
adversaires en présence. Il est du côté des révolutionnaires
pour défendre la République, mais il est soucieux de

légalité, de paix civile et ne donne pas le même contenu à sa foi républicaine. Hors du jeu donc, mais pour un temps seulement : le sort de la guerre civile passe par ce tiers parti que les deux autres antagonistes ont intérêt à gagner à leur cause ou à neutraliser.

Ce groupe des républicains conciliateurs se manifeste encore après l'échec des maires dans la première semaine qui suit le 18 mars. Le 5 avril, un certain nombre d'entre eux, parmi lesquels Clemenceau, Lockroy, Ranc, Floquet, constituent une *Ligue de l'union républicaine pour les droits de Paris*, contre la guerre civile dont les premiers engagements armés venaient d'avoir lieu, au nom de la République et des franchises municipales. Un troisième point du programme stipule « la garde de Paris exclusivement confiée à la garde nationale, composée de tous les électeurs valides ». Outre l'hostilité des feuilles extrémistes, l'appel de la Ligue s'attire la réplique de la commission exécutive de la Commune qui, le 6 avril, fait afficher un arrêté dont le début déclare : « La conciliation avec les chouans et les mouchards qui égorgent nos généraux et frappent nos prisonniers désarmés ! La conciliation dans de telles conditions, c'est trahison ! » Pourtant l'appel de l'union républicaine trouve l'oreille d'un certain nombre de députés républicains à Versailles. L'un d'eux, Schoelcher, s'appuyant sur les termes mêmes de la Ligue, propose le 8 avril un traité de paix. Quatre jours plus tard, une délégation de la Ligue de l'union républicaine des droits de Paris est reçue par Thiers. Mais celui-ci, tout en se portant garant de la « forme républicaine » du régime, affirme nettement : « Quant aux insurgés, les assassins exceptés, ceux qui déposeront les armes auront la vie sauve. » Versailles ne transige pas, ce qui ne peut que confirmer la commission exécutive de la Commune dans sa résolution belliciste. Sans se décourager, à la mi-avril, la Ligue fait appel aux municipalités de province. Celles-ci envoient des adresses à Thiers. La municipalité de Lyon dépêche une délégation qui est reçue par le chef du gouvernement, mais sa visite reste aussi infructueuse que son audition par la Commune.

André Lefèvre, historien de la Ligue de l'union républicaine, écrit :

« Qui n'eût souscrit alors aux paroles, aux instances patriotiques des conseils municipaux de Mâcon et du Havre ? " La République et les franchises municipales, écrivait celui-ci, sont les deux points principaux réclamés de toutes parts. " Et Mâcon s'écriait, d'accord avec Lyon, avec Lille, bientôt avec Bordeaux : " Oui, la victoire par les armes, quel que soit le vainqueur, portera un coup mortel à la France ! " C'est à ceux qui, loin du combat, n'en ressentent que les angoisses, sans en éprouver le vertige, de faire entendre aux combattants la voix de la patrie. Eh bien, elle vous crie à tous, à vous gouvernement, à vous Parisiens : " Mettez bas les armes ! La paix seule peut nous sauver ; faites la paix [12] ". »

D'autres organisations, des individualités, des journaux, continuent, au sein même de Paris, toute la guerre civile durant, d'offrir un arbitrage. L'Union du commerce et de l'industrie, regroupant cinquante-six chambres syndicales, propose aussi son programme de conciliation. La franc-maçonnerie décide, le 21 avril, l'envoi d'une délégation à Versailles et, le 26, organise une manifestation pacifique sur les remparts de la capitale où elle plante ses bannières.

Si ce tiers parti donne le ton dans les villes de province, Jeanne Gaillard qui en a avancé l'explication sociale en a aussi fourni l'explication politique par le « compromis gambettiste ». Autrement dit, l'unité des républicains est due largement à l'action de Gambetta, ministre délégué en province, pendant le siège de Paris. Une unité qui a été rompue à Paris mais qui, ailleurs, reste bien cimentée entre « forces radicales » et « forces révolutionnaires ». On a parfois reproché à ces républicains des départements d'avoir abandonné Paris à son triste sort. Daniel Halévy, dans *la Fin des notables*, suggère ce marché : les municipalités républicaines de province laissaient les mains libres à Thiers, moyennant la sauvegarde du régime et des municipalités élues, au mépris de la loi du 14 avril laissant au gouvernement le soin de nommer par décret les maires et les adjoints « pris dans le conseil municipal ». En fait, c'est la double intransigeance de Thiers et de la Commune qui accrédite l'impression de neutralisme attachée à ce tiers parti. Jusqu'au bout, celui-ci multiplie ses appels et ses démarches pour ramener la paix civile, tout en réaffirmant sa fidélité à la République et aux franchises municipales. Ce tiers parti condamne à la fois Versailles qui fait fusiller des prisonniers de guerre et la Commune qui réplique par la loi des otages : un « recul de quatre mille ans », dit Schoelcher.

Parmi les journaux, *le Temps* a été le porte-voix de ceux qui, jusqu'au bout, ont tenté de s'entremettre entre les deux adversaires :

> « Seule, la conciliation peut sauvegarder ce qu'il y a de raisonnable dans le programme de la Commune, ce que tout Paris aurait défendu avec elle si elle s'était tenue sur ce terrain : nos franchises municipales. Nous demandons la conciliation, parce que la République, que le gouvernement de Versailles s'engage à respecter, ne pourrait peut-être pas survivre au déchaînement des passions réactionnaires provoqué par la continuation de la lutte insensée. »

Cette opinion du troisième camp est défendue avant tout par la bourgeoisie républicaine. La Ligue, ce sont les bourgeois de Paris. Ils ont le sentiment d'être, dans cette France encore très rurale, plus représentatifs que les membres de la Commune, dont les positions leur paraissent aussi irréalistes que haïssables. Le tour que prend la révolution communaliste de Paris — celui d'une « république sociale » — paraît non seulement redoutable aux intérêts conservateurs, mais chimérique aux esprits politiques. Les radicaux de province ne veulent pas plus de la République rouge que la majorité versaillaise ou la France rurale. Dans le déplacement de l'enjeu de la Commune, d'abord défense patriotique, puis défense de la République, enfin défense d'une révolution à caractère ouvrier, on saisit le moment du décrochage entre la capitale et les grandes villes de province.

Ce tiers parti avait-il une solution ? Gambetta en avance une, dès le 26 mars, dans une lettre qu'il écrit de Saint-Sébastien à Barthélemy, consul de France à Southampton :

« Qu'allons-nous devenir ? Tout ceci ne peut finir que par
une catastrophe : des journées de septembre ou une Terreur
blanche à courte échéance, et peut-être les deux. Il n'y aurait
qu'un moyen de sauver la situation : déclarer la République
institution définitive, prendre les trois ou quatre mesures
radicales qui en assurent le véritable jeu, faire une loi
électorale, dissoudre l'Assemblée et convoquer dans Paris la
nouvelle Chambre en indiquant d'avance le programme
législatif qu'elle devra suivre ; puis rentrer hardiment dans la
capitale en lui tenant le langage qui convient à la fois à la
France et à la population de la grande cité [13]. »

Autrement dit, pour éviter le bain de sang, Gambetta
propose la procédure de pacification la plus moderne et la
moins suspecte aux démocrates : le recours général aux
urnes. Nous verrons, par la suite, que bon nombre de crises
politiques ont été désamorcées par la voie électorale.
Versailles pouvait rétorquer que des élections avaient eu
lieu le 8 février, c'était très récent. Oui, mais au 26 mars la
mission pour laquelle l'Assemblée nationale avait été
mandatée, conclure la paix avec l'Allemagne, était rem-
plie. Face à un nouveau problème surgi d'une conjoncture
dramatique, et aussi grave que celui d'une menace de
guerre civile, en appeler aux électeurs était une bonne
façon d'exorciser la peur, de localiser le conflit dans le
champ symbolique, plutôt que de le laisser exploser sur le
champ de bataille, de redonner à la France un gouvernement plus représentatif que celui de cette Assemblée élue
six semaines plus tôt dans des circonstances exceptionnelles.
Mais qui pouvait dissoudre l'Assemblée, sinon l'Assemblée elle-même qui était souveraine ? Or ni sa majorité ni le
chef qu'elle s'est donné ne sont accessibles aux arguments
de la pacification. Indépendamment du jeu personnel de
Thiers, ces députés sont convaincus du devoir qu'ils ont
d'écraser le foyer révolutionnaire parisien. Dans son *Histoire du catholicisme libéral et du catholicisme social en
France*, publiée en 1923, E. Barbier écrivait :

« L'Assemblée de 1871 était une seconde Chambre
" introuvable ", formée de ce qu'il y avait, comme caractère
et comme talent, de meilleur dans le pays. La France n'avait

> jamais montré un ensemble d'hommes plus intelligents, plus
> désintéressés, plus laborieux, plus dévoués à ses intérêts de
> tout ordre [...]. La majorité promettait d'être profondément
> religieuse. Au point de vue politique, elle se composait
> presque entièrement de royalistes [...]. »

Prenons au sérieux ce texte naïf, c'est en soi un document. Mais ces députés, auxquels l'auteur prête tant de vertus, ont failli, pour la plupart, aux deux finalités maîtresses de la politique : défendre la sécurité extérieure et la concorde intérieure. Ils ont voté, dans la hâte, les conditions de paix exigées par l'ennemi, sans envisager la moindre résistance ; ils ont refusé en revanche la moindre concession à la population parisienne, la tenant à mépris dès leur première réunion. Capitulant devant Bismarck, ils ont pris leur revanche contre Paris.

Déjà, au temps des guerres de Religion, on avait vu un tiers parti — celui des *politiques* — laminé entre les huguenots et les sectaires de la Ligue. Plus de trois siècles étaient passés, la guerre civile restait inépuisable.

Le style de la guerre civile

La voix des conciliateurs est inaudible dans le fracas des combats : la guerre est manichéenne. Et plus encore la guerre civile. Dans la guerre étrangère, du moins jusqu'en 1871, le but n'est pas d'anéantir physiquement l'adversaire mais de briser sa volonté politique. Elle peut se pratiquer froidement, selon la discipline des armées, avec maîtrise des impulsions agressives comme dit Alain. La guerre civile échappe en grande partie à ce calcul du stratège, elle déborde de passions antagonistes, de fureurs criminelles, elle se soumet à l'impératif du *tout ou rien*. L'émotion stimule les discours excessifs et les conduites extrêmes. La guerre civile de 1871 a été nourrie par une triple haine : haine politique, haine de religion, haine de classe. Des trois, la dernière a été la plus implacable.

Cependant, avant le drame final, la Commune a commencé dans le style d'une libération festive.

> « La Commune de Paris ? se demande Henri Lefebvre. Ce fut d'abord une immense, une grandiose fête, une fête que le peuple de Paris, essence et symbole du peuple français et du peuple en général, s'offrit à lui-même et offrit au monde [14]. »

Sur ce thème, on a beaucoup brodé, soit pour s'émerveiller d'une révolution à ce point libertaire, soit pour se désoler d'une révolution à ce point suicidaire.

Jusqu'à la Semaine sanglante, la Commune a maintenu très largement le conflit dans le champ symbolique. Cette guerre des symboles n'était pas plus innocente que la magie noire : on anéantit l'ennemi en intention faute de le pouvoir en acte. Décider la destruction de la chapelle expiatoire ou de l'hôtel particulier de M. Thiers, c'est un même rituel de vengeance et de meurtre. Le sommet en fut atteint par la démolition de la colonne Vendôme, « monument de barbarie », « symbole de force brute et de fausse gloire », « attentat perpétuel à l'un des trois grands principes de la République française, la fraternité » ! Le 16 mai, la colonne s'écroulait sous les applaudissements d'une foule toujours en fête.

Après sa ruine, tous les amis de la Commune, les théoriciens du socialisme, ont fustigé l'insouciance et l'aveuglement d'une révolution insuffisamment entrée dans le style de la guerre civile, où doivent prévaloir rigueur, fermeté, discipline. Cependant, à partir du 3 avril, date des premières passes d'armes entre Versaillais et communeux, les vivats de la fête sont recouverts par les cris martiaux qui exigent la Terreur. Si, de l'Hôtel de Ville, on ne sait l'organiser, du moins dans les journaux et dans les clubs les nouveaux sans-culottes la réclament à cor et à cri. « Faire tomber cent mille têtes », rétablir la loi des suspects, voilà ce qu'on exige dans l'emphase des réunions publiques, dans le même temps où, dans un autre quartier, on joue l'allégorie de la mort de la peine de mort, en brûlant une guillotine sur la place publique !

Le 5 avril, la Commune vote le décret sur les otages.

L'avant-veille, lors d'une sortie mal conduite des communeux, le général Galliffet a fait passer par les armes sans jugement plusieurs fédérés prisonniers, en proclamant : « C'est une guerre sans trêve ni pitié que je déclare à ces assassins. » La veille, au Petit-Clamart, le général Vinoy avait fait fusiller Émile Duval, qui avait commandé l'une des trois colonnes sorties de Paris, ainsi que son chef d'état-major malgré les assurances données avant reddition. Le 5 avril c'est la loi du talion qu'on édicte :

> « Toute personne prévenue de complicité avec le gouvernement de Versailles sera immédiatement décrétée d'accusation et incarcérée [...] Tous les accusés [...] seront les otages du peuple de Paris. Toute exécution d'un prisonnier de guerre ou d'un partisan du gouvernement régulier de la Commune de Paris sera sur-le-champ suivie de l'exécution d'un nombre triple d'otages. »

Dans les faits, la Commune n'appliquera jamais officiellement ce décret, mais celui-ci provoque l'arrestation d'un certain nombre de personnalités, en particulier celles de Mgr Darboy, archevêque de Paris, de plusieurs curés et de religieux. Dans les rangs de la commission de sûreté générale, spécialement chargée de cette question, le blanquiste Raoul Rigault, incarnation du jusqu'au-boutisme, ne s'embarrasse pas de circonlocutions mais devra attendre la Semaine sanglante pour envoyer à la mort quelques-unes des victimes de sa diligence inquisitoriale.

Le 6 avril, Zola, à Versailles, évoque :

> « [...] l'irritation, la folie furieuse de la droite. Elle grogne quand on parle de miséricorde, elle applaudit avec frénésie chaque fois qu'on traite les Parisiens de brigands et d'assassins. Et, dois-je le dire ? les ministres débordés, jusqu'au prudent M. Dufaure lui-même, se croient parfaitement obligés de jeter à ses applaudissements ces épithètes de scélérats, de voleurs, de bandits, qui la plongent dans une douce joie. »

La guerre civile de 1871 a pris, entre autres figures, celle d'une nouvelle guerre de religion. En dehors d'une minorité de déistes, de protestants et de libres penseurs, l'Assemblée de Versailles est dominée par des royalistes, pénétrés d'un catholicisme parfois « libéral », le plus souvent intransigeant. A part une poignée de fidèles à l'Église, les communeux professent un athéisme de combat. Dans les clubs parisiens, qui ont souvent élu domicile dans les églises, le « curé » et le « calotin » sont les plus exposés aux tirades des imprécateurs. On y vote des motions comminatoires contre les membres du clergé ; on y célèbre des parodies de culte ; on utilise les vases sacrés comme de vulgaires gobelets, sur des refrains orduriers... L'une des grandes affaires fut la découverte des « crimes commis à l'église Saint-Laurent ». Il s'agissait des ossements d'un vieux cimetière, qu'on imagina comme les restes de jeunes femmes violées et assassinées par les prêtres. Moins macabre mais tout aussi péremptoire, Gustave Maroteau écrivait dans *la Montagne* : « Nous biffons Dieu ! » De cette passion anticléricale, on peut, entre cent témoignages, retenir les *Mémoires d'un communard* de Jean Allemane, qui devait, après l'amnistie de 1880 le libérant du bagne de Nouvelle-Calédonie, devenir un des chefs du socialisme français [15]. De tous les adversaires qu'il dépeint tout au long de son livre, nulle engeance n'attire plus ses invectives que celle des « curés » et autres « bonnes sœurs ». Quelle que soit la férocité des gardes-chiourmes, il s'en trouve toujours un pour sauver la corporation du déshonneur. Dans l'Église, point de salut ! Du début à la fin de son récit, il fait défiler sous nos yeux un train de soutanes à diffamer le genre humain. « *Perinde ac cadaver!*, dit-il ainsi des bonnes sœurs de la rue Saint-Jacques. C'étaient des cadavres obéissants, perdus pour la société, tout prêts à accomplir les pires actions pour l'amour d'un dieu cruel, avide de sang. » Le ton est d'un responsable politique, l'ouvrage est écrit bien après l'événement ; pourtant, cette violence écrite n'est qu'un écho atténué de ce que fut la violence verbale des communeux contre l'Église.

On a beau dire que tout ce qui est excessif est insignifiant, les clameurs communardes contre le catholicisme avaient un fondement. Du reste, elles ne sont que l'expression démesurée, caricaturale si l'on veut, mais l'expression tout de même d'une haine de l'Église qui a déjà explosé sous la Révolution, que la Restauration, en voulant la contenir, n'a fait que ranimer, que le second Empire a exacerbée. Cet anticléricalisme a plusieurs origines : philosophiques, politiques, sociales. Deux siècles de lutte entre le magistère catholique et la libre pensée ont préparé le paroxysme de 1871. L'alliance du Trône et de l'Autel, le compromis entre l'Église et le bonapartisme, les condamnations fulminées par Pie IX contre tous les aspects de la modernité (répertoriés dans le *Syllabus* en 1864), tout paraissait enchaîner l'Église à la contre-révolution. Plus encore peut-être, le pouvoir social de l'Église, abandonné par l'État, exaspérait. A Paris, les propriétés foncières détenues par les congrégations dirigeant des écoles, des ouvroirs, l'activité des religieuses dans toutes les œuvres de charité, les hôpitaux, les prisons, c'était cette omniprésence, c'était cette concurrence économique, c'était cette influence exercée à travers toutes les mailles du tissu social qui heurtaient les consciences populaires : l'Église était du camp des riches et des maîtres.

Sous l'Empire, le républicanisme avait pour corollaire l'anticléricalisme ; le programme de Belleville, présenté en 1869 par Léon Gambetta et réputé comme une sorte de charte républicaine, revendiquait « la suppression du budget des Cultes et la séparation des Églises et de l'État ». Ce fut un des premiers décrets de la Commune, le 2 avril 1871. L'idée en était ancienne. Un Edgar Quinet, qui avait enseigné contre les jésuites au Collège de France, à l'instar de Michelet, préconisait cette séparation depuis 1848, en même temps que l'union sacrée des autres confessions chrétiennes et de la libre pensée contre l'Église romaine, ennemie de la liberté. Son collègue de la Sorbonne, Étienne Vacherot, écrivait dans *la Démocratie*, en 1859 : « Le catholicisme et le despotisme sont frères. Les démocrates catholiques ont fait la triste expérience de l'incompatibilité radicale du catholicisme et de la démocratie. » Quant à l'aile marchante que représente le blanquisme, c'est l'athéisme pur et dur que prônent ses militants dans les réunions, dans les manifestations, dans les journaux, qui bénéficient des grâces de l'Empire libéral : « Guerre au surnaturel, c'est l'ennemi... », proclamait Blanqui.

Voir dans la religion officielle un garant de l'ordre et de l'inégalité sociale n'était pas le seul fait des révolutionnaires. Martial Delpit, député de la droite versaillaise, ne pense pas autrement dans son rapport sur *l'Enquête parlementaire sur l'insurrection du 18 mars 1871*. Après avoir affirmé que « l'inégalité est de l'essence même des choses », il écrit :

> « Il n'y a pas de société possible sans le frein d'une autorité morale ; et l'autorité morale, nous ne pouvons la concevoir et la maintenir qu'avec la sanction de l'autorité divine. »

L'athéisme blanquiste, en visant celle-ci, ne perdait pas de vue qu'elle légitimait l'exploitation de classe. C'est dans une perspective conservatrice que Delpit développe la même idée : les communeux, dit-il, « n'attaquent pas seulement la propriété, la famille, ces bases séculaires de toute société ; ils s'en prennent à l'existence de Dieu, à l'immortalité de l'âme. Rejetant la distinction du bien et du mal, la liberté et la valeur morale des actes humains, ils étalent au grand jour les corruptions, les bassesses, les appétits sauvages qui jusqu'ici restaient inavoués dans les bas-fonds de la société ». La séparation de l'Église et de la Gendarmerie restait à faire.

Mais, pour fondé que soit, dans leur lutte de classe, leur anticléricalisme révolutionnaire, les communeux péchaient à tout le moins par leur volontarisme : on ne décrète pas la mort de Dieu.

> « Cette revendication, écrit Engels en 1874, à savoir transformer les gens en athées par ordre du mufti, est signée par deux membres de la Commune qui ont pourtant eu l'occasion d'apprendre par l'expérience : 1º que l'on peut ordonner tout ce que l'on veut sur le papier, sans que pour autant cela soit appliqué, et 2º que les persécutions sont le meilleur moyen pour faire naître des croyants inopportuns [16]. »

Sous la Commune, Jean Allemane, président du comité de légion du Ve arrondissement, fait remplacer la croix par un drapeau rouge sur le dôme du Panthéon. Sous l'Ordre moral, après le renvoi de Thiers en 1873, l'évêque d'Autun, à Paray-le-Monial, au nom de ses collègues de l'Assemblée, consacre la France au Sacré-Cœur. Comme en 1940, la crise de la guerre et de la Commune est interprétée par la hiérarchie catholique comme une œuvre de la justice divine : voilà où en arrive un peuple qui ne fait plus ses pâques, disait Veuillot. Bref la guerre de religion continuait. De la révocation de l'édit de Nantes par Louis XIV à la déchristianisation de l'an II, de la mise à mort des prêtres réfractaires au retour en force de l'Église sous les Bourbons restaurés, du refus de Pie IX à concéder si peu que ce soit à l'évolution des temps aux fureurs anticléricales du parti républicain sous l'Empire, des prêtres fusillés par des communards battant en retraite aux pèlerinages ostentatoires de l'Ordre moral, de la collusion entre l'épiscopat et la réaction sous Mac-Mahon à l'anticléricalisme de combat sous Émile Combes, la société française est divisée en profondeur par la question religieuse — ligne de partage fondatrice entre la culture de droite et la culture de gauche, antagonisme récurrent que la loi de 1905 sur la séparation des Églises et de l'État finit par atténuer, mais sans en éteindre complètement le feu.

Cette opposition n'est pas purement idéologique, on l'a vu. Le caractère instrumental d'une religion destinée à faire admettre par les plus démunis la résignation à leur malheur et à l'ordre public a été apprécié depuis Voltaire et plus encore aux lendemains des journées de juin 1848 par les esprits forts et rentés de la bourgeoisie ; c'est un article de foi du parti conservateur et, quoique peu évangélique, il est même soutenu par une bonne partie du clergé. C'est pourquoi la haine de classe, en 1871, est difficile à dissocier des haines religieuses. Dans son rapport, Delpit amalgame à juste titre ces deux catégories de la passion déchaînée. L'époque autorise les professions de foi tranchées : « On déclame contre les riches au profit des pauvres, écrit notre député, comme s'il ne devait pas toujours y avoir des riches et des pauvres. » Cette fatalité fonde précisément l'impéra-

tif religieux : il faut arracher les âmes — c'est son vocabulaire — « aux préoccupations des intérêts matériels ».
Cette vision d'une société figée sur ses privilèges et ses
inégalités, qui justifie la loi du plus fort sans autoriser
d'autre espoir aux « misérables » que dans un au-delà
hypothétique, restera longtemps celui des classes possé-
dantes. L'amélioration relative de la condition ouvrière,
voilà même un objet de reproche dont notre rapporteur
versaillais se sent tenu d'accabler Napoléon III :

> « L'Empire a augmenté les appétits brutaux des masses ; il
> a accéléré la dissolution de la famille, il a exalté l'envie, la
> révolte morale par ses encouragements à la mauvaise presse,
> aux mauvais livres, aux mauvais spectacles... »

Le pauvre doit rester pauvre. L'ouvrier, tenu en respect :

> « En favorisant les grèves, la loi mettait en quelque sorte à
> l'ordre du jour la guerre sociale ; en supprimant les livrets,
> elle enlevait une garantie à l'ouvrier honnête et laborieux, et
> ne servait que les intérêts des paresseux et des incapables [17]. »

La conscience de classe a été plus nette chez les
versaillais que chez les communeux. Les spécialistes de la
Commune ont fait observer que les ennemis désignés du
Parisien en révolution ont moins été les « patrons » ou
autres représentants du capital que les agents d'une oppression plus traditionnelle : outre le curé, c'est le « propriétaire », le « riche », les « goinfres », les « petits crevés »,
l' « aristocrate », le « concierge », l' « accapareur »... Les
mêmes ennemis que ceux des sans-culottes de 1793. Vu la
structure industrielle de la France, on en voit bien la
raison : artisanat et ateliers prédominent encore. La conscience « ouvrière » n'est pas toujours évidente, on se dit
plus volontiers « républicain » que « socialiste ».
   Du côté de Versailles, la vision de classe est peut-être
tout aussi ancienne. La polarité riches/pauvres est plus
fréquente que la polarité bourgeoisie/prolétariat. Cepen-

dant, dans leurs écrits, journalistes et écrivains versaillais ont englobé les communards dans une certaine homogénéité sociale. L'importance démesurée accordée par eux à l'Internationale ouvrière, qui ne compta pour rien dans le déclenchement de l'insurrection et qui ne fut jamais représentée à la Commune que par une minorité, témoigne d'une hallucination révélatrice : aux facilités de l'histoire expliquée par le complot se mêlent les expressions d'une authentique peur sociale. Dans *Philémon vieux de la vieille,* évocation tendre et subtile de la Commune, Lucien Descaves nous montre son héros, Colomès, vitupérant toutes ces plumes assassines, qu'il a fixées « au pilori » : Maxime Du Camp, Renan, Goncourt, Leconte de Lisle, Francisque Sarcey, Dumas fils, Bourget, etc. A titre d'exemple, voici Paul de Saint-Victor. Celui-ci, en juillet 1871, publie un recueil de ses articles : *Barbares et Bandits,* autrement dit : Prussiens et communards. Le titre du chapitre XVII résume l'état d'esprit de l'auteur : « L'orgie rouge ». Paris sous la Commune y est dépeint comme une « ville infernale », un « égout collecteur de la lie et de l'écume des deux mondes », un « volcan de boue », dont se sont emparés des « scélérats », de « sombres bandes », des « émeutiers de profession », des « assassins de fraîche date », des « journalistes tarés », des « ruffians de faubourg », des « aboyeurs de clubs », et, *last but not least,* des « ouvriers de grève ». Pour notre auteur, la finalité de la Commune est claire : c'est « l'expropriation de toutes les classes par une seule, l'égalité des parts dans la mangeoire humaine, la curée de la fortune publique et privée jetée en proie aux appétits et aux convoitises du prolétariat [18]. »

Ce ne sont encore que des mots ; ils tirent moins à conséquence que les armes à feu. La Semaine sanglante, du 21 au 28 mai, résume l'atrocité de la guerre civile. La presse et l'histoire « versaillaise » ont fait grand cas de la mise à mort des otages, décidée par quelques membres de la Commune dans la confusion finale. Le plus célèbre des prisonniers était Mgr Darboy ; les Parisiens avaient proposé à Thiers de l'échanger contre Blanqui. Marché refusé. Jusqu'à la Semaine sanglante, le décret sur les otages est resté lettre morte. C'est le 24 mai que la foule exige, devant la Roquette, qu'on envoie les prisonniers *ad patres :* le blanquiste Ferré accepte de donner un ordre d'exécution. L'archevêque de Paris et l'ancien confesseur de l'impératrice Eugénie, l'abbé Deguerry, un des présidents de la Cour de cassation, Bonjean, ainsi que trois jésuites sont fusillés ce jour-là. Le lendemain, 25 mai, des dominicains du couvent d'Arcueil sont tués à leur tour. Le 26 mai, la foule exige encore sa pitance sanglante à la prison de la Roquette : 36 gardiens de la paix, 10 prêtres et 4 mouchards sont emmenés, sous les injures, jusqu'à la rue Haxo, où, en dépit de la résistance des membres de la Commune présents, dont Eugène Varlin, ils sont passés par les armes. Si l'on ajoute encore quelques exécutions individuelles, dont Rigault a eu sa part, on arrive à un total inférieur à cent. Le quantitatif importe peu : brûler la cervelle, sans jugement, à des prisonniers qui ne sont souvent que de simples otages, répugne instinctivement. Notons, cependant, pour être équitable, que l'armée régulière, dès le 3 avril, avait donné l'exemple des exécutions sommaires et que les partisans de la Commune n'ont accompli leur forfait que dans ces jours dramatiques, au moment où l'armée de Versailles, reconstituée grâce à la bienveillance de Bismarck à l'égard de Thiers, procédait à ce qu'on doit appeler, selon la stricte propriété de l'expression, un massacre.

La folie meurtrière de cette armée excitée par des ordres officiels est telle qu'elle arrache à certains des adversaires les plus acharnés de la Commune un sursaut :

> « Les exécutions sommaires, écrit Louis Veuillot le 29 mai, frustrent également la justice, qui est un besoin social, et la grande humanité chrétienne, qui est un devoir dont aucun crime ne dispense envers aucun criminel. »

Scrupule rare ! Car la presse, dans ces derniers jours, accable les vaincus, fait courir toutes les légendes noires — notamment celle des « pétroleuses », parcourant Paris des seaux à la main dans une ivresse incendiaire [19], tout en portant aux nues les soldats de la répression : « Quel honneur ! notre armée a vengé ses désastres par une

victoire inestimable », écrit *le Journal des Débats*. Faute
d'avoir repoussé l'envahisseur, on se rabattait sur le
communard. Cet étonnant transfert de patriotisme, on en
voit l'idée reprise par *le Figaro* : « Quelle admirable
attitude que celle de nos officiers et de nos soldats ! Il n'est
donné qu'au soldat français de se relever si vite et si bien. »
Au bas mot, une vingtaine de milliers d'hommes, de
femmes, d'enfants sont tués, assassinés, fusillés, par une
soldatesque dont la cruauté se perpétuera longtemps dans
la mémoire ouvrière. Les dizaines de milliers de prisonniers, emmenés à Versailles, attachés cinq par cinq,
doivent subir les avanies, crachats et coups d'ombrelle, de
la part des « messieurs » et des « dames » accourus sur leur
passage, avant d'être entassés au camp de Satory.

Certains ont pu échapper à la mort. Cachés, beaucoup
seront arrêtés, jugés, envoyés au bagne de la Nouvelle-
Calédonie ; du moins ont-ils survécu. D'autres, plus heureux, ont pu gagner un pays d'exil, la Suisse, l'Angleterre…
Prévoyant ces départs, le ministre Jules Favre adressait, le
26 mai, un message à tous les agents de la France à
l'étranger :

> « Aucune nation ne peut les couvrir d'immunité, et sur le
> sol de toutes, leur présence serait une honte et un péril. Si
> donc vous apprenez qu'un individu compromis dans l'attentat
> de Paris a franchi la frontière de la nation près de laquelle
> vous êtes accrédité, je vous invite à solliciter des autorités
> locales son arrestation immédiate et à m'en donner de suite
> avis pour que je régularise cette situation par une demande
> d'extradition. »

Les vœux de Favre ne seront pas exaucés ; ils donnent
cependant la mesure de l'acharnement du vainqueur.

Que la guerre civile de 1871 ait été une guerre sociale,
une lutte sanglante des classes, un document officiel nous
en fait la démonstration. Il s'agit du rapport du général
Appert sur les procès consécutifs à la Commune, présenté à
l'Assemblée nationale en 1875 [20]. Ce rapport, qui ne fait
état que des prisonniers, et non des victimes de la Semaine
sanglante, dénombre 38 578 personnes arrêtées et jugées

(36 909 hommes, 1 054 femmes, 615 enfants de moins de seize ans). Finalement 10 137 de ces prisonniers ont été condamnés (93 à la peine de mort, dont 23 effectivement exécutés), les plus nombreux à la déportation simple (3 417), à la déportation dans une enceinte fortifiée (1 169) — les uns et les autres constituant, ainsi que les 251 condamnés aux travaux forcés, les départs pour la Nouvelle-Calédonie. Or ce même rapport produit une statistique des inculpés par catégories professionnelles. Sans entrer dans le détail, une réalité saute aux yeux : la majorité des communeux étaient des ouvriers manuels. Ces chiffres n'étaient pas connus lorsqu'une enquête décidée par « une fraction du conseil municipal de Paris », établit que la capitale, après la Semaine sanglante, aurait perdu environ 100 000 habitants, soit approximativement le quart de sa population ouvrière masculine[21]. Si la part des employés a été notable (près de 10 % des déportés), les gros contingents de l'insurrection ont bien été fournis par les ouvriers salariés des petites entreprises (plutôt que prolétaires modernes). Ces chiffres, à eux seuls, expriment la signification centrale de la Commune : une guerre des classes comme la France n'en avait jamais connue, comme elle n'en connaîtra plus jusqu'à nos jours. Voilà pourquoi on peut trouver fondée l'affirmation de Jaurès dans son *Histoire socialiste :*

> « [La Commune] fut dans son essence, elle fut dans son fond la première grande bataille rangée du Travail contre le Capital. Et c'est même parce qu'elle fut cela avant tout, d'un républicanisme qui n'était qu'un socialisme s'ignorant et qui allait jusqu'à menacer les bases mêmes du vieil ordre social et à évoquer un ordre nouveau, qu'elle fut vaincue et que, vaincue, elle fut égorgée. »

Suites

La Commune de Paris a peut-être moins compté dans l'histoire par ses effets directs que par les mythes qu'elle a inspirés. Le plus important concerne l'idéologie socialiste : à des degrés divers, la Commune passe pour la première « dictature du prolétariat ». Imparfaite, contradictoire, rudimentaire, elle reste une « aurore » libératrice, chantée de Marx à Lénine, de Lénine à Mao, etc. En raison même de ses contradictions, les différentes tendances qui se sont disputé la direction du mouvement ouvrier ont tiré de l'événement des leçons variées sur la question de l'État, du parti ou de la révolution. A ce titre, la Commune a été, à son corps défendant et si pareille expression est possible, un laboratoire historique.

De manière moins systématique mais plus paradoxale, la Commune a été aussi l'objet d'une utilisation par l'extrême droite. Non pas celle qui siégeait à Versailles, mais cette nouvelle droite qui s'affirme dans les années 1880 contre la République parlementaire, une fois celle-ci fondée, en rêvant d'une base populaire, voire ouvrière. Édouard Drumont, chef d'orchestre de l'antisémitisme français, a été le grand récupérateur de la geste ouvrière parisienne contre la bourgeoisie « juive et maçonne ». Il ouvrait une tradition perpétuée au moins jusqu'à la Collaboration, époque à laquelle le fascisme doriotiste, entre autres, célébrait les braves communards, victimes de la « République juive ».

Mon propos n'est pas ici d'examiner les modes d'emploi d'un événement historique par des idéologies concurrentes [22]. Voyons plutôt la portée de l'événement en France, en examinant la situation des trois protagonistes de la guerre civile achevée : les vainqueurs, les vaincus, et les autres.

Dans le camp versaillais, la majorité monarchiste pouvait, en principe, restaurer le roi. L'Assemblée n'était pas constituante, mais nul ne pouvait lui disputer sa souveraineté. A sa tête, M. Thiers lui fit comprendre qu'il n'entendait pas se prêter à une restauration. Il avait opté pour une république conservatrice, une république consulaire, au sommet de laquelle il entendait bien demeurer. La majorité royaliste devait donc se débarrasser d'un chef d'État en train de prolonger la République provisoire en République définitive. La paix avec l'Allemagne était signée, la Commune était vaincue, le moment pouvait être venu. Mais le parti de la restauration qui, en apparence, disposait de tous les atouts, manquait en fait du principal : un accord entre ses différentes tendances. Si les bonapartistes étaient, pour l'heure, hors de course, les partisans des deux autres dynasties se heurtèrent à l'intransigeance du comte de Chambord, sur la tête duquel pourtant légitimistes et orléanistes étaient prêts à se réconcilier. Les royalistes remportèrent une première manche contre Thiers en votant, malgré lui, l'abrogation des lois d'exil et la validation des élections à l'Assemblée des princes d'Orléans, d'Aumale et Joinville — lesquels débarquèrent incontinent d'Angleterre. Toutefois, Thiers gagna la deuxième manche sans rien faire d'autre que lire les journaux du 6 juillet 1871 : le comte de Chambord y publiait un manifeste dans lequel il proclamait l'impossibilité pour lui d'abandonner le drapeau blanc — symbole de son « principe » et de son « honneur », « dépôt sacré du vieux roi son aïeul mourant en exil ». La consternation des royalistes n'eut d'égale que la joie des républicains. Le régime transitoire pouvait poursuivre sa carrière. Thiers, décidément indispensable, voyait, après un débat où l'Assemblée affirmait son pouvoir constituant, son titre de chef de l'exécutif se transformer en celui de président de la République française. Il était, de par la loi Rivet-Vitet votée le 31 août 1871, tout à la fois président de la République, président du Conseil et membre de l'Assemblée. Faute de restauration possible, la majorité royaliste donnait des gages à la forme républicaine du régime. Faute d'union, la droite gâcha ses chances au lendemain de la défaite de la Commune ; les tentatives d'accord s'étant révélées par la suite tout aussi infructueuses, la France allait se trouver gouvernée par ce monstre politique que Daniel Halévy a joliment appelé la

« République des ducs ». Thiers en fit les frais, cédant la place à Mac-Mahon en mai 1873 : on peut cependant dire qu'à sa façon il avait travaillé, autant que le comte de Chambord mais avec plus de lucidité, en faveur du régime républicain.

Les élections du 8 février 1871 avaient été une divine surprise, mais sans lendemain. La solution monarchiste restait purement théorique ; elle n'avait été réactualisée qu'en raison de circonstances exceptionnelles et d'un scrutin équivoque ne portant pas sur les institutions. Pourtant, l'Assemblée nationale fut, pendant quelques années, le tabernacle de cet espoir restaurateur. A défaut de conquérir le pouvoir, les royalistes se contentèrent de l'occuper, sous l'appellation contrôlée de République. Le temps travaillait contre eux.

A la longue, les vrais vainqueurs de 1871 ont été, en effet, les républicains du tiers parti, ceux qui avaient tenté la conciliation et qui y avaient échoué. Les versaillais avaient levé pour eux une hypothèque : l'élimination de l'extrême gauche, le repoussoir de la démocratie sociale, les surenchères de la démocratie directe. Le régime républicain ne pouvait plus être assimilé aux « rouges » puisque c'était la République qui avait écrasé la Commune. Bainville, historien monarchiste, a pu écrire à ce sujet : la République « apparut comme un régime à poigne, un régime d'autorité ». Dès les élections partielles des 2 et 9 juillet 1871, 48 départements consultés en vue de pourvoir aux 114 sièges laissés vacants par les élections multiples de février et les démissions de mars, votent massivement républicains : 99 sièges leur sont attribués contre 12 aux monarchistes et 3 aux bonapartistes.

Cette victoire républicaine a pris un double visage : celui de Thiers et celui de Gambetta. Celui-ci a remisé ses harangues radicales de Belleville : la France de 1871 n'est pas au diapason des faubourgs ouvriers de 1869. L'heure de l'opportunisme a sonné : on va faire la République mais *dolcissimo*. Rassurer les villageois, donner des gages de sécurité à la bourgeoisie épargnante, montrer que le régime qu'on défend est le plus paisible, voilà pour lui désormais la bonne méthode. Dans cette optique, Thiers est un allié. Le

parti républicain n'a plus à se battre sur deux fronts :
contre les blancs et contre les rouges. Il ne lui reste qu'un
seul adversaire à réduire : la contre-révolution. Les républicains modérés sont devenus *toute* la République, puisque
l'autre est au bagne ou au cimetière. Un ultime affrontement, pacifique, sous l'arbitrage du suffrage universel,
permettra à ces républicains gambettistes de conquérir le
pouvoir. Ruse de l'histoire : ce sont ceux qui ont le plus
milité en faveur de la conciliation qui se révèlent les vrais
bénéficiaires du massacre de mai.

Quant aux vaincus, ceux des fosses communes, ceux de
la déportation, ceux de l'exil, leurs personnes ou leur
mémoire n'auront plus droit de cité jusqu'à la loi d'amnistie
de juillet 1880. Leur martyre sera fidèlement commémoré
en mars et en mai, chaque année, par les diverses tendances du mouvement ouvrier. Avaient-ils agi efficace-
ment, de leur propre point de vue ? Marx qui a soutenu leur
combat avec éloquence a pu regretter, dix ans après la
bataille, qu'il ait manqué à la Commune (« nullement
socialiste »), ce minimum de bon sens (*common sense*),
grâce auquel « elle aurait pu faire avec Versailles un
compromis avantageux pour les masses populaires [23]... »
Mais, on l'a vu, l'intransigeance et le style de la guerre
civile ont ruiné l'esprit de compromis qui a pu souffler à
Versailles comme à Paris. C'est au nom du « marxisme »
que de nouvelles intransigeances naîtront en France, dont
les « masses populaires » tireront peu d' « avantages ». Le
style révolutionnaire survivra jusqu'à nos jours : rhétori-
que militaire, accents implacables, nostalgie de la Terreur.
Le syndrome de la barricade restera au cœur de la vie
politique française, bien après que les barricades auront
cessé d'être d'une quelconque utilité stratégique. Mais dans
cette inaptitude à la négociation, si souvent observée ou
dénoncée dans les organisations militantes, on n'oubliera
pas d'omettre le facteur « versaillais » : pour négocier, il
faut être deux.

La Commune défaite, le mouvement ouvrier français
n'en était pas arrêté pour autant. Mais il se trouva canalisé
hors du champ politique. C'est sur les chantiers, dans les
ateliers, dans les usines qu'il va prendre consistance et

conscience de lui-même. C'est autour du drame local et épisodique de la *grève* qu'il va peu à peu s'organiser[24]. De sorte que la Commune a pu, par sa défaite, retarder la formation politique du parti ouvrier. Mais ce qu'on appellera plus tard le syndicalisme révolutionnaire, qui fut l'expression d'une autonomie ouvrière, défiante du socialisme parlementaire, en a certainement bénéficié.

La guerre civile de 1871 a provoqué un phénomène d'irisation sociale en décomposant les trois conflits majeurs qui opposaient les Français. D'abord, la lutte des classes. Pour la troisième fois au cours du siècle, après les canuts de Lyon en 1832 et les ouvriers de Paris en juin 1848, le peuple aux mains calleuses a été la victime d'une répression gouvernementale sans pitié. La France devait-elle se condamner à régler périodiquement sa « question sociale » à coups de fusil ? La Commune, « troisième défaite du prolétariat français », n'a pourtant pas inspiré seulement le discours réactionnaire sur les maux diaboliques de la société industrielle. Elle a donné à réfléchir à des membres des classes dirigeantes sur le meilleur moyen d'éviter que les « classes laborieuses » ne deviennent nécessairement des « classes dangereuses ». La famille traditionaliste, antirépublicaine, développa le courant du catholicisme social, dont Albert de Mun fut le plus célèbre représentant. Celui-ci, officier de l'armée versaillaise, avait été bouleversé, en mai 1871, par l' « abîme » subitement apparu entre les insurgés et la société légale qu'il était censé défendre. C'est dans les mois qui suivent la Semaine sanglante qu'Albert de Mun se convainc des responsabilités des « élites » dans la misère ouvrière. Cependant, l'Œuvre des cercles catholiques d'ouvriers, au lancement de laquelle il contribue activement, et sa propre action parlementaire qu'il mène à partir de son élection à la Chambre en 1876 sont nettement fondées sur une vision du monde archaïque tout inspirée par le *Syllabus* et le refus d'une société pluraliste : le retour à la chrétienté, l'opposition catégorique à la révolution définissent le vœu ardent du catholicisme social et son intransigeance. Les solutions préconisées, telles que la formation de syndicats mixtes patrons/ouvriers, restent attachées à un esprit corporatiste de moins en moins acceptable par l'esprit moderne. La famille libérale, de son côté, fournit aussi son contingent d'esprits ouverts au problème social : autour de Jules Siegfried, Émile Boutmy, Anatole Leroy-Beaulieu, tout un courant de protestants, de catholiques libéraux, de républicains modérés eut la double préoccupation de refaire des élites au lendemain du désastre et d'intégrer la classe ouvrière dans un système politique et social stable, ce qui donna lieu, entre autres activités, à la fondation de l'École libre des sciences politiques dès 1872 et du Musée social en 1894. Celui-ci fut un centre de convergence de philanthropie active, où collaborèrent côte à côte des disciples de Le Play, des syndicalistes positivistes, des bourgeois éclairés, des socialistes municipalistes, des protestants réformateurs, des patrons paternalistes... Il resterait à faire l'histoire de ces groupes qui ont contribué à pacifier la société française. On ne saurait exagérer leur réussite quand on sait où en étaient restées la plupart des mentalités patronales en 1936 ; du moins doit-on à la vérité de mentionner cette réflexion et cet effort qui allaient dans le sens d'une meilleure compréhension des « classes populaires » par les « classes élevées ». Cependant, la législation sociale devait rester longtemps timorée en France, tant les deux autres conflits — le religieux et le politique — devinrent, une fois la Commune écrasée, prépondérants.

Le deuxième conflit, porté au paroxysme par la Commune, a été en effet la guerre religieuse. La France reste jusqu'à nos jours marquée par son passé catholique. C'est dans le monopole confessionnel, défendu par la monarchie absolue, que plongent les racines de l'antilibéralisme français. Les adversaires d'une Église dogmatique et d'une religion officielle ont eu tendance à retourner contre celles-ci les armes de l'intolérance. L'époque révolutionnaire, le schisme entre prêtres jureurs et prêtres réfractaires, la déchristianisation entreprise par l'État, la guerre de Vendée, autant d'épisodes et d'images violentes qui ont relayé l'ancienne guerre de Religion entre catholiques et protestants. Le pluralisme est resté longtemps pour la plupart des Français une incongruité, une faiblesse, un scandale. L'intolérance est sans doute la chose au monde la mieux partagée, les Français n'en ont pas eu le douteux privilège. Disons seulement que les conflits religieux se sont achevés en France, soit par l'élimination de l'adversaire, soit par des compromis fragiles dans lesquels chaque tendance n'a investi que son désir de revanche à terme : l'État centralisé et absolu n'a pas permis la coexistence de confessions diverses qui est facteur de tolérance. La crispation du catholicisme, à la fois sur son enseignement intransigeant et sur les attributs temporels de sa gloire ancienne, a favorisé le développement d'un anticléricalisme de combat, qui a souvent pris la forme d'une autre religion, d'une autre intolérance, opposant terme à terme ses vérités aux vérités romaines. Réconcilier l'Église et le monde moderne, tel est le défi lancé aux catholiques ; admettre les catholiques dans la République pour en faire le régime de tous, tel est le défi lancé aux laïques et aux anticléricaux. Ni les uns ni les autres n'y sont encore disposés. Ce qui nous amène au troisième conflit majeur, imbriqué dans le précédent : le conflit sur les institutions.

Quel est le meilleur régime pour les Français ? Au lendemain de la Commune la question reste d'actualité. Depuis 1789, presque toutes les formules constitutionnelles ont été expérimentées, cumulant les familles politiques rivales au fur et à mesure qu'un régime chassait l'autre. L'épisode tragique de la Commune a eu pour effet, nous l'avons dit, de simplifier les termes du conflit : république ou monarchie. Au cours de l'été 1871, l'élan républicain est donné, la restauration royaliste a échoué, — mais la nation reste profondément divisée.

2

Le 16 Mai

Six ans après le drame de la Commune, la France est en proie à une nouvelle crise. Pendant un semestre, du 16 mai 1877 au lendemain des élections législatives des 14 et 28 octobre, le sort du régime républicain est remis en jeu. Cette fois, point de sang versé. Rien que l'encre des journalistes et la salive des tribuns. Mais si la fièvre est seulement parlementaire, puis électorale, ce n'est pas dire qu'il s'agit d'un événement minime. Il y va du sort des institutions, de la République et, au cœur du conflit, sans qu'il y paraisse toujours, du rôle de l'Église dans la France moderne.

Le 16 mai 1877, le maréchal de Mac-Mahon, président de la République élu par une Assemblée monarchiste, décide de se séparer du président du Conseil, le républicain Jules Simon. Celui-ci dispose pourtant de la majorité dans les deux chambres. Mais Mac-Mahon reproche précisément au chef du cabinet de ne plus disposer de « l'influence nécessaire pour faire prévaloir ses vues » aux députés. Jules Simon démissionne.

Le président fait alors appel, pour prendre la tête du nouveau ministère, au duc Albert de Broglie, orléaniste notoire. Dès les premiers jours de la nouvelle session parlementaire, un ordre du jour de défiance, voté par 363 députés, condamne le ministère de Broglie. Pour dénouer ce conflit entre l'Élysée et la Chambre, le président de la République use de son droit de dissolution, moyennant l'accord du Sénat qui lui est acquis. La Chambre est ainsi dissoute le 25 juin. Le suffrage universel est donc convoqué à départager deux coalitions : les conservateurs, qui bénéficient de l'appui officiel du président de la

République et du soutien plus discret de la majorité du
Sénat, et les républicains, décidés à revenir en force dans
une Chambre où ils feront valoir les droits du régime
parlementaire selon lesquels on ne gouverne pas contre la
majorité des représentants de la nation.

Selon la victoire des uns ou des autres, on saura lequel
des trois pouvoirs — la présidence, la Chambre ou le Sénat
— détient la prépondérance. L'enjeu le plus immédiat est
donc constitutionnel : comment doit fonctionner le régime
sorti des textes de 1875 ? à quelle interprétation des lois
constitutionnelles doit-on s'arrêter ? Le conflit du 16 mai
confère en quelque sorte au suffrage populaire le soin
d'arbitrer et de fixer la règle. En fait, derrière ce débat
d'apparence technique, l'interminable question : république ou monarchie, attend des urnes une nouvelle réponse.
Mais, contrairement à ce qui s'est passé au moment de la
Commune, les républicains n'ont plus qu'une voix sur la
nécessité de l'union : du centre gauche à l'extrême gauche,
ils ne sont plus qu'un seul bloc, ils n'ont plus qu'une seule
cause, face à une droite désunie, dont le seul ciment est fait
de l'hostilité commune de ses trois familles au « radicalisme ».

Dans ce débat très simple, parfaitement compris de
l'électorat, subsiste un non-dit ou un mal-dit, une question
récurrente et complexe, en principe étrangère au sujet de la
compétition électorale mais sans laquelle on ne compren-
drait pas les passions affrontées, la question religieuse.
Quelle est la place de l'Église dans cette République dont
la France ne finit pas d'accoucher ? Y a-t-il compatibilité
entre le catholicisme et la démocratie, entre l'enseignement
des prêtres et la société libérale, entre les hommes de
science et les hommes de foi ? Pour l'Église, l'instauration
d'une république n'est-elle pas un danger mortel pour
l'avenir de la foi ? Pour les républicains, le magistère de
l'Église n'est-il pas un obstacle majeur à l'établissement
d'un régime politique sécularisé et indépendant ? De sorte
que, dans la bataille immédiate pour la réélection des
« 363 » ou pour le triomphe de l'Ordre moral, une question
posée depuis 1789 reprend une actualité brûlante : un pays
catholique peut-il devenir libéral, démocratique, républi-

cain ? A vrai dire, la question ne se trouve posée qu'en raison de l'approximation de son énoncé car la France de ce dernier quart de siècle est-elle encore « catholique » ?

Ces interrogations, il s'impose de les replacer dans leur contexte. Puisque la crise est d'abord politique, il faut en préciser les termes constitutionnels et parlementaires. En 1877, la France est en république — mais une République encore indéfinie à bien des égards : pour beaucoup, elle n'existe que par défaut, qu'à titre de pis-aller suspensif. Les institutions du pays restent susceptibles de toutes les révisions.

La restauration impossible

La cause principale des incertitudes persistantes quant au régime provient, d'abord, des rivalités insurmontables des droites pourtant fortes de la majorité à l'Assemblée nationale. Lorsque, le 24 mai 1873, cette majorité s'était débarrassée de Thiers, rallié au principe républicain, l'espoir d'une restauration avait repris consistance. Le soir même, l'Assemblée décidait de donner pour successeur à Thiers le maréchal de Mac-Mahon, aussi illustre soldat qu'honnête homme, dont le défaut d'éloquence et le conservatisme foncier rassuraient une majorité qui n'avait cessé de renâcler sous la férule et les chantages de son impétueux prédécesseur. Le coup de barre était enfin donné : on ne devait plus attendre les calendes pour restaurer la monarchie. Légitimistes et orléanistes composaient la majorité de l'Assemblée, il ne suffisait plus que d'une entente entre les deux branches de la maison de Bourbon.

Pendant quelques mois de l'été et de l'automne 1873, l'imminence d'une restauration, conjuguée avec les sentences d'un Ordre moral proclamé, entretint l'espérance des uns et l'inquiétude des autres. L'éloignement de Thiers du pouvoir avait redonné force aux tendances conservatrices, monarchiques et catholiques — bien souvent ces

qualificatifs s'embrochaient l'un sur l'autre. Une des premières mesures du nouveau gouvernement fut de réprimer
les manifestations anticléricales et antimonarchiques. Ainsi
furent interdits les enterrements civils, prétextes habituels
à rassemblements républicains, passé sept heures du matin.
Un des aspects les plus visibles de la reconquête catholique,
favorisé par le gouvernement, prit la forme des pèlerinages
qui, par vagues, déplaçaient des foules où se retrouvaient
côte à côte maints parlementaires. Dans la semaine qui
suivit l'échec de Thiers, un pèlerinage à Notre-Dame de
Chartres entraîna cent quarante députés, qui entendirent
Mgr Pie, évêque de Poitiers, en appeler au sauveur de la
France : « Elle attend un chef, elle attend un maître. »
L'évêque-député d'Autun, lors d'un pèlerinage à Paray-le-
Monial, consacra la France au Sacré-Cœur. « Sauvez Rome
et la France au nom du Sacré-Cœur » devint le cantique de
tous ces pèlerins, double prière en faveur du pape déposs-
sédé de son pouvoir temporel depuis la prise de Rome en
1870 et du retour de la « monarchie chrétienne » au pays de
Saint Louis. En ces temps troublés d'après-guerre et
d'après-guerre civile, la société est traversée par un de ces
revivals de religiosité, où les sentiments d'expiation, les
actes de contrition et les prières collectives sont entretenus
dans un climat de superstition qui fait dire à un Mgr Dupan-
loup, en 1874 : « De toute part, il n'est bruit que de miracle
et de prophétie. » Ce courant de populisme chrétien prend
source, en particulier, dans *l'Univers* de Louis Veuillot, qui
régente les esprits d'une bonne partie des 220 000 prêtres,
religieux et religieuses, que compte alors le clergé : « Le
roi a été assassiné, leur dit-il, rien ne sera stable en France
tant que le sceptre ne retournera pas au sang légitime [1]. »
    Le « sang légitime » était celui du comte de Chambord.
Sans héritier, il pourrait laisser, après sa mort, le « sceptre » à un prince d'Orléans : ainsi pouvait se conclure la
« fusion » ou la « réconciliation » des deux branches dynastiques. Le comte de Paris fit le voyage de Frohsdorf, en
Autriche, où résidait « Henri V », le prétendant. On
s'embrassa mais on ne se dit pas tout. Or, pour rallier
l'ensemble des conservateurs, il fallait donner quelques
garanties sur le régime constitutionnel et sur l'acceptation

du drapeau tricolore. Sur ce dernier point, Mac-Mahon qui avait acquis ses titres de gloire sous les trois couleurs ne pouvait transiger. La fixation sur la couleur du drapeau paraît aujourd'hui ridicule ; elle était déjà jugée par la majorité monarchiste inopportune. Mais pour Chambord comme pour une partie de ses fidèles, la charge symbolique du drapeau tricolore était en contradiction avec l'idée même de restauration : il n'y avait pas de compromis entre la révolution régicide et la monarchie très chrétienne. Les aller et retour Paris-Vienne se succédèrent durant l'été ; la restauration parut probable au début de l'automne. Une Commission des neuf, recrutée dans les groupes monarchistes, se mit d'accord sur la formule constitutionnelle. Restait le drapeau. Mac-Mahon fit savoir son opposition au blanc privé du bleu et du rouge ; la Commission des neuf déclara vouloir maintenir le drapeau tricolore. Rien n'y fit. Une lettre du comte de Chambord, datée du 27 octobre, rendit publique l'intransigeance du petit-fils de Charles X : « On me demande le sacrifice de mon honneur [...]. Je ne rétracte rien, je ne retranche rien de mes précédentes déclarations. » La République obtenait un nouveau sursis.

Le duc de Broglie, qui n'avait jamais éprouvé de ferveur pour l'exilé de Frohsdorf, conçut alors une « ligne de retraite » à même de préserver les chances de la restauration — l'après-« Henri V » ! — ou, à tout le moins, l'hégémonie conservatrice sur le pays. La première pièce de cette stratégie était la prorogation des pouvoirs du maréchal. A défaut d'un souverain, il fallait assurer la continuité d'une autorité dans la personne d'un chef incontesté. Après quoi, et autour de celui-ci, on organiserait des institutions parlementaires propres à constituer un rempart à la « démagogie ». Le comte de Paris, désireux d'éviter une restauration impériale dont la menace était agitée à la moindre élection partielle, abondait dans le même sens. Pendant que se préparait ainsi ce qui allait devenir la loi du septennat, Chambord fit une ultime et naïve tentative. Se rendant incognito à Versailles, le 9 novembre 1873, il se mit en tête de se faire présenter par Mac-Mahon à une Assemblée qui, tout à trac, l'eût fait roi dans l'enthousiasme. Le président de la République refusa

tout net de se prêter à la manœuvre ; il reçut du prétendant
dépité le mot fameux : « Je croyais avoir affaire à un
connétable de France, je n'ai trouvé qu'un capitaine de
gendarmerie. » Le chapitre était clos.

Le 19 novembre, l'Assemblée prorogeait de sept ans les
pouvoirs de Mac-Mahon et nommait une commission de
trente membres aux fins de préparer des lois constitutionnelles. Le provisoire finissait par inquiéter ; on devait sortir
de l'instabilité institutionnelle — fût-ce jusqu'à la fin du
mandat de Mac-Mahon, en 1880. Rouher, l'ancien ministre
de Napoléon III, qui continuait à défendre le principe de
l'appel au peuple, fut un des rares hommes lucides de la
droite qui ait compris les suites logiques du septennat : « Il
y aura le lendemain un président de la République, deux
Chambres républicaines. La République sera. Et les
monarchistes auront été les fondateurs de la République ! »

La République du compromis

L'accès de Mac-Mahon à la présidence avait provoqué
un changement dans la fonction présidentielle. Le président n'était plus, comme Thiers, un chef de gouvernement
qui défend sa politique devant une Assemblée. Avec le
septennat, le président est *irresponsable ;* la responsabilité
gouvernementale est dévolue à un chef de cabinet, en
l'occurrence Albert de Broglie. Celui-ci fait partie d'une
famille illustre, orléaniste et libérale ; il est un admirateur
des institutions anglaises et voudrait mettre en place un
régime parlementaire qui préserve la France des excès
démocratiques. En ces années, libéralisme et démocratie
ne convergent pas forcément. Les adeptes des libertés se
méfient des fureurs de la souveraineté populaire, de ses
abus et de ses retournements. Le libéralisme a partie liée,
pour le duc de Broglie, avec l'aristocratie, la hiérarchie
sociale, le gouvernement par les élites. Or, face à la montée
de la démocratie, Albert de Broglie va manquer à ses
convictions libérales. Ainsi, une fois au pouvoir, il se résout

à faire voter la loi sur la nomination des maires par le gouvernement, ce qui lui permet d'imposer des conservateurs à la tête des municipalités comme il s'applique à en placer dans les préfectures et sous-préfectures ; il interdit le colportage des journaux républicains et n'hésite pas à maintenir l'état de siège dans quarante-neuf départements. Son esprit libéral a des limites : il s'arrête là où menace la « force brute du suffrage universel[2] ».

Toutefois, en 1874-1875, contester le suffrage universel établi en France — moyennant des entorses — depuis 1848, n'est plus pensable. Donc, il faut encadrer la *vox populi* par une disposition des lois qui en interdise les débordements. Aussi Albert de Broglie conçoit-il un système où président de la République et Chambre haute seraient les digues infranchissables de l'ordre. On avait le président, il fallait maintenant créer la seconde Chambre — un « Grand Conseil » dont la porte étroite (membres de droit, membres nommés par le président de la République, membres élus par des collèges départementaux restreints) assurât la prépondérance des notables. André Jardin, historien du libéralisme, décrit ainsi cette démarche :

> « Le duc de Broglie méconnaissait l'évolution économique du pays et encore plus les progrès de la démocratie, son projet retardait de vingt-cinq ans et si son dessein de " vendre " le Sénat au centre gauche contre l'acceptation de la République par le centre droit était sensé, il plaçait le prix trop haut[3]. »

Finalement, le cabinet de Broglie est renversé le 16 mai 1874 par une coalition de républicains, de légitimistes et de bonapartistes.

La division des droites allait servir les desseins du parti républicain. Au sein de celui-ci, Léon Gambetta s'impose peu à peu comme l'une des têtes les plus politiques de la minorité de l'Assemblée. Chef de file de l'Union républicaine, siégeant à l'extrême gauche, il passe aux yeux de la droite pour un parangon de radical : fils d'un épicier, tribun populaire, négligé dans la mise et excessif dans le verbe, il se révèle peu à peu comme un maître tacticien

habile au compromis, sachant, selon le mot du cardinal de
Retz, ne pas confondre le « frivole » et la « substance ».
Il a conçu que de cette Assemblée monarchiste pouvait
naître la République. Encore lui faut-il conserver sa tête,
faire rentrer ses abus de langage, laisser même mourir
quelques immortels principes, se soumettre aux nécessités
de la conjoncture et en saisir les chances : tout ce que ses
adversaires appellent son « opportunisme ». Lors même
qu'il poursuit sa campagne, commencée en 1871, de
« commis-voyageur » de la République, de village en
bourg, de bourg en ville, s'employant à présenter partout la
République sous les traits du régime le plus rassurant, le
moins aventureux, le mieux accordé aux besoins du temps,
on le voit entre deux tournées, dans les couloirs de
l'Assemblée, travailler à réunir une majorité. A ses amis de
l'extrême gauche, et en dépit des vieux burgraves de 1848,
il suggère d'accepter le pouvoir constituant de l'Assemblée
nationale. Aux conservateurs du centre gauche, convaincus
des bienfaits d'une république conservatrice, il propose de
jouer le rôle le plus en vue afin d'attirer les suffrages
nécessaires d'une partie du centre droit. Le schéma suivant
indique de façon simplifiée le rapport des forces au sein de
l'Assemblée de 1874 :

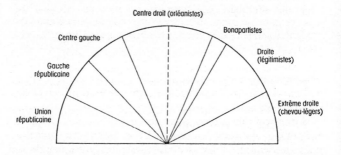

La majorité conservatrice du 24 mai est disloquée après
le renversement du ministère de Broglie. La majorité de
rechange passe nécessairement par le centre droit : la clé

de la solution est l'entente des deux centres. Qu'une partie du centre droit, lassée par les incertitudes constitutionnelles, rejoigne le centre gauche, et le reste de la gauche complétera une majorité enfin décidée à poser les bases d'un régime républicain ! A cet effet, deux conditions : que les républicains « historiques », les hommes des grands principes, acceptent de faire les concessions opportunes et refoulent leurs idées à majuscules ; que le centre gauche regroupant les récents convertis à la République, Thiers et ses amis, les conservateurs libéraux, occupe le devant de la scène pour mieux décider les orléanistes du centre droit à larguer leurs amarres. Gambetta doit jouer serré car il lui faut tout à la fois sauvegarder l'union des « républicains de la veille » et ne pas effaroucher les « républicains du lendemain ». En 1874, il n'est pas encore le chef incontesté de la coalition républicaine ; il sait lui-même s'effacer derrière la réputation d'un Jules Grévy ou le prestige d'un Adolphe Thiers. Mais son intelligence tactique, sa force de persuasion, l'intuition qu'il a de l'état réel du pays, tout le porte à devenir le stratège de la République.

Poussé par lui, le centre gauche avance ses propositions. Le 15 juin 1874, Casimir-Périer, fils d'un président du Conseil de la monarchie de Juillet, propose que la commission des lois constitutionnelles prenne l'établissement de deux chambres comme base de ses travaux. Proposition votée par 345 voix contre 341. On avance. Lentement, difficilement. Le 29 juillet, Casimir-Périer a vu son projet de loi sur l'adoption de la forme républicaine mis en échec. L'article premier énonçait : « Le gouvernement de la République française se compose de deux chambres et d'un président chef du pouvoir exécutif. » « République française » cela faisait encore deux mots de trop : le projet n'obtint que 333 voix contre 374.

Le débat fut repris en janvier 1875. Le pays avait besoin d'une constitution, fût-ce pour les six ans qui restaient au septennat. La solution vint et de la discipline de la gauche, dont les partisans les plus avancés cessèrent de réclamer la dissolution de l'Assemblée, et de la cassure du centre droit : tandis que le duc de Broglie restait sur ses positions, une partie de ses amis mêlèrent leurs voix à celle du centre gauche pour voter le débat des lois constitutionnelles. L'honneur revint à Henri Wallon, professeur d'histoire à la Sorbonne et député du groupe Lavergne — petit groupe charnière entre le centre droit et le centre gauche, le comble du centrisme! — de faire la proposition de loi décisive, bien qu'il eût été de ceux qui avaient voté contre Thiers le 24 mai 1873. Belle preuve de l'évolution des esprits. Il ne s'agissait que d'un amendement au projet de la commission : « Le président de la République est élu à la pluralité des suffrages par le Sénat et la Chambre des députés réunis en Assemblée nationale. » C'était une reconnaissance discrète du principe républicain, mais Wallon ne s'en était pas caché : « Je ne veux faire que le gouvernement qui est, tant que vous ne trouverez pas quelque chose de mieux à faire. » L'amendement Wallon fut voté par une gauche que Gambetta avait réussi à unir, et par une partie du centre droit : par 353 voix contre 352 la France entrait officiellement en République. Cette voix de majorité donna le signal de la rupture du centre droit, dont la brèche ne cessa de s'élargir, en faveur des autres lois constitutionnelles.

Le projet de loi sur le Sénat, prévoyant 300 membres — dont 225 élus par les départements et les colonies et 75 inamovibles — élus par l'Assemblée nationale, est voté le 24 février 1875. Gambetta avait usé de toute son éloquence pour convaincre les républicains d'admettre cette seconde Chambre contraire à leurs principes. Seuls quelques anciens s'entêtèrent dans l'abstention : Jules Grévy, Louis Blanc, Madier de Montjau, Peyrat, Quinet. Mais le centre droit vota avec les gauches, la loi sur le Sénat passa à une forte majorité. Le projet sur l'organisation des pouvoirs publics fut voté le lendemain, 25 février. Ce léger édifice constitutionnel fut couronné le 16 juillet par une loi sur les rapports des pouvoirs publics. Enfin deux lois organiques définirent les modes d'élection des sénateurs (2 août) et des députés (30 novembre).

Pour le Sénat, deux cent vingt-cinq sénateurs seraient élus par des collèges départementaux comprenant députés, conseillers généraux et conseillers d'arrondissement, ainsi qu'un délégué choisi par le conseil municipal de chaque commune. La sur-représentation rurale caractériserait ce Sénat mais de façon moins élitaire que dans le projet de Broglie de « Grand Conseil ». Gambetta, défenseur du projet de loi, joua ainsi sur les mots du chef orléaniste : « Un sénat ? Non : le Grand Conseil des communes françaises. » Quant aux députés, on choisit pour eux le scrutin uninominal. C'était un autre principe républicain — celui du scrutin de liste inauguré en 1848 et aboli par l'Empire — qu'on sacrifiait sur l'autel de la République parlementaire, mais, cette fois, sans l'avoir voulu, car le centre droit et la droite, favorables au scrutin uninominal, furent appuyés par une partie du centre gauche, tandis que le reste des gauches et les bonapartistes s'y opposèrent. Les majorités, ainsi, se faisaient, se défaisaient et se recomposaient pour établir cette République du compromis.

Avant de se séparer, l'Assemblée nationale avait à élire les soixante-quinze sénateurs à vie. L'enjeu était de taille, car une majorité monarchiste ressoudée pouvait assurer au futur Sénat la base d'une domination conservatrice qui, symétriquement à l'Élysée, tiendrait en tenaille la future Chambre des députés. Or la mésentente entre les différentes familles monarchistes en était à un point tel qu'elle donna le loisir aux républicains d'empêcher que le Sénat ne devînt cette « machine de guerre orléaniste » que redoutait Jules Grévy. Une coalition des républicains avec l'extrême droite légitimiste et le groupe bonapartiste assura l'élection de 57 républicains et de 10 légitimistes. Le centre droit était écrasé. Les orléanistes qui avaient voulu faire du Sénat leur sanctuaire ne parvenaient même pas à y faire nommer à vie leurs *leaders,* Buffet et le duc de Broglie. Cet épisode allait permettre aux républicains d'éviter un Sénat qui leur fût résolument hostile.

Le 31 décembre 1875, l'Assemblée nationale se sépara. Convoquée le 8 février 1871, pour décider de la paix, elle avait ajouté à sa mission une fonction constituante non prévue au départ. En majorité monarchiste et conservatrice, elle avait fini par élaborer une constitution républicaine. Plusieurs facteurs expliquent cette évolution. En premier lieu, on ne doit pas oublier que l'Assemblée nationale de 1875 n'est plus celle de 1871 : des élections

partielles, nombreuses et répétées (portant sur 184 sièges
en métropole et 11 sièges en Algérie et dans les colonies)
ont renforcé notablement les gauches, formant le « parti
républicain ». Cependant, en février 1875, au moment du
scrutin sur l'ensemble des lois constitutionnelles, l'Assemblée comprend 727 membres. La majorité absolue est donc
alors de 364 [4]. Les trois groupes formant la gauche ne
disposent que de 356 membres. Or, le scrutin du 23 février
1875 sur l'ensemble de la Constitution est acquis par
425 voix. La troisième République a donc été installée
grâce au concours d'environ 70 députés qui n'étaient pas
républicains. Ceux-ci viennent du centre droit orléaniste.
Pour la plupart d'entre eux, il ne s'agit pas d'un ralliement
aux principes républicains mais d'une mesure conserva-
toire : mettre en place un système de gouvernement qui
soit à même tout à la fois de sauvegarder la chance d'une
monarchie constitutionnelle et d'encadrer le suffrage universel par des institutions aussi peu « républicaines » que le
Sénat, une présidence de la République irresponsable — et
une loi électorale favorisant la notabilité locale. C'est aussi
dans leur esprit éviter ce qu'ils redoutent le plus : le
rétablissement de l'Empire. On vit comment l'élection
partielle des 3 et 17 janvier 1875, qui dans les Hautes-
Pyrénées donna l'avantage au candidat de *l'Appel au
Peuple,* favorisa le vote de l'amendement Wallon du
29 janvier. Au demeurant, c'est bien la mésentente durable
des deux branches dynastiques et l'entêtement du comte de
Chambord sur la question du drapeau qui avaient fait
échouer la Restauration : l'arithmétique parlementaire, à
elle seule, eût permis ce retour de la monarchie. Pour
combien de temps est une autre question.

Les lois constitutionnelles sont le fruit d'un compromis.
Pour la plupart des républicains et des monarchistes qui les
votent, elles n'organisent pas l'avenir — elles le mettent en
consigne. Les républicains, à l'image de Gambetta,
s'étaient fait violence pour transiger, accepter une Chambre haute, renoncer à la souveraineté nationale, au préambule définissant les principes généraux de la Constitution, à
la laïcité du régime (des prières publiques étaient faites à
l'ouverture de chaque session), ne pas protester contre la

résidence du gouvernement à Versailles... Ce n'étaient que des lois de circonstance. Du moins ces républicains avaient-ils fait preuve de sens politique, tirant de la situation le maximum de ce qui était favorable à leur cause, en répudiant tout esprit d'orthodoxie.

Pourtant, même dans le court terme, tout n'était pas joué. Les électeurs étaient appelés à se prononcer et à remplir ce cadre constitutionnel que l'Assemblée avait fini par donner au pays. Or les résultats électoraux allaient faire apparaître qu'entre les constituants réunis par quelques scrutins la division restait profonde.

Le 16 mai

La crise du 16 mai résulte de la contradiction entre un pays devenu républicain par le suffrage universel et les gardiens d'une constitution orléaniste, limitant les pouvoirs de la Chambre des députés. Le conflit était en germe dès les résultats des élections sénatoriales et législatives de 1876.

Les premières eurent lieu le 30 janvier. Les collèges départementaux complétèrent les sénateurs inamovibles ; le Sénat définitif était composé d'une toute petite majorité conservatrice (bonapartistes : 40 ; extrême droite : 13 ; centre droit et droite modérée : 81 ; constitutionnels : 17 ; centre gauche : 84 ; gauche républicaine : 50 ; extrême gauche : 15). Pour les législatives, fixées au 20 février, Gambetta donna le ton à la campagne républicaine. Dans son camp, certains radicaux rappellent leur exigence d'une Assemblée unique et dénoncent le caractère aristocratique de la Constitution. Gambetta, lui, ne laisse pas de prôner la modération et le réalisme :

> « Je suis d'une école, dit-il à Paris le 15 février, qui ne croit qu'au relatif, à l'analyse, à l'observation, à l'étude des faits, d'une école qui tient compte des milieux, des tendances, des préjugés et des hostilités même, car il faut tenir compte de

tout : les paradoxes, les sophismes pèsent autant que les
vérités dans la conduite des hommes[5]. »

Ainsi, lui, l'ancien tribun du « programme de Belleville » (1869), sans renoncer à l'idéal de la séparation de
l'Église et de l'État, en repousse la réalisation *sine die*.
Prêts à assumer les responsabilités du pouvoir, les républicains doivent tenir compte de l'état de l'opinion et non
l'effrayer par le pathos révolutionnaire.

Le premier tour, le 20 février 1876, assure d'emblée aux
républicains une confortable majorité (centre gauche : 40 ;
gauche : 180 ; extrême gauche : 80 ; constitutionnels libéraux : 20 ; orléanistes : 45 ; légitimistes : 20 ; bonapartistes : 50). Entre les deux tours, Gambetta lance de
nouveaux appels à la pondération : « Puisque nous sommes
les plus forts, nous devons être modérés. » La Chambre
sortie du scrutin compte environ trois cent quarante
républicains, et une vingtaine de « constitutionnels ». Le
8 mars, Jules Grévy en est élu président, tandis que le duc
d'Audiffret-Pasquier est élu président du Sénat. Les trois
éléments de la crise du 16 mai sont désormais en place : un
président de la République conservateur, un Sénat conservateur (de quelques sièges) et une Chambre des députés à
forte majorité républicaine. Comment ces trois organes de
pouvoir vont-ils s'harmoniser ?

Le premier cabinet de la première législature est confié à
Jules Dufaure, ancien ministre de Louis-Philippe, catholique et libéral, membre du centre gauche, déjà chef du
gouvernement au moment de la séparation de l'Assemblée
nationale. Dufaure devient président du Conseil en titre, le
président de la République n'étant plus chef du gouvernement. Dufaure était fort peu représentatif de la majorité
républicaine de la Chambre, sans être pour autant dans les
faveurs de l'Élysée où la droite donnait le ton. Le
3 décembre, Dufaure démissionnait à la suite des désaccords incessants entre la Chambre et le Sénat. Dès ce
moment, nous raconte Mac-Mahon dans ses *Souvenirs*, le
président de la République songeait à un cabinet « composé entièrement de la droite » ; mais les chefs de celle-ci le
lui déconseillèrent[6].

Le 13 décembre, Mac-Mahon confie la responsabilité du nouveau Cabinet à Jules Simon. Il y avait une habileté de la part de l'Élysée à choisir, cette fois, un vrai républicain, et non un ancien orléaniste comme Dufaure. Car, tout républicain qu'il était, Jules Simon était conservateur et sa mésentente avec Gambetta n'était un secret pour personne. Diviser la majorité républicaine de la Chambre, tel était le calcul des conseillers de Mac-Mahon. Toute la difficulté pour le nouveau ministère va être de maintenir un savant jeu de bascule entre un président de la République qui entend imposer sa politique conservatrice à la Chambre, et une Chambre qui entend dicter sa loi au nouveau cabinet. Rapidement, celui-ci va décevoir et l'un et l'autre. L'agitation ultramontaine du printemps suivant va ainsi placer Jules Simon dans une situation délicate.

Le pape Pie IX, dont la souveraineté temporelle est circonscrite au Vatican depuis l'achèvement de l'unité italienne de 1870, en appelle à la catholicité pour défendre sa cause contre le royaume d'Italie. Le 12 mars il affirme :

> « Nous manquons de tout le pouvoir et de toute la liberté nécessaire, tant que nous sommes sous le joug des dominateurs. »

Évêques et fidèles doivent engager leurs gouvernants à « des résolutions efficaces pour écarter les obstacles » dressés contre l'indépendance du chef de l'Église. L'appel est entendu. Dans de nombreux pays, en Angleterre, en Irlande, en Allemagne (où les catholiques subissent le *Kulturkampf* de Bismarck), en Belgique, en Espagne, adresses et manifestes se multiplient. Les catholiques français se sentent tenus de participer massivement à la protestation générale. Une délégation est reçue par le ministre des Affaires étrangères. Surtout, se tient à Paris, du 3 au 7 avril, la réunion d'une assemblée de catholiques qui se conclut par l'adresse d'une pétition au président de la République et aux parlementaires, en vue de « faire respecter l'indépendance du Saint-Père ». De surcroît, quelques évêques manquent délibérément à la discrétion d'usage dans leurs lettres pastorales. Ainsi, Mgr Besson, évêque de Nîmes, écrit sans nuances, en avril :

> « Pie IX est encore roi, même aux yeux de ses ennemis et de ses spoliateurs ; on est obligé de se dire que l'unité italienne n'est pas faite, que le pouvoir temporel recommencera encore, et qu'après quelques secousses profondes où s'engloutiront bien des armées et bien des couronnes, il y aura dans la politique des nations une voix unanime pour s'écrier, d'un bout de l'Europe à l'autre : " Rendez Rome à ses anciens maîtres ! Rome est au pape ! Rome est à Dieu ! " [7]. »

Mgr de Ladoue, évêque de Nevers, quant à lui, demande à Mac-Mahon de n'accepter « aucune solidarité avec la révolution italienne », et, qui plus est, adresse une copie de son message à tous les maires de son diocèse, ainsi qu'aux juges de paix. Le ministre des Cultes et le préfet de la Nièvre tancent l'évêque, au nom de Jules Simon, tandis que se déchaînent les protestations de la presse républicaine. Les catholiques sont accusés de vouloir la guerre contre l'Italie pour rétablir la souveraineté temporelle du pape.

A la rentrée parlementaire, le 1er mai, les présidents des trois groupes de la gauche (union républicaine, gauche républicaine et centre gauche) déposent une interpellation, dès la première séance de la Chambre. Le 3 mai, au nom des gauches, Leblond explique le sens de leur interpellation, qui n'est pas une attaque contre la religion, mais une interrogation sur les menées politiques à prétexte religieux. Jules Simon, embarrassé, blâme les pétitions et les mandements, sans donner satisfaction à la majorité. C'est Gambetta, le lendemain du 4 mai, qui répond par un discours dont une formule devait rester célèbre :

> « Il ne s'agit pas de religion, il s'agit de politique ; on fait brèche à l'État au nom de la religion. Ceux qui mènent l'assaut contre les institutions sont à la tête des associations catholiques [...] Il y a une chose qui, à l'égal de l'ancien régime, répugne à ce pays, c'est la domination du cléricalisme. Je ne fais que traduire les sentiments du peuple de

France en disant ce qu'en disait un jour mon ami Peyrat : le cléricalisme, voilà l'ennemi ! »

Pour Gambetta, ce n'était pas un cri de guerre lancé contre la religion. Il avait fait, il faisait, il ferait encore la distinction entre le catholicisme et le *cléricalisme,* c'est-à-dire l'immixtion du clergé dans le débat politique, le retournement des institutions ecclésiastiques en parti politique. Mais le clergé et la plupart des catholiques français refusaient la subtilité d'une pareille distinction. Du reste, la citation que Gambetta faisait de son ami Peyrat était approximative puisque celui-ci, ex-séminariste devenu anti-clérical, avait dit en janvier 1876, au moment de la campagne électorale sénatoriale : « Le *catholicisme,* c'est là l'ennemi[8] ! » C'est ainsi que l'extrême gauche et la hiérarchie catholique entendirent la péroraison de Gambetta, soulevant l'enthousiasme des députés républicains. Là-dessus fut déposé un ordre du jour condamnant les manifestations ultramontaines et invitant le gouvernement à les réprimer — ordre du jour sans « confiance », malgré la demande de Jules Simon, voté par 346 voix contre 114.

Le 11 mai Pie IX, devant des pèlerins français venus à Rome, prend à partie Jules Simon. Le Vatican voulait la tête du président du Conseil français. Il n'attendra pas longtemps. Deux lois, votées dans les jours suivant la fiévreuse séance du 4 mai, ménagent à Mac-Mahon l'occasion de se débarrasser de Jules Simon. Le 5 mai, on débat de la loi municipale. La principale question est la publicité des séances des conseils municipaux. Les républicains la veulent et la votent, contre l'avis du chef de l'État — et cela en l'absence du président du Conseil, souffrant. Le 15 mai, on en arrive à la discussion de la loi sur la presse. Cette fois, le litige entre la gauche et la droite porte sur le jugement des délits de presse : la juridiction sera-t-elle laissée à la correctionnelle (thèse de la droite) ou sera-t-elle le fait d'un jury (thèse de la gauche) ? L'ancienne loi de 1875 est abrogée par les républicains par 377 voix contre 55, sans que Jules Simon prenne véritablement parti.

Le lendemain 16 mai, Mac-Mahon excédé par la mauvaise conduite d'une Chambre que le président du Conseil

ne tient plus en main, décide d'admonester Jules Simon
pour le rappeler à sa mission :

> « *Monsieur le Président du Conseil,*
>
> *Je viens de lire dans* le Journal officiel *le compte rendu de la séance d'hier. J'ai vu avec surprise que ni vous ni M. le Garde des Sceaux n'aviez fait valoir à la tribune les graves raisons qui auraient pu prévenir l'abrogation d'une loi sur la presse, votée il y a moins de deux ans, sur la proposition de M. Dufaure, et dont, tout récemment, vous demandiez vous-même l'application aux tribunaux ; et, cependant, dans plusieurs délibérations du Conseil, et dans celle d'hier matin même, il avait été décidé que le président du Conseil, ainsi que le Garde des Sceaux se chargeraient de la combattre. Déjà on avait pu s'étonner que la Chambre des députés, dans ses dernières séances, eût discuté toute une loi municipale, adopté même quelques dispositions dont, au Conseil des ministres, vous aviez vous-même reconnu tout le danger, comme la publicité des conseils municipaux, sans que le ministre de l'Intérieur eût pris part à la discussion.*
>
> *Cette attitude du chef de cabinet fait demander s'il a conservé sur la Chambre l'influence nécessaire pour faire prévaloir ses vues. Une explication, à cet égard, est indispensable, car, si je ne suis pas responsable comme vous envers le Parlement, j'ai une responsabilité envers la France, dont, aujourd'hui plus que jamais, je dois me préoccuper.*
>
> *Agréez, Monsieur le Président, l'assurance de ma plus haute considération* [9]. »

Cette lettre fut immédiatement interprétée, non comme un simple désaveu du président du Conseil, mais comme une sorte de « coup d'État parlementaire » exécuté contre la majorité de la Chambre, un abus de pouvoir exercé contre le suffrage universel et la République. D'autant que, Jules Simon ayant remis sa démission, Mac-Mahon le remplaçait, le 18 mai, par le duc de Broglie, symbole de la droite antirépublicaine, dont le cabinet axé sur le Sénat (lui-même était sénateur de l'Eure), prit le contre-pied de la Chambre. A dire vrai, comme le reconnaîtra plus tard

Gambetta, il s'agissait moins d'un coup d'État que d'un coup de tête de la part du maréchal-président[10]. Le complot royaliste n'a jamais été démontré. Albert de Broglie, qui devait assumer fidèlement, jusqu'au bout, les conséquences de cette maladresse élyséenne, ne se montra pas enthousiaste. Du moins, le « 16 mai » et ses suites vont-ils avoir pour effet de préciser la hiérarchie des « trois pouvoirs », définir le rôle du chef de l'État, les attributions du Parlement et le type de relations du ministère entre celui-ci et celui-là. De sorte que l'incident servait la nécessité.

Le 16 juin, tandis que le président de la République adresse au Sénat une demande de dissolution de la Chambre, celle-ci, de nouveau réunie, vote un ordre du jour de défiance au ministère de Broglie par 363 voix contre 158. Les gauches, maîtresses de la Chambre, détenaient une arme efficace : le vote du budget ; le président de la République ne pouvait passer outre. Mais celui-ci, disposant de l'appui du Sénat, pouvait user de son droit de dissolution. La guerre entre la gauche et la droite était ouverte. Au Sénat où, en ce 16 juin, le duc de Broglie vient soutenir le projet de dissolution, il déclare :

> « Le suffrage universel aura à choisir entre le maréchal de Mac-Mahon et le dictateur de Bordeaux ou l'orateur de Belleville, contenant à peine les masses frémissantes du radicalisme et les soulèvements des nouvelles couches sociales. »

A la Chambre, le ministre de l'Intérieur Fourtou déclare tout net :

> « Le désaccord qui existe entre la majorité de cette Assemblée et M. le président de la République est tellement profond, tellement absolu, qu'il ne peut sortir de nos délibérations rien qui modifie, soit ici, soit au-dehors, une situation politique nette, précise, dévolue désormais au seul jugement de la nation[11]. »

Dans la chaleur du débat qui suivit, Gambetta lança au ministre Fourtou : « Vous êtes le gouvernement des prê-

tres, et le ministère des curés. » C'était replacer le conflit
sur son terrain d'origine ; c'était redonner à l'union des
gauches son principe d'anticléricalisme, même si tous ses
membres ne l'entendaient pas pareillement. La formule de
Gambetta avait fait mouche, elle resservira pendant la
campagne électorale.

Le Sénat, ayant approuvé la demande de dissolution du
président de la République par 149 voix contre 120, la
Chambre fut dissoute le 25 juin.

Victoire de l'union des gauches

Le « coup » du 16 mai allait avoir pour premier effet de
ressouder les gauches, toutes les gauches, de Thiers à Louis
Blanc. Le « parti républicain » qu'elles composaient
s'entendait sur un double thème : le droit parlementaire et
le danger clérical — car derrière le sabre de Mac-Mahon,
c'est la crosse des évêques qu'on incriminait. Dès les
premiers jours qui suivirent la démission de Jules Simon,
les gauches s'étaient réunies à l'hôtel des Réservoirs et
avaient manifesté leur protestation. Au lendemain de la
dissolution, le « parti » s'organisa. Chacune des trois
grandes tendances qui le composaient envoya ses représentants, au début de juillet, au domicile d'Emmanuel Arago,
rue du Général-Foy (un double symbole !). En vue de la
prochaine campagne électorale, on décida d'un programme
commun. La tâche était ardue car c'est peu dire qu'il n'y
avait guère en commun entre les doctrinaires de la gauche
historique — les Louis Blanc, les Ledru-Rollin, les Edgar
Quinet... —, les « opportunistes » gambettistes, les
« opportunistes » antigambettistes et les ralliés du centre
gauche pour qui la République n'était que la forme de
gouvernement la moins mal appropriée au temps présent.
Le plus habile était de ne rien montrer des divisions
profondes et de présenter seulement le parti républicain
comme victime « d'un coup de violence accompli contre la
représentation nationale ». Ce qui fut explicité dans un

manifeste concis, affirmant que les « 363 » restaient « unis dans une pensée commune » et se présenteraient « collectivement et au même titre devant le suffrage universel [12] ».

Cette déclaration fut complétée par la constitution d'un comité électoral des gauches, dont la réunion était prévue chaque jeudi — et qui fit respecter, entre autres, les candidatures uniques des 363 auprès des comités locaux. Le parti républicain partit à la bataille en ordre serré et maintint dans ses rangs une discipline exemplaire. Il put compter sur les orateurs, parmi lesquels Gambetta usa des trésors d'éloquence pour défendre le modérantisme avec des traits de flamme. C'est lui qui, le 15 août, à Lille, inventa le meilleur mot de la crise, promis à postérité, et dont Mac-Mahon faisait les frais : « Quand la France aura fait entendre sa voix souveraine, il faudra se soumettre ou se démettre. » Sur le coup, ces paroles lui valurent des poursuites pour injure au président et la condamnation par défaut à trois mois de prison et 2 000 francs d'amende — peine dont il sera relevé un peu plus tard par son inviolabilité parlementaire.

Le parti républicain bénéficiait aussi de l'appui de M. Thiers. Six ans après l'écrasement de la Commune, celui-ci était devenu un des sages de la République. Depuis le 24 mai 1873, il passait aux yeux de tous pour un homme de gauche. Car, à cette époque, être de gauche c'était vouloir et défendre la République contre la Réaction. Une gauche bien modérée, certes, mais sans laquelle il n'y eût point eu de République en 1875. Or voilà que l'ancien président de la République meurt le 3 septembre 1877. Il ne pouvait faire don de sa personne à la gauche à un meilleur moment, car ses funérailles rallièrent un concours de population comme dans les plus solennelles manifestations républicaines, lesquelles ne sont jamais si imposantes que derrière les corbillards [13].

> « Jamais, écrit Gambetta, je n'aurais osé rêver un triomphe aussi éblouissant. J'ai assisté à la plus magnifique cérémonie du siècle, qui en a vu tant et de si grandioses. Cette population vient d'assurer le triomphe de notre cause et de signifier aux rêveurs de coups d'État leur impuissance et

bientôt leur congé. Quoi de plus surprenant et de plus rassurant tout ensemble, que cette foule passionnée du peuple de Paris, bombardé, mitraillé par M. Thiers il y a six ans, puis trouvant dans sa raison et son patriotisme le courage d'amnistier le vainqueur et de lui décerner l'apothéose [14] ? »

La gauche put compter aussi sur la propagande écrite. Dans un pays resté rural dans ses profondeurs, les colporteurs jouaient un rôle actif dans l'information. Ce sont eux qui, au mépris de la police administrative, répandirent dans les départements des milliers de placards, brochures, professions de foi, caricatures, qui s'échangeaient sur les foires et les marchés. Évidemment, le journal déjà conditionnait les esprits. Émile de Girardin, qui avait inventé la presse à bon marché sous la monarchie de Juillet, dirigeait *la France,* un des journaux les plus influents du parti républicain ; un autre journaliste de talent, Hector Pessard, depuis peu à la tête du *Petit Parisien,* en fit une machine de guerre contre les hommes du 16 mai ; John Lemoinne récemment converti au républicanisme, fit pencher *les Débats* vers la gauche. Évidemment, Gambetta se préoccupait de ses outils de campagne ; il mit sur pied un comité général de propagande réunissant tous les directeurs des organes de la mouvance républicaine, lui-même faisant des bureaux de sa *République française* le poste de commandement de la gauche journalistique. De l'ardeur des combattants, quelques journaux tombèrent victimes sous le coup des tribunaux : *la Marseillaise* et *le Radical* furent suspendus pour six mois ; des poursuites atteignirent, outre *la République française, le Bien public, le Mot d'ordre, le Courrier de France* et *la Lanterne.*

Les élections avaient été fixées au 14 octobre. Autant la gauche avançait unie, autant la droite offrait le spectacle de ses divisions. *L'Union, le Moniteur universel, la Défense* polémiquaient avec les journaux bonapartistes, *l'Ordre* de Rouher et *le Pays* de Paul de Cassagnac. Mais les bonapartistes, eux-mêmes, affichaient leurs dissentiments internes.

> « Nous marcherons tous, écrivait Paul de Cassagnac, chacun avec notre étendard, les royalistes avec le lys, nous avec l'aigle, les orléanistes avec le coq. C'est ainsi que du temps des croisades, chaque nation venait, sous ses étendards particuliers, combattre l'ennemi commun. »

Ces divergences profondes entre les trois droites, les républicains surent les exploiter devant les électeurs aux yeux desquels ils se donnèrent le beau jeu de défendre un ordre, intérieur et extérieur, contre des aventuriers.

La droite, cependant, disposait de l'appui du ministère qui imprima à la campagne un caractère bonapartiste, sous la conduite autoritaire du ministre de l'Intérieur Fourtou. Celui-ci usa de tous les moyens d'intimidation sur l'électorat, fit de la répression sa règle contre la gauche et prêta son aide massive aux conservateurs. Fermeture de cabarets pour faits politiques, suppression de conseils municipaux, révocation de maires, poursuites de journaux, perquisitions de domiciles, il y alla de toutes les mesures, légales ou illégales, pour empêcher les 363 de revenir siéger.

A l'issue de la campagne, on compta 613 conseils municipaux dissous, 1 743 maires et 1 334 adjoints révoqués, 344 cercles, sociétés ou comices dispersés, 2 067 débits de boisson fermés, 4 779 fonctionnaires déplacés, 1 385 révoqués, 421 poursuites intentées pour délits de librairie, 170 pour cris séditieux, sans préjudice des amendes et condamnations à la prison, le tout provoquant cette appréciation de John Lemoinne dans *le Journal des débats :* une « orgie administrative [15] ».

De plus, le 2 juillet, le ministre de l'Intérieur avait affirmé la légitimité des candidatures officielles et il y eut ainsi 490 candidats bénéficiant du monopole de l'affiche blanche — 240 bonapartistes et 250 monarchistes. Le président de la République paya de sa personne. Il ne manquait pas de popularité dans le pays ; on lui fit faire des tournées en province, entouré des fonctionnaires et des pompiers. Il ne trouvait pas toujours le mot le plus rassurant. Le 1er juillet, passant l'armée en revue, il avait dit : « Vous m'aiderez, j'en suis certain, à maintenir le respect de l'autorité et des lois. » Dans une proclamation du 1er octobre, contresignée par le ministre de l'Intérieur, il affirmait son respect de la Constitution — mais disait plus loin : « Je ne saurais obéir aux sommations de la démagogie. Je ne saurais ni devenir l'instrument du radicalisme, ni abandonner le poste où la Constitution m'a placé. »

L'Église aussi entra dans la mêlée. Gambetta répétait à l'envi qu'il ne fallait pas confondre l'anticléricalisme et l'hostilité à la religion :

> « On dit que nous avons inventé le spectre clérical ; je n'ai jamais attaqué la religion ni ses ministres quand ils se sont renfermés dans leur domaine religieux, moral ; mais j'ai combattu et je combattrai les hommes qui veulent faire un instrument de domination et de règne de ce qui ne devrait être qu'un moyen de consolation et d'assistance [16]. »

De fait, la campagne de la gauche fut mesurée. Rien qui ressemblât à la campagne électorale de 1902, inaugurant les années du combisme. Le centre gauche comptait du reste de nombreux catholiques, nullement enclins à défendre le programme radical. L'union s'était faite sur la base des résolutions des républicains modérés :

> « Nous, membres du centre gauche, disait E. de Marcère, tout entiers à l'œuvre de la fondation du régime, nous n'imaginions pas que le parti républicain pût avoir l'idée de compromettre cette entreprise en suscitant dans la nation des querelles religieuses et des inquiétudes propres à éloigner de la République tant de bons Français et à les empêcher de s'y rallier [17]. »

Cela dit, le clergé et les autres leaders de l'opinion catholique n'entraient pas dans ces considérations et refusaient la distinction entre cléricalisme et religion catholique.

Si cette distinction était fondée en théorie, ils observaient qu'en pratique la vigilance anticléricale atteignait l'organisation ecclésiastique et, en limitant l'influence de l'Église, poussait à la déchristianisation du pays. Ainsi, Gambetta avait beau réitérer son respect du catholicisme il avait montré, en tant que président de la commission du Budget à la Chambre des députés, qu'il voulait affaiblir le soutien financier de l'État à l'Église. Louis Veuillot, soutenu par une masse de prêtres et de fidèles, pouvait écrire dans *l'Univers* du 25 août 1877 : « M. Gambetta n'a inventé *le gouvernement des curés* que pour tuer plus sûrement *le credo.* »

En fait, le monde catholique est sur la défensive. La perte du pouvoir temporel par le pape symbolise plus qu'elle ne provoque le déclin de la chrétienté. La vague de pèlerinages et les démonstrations d'un catholicisme populaire ne doivent pas cacher les réalités de ces années 1870. Presque tous les Français se disent encore catholiques, mais — hormis certaines régions — la religion n'est plus pratiquée que par une majorité de femmes et d'enfants. Les fulminations d'un Veuillot, qui réjouissent tant de curés de campagne, les consolent de leur isolement car ils mesurent de près « l'indifférence en matière de religion » des masses rurales. L'assemblée générale des comités catholiques est forte de neuf commissions permanentes qui témoignent de la puissance de l'encadrement clérical mais « il n'est pas cinq hommes sur cent, dans de nombreuses villes, pas cinq ouvriers ou ruraux de campagnes peu chrétiennes à pratiquer la religion[18]. » La défense du catholicisme, ce n'est pas seulement la défense de la souveraineté pontificale sur Rome, c'est aussi la défense d'une religion menacée d'abandon aussi bien par les élites que par les masses.

Ce phénomène de déchristianisation, comme on l'appelle, trouve sa traduction politique. Le catholicisme subit toutes les agressions de la modernité, il se déclare donc résolument anti-moderniste. Longtemps après Pie IX, Bernanos écrira encore : « L'État moderne est foncièrement antichrétien. » Certes, il n'y a pas de doctrine proprement politique du catholicisme et celui-ci peut, en théorie, s'accommoder de n'importe quelle forme gouvernementale. En fait, il se sent profondément solidaire des partis contre-révolutionnaires. Sous la papauté de Pie IX, le catholicisme, loin de tenter sa réconciliation avec le monde moderne, nourrit au contraire une active nostalgie pour une chrétienté en voie de disparition. Détenteur d'une vérité indivise, il ne supporte pas les principes du pluralisme libéral ou démocratique. Menacé dans toutes ses positions, il ajoute encore à la liste de ses dogmes pour mieux affirmer son intransigeance : dogme de l'Immaculée Conception en 1854 ; dogme de l'Infaillibilité pontificale en 1870. Les tentatives d'une démocratie chrétienne entre 1830 et 1848 ont été condamnées par Rome. Le catholicisme libéral ne touche qu'une minorité et qu'une élite. C'est la tiare du « prisonnier » de Rome, c'est le contempteur des « idées modernes », c'est le défenseur intransigeant de la religion ancienne qui attirent les fidèles, que les bouleversements de l'histoire, les épisodes dramatiques de l' « année terrible » et l'instabilité de l'État maintiennent dans l'inquiétude. Face à ce catholicisme ostentatoire, antilibéral et antirépublicain, la gauche est encline à professer la lutte contre le péril clérical. En retour, les assauts de l'anticléricalisme encouragent les catholiques à rallier les partis monarchistes, respectueux de l'Église.

Lors de la crise du 16 mai, l'intervention des évêques est somme toute assez prudente car les candidats de droite eux-mêmes ne veulent pas, pour la plupart, être assimilés au « gouvernement des curés ». Des évêques cependant, à Cambrai, à Montpellier, à Limoges, à Annecy, font entendre leur voix en faveur des candidats conservateurs. L'évêque de Bourges écrit, de son côté :

> « Les prochaines élections ont une importance capitale, pour la France et pour l'Église [...]. Si le programme révolutionnaire triomphe, c'en est fait, pour longtemps peut-être, de notre pays, de ses destinées, de ses intérêts les plus graves et de nos causes les plus chères. »

Brunet, ministre de l'Instruction et des Cultes, adresse aux préfets une circulaire spéciale pour imposer le silence à l'épiscopat[19]. L'appui apporté par l'Église inquiète les conservateurs, conscients de ce que la majorité des électeurs — Français d'au moins vingt et un ans, de sexe masculin — échappent désormais à son influence et s'en défient. Le 9 octobre, Gambetta peut s'exclamer :

« Nous avons dit : le cléricalisme, voilà l'ennemi ! Il appartient au suffrage universel de répondre, en appelant le monde à contempler son ouvrage : le cléricalisme, voilà le vaincu ! »

Après deux tours de scrutin, les 363 ne revinrent pas 400, comme l'avait prédit Gambetta au moment de la dissolution. Du moins la gauche revint-elle en force : 326 républicains élus, contre 207 députés de droite. Les forces respectives en voix étaient de 4 200 000 pour la gauche et 3 600 000 pour la droite. Mac-Mahon ne voulut pas immédiatement « se soumettre ». Mais le Sénat, par l'intermédiaire de son président le duc d'Audiffret-Pasquier, lui fit savoir qu'il ne se prêterait pas à une nouvelle dissolution. Finalement, Mac-Mahon dut se résigner à rappeler Dufaure, aux conditions de celui-ci. Le message que Mac-Mahon adressa aux Chambres le 15 décembre fut rédigé par trois ministres de Dufaure. Il y était dit :

« L'exercice du droit de dissolution n'est [...] qu'un mode de consultation suprême auprès d'un juge sans appel, et ne saurait être érigé en système de gouvernement. J'ai cru devoir user de ce droit, et je me conforme à la réponse du pays.

« La Constitution de 1875 a fondé une République parlementaire en établissant mon irresponsabilité tandis qu'elle a institué la responsabilité solidaire et individuelle des ministres.

« Ainsi sont déterminés nos devoirs et nos droits respectifs : l'indépendance des ministres est la condition de leur responsabilité nouvelle.

« Ces principes, tirés de la Constitution, sont ceux de mon gouvernement.

« [...]

« L'accord établi entre le Sénat et la Chambre des députés, *assurée désormais d'arriver régulièrement au terme de son mandat,* permettra d'achever les grands travaux législatifs que l'intérêt public réclame... »

L'enjeu du 16 mai

Le 1er mai 1878, s'ouvre à Paris l'Exposition universelle. Ce jour-là, pour l'inauguration, l'orchestre joue pour la première fois depuis 1870 *la Marseillaise*. Les Parisiens et les visiteurs de province, un moment étonnés, ont bientôt le sentiment très fort d'être citoyens de la République. Mais de quelle République s'agit-il ? A cette question, la crise du 16 mai avait apporté plusieurs réponses.

Tout d'abord, le « 16 mai » avait confirmé le choix républicain des Français. Pour la seconde fois, depuis les lois constitutionnelles de 1875, et en dépit d'une extraordinaire pression administrative, le suffrage universel s'est prononcé en faveur d'une majorité républicaine. Depuis 1871, le gain d'influence progressif des républicains est notable dans le pays — notamment dans les campagnes où ils étaient nettement minoritaires à la fin de l'Empire. Le renouvellement des conseils municipaux en 1877 avait été un autre indicateur de tendance : la « révolution des mairies », dira Daniel Halévy. Cette progression républicaine est due dans une large mesure au fait que la République a perdu sa connotation révolutionnaire et guerrière. Gambetta, radical converti à la modération opportuniste, a bien exprimé le fond du régime républicain offert aux Français : régime de stabilité et de paix — les monarchistes incarnant, au cours de cette crise du 16 mai, aussi bien le désordre que le danger de guerre extérieure. La gauche, le parti de la République symbolisé par un Gambetta, a su faire tous les compromis possibles pour affirmer un régime républicain toujours provisoire et toujours sous la menace d'une restauration. La République a cessé de faire peur au plus grand nombre — elle n'est plus ni « rouge » ni « sociale ». Voulant être le régime de tous, elle ne distingue ni « riches » ni « pauvres ». On prête à Gambetta le mot resté célèbre : « Il n'y a pas de question sociale. » Au vrai, ces mots datant du 18 avril 1873, tirés d'un discours prononcé au Havre, sont inexacts. Gambetta avait dit :

« Ne nions pas les misères, les souffrances d'une partie de la démocratie. Mais tenons-nous en garde contre les utopies de ceux qui croient à une panacée, à une formule pour faire le bonheur du monde. Il n'y a pas de remède social, parce qu'il n'y a pas une question sociale. Il y a une série de problèmes à résoudre, de difficultés à vaincre. Ces problèmes doivent être résolus un à un et non par une formule unique [20]. »

Gambetta s'opposait ainsi aux socialistes par une profession de foi résolument empirique : la lutte des classes n'était pas l'alpha et l'oméga des réalités sociales ; la République n'était pas le régime d'une classe contre les autres ; elle devait être le régime des solutions données aux multiples problèmes sociaux, et non *la* victoire du Travail sur le Capital. Mais la République avait peut-être un autre contenu de classe — un autre discours de Gambetta le laissait entendre : c'était l'arrivée au pouvoir des couches nouvelles, cette moyenne et petite bourgeoisie, dont il était issu lui-même. A Grenoble, le 26 septembre 1882, il avait annoncé l'arrivée aux affaires de cette « couche sociale nouvelle », ces fils méritants du peuple, que le suffrage universel avait députés aux côtés des représentants des anciennes dynasties aristocratiques ou bourgeoises. Petite bourgeoisie méritocratique, qui doit servir de trait d'union entre les classes dirigeantes et les couches populaires et qui va fournir le gros des futurs personnels du régime républicain.

En second lieu, la crise du 16 mai a confirmé le monopole de la légitimité républicaine à la gauche. En 1877 — et pour longtemps — la gauche, c'est la République ; la République, c'est la gauche. Cette coïncidence, à ce moment parfaite, entre *gauche* et *régime républicain* va durablement affliger le terme de *droite* d'un signe négatif. Une fois la République acceptée par tous, plus personne ne voudra être de droite — ce que Thibaudet appelait le « sinistrisme » des Français. Mais la crise a donné à la gauche, en même temps que son principe d'union, sa pratique unitaire. En soi, la gauche n'existe pas, elle est faite de tendances et de familles aux contradictions insurmontables, *sauf* sur le terrain défensif de la cause républicaine. Incapables de rester unies durablement à la tête d'un gouvernement, les diverses composantes de la gauche sauront se rassembler et mener un combat efficace contre l'adversaire du régime républicain. Le temps d'une campagne, le temps d'une bataille, ou le temps plus long d'un maintien dans l'opposition, la gauche, toutes querelles cessantes, se donne les moyens de ce qu'on appellera par la suite la « défense républicaine ».

Devant la nouvelle Chambre réunie le 7 novembre, Mac-Mahon essaya de résister encore. La gauche, face au danger, fait en sorte de préserver son unité, en constituant un état-major. « Par un accord tacite, écrit l'un de ses membres, la Chambre accepta comme un mot d'ordre toutes les communications qui émanaient du comité. [...] C'est à cette discipline sans doute qu'on a dû le triomphe final [21]. » Cette discipline s'était aussi imposée aux électeurs. Pendant la campagne électorale, aucune candidature républicaine ne s'était opposée aux 363 sortants. Dans les circonscriptions tenues par la droite, les candidatures multiples avaient été autorisées — mais aussi le désistement obligatoire au second tour en faveur du candidat le mieux placé. Cette pratique prendra un nom aux élections de 1885 : la « discipline républicaine ».

Cependant, cette union et cette cohésion de la gauche, au moment de la campagne électorale et face à l'adversaire dépourvu de « légitimité républicaine » ne laisse pas d'entretenir des faiblesses dans la troisième République. La droite, au lendemain du 16 mai, était exclue à terme du pouvoir, en quelque sorte interdite de séjour au gouvernement. Et par droite, si l'on se réfère d'abord aux membres d'une classe politique, on ne doit pas oublier pour autant que ceux-ci représentent, en 1877, 46 % des suffrages — une petite moitié de la France. C'est dans l'autre moitié — les quelque 54 % de 1877 — que seront choisis tous les présidents du Conseil et tous les présidents de la République à partir de 1879. Pour définir cette situation, Odile Rudelle a créé le concept de « République absolue » —

système interdisant une véritable alternance au pouvoir, n'y laissant accéder que les républicains pourvus d'un certificat de légitimation. Or, non seulement ce système reposait sur l'exclusion d'une minorité « illégitime » mais, de surcroît, il reposait sur une contradiction entre l' « obligation de la légitimité de gauche toujours reconfirmée lors de chaque consultation électorale » et l' « aspiration au gouvernement parlementaire » qui exige « la douceur des compromis centristes que précisément l'obligation de la légitimité de gauche rejette[22] ».

Cette séparation fondamentale entre la gauche et la droite fut aggravée par la question de l'Église, la gauche ayant fait du « péril clérical » un de ses mots d'ordre d'union et la droite étant apparue comme la protectrice du catholicisme. C'est cette division idéologique entre la gauche et la droite qui primera sur la division socio-économique. Cette opposition a des fondements philosophiques : la lutte entre les « Lumières » et l' « obscurantisme ». Comment les esprits « modernes » pouvaient-ils reconnaître le bien-fondé des ravages de l' « art » sulpicien, l'exubérance mariolâtrique des pèlerins, le renouveau du culte des reliques ? Lors de la discussion de la loi sur l'enseignement supérieur en 1875, *la Semaine religieuse,* invitant les fidèles du Tarn à soutenir le financement d'une université catholique à Toulouse, écrit qu'il faut « recréer des universités aussi admirables qu'avant 1789 », où l'on ne dispenserait plus les enseignements tolérés dans les universités d'État, tels que « la géologie qui sape la Bible, la théorie de l'homme-singe, la linguistique qui combat les Écritures, l'histoire qui se refait contre le christianisme[23] ». Sans doute, les anticléricaux ont-ils professé, de leur côté, bien des niaiseries : la guerre de Religion n'est une bonne muse pour aucun des deux camps. Cependant, en 1877, l'anticléricalisme des 363 reste modéré, le centre gauche n'adhérant nullement au programme radical. Mais l'attitude du clergé et des journaux catholiques rend elle-même évidente l'assimilation de la gauche, de la République et de l'anticléricalisme. Plus que deux partis, deux conceptions du monde s'affrontent. Si l'on pouvait espérer de la Constitution de 1875 un régime libéral qui eût fait vivre

ensemble le pluralisme des cultes et des philosophies, la
crise du 16 mai et son dénouement fixent pour longtemps le
catholicisme dans le camp de la droite et hors de la
« légitimité républicaine ». La dialectique de l'opposition
gauche-droite aura pour effet de laminer les centres, au
profit d'antagonismes plus tranchés et au détriment de la
pacification religieuse. Pour la gauche, l'Église est l'adversaire du progrès et de la liberté ; pour la droite, la défense
de l'Église deviendra, une fois ruinés les derniers espoirs de
restauration, l'ultime principe de son identité déchirée.

Enfin, l'enjeu du 16 mai portait aussi sur le fonctionnement des institutions et, plus encore, sur la nature réelle du
régime. Avant la crise, il était licite d'interpréter la
Constitution de 1875 comme Mac-Mahon. Lui, président
de la République, disposait d'un pouvoir monarchique, de
l'initiative des lois concurremment avec les Chambres,
nommant à tous les emplois civils et militaires et disposant
du droit de dissolution moyennant l'accord du Sénat. Ce
droit de dissolution, il l'exerce en toute bonne foi puisque
la Chambre est en désaccord avec le gouvernement qu'il a
nommé. Or, cette interprétation est frappée d'obsoles-
cence par la victoire républicaine. Celle-ci a fixé l'ordre de
préséance entre les « trois pouvoirs » : le Sénat reconnaît
la suprématie de la Chambre issue du suffrage universel.
Celle-ci est également affirmée aux dépens de la présidence
de la République, qui devra se soumettre à la majorité des
députés. Mac-Mahon, du reste, démissionnera avant la fin
de son mandat, le 30 janvier 1879, après que les élections
sénatoriales du 5 janvier eurent donné une majorité
républicaine à la Chambre haute. Le même jour, un
nouveau président de la République, républicain confirmé,
est élu : c'est Jules Grévy. Par sa personnalité et ses
principes — il est notamment adversaire de la dissolution
— il va confirmer l'abaissement de la fonction présidentielle et la prépondérance du Parlement. Selon les termes
de la Constitution de 1875, « chacun des actes du président
de la République doit être contresigné par un ministre ».
Sans changer la lettre de cet alinéa de l'article 3 de la loi du
25 février 1875, la pratique de Grévy en modifia tout
l'esprit, la signature du président de la République n'étant

plus qu'une formalité : les initiatives viendront des ministres et ne seront proposées à la signature que si elles sont défendables devant la Chambre. C'était un retournement de la Constitution orléaniste — mais en même temps la possibilité d'un contrôle étroit de l'exécutif par les parlementaires, au risque de l'instabilité ministérielle. De ce point de vue, la cinquième République pourrait apparaître comme une revanche de Mac-Mahon.

Moins de deux ans après le 16 mai, la République est donc aux « républicains ». Mais elle ne peut prétendre, comme le proclamait Gambetta, être le « régime de tous ». Le compromis libéral de 1875 était fragile et lourd de sous-entendus contradictoires ; du moins laissait-il l'espoir d'une entente minimale entre les Français car la Constitution était dépourvue de contenu idéologique. La crise du 16 mai, au contraire, a opéré à la longue, et plus encore dans la mémoire collective que dans les faits eux-mêmes, la scission entre deux France, dont les poids spécifiques sont culturels : la France vaincue et exclue, ce n'est pas seulement les trois droites monarchiques, c'est aussi le catholicisme militant ; la France victorieuse, c'est en définitive celle qui s'est émancipée du magistère romain et qui trouve dans la République le régime politique de cette émancipation spirituelle. Pouvait-on éviter cette scission, dont l'histoire contemporaine de la France retentit encore ? Pouvait-on rêver on ne sait quel régime de neutralité qui satisfît tout le monde, le curé et le franc-maçon, le pèlerin de Paray-le-Monial et l'apothicaire libre penseur, les fils spirituels de Veuillot et ceux de Quinet ? Rêve de toutes les luttes antérieures entre l'Église et son siècle. Un ralliement plus prompt des catholiques eût pu éviter que le républicanisme devînt si profondément anticlérical. Mais ce ralliement, souhaité par une petite minorité catholique, allait à l'encontre de convictions extra-politiques ; plus que les dogmes, il choquait une sensibilité, un attachement affectif à un ordre des choses révolu, ce que j'ai appelé plus haut la nostalgie de la chrétienté. Il faudra longtemps aux catholiques pour surmonter ce déchirement ressenti devant la pluralité des croyances ; tout entiers attachés à l'unité de la foi, ils seront tentés d'en sauvegarder l'espoir dans les attitudes de repliement, dans les occasions de revanche, et dans l'hostilité durable à l'esprit républicain.

Quel que soit le poids des responsabilités respectives, celle de l'Église, celle de ses adversaires, le fait va marquer toute l'histoire de la troisième République. En mai 1871, celle-ci a pris racine en écrasant les ouvriers ; en octobre 1877, elle est confirmée en excluant — sans le vouloir explicitement — les citoyens catholiques. Deux coupures, deux ruptures, qui n'ont pas été « voulues » par le génie républicain, mais que l'histoire et la contingence mêlées ont opérées ; deux coupures, deux ruptures qui vont peu à peu dessiner les traits de la République parlementaire. Moins de dix ans plus tard, la crise boulangiste allait révéler les graves lacunes du consensus républicain.

3

Le boulangisme

En 1871, la guerre civile entre la Commune et « Versailles » trouve son principe majeur d'explication dans la lutte des classes. En 1877, la question du régime — république ou monarchie — et son corrélat — sécularisation des institutions ou maintien sur elles de l'influence cléricale —, sont l'enjeu du combat entre la gauche et la droite. Si l'on cherchait à résumer en une formule le boulangisme, par lequel de nouveau la paix civile et le régime en place sont remis en question entre 1887 et 1889, on pourrait dire qu'il s'agit d'une révolte des *exclus* contre la République parlementaire. Celle-ci a construit ses assises légales au début des années 1880, sous la bannière « opportuniste ». Pour les uns, en dépit de ses prudences, elle reste l'enfant abhorrée de la révolution, un régime à combattre, un État « sans Dieu » ; pour d'autres, en raison même de ses prudences, elle n'est que la façade trompeuse de la domination bourgeoise consolidée. Car le mouvement boulangiste n'est pas une répétition, il procède d'une nouvelle donne ; il se développe dans le cadre d'un régime républicain installé : la ligne de partage entre les boulangistes et les antiboulangistes ne passe plus entre les « bourgeois » et les « ouvriers » ; pas davantage entre les républicains et les antirépublicains. Le boulangisme est composite : outil de protestation, de revanche ou d'espérance, ceux qui veulent l'utiliser n'ont peut-être en commun qu'un adversaire, cette république « ferryste », qui rebute autant les terrassiers de Paris que les avoués de Périgueux, les électeurs radicaux que les fidèles du bonapartisme, les athées du blanquisme que les abonnés à *la Croix*.

Cependant, le boulangisme n'est peut-être pas une simple « coalition de mécontents », le « grand dégoût collecteur », un syndicat de frustrés et de revanchards en tout genre ; pas seulement un mouvement hétéroclite promis au dépérissement sitôt retombé l'accès de fièvre hexagonale. Peut-être porte-t-il en lui, et même malgré lui, un nouveau modèle politique. Bref, il est possible qu'à s'en tenir à ses aspects « folklore national », refrains de Paulus à l'appui, on ne discerne pas bien un nouveau mode de rassemblement, de protestation et d'affrontement, dont l'histoire des Français va être gratifiée, pour le meilleur (sait-on jamais ?) comme pour le pire (qui n'en doute ?).

La République de Jules Ferry

A partir du 30 janvier 1879, date de l'élection de Jules Grévy à la présidence de la République, les républicains dominent tout l'appareil politique. En quelques années, au prix d'une intense activité législative, ils dotent le régime de son armature institutionnelle quasi définitive, de son système de valeurs et de ses règles d'usage. Léon Gambetta aurait pu être, vu son autorité acquise dans la crise du 16 mai, la figure de proue de cette période de fondation. Mais, tenu en suspicion par bon nombre des caciques du parti républicain, à commencer par Jules Grévy, et emporté par une mort prématurée, le 31 décembre 1882, il laissa à Jules Ferry, de six ans son aîné, l'honneur de figurer comme le héros éponyme de cette république parlementaire naissante. Quels que soient les éloges dont les historiens d'aujourd'hui complètent l'analyse de ses œuvres (comme on l'a entendu lors du colloque qui était consacré à sa mémoire en janvier 1982, à la Sorbonne), le député de Saint-Dié n'a jamais bénéficié de son vivant d'une pareille unanimité. Jules Ferry a été un des hommes les plus caricaturés, les plus brocardés, les plus haïs de son temps : par une droite, qui lui reprochait « l'école sans Dieu » ; par une gauche, qui dénonçait son conservatisme social ; par une droite et une gauche qui lui faisaient un crime de sa politique coloniale. Trois fois ministre de l'Instruction publique, deux fois président du Conseil, il a été pendant ces six années qu'il passa aux affaires, de 1879 à 1885, le grand praticien du positivisme constructif, mais son œuvre, honnie ou mal comprise, exerça une répulsion dont le général Boulanger a amplement bénéficié en ses jours de gloire.

La politique qu'il inspire reste au fond dans le droit fil de l'opportunisme gambettiste : ce sont moins les idées qui séparent vers 1880 Gambetta et Ferry que leur style personnel, leurs origines sociales et la mémoire de leurs désaccords antérieurs[1]. Bien avant son cadet de l'Union républicaine, Jules Ferry a été acquis au modérantisme. La République qu'il prône, ce n'est pas la Marianne au bonnet phrygien, c'est celle à la gerbe d'épis[2]. Positiviste, initié à la loge de « la Clémente-Amitié » en 1875 en même temps que Littré, maître d'œuvre des grandes lois scolaires qui, de 1879 à 1886, réalisent la laïcisation d'une école gratuite et obligatoire, il provoque la répugnance d'une droite catholique qui donne volontiers dans le commentaire apocalyptique : « A la place du règne du Christ, on veut l'empire de Satan[3]. » Pour autant, Jules Ferry ne donne pas satisfaction à la gauche radicale. L'un de ses membres, Jules Fiaux, ancien conseiller municipal de Paris, publie un pamphlet en 1886 sous un titre sans ambages : *Un malfaiteur public.*

> « Le vice de l'opportunisme, écrit-il, a fini par se résumer, se concréter dans un homme dont l'action a jeté la France et la République dans des dangers, dont l'opinion publique, avec son bandeau d'indifférence et d'inertie, ne se rend pas compte encore. »

Après la victoire massive de la gauche aux élections législatives de 1881, les radicaux avaient demandé la révision constitutionnelle. Pour Clemenceau, « les conditions sont maintenant favorables pour fonder l'ordre républicain, pour restituer à la démocratie française la libre possession d'elle-même ». Cette demande de retour aux

sources pures du républicanisme, émise par le leader
radical à la Chambre des députés le 7 mars 1883, Ferry la
combat comme une « expansion d'intransigeance ». Formé
à l'école d'Auguste Comte, qui a fait la théorie des
« différents états de la civilisation », pénétré d'une conception du temps long, il s'en prend à la turbulence radicale :

> « Le progrès n'est pas une suite de soubresauts ni de coups
> de force. Non : c'est un phénomène de croissance sociale, de
> transformation, qui se produit d'abord dans les idées et
> descend dans les mœurs pour passer ensuite dans les lois[4]. »

La révision constitutionnelle à laquelle il préside en 1884
est donc loin de satisfaire l'opposition de gauche : le Sénat
est conservé, on se contente d'abroger le principe d'inamo-
vibilité et d'atténuer l'inégalité de représentation du corps
électoral ; le droit de dissolution est, lui aussi, maintenu,
car Ferry veut une république « de gouvernement », —
maintien en pure perte, il est vrai, puisque de Jules Grévy à
Albert Lebrun aucun président de la République n'en fera
plus usage. Les radicaux objectent encore à Ferry son
absence de politique sociale ; égalitaristes, ils dénoncent sa
complaisance à l'égard du Capital. Là-dessus, Jules Ferry
s'était déjà expliqué sous le second Empire. Il ne niait pas
qu'il y eût « des questions sociales », mais il demandait
qu'on ne niât pas davantage cette réalité du monde
moderne, la « séparation progressive du capital et du
travail », la « concentration inévitable et croissante du
capital dans certaines limites[5] ». Pour lui, « on ne se
révolte pas contre ce qui est ». Ce n'est pas dire qu'il faille
s'y abandonner mais, comme aurait dit son maître Auguste
Comte, il importe toujours de « conformer l'action politique » à « la tendance de la civilisation ». A la concentration du capital, il préconise des contrepoids : celui de
l'opinion, « agent de moralité sociale », celui de l' « organisation collective et de l'éducation croissante des masses
ouvrières ».

L' « égalité d'éducation » est la pièce maîtresse de la
philosophie politique de Jules Ferry. Désireux d'unité
nationale, soucieux de guérir un corps social déchiré par un

siècle de révolution, il assigne à l'école l'harmonisation future. Son œuvre se trouve ainsi marquée du double sceau de l'esprit progressiste et de l'esprit conservateur. Progressiste en ce qu'elle retire à l'Église la fonction cohésive dans la société ; c'est à la Science et non à la dogmatique religieuse qu'est désormais dévolue la mission d'unification. Comme le dira Pierre Laffitte, rendant hommage à l'œuvre laïque de Ferry : « Dieu a cessé d'être d'ordre public ; il n'est plus désormais que d'ordre privé[6]. » Conservatrice cependant, son œuvre, car l'école doit policer les rapports entre les classes sociales, faire accepter par les dominés la place qu'ils occupent dans la hiérarchie : la morale et l'instruction civique doivent y pourvoir ; les vertus d'épargne et la méritocratie distingueront les meilleurs des pauvres. Jules Ferry, républicain anticommunard, livre un combat sur deux fronts contre l' « Internationale noire » et contre l' « Internationale rouge », repoussant également la contre-révolution et la révolution socialiste. Le temps, selon lui, finira par dissoudre la première et décourager la seconde.

La République ferryste s'emploie à séculariser la société et l'État. Sans brusquer le cours de l'évolution : elle ne décrète pas la séparation de l'Église et de l'État. Car Ferry ne veut nullement faire la guerre aux catholiques : « La guerre n'est pas un système de gouvernement. » S'il se déclare anticlérical, il se défend de mener une politique antireligieuse. Laffitte dit encore à ce sujet : « Il ne peut songer à avoir pour principal objectif la lutte contre près de la moitié de la population française. » Au demeurant, les catholiques s'offensent des mesures que la République opportuniste oppose à l'influence cléricale (monopole de la collation des grades universitaires aux établissements publics d'enseignement supérieur, décrets contre les congrégations non autorisées et expulsion subséquente des jésuites, laïcisation des établissements publics dans leurs programmes et dans leur personnel), autant que de l'essor qu'elle donne à une instruction publique républicaine, nouveau creuset de l'unité entre Français (écoles normales, externats de jeunes filles, gratuité, obligation et laïcité de l'école primaire jusqu'à treize ans) ; ils s'indignent encore contre la « loi antichrétienne » du divorce, rétablie en 1884 par un régime dont les représentants les plus en vue — un Gambetta ou un Ferry — n'avaient pas accepté de se marier devant l'autel.

La loi républicaine sanctionne ainsi l'échec d'une Église catholique qui a déjà perdu dans les faits une grande partie de son empire sur les esprits. La République a réconcilié, pour la majorité des Français qui lui ont donné leurs voix en 1881, les notions d'Ordre et de Progrès — autre devise d'Auguste Comte que Jules Ferry a faite sienne [7].

Cependant, à partir de 1882-1883, une conjoncture de crise économique va favoriser, contre le régime récemment établi, la reprise d'une agitation sociale et politique où vont se mêler l'exaspération nationaliste consécutive à la politique coloniale de Ferry et une vague d'antiparlementarisme qui déferle après les élections de 1885. Dans l'étiologie de cette nouvelle fièvre collective qu'a été le boulangisme, on distinguera, pour la clarté de l'exposé, ces trois agents pathogènes.

Le marasme économique

Il est établi depuis un certain temps qu'il y a eu des liens de causalité entre les difficultés économiques, que la France traverse à partir de 1882, et un mouvement social canalisé en partie par le boulangisme [8]. De fait, celui-ci a pris son essor sur fond de crise économique. En aucun cas, on ne saurait voir dans la crise financière et le chômage la seule explication d'un phénomène d'opinion aussi complexe. Néanmoins, la dépression du marché du travail et le marasme général ont été un des facteurs du ralliement populaire (ouvrier et petit-bourgeois) au thème de la révision boulangiste lancé contre le régime en place.

A partir de 1882-1883, la France subit les effets de la dépression mondiale. Cette crise n'a plus pour origine, comme jadis, une sous-production agricole déterminant en chaîne un affaissement du revenu paysan, du marché industriel et de l'emploi. Cependant, le monde agricole connaît lui aussi de grosses difficultés. Le phylloxéra qui ravage le vignoble ajoute ses répercussions malheureuses à la concurrence des blés étrangers. En 1875, la récolte record de production vinicole était de 83 millions d'hectolitres ; en 1887, elle est tombée à 24 millions : de nombreux départements sont touchés par la catastrophe et resteront sinistrés une quinzaine d'années durant. Quant aux céréales, la baisse des prix moyens est continue à partir de 1873. Les revenus agricoles se dégradent, les temps de la satisfaction paysanne par la hausse des cours sont révolus.

Une autre catégorie sociale se sent menacée en ces années 1880, celle du petit commerce, ces boutiquiers en nombre qui sont un des éléments de la base sociale du régime. Mais à ce régime ils demandent toujours une vraie protection contre la concurrence des grands magasins, qui ne cessent d'accroître leur clientèle. *Le Bon Marché,* le « monstre », voit son chiffre d'affaires dépasser le million en 1881. C'est en 1883 que Zola publie *Au Bonheur des Dames.* L'action du roman se déroule dans les dernières années de l'Empire, mais l'expropriation de Barrois, la ruine de Robineau et sa tentative de suicide, la mort de Mme Baudu et « tout le petit commerce ruiné du quartier » qui défile au convoi funèbre sont comme une allégorie d'actualité. La propagande boulangiste, en faisant miroiter des projets de loi contre les grands magasins, trouvera l'oreille de nombreux petits commerçants, que le radicalisme devra lui disputer à coups de promesses similaires [9].

Dans l'industrie, le chômage partiel ou total prend des proportions inquiétantes. Plusieurs centaines de milliers d'ouvriers en sont victimes pendant plusieurs années. Or rien ne les garantit contre le manque de travail. Gustave Rouanet, dans un article de *la Revue socialiste,* dénonce justement l'incapacité ou le non-vouloir d'un Parlement à voter les lois sociales qu'on attend de lui :

« L'Allemagne, l'Angleterre, l'Autriche, la Suisse, l'Amérique ont une législation du travail, dit-il. En France, rien encore n'a été fait ; de sorte que c'est dans ce pays, patrie de la Révolution, berceau du Socialisme des Deux-Mondes, que le progrès social semble s'être arrêté [10]. »

Le poids de l'indemnité payée à l'Allemagne a réduit les capacités d'investissements. L'idée d'un prélèvement exorbitant devait, du reste, être exploitée par le nationalisme de Boulanger. L'appareil productif français est très peu concentré ; sa compétitivité limitée, le recours à l'intervention de l'État s'imposerait d'autant plus dans ces années de dépression. Or, à partir de 1884, les dépenses de l'État amorcent un repli qui s'accentue au cours des années suivantes.

Les grands travaux publics lancés par l'État voient leur nombre diminuer sensiblement à partir de 1885. D'autres secteurs sont atteints les uns après les autres. Or les ouvriers, en France, ne disposent pas encore d'organisation solide : ni le syndicat (reconnu officiellement par la loi de 1884 mais qui lui préexistait), ni le parti de classe (plusieurs se concurrencent mais sont encore à l'état embryonnaire) ne fournissent un cadre de regroupement non plus qu'une arme efficace de la défense ou de la conquête ouvrière. Les grèves défensives au cours de ces années-là sont nombreuses, mais elles se terminent le plus souvent par une défaite. Deux grèves fort longues retiennent l'attention : celle des mineurs de Decazeville (109 jours) en 1886 et celle des métallurgistes de Vierzon (257 jours) en 1887. Mais beaucoup, moins connues, prennent l'allure « primitive » de « mouvements de la misère et de la faim ». Michelle Perrot, à qui l'on doit cette observation, conclut sur cette séquence 1883-1887 : « Le succès du boulangisme est le signe d'un grand désarroi populaire [11]. » Les faiblesses de l'organisation ouvrière contribuent en effet à une sensibilisation des couches sociales les plus atteintes par la crise au mythe du Sauveur suprême. Barrès, dans *l'Appel au Soldat,* a dépeint la ferveur des « masses ardentes et souffrantes » du boulangisme. Romain Rolland, évoquant ses souvenirs de l'École normale supérieure dans ses *Mémoires,* raconte dans une petite scène le désaccord existant en 1887 entre les étudiants et les ouvriers :

« A notre école, les discussions se firent âpres et ora-
geuses, au sujet de l'homme au cheval noir. Mais dans
l'ensemble, la jeunesse des écoles se déclara contre lui. Elle
voyait plus clair que le petit peuple commerçant et ouvrier de
Paris, qui s'était donné, avec une ferveur aveugle, au sauveur
botté. Je garde l'image de ces bonnes gueules consternées,
sur le passage d'une manifestation d'étudiants qui cons-
puaient l'idole, au quartier Latin. Un vieil ouvrier en
bourgeron bleu criait, en leur montrant le poing :

— Ce sont tous des fils de garces — les fils à ceusses qui
sont au pouvoir — ceux qui crient : A bas Boulanger !

Et de grosses larmes roulaient sur ses joues... [12] »

Le boulangisme est composite mais son élément populaire et même prolétarien doit être pris d'emblée en
considération si l'on veut éviter une fausse interprétation
du phénomène. Il y a un boulangisme des faubourgs et des
corons du Nord, comme il y a un boulangisme des paysans
et des bourgeois conservateurs. Ces liens entre boulangisme et classe ouvrière n'ont jamais été aussi visibles que
lors de l'élection partielle de janvier 1889 à Paris — nous
y reviendrons. Il s'en faut du reste que les écoles socialistes rivales se soient toutes retrouvées dans l'anti-bou-
langisme : la base populaire du mouvement ne pouvait
laisser indifférents certains chefs socialistes, désireux de ne
pas s'en laisser couper. L'un d'eux, Ernest Roche, éprouve
la force de la colère populaire contre l' « immobilisme »
des gouvernants, en se présentant, le 2 mai 1886, à une
élection partielle à Paris. Roche était blanquiste. Il était
connu pour avoir été condamné à quinze mois de prison, à
la suite de l'action de soutien qu'il avait apportée, en mars
de la même année, aux grévistes de Decazeville. La
démission de Rochefort ayant provoqué une élection
complémentaire, Roche, soutenu par celui-ci, fut le candidat des groupes socialistes. Le 2 mai, le radical Gauthier
l'emporte bien par 146 000 voix mais Ernest Roche en
recueille plus de 100 000. Or il appartient à cette tendance
blanquiste qui va suivre Boulanger. La plus claire explication qu'il en donne date du 25 mai 1890, alors qu'il était
député :

> « Notre tradition, écrit-il dans *le Blanquiste,* est de mar-
> cher avec le peuple, surtout le peuple de Paris, à l'avant-
> garde de ses bataillons, ne prétendant jamais lui en remon-
> trer, car il porte dans son cerveau, inné, l'intérêt sublime de
> la justice [13]. »

Le boulangisme est né en partie de la déception profonde
due aux républicains au pouvoir, les radicaux eux-mêmes
faisant la preuve, lors du ministère Floquet, de leur
infidélité à la cause du peuple dont ils avaient revendiqué
jusque-là la défense.

Le coup de signal de la crise avait été donné, en 1882, par
le krach d'une banque — l'Union générale — fondée
quatre ans plus tôt au moyen de capitaux issus des milieux
conservateurs et catholiques (de « tous les mécontents du
catholicisme, de l'armée, de la magistrature et des vieux
possédants [14] », écrit Auguste Chirac). Des imprudences de
gestion entraînent sa faillite et le procès de Paul-Eugène
Bontoux, son gérant, condamné à cinq ans de prison. Les
victimes et la presse conservatrice attribuèrent aux financiers juifs et protestants la responsabilité de leurs malheurs.
Ce fut le signal de départ d'un mouvement d'opinion
antisémite, dont Édouard Drumont allait devenir le porte-
voix le plus célèbre après la publication et le succès de sa
France juive en 1886. En attendant, le krach de l'Union
générale a provoqué une crise financière : le retrait des dépôts
bancaires a causé la réduction générale des crédits, les difficultés des entreprises et, du même coup, aggravé le chômage.

Ce malaise social, deux grands journaux populaires vont
en faire bruit à Paris et contribuer, à un degré inégal, au
succès du boulangisme : *l'Intransigeant* et *le Cri du peuple.*
L'un et l'autre ont été créés par d'anciens communards,
revenus en France à la suite de la loi d'amnistie promulguée
le 11 juillet 1880 : Henri Rochefort, qui avait lancé le
premier avec succès dès le 14 juillet, et Jules Vallès, qui
avait relancé le second en 1883, avant de le laisser en
mourant en 1885 à sa fille spirituelle Séverine. L'expulsion
des jésuites et le retour des communards la même année
avaient provoqué le mot de Paul de Cassagnac : « Les
assassins et les incendiaires rentrent ; les prêtres partent. »

Rochefort, dont la renommée dans le petit peuple de Paris
repose sur son opposition gouailleuse à l'Empire, sa
participation à la Commune, son évasion de la Nouvelle-
Calédonie et sur une jactance de harangueur où les plus
exécrables calembours le disputent à la pire démagogie, est
à la fois représentatif et créateur de ce populisme fin de
siècle : apôtre de la république sociale, à la fois anticlérical
et nationaliste, il va tenir un des haut-parleurs du boulangisme, avant de porter l'enseigne de l'antidreyfusisme. Le
journal de Séverine se montrera plus discret, plus prudent,
mais n'en affichera pas moins une certaine sympathie pour
« la Boulange ».

L'analyse sociologique des résultats électoraux autant
que la lecture des journaux ou le dépouillement des
archives de police concernant les réunions publiques de la
période, aboutissent à la confirmation de la thèse centrale
de Jacques Néré, selon laquelle une des composantes
agissantes du boulangisme est à chercher dans les milieux
ouvriers paupérisés et déçus par la République parlementaire. Toutes les classes sociales ont été divisées par le
boulangisme, qui ne peut être réduit à un mouvement de
classe ; mais, sans préjudice d'une analyse affinée qui
établirait les variations régionales de l'adhésion au boulangisme, il importe de reconnaître dans celle-ci la part
estimable d'un électorat de gagne-petit et de gagne-plus-
rien qui donnait ses voix jusqu'en 1885 aux radicaux. C'est
l'impuissance de ceux-ci à promouvoir, au sein du régime
établi, la politique sociale attendue qui provoque la brèche
et motive l'attrait des cités ouvrières du Nord et de la Seine
pour le boulangisme. Celui-ci, dans sa complexité,
s'exprime par une idée simple : la dispersion des
« bavards » du Parlement et leur remplacement par une
république pure et dure. D'autant que le régime parlementaire déçoit toute une opinion républicaine sur un autre
terrain, celui de la politique étrangère. Habile à capter le
mouvement de protestation sociale, le boulangisme va
aussi polariser les sentiments nationalistes exaspérés par la
politique de Jules Ferry et flattés par le passage au
ministère d'un général va-t'en-guerre fait pour tenir la
dragée haute à Bismarck.

La crise nationaliste

La défaite de 1871 et la perte des trois départements de l' « Alsace-Lorraine » ont été le point de départ d'une exaltation nationaliste nourrie de mythologie révolutionnaire et de foi républicaine. Pendant les vingt ans qui ont suivi le traité de Francfort, la France a porté le deuil des provinces perdues et médité les raisons de la victoire allemande. Ce sentiment patriotique légitime était doublé d'une conviction proprement nationaliste, l'idée selon laquelle la France était missionnaire des peuples, la grande Nation éclairée et éclairant l'avenir de l'humanité :

> « Ah ! nous sommes cruellement éprouvés, mes amis, disait Gambetta en Savoie, en 1872. La France, à proprement parler, depuis la Réforme, depuis la grande moitié du XVe siècle, a été tour à tour, pour tous les peuples de l'Europe, le guide, l'initiateur et le martyr. C'est de son sang, de son dévouement, de ses sacrifices et de ses servitudes que sont faites la gloire, l'émancipation et la liberté des autres peuples. »

De tels propos issus de l'extrême gauche déchaînaient des « applaudissements prolongés[15] ». La République, qu'on l'entende bien, est pacifique. Elle ne veut pas déclencher une nouvelle guerre en Europe. Mais elle réclame justice, elle n'accepte pas que l'amputation de son territoire soit définitive. Et « si la guerre nous est imposée, déclare Clemenceau, nous saurons l'accepter[16] ». Les Parisiens fleurissent selon un rituel la statue allégorique de la ville de Strasbourg place de la Concorde. L'armée baigne dans un sentiment unanime de respect, d'affection et d'admiration. La République, c'est aussi la République de Hoche et de Kléber, la nation armée bravant les monarchies, les va-nu-pieds montant à l'assaut de la tyrannie : cette histoire légendaire, les républicains de la gauche et de l'extrême gauche s'en réclament ; en France, le nationalisme n'est pas encore à droite.

En 1882, année qui s'achève par la mort de Gambetta, un ami de celui-ci, Paul Déroulède, fonde la Ligue des Patriotes, à laquelle Victor Hugo offre son patronage. C'était donc avec l'apostille des plus grands noms républicains qu'entamait sa carrière une des armées du nationalisme français. Cette ligue visait à entretenir la vigilance patriotique du pays et à préparer la jeunesse à toute éventualité de guerre. Elle s'appuyait à ces fins sur un réseau de sociétés de gymnastique, à l'usage des corps, et disposait d'un hebdomadaire plein de maximes, *le Drapeau,* pour la nourriture des esprits. Elle organisait des défilés au pas cadencé, à certaines dates commémoratives, sous l'applaudissement des badauds. Peu à peu, elle disposa de plusieurs dizaines de milliers d'adhérents, recrutés dans tous les milieux et organisés de façon paramilitaire. La Ligue devait se révéler, à Paris surtout, le principal soutien logistique du boulangisme.

En effet, Paul Déroulède s'est senti leurré par la politique extérieure des républicains modérés : la République ferryste manquait à son devoir national, la préparation de la Revanche. « La revanche reine de France », comme dira beaucoup plus tard, en évoquant cette époque, le monarchiste Charles Maurras. Le principal grief que Déroulède et bien d'autres républicains font à Ferry est sa politique coloniale. Si les « expéditions lointaines » en Tunisie et au Tonkin attirent alors les foudres de la droite en raison des charges financières qu'elles occasionnent, une partie de la gauche — et spécialement le parti radical — objecte à Ferry de servir les visées de Bismarck en gaspillant les forces vives de l'armée française loin de la ligne bleue des Vosges. A dire vrai, Jules Ferry n'avait pas inventé cette politique de colonisation qui était antérieure à ses responsabilités ministérielles, mais il l'avait assumée de plein gré et en rendait raison, sur le plan philosophique et moral, au nom de ses idées positivistes : la France, « peuple central », avait une mission planétaire, celle qui échoit aux « races supérieures » — une supériorité sentie comme historique et non pas biologique — à l'égard des

« races inférieures », et qui est la mission civilisatrice, pédagogique, grand-fraternelle, en vue du progrès de l'Humanité [17]. Aux arguments idéalistes, Jules Ferry ajoutait des raisons économiques largement redevables à Paul Leroy-Beaulieu, économiste libéral, auteur d'un plaidoyer intitulé *De la colonisation chez les peuples modernes* (1874) : « La politique coloniale est fille de la politique industrielle », elle répond à la nécessité d'exporter, elle offre des débouchés aux capitaux d'un pays riche et des bases portuaires à sa marine. Ainsi, dans l'esprit de Ferry, la loi de civilisation, le devoir d'humanité et l'intention stratégique s'alliaient dans une commune finalité du rayonnement à fois spirituel et matériel. Cette politique, qui eut pour résultats concrets les signatures du Protectorat sur la Tunisie en 1881 et du Protectorat sur l'Annam en 1883, connut aussi ses revers : la mainmise sur la Tunisie compensait mal la prépondérance que la France laissait aux Anglais en Égypte, tandis qu'au Tonkin les troupes expéditionnaires se heurtaient à la résistance indigène et à l'armée chinoise, au point que, à la nouvelle de l'évacuation de Lang Son, le 30 mars 1885, l'opposition coalisée des radicaux et des conservateurs mettait un terme au long ministère Ferry.

Sur les trois catégories de l'argumentation « opportuniste » — philosophique, économique et militaire — la gauche du parti républicain tenait un discours nettement anticolonialiste. Georges Clemenceau en fut l'interprète :

> « Races supérieures ! Races inférieures ! disait-il. C'est bientôt dit. Pour ma part, j'en rabats singulièrement depuis que j'ai vu des savants allemands démontrer scientifiquement que la France devait être vaincue dans la guerre franco-allemande, parce que le Français est d'une race inférieure à l'Allemand. Depuis ce temps, je l'avoue, j'y regarde à deux fois avant de me retourner vers un homme et vers une civilisation et de prononcer : homme ou civilisation inférieure [18] ! »

Sur le plan économique, disait-il, la colonisation aboutit à un gaspillage des capitaux français, de l'or français —

considérations financières soutenues et approfondies, lors
des mêmes débats parlementaires, par l'économiste Frédéric Passy, membre du centre gauche :

> « Je crois que la France a le devoir de se concentrer, de se
> recueillir, et que si elle veut rayonner et s'épandre, il faut que
> ce soit comme ces eaux qui se déversent en s'élevant, non
> comme celles qui se perdent par mille fissures et mille fuites
> qui les abaissent. »

C'est au nom du patriotisme et de la stratégie aussi que
Clemenceau argumente : on disperse nos forces « aux
quatre coins du monde », on diminue ainsi notre « force de
résistance », avec la bénédiction du chancelier allemand,
ennemi dangereux, devenu « peut-être un ami plus dangereux encore ». Déjà, en octobre 1884, dans son discours au
Trocadéro, Déroulède avait résumé par une formule cla-
quante les principes du patriotisme continental opposé à
l'aventure coloniale :

> « Je l'ai dit et je le répète : avant d'aller planter le drapeau
> français là où il n'est jamais allé, il fallait le replanter d'abord
> là où il flottait jadis, là où nous l'avons tous vu de nos propres
> yeux. »

Ainsi la politique coloniale de Jules Ferry soulevait
contre elle non seulement la majeure partie de la droite
conservatrice, dont le duc de Broglie se faisait le porte-
parole au Sénat, les voix d'un centre gauche proche des
milieux d'affaires inquiets des risques financiers, mais
encore l'hostilité d'une extrême gauche que renforçait la
critique des milieux socialistes à l'extérieur du Parlement.

En 1886, l'idée vient à Déroulède que la Revanche
implique un préalable intérieur : créer une nouvelle république, non plus tenue à la merci des parlementaires, mais
fondée sur un exécutif fort, appuyé sur le suffrage universel. Il pressent alors dans la personne du nouveau ministre
de la Guerre Boulanger la chance et l'agent de cette
« révision » nécessaire. A Boulanger devenu célèbre, il
apportera le soutien de son organisation de masse. D'au-

tant plus aisément que chez les mêmes hommes se conju-
guaient la passion nationale et la revendication sociale.
Déjà, sous le siège de Paris, en 1870-1871, on avait insulté
« Ferry-Famine », au nom de la patrie et au nom des
subsistances. Or, passé les élections législatives de 1885, la
protestation sociale et nationale se renforce d'une autre
dimension : le développement de l'antiparlementarisme
dans l'opinion.

Un mal qui devient chronique

Alors que depuis la défaite des monarchistes, en 1877,
les républicains « opportunistes » dominent la Chambre, la
double opposition de la « droite royaliste » et de la
« gauche intransigeante » cause leur échec aux élections
législatives des 4 et 18 octobre 1885. Ces élections inaugurent un nouveau mode de scrutin, le scrutin de liste
départemental majoritaire à deux tours, défendu avec
succès par le ministre de l'Intérieur de Jules Ferry,
Waldeck-Rousseau. Celui-ci, lors du débat à la Chambre
du mois de mars 1885, réprouve le scrutin d'arrondissement
comme scrutin des extrêmes ; en fait, le scrutin de liste a
pour qualité principale à ses yeux de resserrer la discipline
de parti des députés républicains dans le cadre départemental. L'effet le plus clair va être de causer, au contraire
de ce qu'espérait son initiateur, la rupture de la majorité
républicaine. Les élections d'octobre se font sur la politique « ferryste ». Or tout se passe comme si les opposants à
Jules Ferry parvenaient à entraîner derrière eux une
majorité d'électeurs. C'est ce qu'on a alors appelé « la
poussée des extrêmes », que voulait éviter Waldeck-Rousseau. En réalité, l'analyse d'Odile Rudelle consacrée à ces
élections tend à démontrer que la cause principale de
l'échec opportuniste tient principalement au nouveau mode
de scrutin. Si l'opposition principale demeure bel et bien
celle de la gauche et de la droite, comme en témoignent
notamment les professions de foi électorales [19], c'est tout

de même au sein du camp républicain que se produit la fracture la plus visible : la chute du cabinet Ferry du 30 mars a laissé des traces profondes. Inversement, la droite conservatrice, servie par la mort du comte de Chambord en 1883, retrouve l'efficacité dans l'union. Ainsi, lors du premier tour, le 4 octobre, seuls 18 députés ferrystes sont réélus, et si, au total, 124 républicains passent dès le premier tour, la droite obtient de son côté 176 élus. Divine surprise et succès incontestable : le nombre des suffrages conservateurs a doublé depuis 1881, atteignant 44 % des votants au lieu de 25 %. Les opportunistes se maintiennent, obtenant plus de 40 % des voix ; le centre gauche s'effondre et les radicaux passent de 9,8 à 13,7 %. Pour sensible qu'elle soit, cette poussée radicale reste modeste, mais l'ensemble des voix républicaines modérées (opportunistes et centre gauche) a subi des pertes dont le premier bénéficiaire a été la droite. Cependant les effets de la loi électorale vont provoquer au second tour une surreprésentation des radicaux en même temps qu'un tassement des voix de droite [20]. Afin de barrer le passage à celle-ci, les radicaux et les opportunistes avaient achevé de mettre au point la tactique de « discipline républicaine », appelée à concrétiser le mot d'ordre lancé par *la Justice* de Clemenceau : « Maintenant, on ne discute plus, on serre les coudes. » Doit rester en lice dans chaque département au second tour, face aux réactionnaires, la liste républicaine arrivée en tête au premier tour. Dans certains cas, on déroge à la règle au profit des radicaux, mais partout : unité ! unité ! Cette « discipline républicaine », promise à un avenir sans doute alors insoupçonné, provoque au second tour l'effondrement des espoirs conservateurs qui n'obtiennent que 26 sièges, contre 241 gagnés par leurs adversaires. Il est vrai que le thème actif de l'union et de la discipline n'a pas été la seule cause de la défaite conservatrice. Une partie du corps électoral, acquise au régime, avait émis le 4 octobre un vote de protestation, qu'elle croyait sans risques, contre les gouvernants sortants, quitte lors du tour suivant, le 18 octobre, à rejoindre le bercail républicain. Quoi qu'il en soit, le jeu des désistements offre aux radicaux 144 sièges, près du

triple de leurs élus de 1881. La plus claire des conséquences
en est la division de la Chambre en trois groupes principaux, à peu près équilibrés : aucun d'eux ne peut prétendre
à la majorité sans alliance. Or, dès la réunion de la nouvelle
Chambre, le 14 novembre, la scission du parti républicain
est patente. Si le radical Floquet est bien élu président de la
Chambre, en revanche la double opposition des radicaux et
de la droite interdit à l'opportuniste Spuller d'en devenir
vice-président. La contradiction, bien mise en évidence par
O. Rudelle, allait devenir structurelle : unie pour réaffirmer sa légitimité républicaine face à la droite, la gauche ne
l'est pas pour gouverner. La République modérée, « centriste », telle qu'elle est probablement majoritaire dans le
pays, correspondrait à une conjonction des centres, qui est
impossible en période électorale. Les opportunistes
devaient en passer par les exigences radicales : « démocra-
tiser », disait Clemenceau, ce qui voulait dire aussi faire sa
place au personnel radical. C'est ainsi que le général
Boulanger devient ministre de la Guerre du nouveau
cabinet Freycinet, en janvier 1886 : Clemenceau était
derrière lui. De même quatre radicaux, pour la première
fois, accédaient à des responsabilités gouvernementales :
Granet, Goblet, Lockroy et Sarrien.

Le défaut de majorité conduit à l'instabilité ministérielle.
Le second cabinet Ferry avait duré plus de deux ans
(21 février 1883-30 mars 1885). A partir du renversement
de ce cabinet jusqu'aux élections de l'automne 1889, la
durée moyenne des ministères est réduite à huit mois à
peine. Le système parlementaire — plus encore que les
hommes qui le dirigent — est de plus en plus décrié. Alfred
Laisant, député radical, qui devait être du *brain trust* du
général Boulanger, dénonce en 1887, dans son *Anarchie
bourgeoise,* ce qu'il appelle « la pourriture d'assemblée » :

> « A force de se dépenser en formalités et niaiseries,
> comme le veut la règle parlementaire, on en arrive à perdre
> de vue le but et à ne plus se préoccuper que de la machine
> parlementaire. En second lieu — et c'est le côté le plus grave
> — la vie en commun dans ce milieu d'agitation stérile a pour
> effet d'élever comme une sorte de barrière entre le pays et

soi. On respire une atmosphère spéciale, on perd de vue les aspirations et les besoins de la démocratie qui vous a élu [21]. »

Ce n'était pas encore « la République des camarades » dénoncée par Robert de Jouvenel en 1914, mais c'était déjà l' « organisation du gâchis », un « organe d'oppression » dirigé « contre la démocratie », un « jeu de bascule ministérielle » destiné à « empêcher toute transformation utile, tout progrès et toute réforme [22] ».

La République parlementaire n'était pas seulement impuissante, elle était de surcroît scandaleuse. L'affaire Wilson, déclenchée en septembre 1887, entame la longue chronique de la corruption dont le régime va être régulièrement incriminé. On découvre alors que Daniel Wilson, député et gendre du président de la République Jules Grévy (réélu en décembre 1885), dispose d'un bureau à l'Élysée d'où il se livre à un trafic d'influence d'envergure. On apprend qu'à coups de légions d'honneur généreusement octroyées il place sans peine les actions des journaux dont il est propriétaire. Le pot aux rosettes découvert, à la suite d'un fait divers, les députés décident, le 5 novembre, une commission d'enquête ; le cabinet Rouvier, en place depuis le 30 mai, n'y survit pas, et Grévy, malgré qu'il en ait, ne pourra achever le second septennat qu'il vient à peine d'entamer. Pendant qu'il médite sur « le malheur d'avoir un gendre » (refrain de l'année), « Pod'vins et compagnie » (paroles d'une autre rengaine) salissent la réputation d'un régime, dont le principe à en croire Montesquieu aurait dû être la vertu. La crise présidentielle, succédant à la crise ministérielle, provoque un tumulte. C'est sous la protection de la police que le Congrès se réunit à Versailles, pour donner un successeur à Grévy. A Paris, la Ligue des Patriotes et l'extrême gauche blanquiste ameutent la population contre la candidature de Ferry. Finalement, Clemenceau parvient à faire élire Sadi Carnot, fils d'Hippolyte et petit-fils de Lazare, troisième prénom d'un patronyme républicain incontesté.

Le scandale de l'Élysée a éclaboussé la classe politique et nourri le mépris du parlementarisme dans tous les milieux. C'est dans ce moment de protestation contre l'impuissance de la Chambre et contre la dégradation des mœurs politiques que va grandir la figure du général Boulanger, « général Nettoyage » appelé à éjecter les « phraseurs » et les « pourris » du Palais-Bourbon.

Il y a certainement beaucoup d'injustice à déclamer contre un personnel politique qui, en sept ou huit ans, vaille que vaille, a fondé les bases du régime plus libéral et plus démocratique que les Français appelaient de leurs vœux après l'Empire. Ses opposants, du reste, ne peuvent se targuer d'aucune majorité positive. Mais le fait est là : une partie de l'opinion républicaine, à cause de la crise économique, est déçue ; elle attendait de la République plus de justice sociale. Chimère peut-être mais, dans sa désillusion, la voilà prête à la révolte contre ceux-là mêmes qu'elle a aidés de ses suffrages. Lorsque pour la première fois un radical, Charles Floquet, deviendra président du Conseil, en avril 1888 — mais en pure perte, puisqu'il ne disposera pas plus que ses collègues de la majorité homogène à même d'appliquer le programme de la gauche —, ce sera bien la preuve, aux yeux de ces déçus, qu'au système les riches trouvent leur compte, et les pauvres pas même leur pain. Dans son livre, *Au temps du boulangisme*, Alexandre Zévaes donne le ton de la protestation populaire, en écrivant :

> « Seuls, gros patrons, bourgeois nantis, parlementaires gavés, financiers opulents, fonctionnaires dociles, qui constituent le personnel de l'opportunisme, proclament leur satisfaction et s'épanouissent insolemment sous un régime qui leur assure des dividendes, des sinécures, des places et des décorations. Pour eux, tout est pour le mieux dans le meilleur des mondes et dans la plus ferryste des républiques [23]. »

Antiparlementarisme, protestation patriotique, révolte sociale, rancune des monarchistes, refus catholique, projets de revanche d'une droite requinquée par les élections de 1885, voilà le fond de la crise. Mais ce cumul de désenchantements et de ressentiments ne forme pas encore une crise politique. Pour qu'elle se produise, il faut que ces différentes lignes causales se nouent à un moment donné.

Un homme, brusquement populaire, va en être l'instrument, Georges Boulanger. Le boulangisme va agiter dans une seule tempête toutes les colères diffuses contre le régime en place. Mais il n'est pas une simple addition de plaintes et d'espérances ; par son dynamisme propre, il va réaliser une multiplication des forces d'opposition. Son héros, pourtant, n'est au départ qu'un pur produit du régime.

Le ministre Boulanger

Le 7 janvier 1886, Grévy confie à Charles de Freycinet le soin de former un nouveau ministère. Polytechnicien, ancien ministre des Travaux publics dans les cabinets Dufaure et Waddington, il avait déjà dirigé deux gouvernements dans lesquels Ferry avait été ministre de l'Instruction publique. La nécessité du moment impose à son troisième cabinet une participation radicale, cette alliance des opportunistes et des radicaux qu'on appelle alors *concentration républicaine*. Le général Boulanger, auquel est attribué sur la recommandation de Clemenceau le ministère de la Guerre, est inconnu du grand public mais pas tout à fait des milieux politiques.

Georges Boulanger a quarante-neuf ans. Né à Rennes, fils d'un avoué ruiné, il a fait ses études au lycée de Nantes, où il a croisé Clemenceau, de quatre ans son cadet, puis a été reçu à l'École militaire de Saint-Cyr. Les champs de bataille du second Empire lui ménagent les étapes d'une carrière rapide : l'Algérie, où il participe comme sous-lieutenant à la campagne de Kabylie ; l'Italie, où il reçoit une blessure à Magenta et la Légion d'honneur en récompense ; la Cochinchine encore... de sorte que le voilà lieutenant-colonel lors de la guerre de 1870, qu'il termine en accédant au grade de colonel. Lors de la guerre civile, il participe donc à un poste de commandement à la répression de la Commune — épisode qui restera un brandon de discorde entre anciens communards, ceux qui deviendront boulangistes et ceux qui ne pardonneront pas à l'ancien « bourreau » des insurgés. La paix revenue, notre colonel, déjà expert à faire d'une fille deux ou trois gendres, sollicite aussi bien le duc d'Aumale que Gambetta : en 1880, l'arriviste arrive à être général de brigade.

Il ne manque pas d'allure, ce Boulanger, mais s'il en impose à beaucoup par son air martial et ses poses de patriote intransigeant, il en fait un peu trop aux yeux de ses collègues qui se moquent de ses cabotinages. Ce n'est peut-être que de la jalousie car notre fier-à-bras donne dans l'œil des femmes, ce qui l'entraîne parfois dans des intrigues vaudevillesques. Mais, sous ces traits bien gaulois, il ménage ses appuis politiques, au rang desquels il s'attache celui de son ancien condisciple Clemenceau.

Général de division en 1884, Boulanger est nommé à la tête des forces d'occupation françaises en Tunisie. Sur cette terre coloniale, ses cavalcades à travers les sables, la figuration de ses escortes de spahis, ses déclamations nationalistes lui valent une première popularité auprès de ses troupes. Soucieux de faire respecter l'honneur français après des incidents entre les soldats et la colonie italienne, il publie un ordre du jour invitant ses hommes à dégainer en cas d'agression antifrançaise. Ses rodomontades provoquent des difficultés diplomatiques avec l'Italie et, du même coup, un conflit personnel entre lui et le résident civil Paul Cambon. C'est sur ces entrefaites que Boulanger, sur les instances de Clemenceau, entre comme ministre de la Guerre dans le gouvernement Freycinet.

Boulanger disposait d'un avantage, encore assez rare chez les officiers généraux : il avait une réputation de républicain. Dans l'esprit de Clemenceau, Boulanger devait servir précisément à républicaniser une armée restée marquée dans ses cadres et dans ses habitudes par la période impériale et par un surcroît de personnel monarchiste. « Boulboul », comme l'appelait le député du Var [24], ne devait être qu'un instrument entre ses mains. Les réactions à cette nomination sont unanimes dans la presse conservatrice : les radicaux ont mis la main sur le ministère de la Guerre, l'extrême gauche tient désormais la défense du pays ! De fait, les premiers actes du nouveau ministre ne laissent pas d'exciter contre lui la rage des conservateurs en même temps qu'ils suscitent les vivats de la gauche radicale.

Débordant d'activité, Boulanger y va de tout cœur par des initiatives d'importance inégale mais qui construisent peu à peu sa popularité. En faveur de l'armée, « arche sainte » des Français, il prend des mesures symboliques propres à lui rallier le cœur de ses compatriotes : les guérites sont repeintes en tricolore, des retraites au flambeau sont organisées dans les villes de garnison, il crée des cercles militaires ; à l'endroit des soldats, il fait améliorer l'ordinaire, autorise le port de la barbe, assouplit le régime des permissions. Nous dirions aujourd'hui que Boulanger est un homme « de médias » ; il a le sens de la mise en scène et de la psychologie des foules. Sur le plan technique, il n'est pas inactif non plus ; il introduit le fusil Lebel — fusil tirant huit cartouches, à répétition et promis à un bel avenir —, en remplacement du fusil Gras datant de 1874. Il fait installer le premier service téléphonique aux armées, réorganise le service cartographique... Mais il en vient aussi à des mesures politiques. Il établit ainsi un projet de réforme militaire (appelé à devenir la loi du 15 juillet 1889), ramenant le service de cinq à trois ans mais en mettant fin aux dispenses diverses, y compris celle des séminaristes. La gauche ne tarit plus d'éloges sur ce ministre jacobin qui envoie les « curés-sac-au-dos ». Le républicanisme de Boulanger s'affirme encore dans les déplacements qu'il impose aux unités commandées par des officiers antirépublicains. Mieux encore, après que le comte de Paris eut donné, à l'occasion du mariage de sa fille avec le prince héritier du Portugal, une réception parisienne dont l'éclat appelle les fureurs de la presse de gauche, Boulanger, fort de la loi de juin 1886 interdisant le territoire français aux chefs de famille ayant régné sur la France, fait rayer des cadres de l'armée tous les princes de sang. Parmi eux, il y avait son ancien protecteur le duc d'Aumale. Celui-ci publie une protestation le 11 juillet ; incontinent il se voit l'objet d'un décret d'expulsion signé du gouvernement. La carrière politique de Boulanger commençait à gauche sur l'air de la provocation.

Ce général républicain et républicanisant prend aussi les traits d'un général « social ». La grève des mineurs de Decazeville lui en donne l'occasion. Ceux-ci, employés par la Société des houillères et fonderies de l'Aveyron, avaient cessé le travail le 26 janvier 1886 en raison des diminutions de salaires et des mesures vexatoires infligées aux ouvriers par le sous-directeur Watrin. Grève longue de plusieurs mois, soutenue comme rarement grâce aux souscriptions publiques ; grève dure, qui soulève l'émotion générale quand, à la suite d'une altercation, le sous-directeur est défenestré par les grévistes. Le gouvernement expédie la troupe à Decazeville comme il se doit. Interpellé à la Chambre sur cette action, le 11 février 1886, par le député socialiste et ancien mineur Basly, Boulanger proclame la neutralité de l'armée entre les ouvriers et la compagnie minière, par une phrase fleurant la démagogie mais qui retentit longtemps dans les cœurs populaires : « A l'heure qu'il est, s'exclame-t-il, chaque soldat est peut-être en train de partager avec un mineur sa soupe et sa ration de pain. » Paroles inattendues et dangereuses aux oreilles des partisans de l'État-gendarme !

Dans les casernes et les chaumières, on l'aimait de plus en plus, le « brav' général ». Il lui fallait une apothéose. Boulanger y contribua lui-même, en rétablissant la revue militaire du 14 Juillet, redevenu jour de la fête nationale depuis 1880. Le défilé eut lieu à Longchamp dans un concours d'enthousiasme patriotique. Le ministre de la Guerre avait soigné ses effets : bicorne à plumes blanches, culottes de casimir immaculé se détachant entre la tunique et les bottes vernies, il caracole sur un superbe cheval noir face à la tribune officielle avant de saluer le président de la République dans une immobilité parfaite. Les premiers « Vive Boulanger ! » vont alors inquiéter les âmes républicaines, tandis que Paulus, le plus célèbre des chansonniers, compose *En rev'nant de la revue* une chanson à la gloire de l'homme du jour. Dans les mois qui suivent, le ministre de la Guerre achève de modeler son personnage, en dépit des attaques qui se multiplient contre lui. Du cabinet Freycinet, tombé le 3 décembre 1886, il passe au cabinet Goblet, dont il reste ministre de la Guerre.

En avril 1887, un incident de frontière — l'affaire Schnaebelé — ajoute encore à sa gloire. La tension entre la France et l'Allemagne ne diminuait pas. Bismarck, défendant un projet de nouvelle loi militaire destinée à renforcer les effectifs des armées du Reich, évoque en janvier 1887, devant le Reichstag, le danger de guerre que représente le général Boulanger. Ayant échoué, le Reichstag dissous, le chancelier allemand utilise encore l'épouvantail revanchard au cours des mois suivants pour imposer ses vues aux électeurs ; le 21 février il obtient la majorité de ses vœux et peut faire voter le renforcement des forces allemandes. C'est dans ces circonstances tendues entre les deux pays qu'éclate l'affaire Schnaebelé. Ce commissaire de frontière français est arrêté le 20 avril par les Allemands, arrestation qui a lieu selon des témoins sur territoire français. Boulanger, conformément à son personnage de patriote intransigeant, parle de mobilisation mais il doit en rabattre. Après plusieurs jours d'enquête, d'allées et venues des ambassadeurs, de réunions du conseil des ministres, finalement, le 30 avril, le chancelier décide de relâcher Schnaebelé. Or ce qui avait été obtenu par la prudence diplomatique est imputé aussitôt et sans fondement à la fermeté de Boulanger : il avait fait reculer Bismarck ! Il devenait le « général Victoire », le « général Revanche » ; la cause nationale avait trouvé son champion.

Le parti boulangiste

La popularité de Boulanger devient une menace, y compris pour ceux qui l'ont porté au pouvoir. Le 17 mai 1887, Jules Ferry et soixante-dix députés républicains se joignent à la droite pour renverser le ministère Goblet. Le 30 mai, Maurice Rouvier, ancien ministre du Commerce de Gambetta et de Ferry, forme un nouveau cabinet d'où il exclut le trop populaire général. Rouvier affirme vouloir rompre avec la politique radicale : « Le gouvernement républicain, arrivé à la maturité, doit être un gouverne-

ment bienveillant et non un gouvernement de combat. » La
situation néanmoins reste fiévreuse. Une semaine plus tôt,
au cours d'une élection partielle à Paris, *l'Intransigeant* a
préconisé aux électeurs d'inscrire le nom de Boulanger à
côté de celui de l'unique candidat au conseil municipal.
38 000 électeurs, soit 12 % des votants, suivent cette idée,
quoique Boulanger ne soit pas éligible. Le mouvement
boulangiste est dès lors parti — et parti dans ce Paris
républicain, sensibilisé par les diatribes de Rochefort et les
coups de trompette de Déroulède.

La presse, libérée par la loi de 1881, va jouer sa partition
dans la crise. Ces années troublées inaugurent l'avènement
des masses dans la vie publique. Les facteurs qui y
président — suffrage universel, libertés de presse et de
réunion, urbanisation, instruction gratuite — achèvent de
se mettre en place. Toute crise désormais devient *ipso facto*
crise d'opinion. Une opinion que se disputent des adversaires avec les moyens modernes de la communication. Le
boulangisme, dans cette histoire, est un moment décisif.
Les journaux qui se sont multipliés se divisent, en mai
1887, sur le nom du général. Il est notable que ses fervents
écrivent alors dans la presse d'extrême gauche : *la Justice*
de Clemenceau — mais qui s'inquiète du succès personnel
de Boulanger —, *le Mot d'ordre, l'Événement, le Cri du
peuple,* et bien sûr *l'Intransigeant;* ses adversaires s'expriment dans la presse opportuniste ou conservatrice : *l'Autorité, la République française, le Temps, le Figaro, la Gazette
de France, le Gaulois...* Mais un reclassement des journaux
d'opinion est opéré en juillet 1887, lorsque le nouveau
ministère nomme Boulanger à Clermont-Ferrand,
« Limoges » avant la lettre pour exiler les indésirables,
éloigner de Paris un militaire transformé en acteur politique, avant le grand remuement de foule du 14 Juillet. Le
8 juillet, donc, Boulanger est tenu de prendre son train à la
gare de Lyon ; la Ligue des Patriotes, décidée à mettre des
bâtons dans les roues de la locomotive, lance une manifestation de rue qui déborde vite le service d'ordre et empêche
le convoi de quitter le quai. Chaude journée parisienne,
avec cris, pleurs et chansons, et volontaires de la mort qui
s'allongent sur la voie ferrée. Boulanger est contraint de se

dissimuler pour monter dans une locomotive qui l'attend loin des quais et qui va le conduire jusqu'à Villeneuve-Saint-Georges d'où il pourra cette fois partir pour Clermont.

Cette scène devenue illustre de l'aventure boulangiste a passé la mesure. La Ligue des Patriotes, forte de 25 à 30 000 adhérents [25] dans la capitale, a encadré une manifestation dangereuse pour l'ordre républicain ; la menace « césarienne » se précise. *La Justice* condamne la folle soirée — « négation de la doctrine républicaine [...] les républicains ont pour premier devoir de ne jamais exalter à ce point un individu ». Mais l'inquiétude des uns sécrète l'espoir des autres. Les diverses oppositions vont toutes s'intéresser désormais au général Revanche. En dehors du mouvement de foule, lancé par l'extrême gauche et le chauvinisme parisiens, les états-majors des partis vaincus vont considérer Boulanger, victime de la république parlementaire, avec d'autres yeux. Ces calculs parallèles vont donner au boulangisme sa nature hétéroclite. Sa camarilla est issue de l'extrême gauche. Clemenceau conscient d'avoir joué à l'apprenti sorcier abandonne « Boulboul », mais d'autres radicaux lui restent fidèles. Ainsi Alfred Naquet, sénateur, révisionniste convaincu, pour qui Boulanger va aider à la réalisation du programme trahi des radicaux. Ainsi Alfred Laisant, député radical, professeur à l'École polytechnique, qui prône un « socialisme républicain », contre l'« anarchie bourgeoise [26] ». De gauche aussi Georges Laguerre, directeur de *la Presse*. Et l'on sait l'influence de Rochefort et de son *Intransigeant* sur le peuple parisien. Quant à Déroulède, l'ancien ami de Gambetta, s'il se rallie au boulangisme c'est qu'il ne croit plus la République opportuniste capable d'assumer la préparation de la revanche : le nationalisme passe désormais par l'instauration d'une autre République, plébiscitaire celle-là, c'est-à-dire en branchement direct sur le suffrage universel.

Cependant le boulangisme va faire flèche de tout bois et séduire les stratèges de la droite. Les deux branches royalistes désormais réconciliées, il n'y a plus qu'un prétendant, le comte de Paris. Or celui-ci rompt avec l'orléanisme traditionnel, puisqu'il envisage dorénavant le plébiscite comme une des voies possibles de la restauration [27]. Le 1er novembre 1887, une discrète entrevue a lieu entre le comte Dillon, l' « imprésario » de Boulanger et le comte de Paris, à Sheen House. Dans les semaines suivantes, Boulanger en personne noue des contacts avec des représentants du prétendant. Une partie clandestine à-qui-se-servirait-le-mieux-de-l'autre commence ainsi entre Boulanger et les orléanistes. L'ancien ministre de la Guerre en tirera une aide financière substantielle — sortie surtout de la bourse généreuse et fidèle de la duchesse d'Uzès, dont les millions tomberont à point dans la caisse électorale de Boulanger. Un certain nombre de députés conservateurs, y compris le grave Albert de Mun, s'affilient à un complot qui vise à transformer le général en connétable et faire en faveur du roi ce que Mac-Mahon s'était interdit. Rompu à la duplicité, Boulanger empoche le montant des actions, bien décidé à ne pas payer de dividendes. Au demeurant, il ne prend pas d'engagement formel, il laisse seulement espérer. Ce ne sera que plus tard, en 1890, que seront révélées les tractations de la droite avec Boulanger et le machiavélisme de celui-ci [28].

Boulanger compte aussi dans son état-major un jeune journaliste bonapartiste, Georges Thiébaud, qui va l'entremettre avec le prince Napoléon. La rencontre entre les deux hommes a lieu le 1er janvier 1888 à Genève. Thiébaud avait écrit au prince :

> « Il y a en France un mouvement boulangiste. Ce mouvement s'est propagé du boulevard aux faubourgs, de la gare de Lyon aux villes de province, des villes aux villages. Il commence à pénétrer chez le paysan [...]. Si le général ne sait pas ou ne peut tirer parti de la force qui s'est créée autour de son nom, il me semble politique de chercher à la capter pour faire tourner d'autres moulins [29]. »

Ainsi, tandis que Dillon laissait miroiter la restauration monarchique par Boulanger, Thiébaud de son côté berçait d'illusions l'espoir du prince Napoléon. Les diverses conspirations se neutralisant, Boulanger pouvait œuvrer pour son propre compte avec le soutien des espérances rivales qu'il dupait.

L'opinion catholique suivit dans une large mesure l'évolution de la droite à l'égard du général. *La Croix,* occupée à l'unique cause des intérêts de l'Église, longtemps défiante envers un ministre et ancien ministre radical, changea d'avis du tout au tout du moment qu'en août 1888, candidat dans trois départements, Boulanger proclama : « Je ne ferai jamais, quoi qu'il arrive, de persécution religieuse. » Le journal des assomptionnistes prend dès lors fait et cause pour l'ancien persécuteur des séminaristes. Le képi « attrape-tout » du général exigeait de celui-ci beaucoup d'habileté pour ne pas décevoir avant l'heure tant de causes disparates. Il résulta de cette nécessité un programme d'une grande simplicité, résumé en trois mots : « Dissolution, Révision, Constituante. »

L'apogée du mouvement

Boulanger, dans son « exil » de Clermont-Ferrand, n'allait pas se faire oublier. Tandis qu'à Paris les hommes de Déroulède entretenaient l'agitation et qu'on chantait sur les boulevards *Il reviendra,* le général eut maille à partir avec le gouvernement en laissant publier dans la presse une lettre de lui au député Francis Laur, au grand scandale des collègues de celui-ci soucieux de faire respecter l'obligation de réserve. Le 24 juillet 1887, Jules Ferry évoque, dans un discours prononcé à Épinal, ceux qui « se ruent derrière le char d'un Saint-Arnaud de café-concert ». Le mot, appelé à la postérité, déclenche sur l'heure une provocation de Ferry en duel par Boulanger. Le duel n'a pas lieu, en raison des exigences irrecevables du général, mais c'est Ferry qui passa pour un capon. Quand plus tard éclate l'affaire Wilson, le nom de l'ancien ministre de la Guerre est remis sur le tapis. Pour se défendre de toute espèce de participation qu'il aurait eue dans le marchandage des décorations, voilà Boulanger qui laisse de nouveau deux journaux publier ses déclarations et ses dénégations. Sans pitié pour son prédécesseur, le ministre Ferron lui inflige trente jours d'arrêt de rigueur !

La crise présidentielle qui suit l'affaire Wilson, précipitant une fois encore dans la rue parisienne une foule excitée par Rochefort, Déroulède, et *tutti quanti,* tous décidés à empêcher l'élection de Ferry à l'Élysée, remet en selle le général dont les intrigues se multiplient. Le 27 février 1888, ont lieu des élections législatives partielles dans sept départements. Boulanger, ni candidat ni éligible, recueille en tout 55 000 voix. Georges Thiébaud a trouvé la méthode. Boulanger fait mine de n'y être pour rien. Le 12 mars, Georges de Labruyère, journaliste et ami de Séverine, lance *la Cocarde,* qui se déclare ouvertement « organe boulangiste ». C'est un succès immédiat. Le cas de Boulanger devient indéfendable selon le règlement militaire. Le 17 mars, le président Sadi Carnot signe le décret de mise en non-activité du général. Le lendemain, celui-ci est à Paris. Un Comité de protestation nationale est créé par ses amis. But immédiat : présenter la candidature de Boulanger aux prochaines législatives partielles du 25 mars, dans l'Aisne et les Bouches-du-Rhône. Dans le premier département, Boulanger obtenait 45 000 voix devant le conservateur (25 000) et le radical (17 000). Il était encore inéligible et dut retirer sa candidature mais le résultat était probant. Il avait réussi à attirer à lui aussi bien des voix de droite que des voix de gauche. Le 26 mars, Boulanger était mis à la réforme. Cessant d'appartenir à l'armée, il peut dès lors se lancer en toute liberté dans l'aventure politique. L' « appel au Soldat » va prendre une ampleur nationale.

En avril 1888, trois élections partielles ont lieu : dans l'Aude, en Dordogne et dans le Nord. La loi électorale de 1885 avait élargi la circonscription à la mesure du département. Une élection partielle prenait du même coup une signification politique nouvelle. Thiébaud avait mis au point la tactique du parti boulangiste : utiliser toutes les élections partielles, et même simultanément puisque les candidatures multiples étaient autorisées, pour propager le mouvement plébiscitaire et rassembler le maximum de contestataires sur le seul nom de Boulanger. Une fois élu, le général pourrait démissionner à la veille de nouvelles partielles. Le 8 avril, Boulanger est ainsi élu député de la Dordogne contre le candidat opportuniste ; il se représente le dimanche suivant dans le Nord sur le même mot d'ordre : dissolution, révision et exaltation patriotique. Son succès est écrasant : 173 000 voix contre 85 000 à ses deux adversaires réunis. En huit jours, la France des champs et la France des ateliers et des mines avaient voté pour lui. Commentaire du socialiste Paul Lafargue, gendre de Marx, écrivant à Friedrich Engels :

> « Boulanger est l'homme du peuple par opposition à Ferry, à Clemenceau et aux parlementaires [...]. Ce qui fait l'originalité de la situation de Boulanger, c'est qu'il a contre lui la Bourgeoisie riche et satisfaite et tous ses chefs politiques, à quelques exceptions près, et qu'il ne puise sa force que dans les masses populaires misérables et confusément désillusionnées par la République. Et avec le peuple il n'a pas les éléments d'un coup d'État, mais d'une révolution[30]. »

Engels aura beau gronder Paul, « on perd la tête avec Boulanger[31] », l'attitude du guesdiste Lafargue montre que le mouvement socialiste, reconstruit depuis 1879-1880 mais divisé en sectes rivales, n'échappe pas à la séduction du boulangisme. Non que l'homme au sabre séduise, mais le mouvement populaire qu'il a déclenché impressionne.

En août 1888, au cours d'une saison troublée par les grèves et les manifestations, Boulanger remporte un triple succès dans le Nord, la Somme, la Charente-Inférieure, confirmant le pluralisme de ses partisans. Mais le voici à pied d'œuvre, là où tout le monde l'attend, guette son échec ou espère son triomphe : Paris, à son tour, doit pourvoir à un siège laissé vacant (par le décès de Hude) ; l'élection législative partielle aura lieu le 27 janvier 1889.

Paris, depuis l'élection de l'anticlérical Barodet en 1873, soutenait sa réputation d'être un bastion du radicalisme : trente-huit députés républicains en 1885 ; une majorité radicale absolue au conseil municipal. Paris le républicain, le révolutionnaire, l'ennemi juré du bonapartisme, Paris le communard va-t-il enfin briser l'ascension résistible de l'apprenti César ? Clemenceau compte bien sur la puissance des radicaux dans la capitale pour y parvenir. Mais c'est aussi à Paris que l'ex-ministre de la Guerre peut se flatter d'avoir sa meilleure organisation de soutien, *l'Intransigeant, la Cocarde, la Presse,* la Ligue des Patriotes et tous ces radicaux dissidents qui forment la Fédération des groupes républicains socialistes de la Seine. Un Comité républicain national, où s'activent Naquet et Vergoin, supervise des comités d'arrondissement, eux-même subdivisés en comités de quartier ; tout Paris et la banlieue sont quadrillés et une dizaine d'organisations révisionnistes, patriotes, boulangistes concourent à la propagande en faveur du général[32]. Outre ces formations républicaines, les comités bonapartistes se prononcent en faveur de Boulanger, et si les royalistes paraissent moins engagés, il n'empêche que le Comité royaliste décide de n'opposer personne à Boulanger. Pour tous, un cri commun : haro sur la République parlementaire !

Pour parer au danger, opportunistes et radicaux sont obligés de s'entendre sur un candidat commun. Un grand Congrès républicain antiboulangiste, tenu le 7 janvier, tombe d'accord sur le nom d'un conseiller radical, président du conseil général de la Seine : Jacques. Le thème de la défense républicaine doit soutenir ce candidat unique qui reprend dans sa profession de foi le signe de ralliement républicain : « Une fois de plus, c'est le cléricalisme qui mène au combat tous les ennemis de la République. M. Boulanger est leur porte-drapeau. » *Le Temps,* de son côté, explique à sa clientèle modérée pourquoi il convient de se rallier à un homme politique d'extrême gauche :

> « Voter pour M. Jacques, c'est voter pour la république parlementaire que nous sommes tous d'accord, depuis les plus modérés jusqu'aux plus ardents, pour défendre contre ses adversaires, comme le régime le plus capable d'assurer au pays le paisible exercice des libertés publiques et l'exécution sincère de ses volontés. Voter pour M. Jacques, c'est aussi bien voter pour M. Ferry que pour M. Clemenceau[33]. »

Les mécanismes de la défense républicaine sont en marche. Les loges maçonniques en sont un des rouages les plus efficaces. C'est sous leur autorité que les républicains de toutes tendances sont invités à serrer les rangs en faveur du régime attaqué par les césariens. La Société des droits de l'homme et du citoyen est alors créée sur un accord entre les radicaux, des opportunistes et même des socialistes comme Jean Allemane et Paul Brousse, sous les auspices du Grand Orient. Toutes tendances confondues, on doit défendre la République mise en danger[34].

A vrai dire, chez les socialistes, on est divisé sur la candidature Boulanger. Les deux principaux courants parisiens, les blanquistes et les possibilistes, ne font pas la même analyse. Ceux-ci dénoncent le nouveau danger de dictature réapparu sous les traits d'un ancien général versaillais. Ils s'expriment dans *le Parti ouvrier,* journal qu'ils ont créé avec des appuis non socialistes, à la suite d'une scission dans la rédaction du *Cri du peuple* en 1888. Mettant une sourdine à leurs revendications proprement socialistes, ils acceptent, devant le danger, de faire front commun avec les républicains de toute obédience. Les blanquistes, au contraire, se refusent à faire le jeu de la république bourgeoise. Aussi ils présenteront un candidat ouvrier : Boulé. A vrai dire, celui-ci concentrera toutes ses forces contre le candidat radical. Si, parmi eux, Édouard Vaillant est très antiboulangiste, les Roche, les Granger, les De Susini, ne cachent pas les espoirs qu'ils placent dans le mouvement qui suit « la boulange » et Rochefort. Candidat de diversion, Boulé se ralliera lui-même ouvertement au boulangisme un peu plus tard.

La campagne électorale de janvier 1889 met au point les nouvelles méthodes de propagande. La presse évoque l'américanisation de la politique : guerre incessante d'affiches, bataille ardente des journaux, réunions électorales passionnées, vente d'insignes et autres objets en tous genres à l'effigie des candidats, discours « ciblés » sur les différents publics, les diverses couches sociales. Jacques a beau se dire le candidat unique « de tous les républicains », Boulanger a trop de soutiens dans l'extrême gauche pour faire figure de pur réactionnaire. Il multiplie du reste ses affirmations de républicanisme. Mais c'est d'une autre république qu'il veut être le serviteur, celle qui s'oppose à la république « du Tonkinois », une république qui ne néglige ni l'honneur de la patrie ni le pain de ses enfants. Un seul thème pour rassembler : la Révision.

78 % de l'électorat de la Seine participent à cette élection partielle du 27 janvier 1889. Boulanger obtient un succès massif : 245 000 voix contre 162 000 à Jacques. Il était plébiscité aussi bien par les bourgeois des VIIe et VIIIe arrondissements que par le populaire XVe ; en banlieue, il écrasait son adversaire aussi bien et mieux encore dans l'arrondissement ouvrier de Saint-Denis que dans l'arrondissement plus petit-bourgeois de Sceaux. Au total, seul le IIIe arrondissement de Paris lui refusait la majorité.

Dès le soir de l'élection, au fur et à mesure que se dessine le triomphe sorti des urnes, la foule se presse devant les immeubles des journaux. On improvise des slogans, on chante *la Marseillaise,* on conspue le gouvernement Floquet, on entonne joyeux : « C'est Boulange, lange, lange, lange/C'est Boulanger qu'il nous faut Oh, Oh, Oh ! » Les blanquistes et les ligueurs de Déroulède se tiennent sur le pied de guerre. Le coup de force peut avoir lieu si Boulanger le veut. Celui-ci est alors attablé chez Durand, place de la Madeleine, avec son état-major. Certains le pressent de marcher sur l'Élysée. Le général n'est pas un homme de coup d'État ; il refuse. Maurice Barrès qui relate cette scène dans *l'Appel au Soldat* prête ce mot à Boulanger : « Pourquoi voulez-vous que j'aille conquérir illégalement un pouvoir où je suis sûr d'être porté dans six mois par l'unanimité de la France ? » Sur ce légalisme, Thiébaud a ce commentaire : « Minuit cinq, messieurs, depuis cinq minutes, le boulangisme est en baisse. »

De fait, le boulangisme ne gagnera pas les élections de septembre. Entre-temps, il doit affronter et subir la contre-offensive « républicaine », menée par le nouveau ministère Tirard, au sein duquel Ernest Constans, à l'Intérieur, va s'employer à délustrer le héros. Ce sénateur, avocat et professeur de droit, ancien ami de Gambetta, avait déjà été ministre de l'Intérieur de Jules Ferry. C'est lui qui avait été chargé d'appliquer les décrets contre les congrégations non autorisées : il était l' « expulseur des jésuites ». Sans scrupule excessif quoique juriste, laissant libre cours à son esprit policier, il décida d'effrayer Boulanger en lançant des poursuites contre les dirigeants de la Ligue des patriotes, dissoute pour délit de société secrète, tout en pressant le vote de la loi par le Sénat sur la constitution de la Haute Cour. Constans qui ne voulait rien tant que faire juger Boulanger par contumace réussit son coup en faisant courir le bruit d'une arrestation imminente du général. Celui-ci, pour se mettre à l'abri, s'enfuit le 1er avril en Belgique, d'où il gagne Londres quelques semaines plus tard. Le prestige de Boulanger se trouve du même coup sérieusement atteint. Constans, d'autre part, visant à désagréger la coalition boulangiste, prit une mesure symbolique à l'adresse des royalistes en permettant au duc d'Aumale de rentrer en France. Le 8 août, le Sénat transformé en Haute Cour de justice jugeait Boulanger, Rochefort et Dillon pour « avoir au cours des années 1886, 1887, 1888 et 1889 concerté et arrêté ensemble un complot ayant pour but soit de détruire ou de changer le gouvernement, soit d'exciter les citoyens ou habitants à s'armer contre l'autorité constitutionnelle ». De surcroît, Boulanger était accusé d'avoir attenté à la sûreté de l'État, avec la complicité de Rochefort et Dillon, et d'avoir à cette fin détourné les deniers publics lorsqu'il était ministre. Malgré l'absence de toute preuve pouvant étayer ces accusations, la Haute Cour, dans son arrêt du 14 août, reconnut la culpabilité des trois accusés qu'elle condamnait à la déportation dans une enceinte fortifiée. Le mouvement boulangiste privé de son champion, devenu inéligible, était décapité [35]. Une nouvelle loi électorale complétait le dispositif de la contre-attaque : par la suppression des candidatures multiples et le retour au scrutin majoritaire uninominal, on prévenait la possibilité d'un mouvement plébiscitaire.

Dans la désagrégation du boulangisme, on ne saurait négliger l'événement printanier qui avait détourné l'attention publique des batailles politiques : l'ouverture de l'Exposition universelle, dont la tour Eiffel était le gigantesque clou. Trop de Parisiens y étaient intéressés, notamment les représentants du commerce, inquiets d'un ratage pour cause de révolution. Radicaux et opportunistes prirent à tâche de rassurer ces légitimes préoccupations en se posant comme les défenseurs naturels de l'artisanat et du commerce parisiens. La fête fut réussie. On arriva de toutes les provinces et de toutes les villes d'Europe. Le 18 août, peu après la sentence de la Haute Cour, un gigantesque banquet réunit la moitié des « maires de France » sous la présidence de Sadi Carnot. Ce grand nom républicain seyait bien à la commémoration du centenaire de la Révolution. « La République, Messieurs, cent ans après 1789, la République est devenue la France même ! »

Est-ce à dire que le mouvement boulangiste était définitivement vaincu ? Les élections de septembre devaient démontrer au contraire la persistance d'un parti national qui n'avait pas désarmé. De Londres, le 13 juillet, Boulanger avait lancé un appel en faveur de la République nationale, la force du parti national étant d'unir, disait-il, dans « une communion nouvelle, tous les honnêtes gens, quelle que soit leur origine, qui aimaient sincèrement la France [36] ». Les leaders des partis conservateurs firent alliance avec le boulangisme dans une Union révisionniste. Le 27 août, Boulanger et le comte de Paris se rencontrent pour la première fois, toujours encouragés l'un et l'autre par la prodigue duchesse d'Uzès [37]. A Paris, l'extrême gauche boulangiste se renforce des dissidents du Comité révolutionnaire central, l'organisation blanquiste, dont Roche et Granger. L'espoir d'une « République démocratique sociale » voisinait ainsi avec les dernières illusions de la restauration monarchique.

Le 22 septembre, le parti révisionniste devait avouer sa défaite : la majorité républicaine obtenait 236 sièges dès le premier tour, contre 130 à l'opposition toutes tendances confondues. Après le deuxième tour du 6 octobre, les républicains comptaient 366 députés et la droite 168. Quant aux boulangistes, ils avaient tout de même obtenu 48 sièges. Surtout, le mouvement continuait d'affirmer son dynamisme à Paris et en banlieue, obtenant dans le département de la Seine 18 sièges contre 24 aux partis gouvernementaux. Sur ces 18 élus, 14 l'ont été dans des quartiers ouvriers ou populaires. Les inéligibles, Boulanger à Montmartre, Rochefort à Belleville, distançaient nettement leurs adversaires ; à la Goutte d'Or, à Javel, à Necker, à Saint-Denis, les candidats boulangistes passaient dès le premier tour [38]. A Nancy, était élu comme « socialiste révisionniste » celui qui allait faire entrer le boulangisme dans la littérature : Maurice Barrès.

La République parlementaire avait souffert de ses incapacités de gouvernement ; elle venait de faire la démonstration de ses capacités de défense. L'histoire personnelle du général Boulanger devait se terminer par un drame sentimental : son suicide en 1891, sur la tombe de sa maîtresse, Mme de Bonnemains. Ultime épisode qui a contribué à classer le boulangisme dans une catégorie théâtrale : du café-concert au mélodrame. Pourtant le boulangisme n'avait pas été un simple feu de paille devant un parterre de dérision. Il allait laisser des traces profondes dans la vie politique française.

Interprétations

Le phénomène boulangiste a suscité des interprétations diverses, contradictoires ou complémentaires.

Pour René Rémond, auteur d'un classique, *les Droites en France* [39], le boulangisme par bien des côtés s'apparente à l'une des trois droites historiques, le bonapartisme. Déjà Adrien Dansette avait fait observer que les succès électoraux boulangistes coïncidaient avec les résultats favorables à Louis-Napoléon Bonaparte à l'élection présidentielle du 10 décembre 1848 [40]. Étudiant à son tour la destinée des élus boulangistes et leur reclassement final à droite, R. Rémond écrit :

> « C'est le destin de cette tradition de recruter d'abord à gauche, d'entreprendre sincèrement une tâche de réconciliation et de tomber pour finir dans la dépendance de la droite conservatrice [41]. »

La double origine de son soutien — de droite et de gauche —, le recours à la voix plébiscitaire, la relation en prise directe d'un homme « charismatique » avec le suffrage universel, au mépris des corps intermédiaires et notamment du Parlement... en vérité les analogies ne manquent pas avec le bonapartisme. Le mot de Guizot sur celui-ci, on pourrait le reprendre à l'usage de Boulanger : « C'est beaucoup d'être à la fois une gloire nationale, une garantie révolutionnaire et un principe d'autorité. » Même si Boulanger n'a pas été un homme de coup d'État, les comparaisons entre boulangisme et bonapartisme s'imposaient aux contemporains eux-mêmes. Voici par exemple l'avis d'Engels, dont la correspondance avec la fille de Marx, Laura, et avec l'époux de celle-ci, le guesdiste Paul Lafargue, offre une source très riche à l'historiographie socialiste. On l'a déjà vu : Lafargue est, non pas tenté par le boulangisme, mais impressionné par la virtualité révolutionnaire qu'il représente contre la république bourgeoise. Il essaie de faire partager ses vues à Engels, qui habite Londres : « Pour un grand nombre d'ouvriers et de petits-bourgeois, Boulanger est la révolution ; le fait est indéniable. » Ces mots, écrits le 3 janvier 1889, se trouvent confirmés par l'élection de Paris quelques semaines plus tard. Engels fait alors ce commentaire :

> « Je ne puis voir dans l'élection de Boulanger autre chose qu'un réveil caractérisé de cette tendance au bonapartisme qui constitue un élément du caractère des Parisiens [...], ce réveil a pour cause le mécontentement provoqué par la république bourgeoise, mais cette forme particulière qu'il a prise (l'appel à un sauveur de la société) résulte exclusivement d'un courant chauvin [42]. »

Engels, s'exerçant à prévoir la suite, assimilait encore l'avenir de Boulanger au destin de Napoléon III :

> « Et comment Boulanger, une fois au pouvoir, pourra-t-il, sans recourir à la guerre, survivre à la déception générale qu'il provoquera forcément [43] ? »

C'est, du reste, le réflexe antibonapartiste qui a inspiré d'autres socialistes contre Boulanger :

> « Nous ne pouvons, lisait-on dans *la Revue socialiste,* être avec ceux qui, même avec de bonnes intentions (c'est le cas pour le plus grand nombre, quoi qu'on ait dit et dise dans les polémiques antiboulangistes) incarnent le progrès et les revendications populaires dans un homme et, ce qui est pis, un soldat. Chaque fois qu'en France on est entré dans cette voie, on est tombé dans les fondrières du despotisme et de l'invasion. Sont-ils donc déjà si oubliés ces noms funèbres : Brumaire et Waterloo, Décembre et Sedan [44] ? »

Dans sa *République absolue,* déjà citée, Odile Rudelle a insisté, quant à elle, sur le caractère déclaré par le boulangisme lui-même : son révisionnisme. Le boulangisme a été, selon cet auteur, une tentative de rupture avec cette « République absolue » dominée par un régime parlementaire dépourvu de majorité stable et à l'alternance impossible. Il n'a pas été un mouvement antirépublicain mais un mouvement d'hostilité à l'oligarchie parlementaire. La volonté de révisionnisme de l'électorat reste éclatante lors même des élections législatives de septembre-octobre 1889, que l'on présente parfois comme un raz de marée favorable au régime en place. O. Rudelle constate un écart de 11 673 voix seulement entre les défenseurs de la République parlementaire et l'ensemble des candidats — socialistes, boulangistes, conservateurs — qui s'y opposent. Un divorce persiste entre le régime et le suffrage universel. Ce divorce avait des antécédents, comme le renversement de Thiers le 24 mai 1873 par une Assemblée nationale déphasée par rapport à l'opinion. Sous la « République des républicains », on a vu de même la classe politique se couper de l'opinion publique, pour renverser Gambetta, le 26 janvier 1882, ou Jules Ferry, le 30 mars 1885 ; pour interdire à Ferry l'accès à l'Élysée, le 2 décembre 1887... On peut discuter ces derniers exemples, puisque, dans son fond, le boulangisme a été un « anti-ferrysme » mais la coupure entre le vote populaire et la classe politique est bien au centre de la protestation boulangiste. Le problème congénital de la troisième République reste le suivant : la légitimité républicaine exclut du pouvoir la droite (qui a refusé les lois constitutionnelles, au moins en partie, qui a voulu gouverner après le 16 mai contre la majorité, qui a été désavouée par le corps électoral) ; mais, partant, le système devient boiteux, le bipartisme n'était qu'illusoire. Tant qu'il s'agit d'affirmer cette légitimité républicaine, la gauche peut réaliser l'union de ses forces, comme on le voit à chaque échéance électorale ; mais elle ne peut gouverner dans l'unité, faute de majorité solidaire sur les compromis nécessaires. La loi électorale de 1885 a aggravé le mal : lors des élections de la même année, elle provoque l'élection d'une Chambre où les extrêmes dominent alors que le pays a signifié sa modération centriste. Radicaux et conservateurs, que tout oppose, s'entendent à rendre la Chambre ingouvernable. Dans ces conditions, que signifie Boulanger ? Sans préjudice des autres sens que prend son mouvement, il représente avant tout la cause d'un suffrage universel régulièrement bafoué et auquel il veut donner la « suprématie politique » ; il exprime « la révolte du suffrage universel devant les mœurs d'un personnel politique incapable de mettre en œuvre son désir d'apaisement [45] ».

La défaite du boulangisme, qui ne peut contourner le triple barrage policier, judiciaire et législatif (la nouvelle loi électorale) qui lui est opposé avant l'échéance de l'automne, signifie la revanche d'une classe politique soucieuse de préserver son pouvoir parlementaire contre le suffrage universel.

Cette thèse a le mérite de mettre en évidence la défectuosité d'un système dont la *fermeture* est inhérente à sa genèse, au schisme initial de la gauche et de la droite. Mais elle repose sur l'idée selon laquelle le gros des forces boulangistes vient d'un électorat conservateur : « Les conservateurs étaient à la recherche d'une " identité " républicaine que Boulanger sembla miraculeusement leur apporter en leur faisant espérer grâce à la République nationale une réintégration dans la vie politique normale. » Or, si cela est vrai de la France de l'Est ou du Midi, on ne

peut certes pas interpréter les succès de Boulanger dans le
Nord et dans la capitale comme des illustrations de cette
tendance. La protestation d'extrême gauche, le vote
ouvrier, l'obsécration continue de la « république ferryste » assimilée à une république d'oligarchie bourgeoise,
ces faits contredisent au moins une partie de la démonstration : le boulangisme ne peut être réduit à une fraction ou
même à une moitié de son électorat.

Zeev Sternhell, quant à lui, a montré, dans sa *Droite
révolutionnaire*[46], la modernité du boulangisme, en ce qu'il
représente les débuts d'un « socialisme national »,
l'ébauche d'un préfascisme : un chef charismatique, une
idéologie nationaliste, antiparlementaire, antilibérale ; la
manipulation de l'opinion par les grands moyens de propagande ; des troupes de choc : celles de la Ligue des
Patriotes, capables d'organiser des mouvements de rue, de
surveiller et de contrôler les opérations électorales, d'assurer le service d'ordre des réunions ; c'est encore et surtout
la convergence d'une extrême gauche socialiste, blanquiste, révolutionnaire — représentant la sensibilité com-
munarde, nationaliste de gauche — et d'une extrême droite
réactionnaire.

Il est avéré que l'aile gauche du boulangisme — radicaux
dissidents se disant « socialistes », blanquistes comme
Ernest Granger se désignant comme « communiste révolutionnaire athée »... —, loin de constituer une composante
marginale du boulangisme, a été souvent, et surtout à
Paris, l'aile marchante du mouvement. Les résultats électoraux de 1889 confirment cette idée qu'inspire la lecture de
l'Intransigeant : loin d'être le porte-voix d'une aspiration à
une république modérée, conservatrice, habile au compromis, ce boulangisme-là exige le retour aux sources pures du
républicanisme, rappelle à l'ordre un radicalisme défaillant, rêve d'une République à la fois nationale et sociale[47].

Au-delà du terme de 1889, Sternhell suit le comportement des élus boulangistes au long de la législature 1889-
1893. Ils sont une trentaine finalement. Or les deux
tiers siègent aux côtés des socialistes, votent avec les
socialistes (peu nombreux) les projets de lois sociales, tout
en gardant leur quant-à-soi nationaliste. Ainsi Déroulède,

qui les dirige, peut-il lancer à la majorité, en juillet 1891 :

> « Nés de la Révolution et de la République, vous aurez
> méconnu et la République et la Révolution [...]. Prenez-y
> garde ! Il en sera du quatrième état comme il en fut du tiers, il
> y a cent ans. Il vous demande quelque chose, vous ne lui
> donnerez rien, il vous arrachera tout[48]. »

Telle est la nouveauté révélée par le boulangisme et dont
la suite de l'histoire montrera la force explosive :

> « Les masses populaires peuvent aisément soutenir un
> mouvement qui emprunte à la gauche ses valeurs sociales et à
> la droite ses valeurs politiques[49]. »

Il n'est pas dans mon propos d'ajouter une autre
interprétation aux précédentes. Retenons le plus important, avant d'examiner les conséquences et les résonances
du boulangisme. En premier lieu, force est de constater
qu'il s'agit d'un phénomène inachevé, puisqu'il n'a pu
révéler sa nature profonde dans un pouvoir d'État : le
boulangisme est polysémique, en raison de ses potentialités
incertaines et concurrentes. Il met en relief les aspects
négatifs du régime en place. Celui-ci, malgré ses réussites,
fonctionne mal et, dix ans après le départ de Mac-Mahon,
ne reçoit pas le consentement unanime des Français. Ce
défaut de consensus touche près de la moitié du corps
électoral : durablement, la France va souffrir de ce manque
d'accord minimal du pays sur l'organisation de la vie en
commun. Doit-on dire que les Français répugnent au
régime parlementaire ? Il me semble que ce serait mal
formuler le malaise politique rampant des troisième et
quatrième Républiques. La vérité est plutôt que les Français se satisfont mal d'un régime parlementaire privé
d'efficacité ou, si l'on préfère, d'un pseudo-régime parlementaire. Le modèle britannique, fondé sur l'alternance de
deux partis d'égale force, acceptant une commune règle du
jeu, n'a jamais été réalisé en France jusqu'en... 1981, c'est-

à-dire à une date où le régime parlementaire avait cessé d'exister. De ce point de vue, le travail d'Odile Rudelle nous est précieux, qui met en évidence le mal endémique d'une République parlementaire sans véritable majorité et sans alternance, dont l'instabilité et l'inefficacité ministé- rielle (vraie ou supposée) deviennent une constante. L'un des défauts des travaux de Z. Sternhell tient, à mon avis, à ce qu'il néglige dans son analyse de l'antiparlementarisme les défauts propres au système français de parlementarisme inachevé, déséquilibré et, partant, impopulaire.

Le boulangisme offrait une solution apparente : en finir avec la coupure droite-gauche stérilisante, par la réconcilia- tion des antagonismes sur la personne d'un héros populaire et sur la double idée de la dissolution de la Chambre et de la révision constitutionnelle. Cette démarche est classique depuis l'expérience bonapartiste : la solution des contradic- tions, c'est finalement le pouvoir renforcé d'un appareil d'État, tenu en main par un sauveur providentiel, assurant *l'équilibre* entre les forces contraires. De ce point de vue, il n'est pas faux de voir là une virtualité bonapartiste. La manière dont Boulanger lui-même collecte les appuis les plus contradictoires confirme bien cette tendance à s'impo- ser contre l'arbitre souverain au-dessus de ces partis inconciliables.

Mais pareille entreprise peut prendre diverses formes : le « dépassement » de la droite et de la gauche conduit à des solutions historiques de nature différente. Le fascisme, tel qu'il triomphe en Italie au début des années 1920, en est une. Mais le gaullisme, tel qu'il s'impose en 1958 en France, en est une autre. Dans un cas, un régime qui tend à mettre en place l'État totalitaire ; dans l'autre, un régime qui sauvegarde les libertés fondamentales et attribue au suffrage universel, par la procédure référendaire et l'élec- tion directe du président de la République, un rôle prééminent. Alors, Boulanger ? Préfasciste ou prégaul- liste ? Le boulangisme, n'ayant pas accédé au pouvoir, reste avant tout un mouvement de protestation, la rencon- tre d'une ambition personnelle, d'un état de crise, d'une foule impatiente de réformes sociales et d'assainissement politique, et aussi des calculs d'états-majors espérant faire

dériver le courant populaire vers leur propre cause. Porté
au pouvoir, le boulangisme eût été emporté par sa dynami-
que propre et eût pris tout son sens en fonction des
événements : la contingence est toujours de la partie. Il est
vain de spéculer sur ce qui n'a pas été.

Consolidations

On doit maintenant établir les conséquences notables du
boulangisme dans la vie politique française. D'abord, il a
discrédité dans la majorité républicaine le thème de la
révision, auquel les radicaux étaient si attachés. La République de Jules Grévy est confirmée ; le compromis de
1875, rectifié en 1877-1879, ne sera plus remis en cause par
la gauche gouvernante — ni du côté de l'exécutif (rôle
limité du président de la République) ni du côté du
législatif (conservation du Sénat). On revient même au
scrutin d'arrondissement, dénoncé jadis comme scrutin
« monarchiste » destiné à favoriser les notables.

L'échec de Boulanger a achevé la défaite des monarchistes. Le Monk français a fait défaut. Les chefs de
l'Union conservatrice détectaient dans le mouvement
populaire un de ces ébranlements profonds d'où pouvait
résulter un retour au régime monarchique. Mackau, Bre-
teuil, Albert de Mun se prêtèrent, au prix de quelques
« restrictions mentales », à cette espérance. Mais leur
complot fut mal servi par un prétendant trop soucieux de
rappeler régulièrement et sans masque les finalités de son
combat [50]. Plus que la monarchie, les monarchistes défendaient la conservation sociale et religieuse. Les plus
engagés d'entre eux découvrent à travers l'échec du boulangisme qu'une autre voie que la restauration peut, dans
cette perspective, être empruntée : c'est le principe du
ralliement, non pas à l'idéologie républicaine mais à la
forme républicaine de gouvernement. Le pape Léon XIII,
au lendemain des élections de 1889, engage les catholiques
français à séparer leur cause de la cause monarchique ; un

compromis lui paraît nécessaire avec un régime confirmé
par les voix populaires, pour la meilleure sauvegarde des
intérêts catholiques (le Concordat, le budget des cultes, les
congrégations) et romains (le rapprochement avec la
France dans une situation de conflit entre la papauté et le
royaume d'Italie). Le 20 février 1892, Léon XIII publiait
Inter Sollicitudines, encyclique par laquelle il rappelait que
l'Église ne condamne aucune forme de gouvernement et il
engageait les catholiques à accepter la République. Mais de
quelle république s'agissait-il ? de la république idéale, sans
contenu anticlérical ou de la République établie par les
protestants et les francs-maçons ? L'invite au « ralliement »
aggrava les divisions de la droite au lieu de favoriser le
consensus sur les institutions. La réintégration des catholiques dans le système politique n'était pas encore en vue.
Pourtant, une possibilité de déblocage apparaissait : une
union de fait entre conservateurs des deux cultures, les
laïques et les catholiques, pourrait s'affirmer contre les
extrêmes, en particulier contre le danger d'extrême gauche
renaissant sous la couleur rouge du socialisme. On en verra
l'ébauche sous le gouvernement Méline, un peu plus tard.

Le boulangisme a été aussi une sorte de propédeutique
au mouvement socialiste ou, si l'on préfère, un socialisme
primitif, instinctuel, inorganisé, sentimental. Né en partie
de la crise économique et du chômage, il a élargi son
audience dans les classes laborieuses en raison même de
leur inorganisation. Le mouvement socialiste est alors dans
l'enfance, divisé, déchiré, d'influence limitée.

> « Son effet principal, dit Jacques Néré du boulangisme, a
> été de détacher, d'un coup, une grande partie des milieux
> ouvriers du radicalisme traditionnel, et de les rendre ainsi
> disponibles pour de nouvelles formations[51]. »

De fait, aux législatives suivantes de 1893, les socialistes
feront leur première véritable percée électorale et parlementaire. En même temps, on l'a vu, l'activité antiboulangiste des possibilistes, l'impératif de défense républicaine
qu'ils se fixent et qui les entraîne à l'alliance avec les partis
« bourgeois » préfigurent l'intégration du socialisme dans

le système de la République parlementaire. Désormais, les socialistes français se feront un devoir de quitter le terrain de la lutte des classes à chaque fois que le régime républicain (et, de fait, le régime parlementaire) se trouvera en danger. Ce sera un des atouts du régime que de pouvoir compter sur ces bataillons prolétariens, quitte à les oublier une fois la paix civile revenue. Plus le socialisme sera organisé, institutionnalisé, plus il sera happé par la machine électorale et parlementaire. Ceux qui voudront y échapper par la voie de l'anarchie et du syndicalisme révolutionnaire maintiendront leurs exigences de classe mais sans jamais en faire adopter le principe exclusif par les ouvriers français.

Une partie du socialisme s'est bien détachée, cependant, et pour toujours, du tronc initial : ce « socialisme national », dont Z. Sternhell s'est fait l'historien et qui deviendra une des composantes du nationalisme. Sternhell fait observer, à ce sujet, qu'après l'échec du boulangisme on assiste à un reclassement des droites en France. Les trois anciennes familles n'en forment plus que deux : la droite conservatrice et la « droite révolutionnaire ». Or celle-ci a été nourrie par ces courants socialistes, communards, blanquistes, patriotes et de plus en plus antisémites, dont Rochefort a été le champion. A côté des anciens monarchistes ou bonapartistes, ils ont représenté la tradition insurrectionnelle au service d'une république populaire, sociale, antiparlementaire et nationaliste. On en retrouvera les militants au sein de ces ligues qui tiendront la rue pendant l'affaire Dreyfus.

Pourtant, quelle que soit l'importance de cette nouveauté, on doit reconnaître que, dans son imperfection, le régime républicain tient bon. L'échec du boulangisme en est mieux qu'une preuve circonstancielle. Certes, la République parlementaire ne tire pas sa force du consensus mais celui-ci est-il possible dans un pays déchiré par un siècle de conflits civils ? La crise boulangiste, comme la crise du 16 mai, est restée pure de sang versé, c'est déjà beaucoup. D'autre part, et malgré la majorité ténue dont elle dispose dans l'électorat, la République parlementaire s'est renforcée dans ses assises provinciales. A examiner la presse de l'époque, il est frappant de constater le soutien apporté à la cause « républicaine » par la presse départementale. Tandis que tant de journaux parisiens concourent à favoriser l'ascension de Boulanger, on peut citer parmi ses adversaires aussi bien *le Petit Marseillais* que *la Petite Gironde, le Journal de Rouen* que *l'Écho du Nord, la Dépêche de Toulouse* que le *Lyon républicain, le Phare de la Loire* que *le Courrier du Centre*, etc. Aux élections de l'automne 1889, la République est majoritaire dans toutes les régions, à deux grandes exceptions près : l'Ouest (départements bretons à l'exception du Finistère, Vendée, Maine-et-Loire, Calvados, Charente, Deux-Sèvres) et le sud-est du Massif central (Tarn, Aveyron, Lozère, Ardèche). La masse paysanne et départementale était devenue la base d'un régime menacé désormais par la turbulence parisienne, après que celle-ci avait fait trembler toutes les monarchies.

Le régime républicain, d'autre part, a mis au point les rouages de son système défensif. Celui-ci dispose d'une idéologie et d'une mythologie, l'une et l'autre tributaires de l'imagerie révolutionnaire et des grands principes humanistes. Il dispose d'un ennemi aux visages alternatifs : le cléricalisme, le bonapartisme ou césarisme, la réaction. Faire front face à cet ennemi chaque fois rené de ses cendres cimente une solidarité par-dessus les divisions d'intérêts. On note ainsi dans le vocabulaire des professions de foi électorales un lexique qui se réfère de plus en plus à la *défense*.

> « Tout se passe donc comme si, écrit A. Prost, les républicains se trouvaient maintenant réduits à la défensive et obligés de serrer les rangs. La nécessité de l'union, apparue en 1885 sous l'empire du scrutin de liste, demeure en 1889 au niveau de l'arrondissement. Le fait que la référence au *passé* soit leur apanage n'est pas dépourvu de signification : le passé est leur garantie et leur caution [...] [52]. »

Dans cette étude lexicale, le même auteur relève l'importance prise par le vocabulaire du monde agricole, qui était jusque-là dans le discours de la droite surtout. C'est une

autre preuve que la République se ruralise, se provincia-
lise, quitte à laisser la droite commencer à s'approprier les
« valeurs nationales ».

La structure bipolaire de la vie politique française se
trouve confirmée par le boulangisme qui voulait la trans-
gresser : la « concentration républicaine » s'est ressoudée
comme au 16 mai. Les dissidents, les défaillants, les
protestataires sont condamnés à devenir des transfuges.
L'opposition de la droite et de la gauche a repris toute sa
force, lors même que le boulangisme a mobilisé des colères
et des espérances issues et de la droite et de la gauche.
République est devenue synonyme de république parlementaire : qui en refuse la défense est exclu du camp
républicain, exclu de la gauche, condamné à se fondre avec
l'extrême droite. Pour longtemps, la crise boulangiste a
renforcé les traits majeurs de la troisième République —
illégitime pour les uns, infidèle à ses origines révolutionnaires pour les autres, mais régime provisoirement trouvé
de l'insociabilité française. *Divisible* en fractions rivales,
elle redevient *une* face à ses adversaires : c'est tout à la fois
le secret de sa durée et le principe de ses faiblesses.

4

L'affaire Dreyfus

L'affaire Dreyfus a duré douze ans. Elle va de la condamnation du capitaine Alfred Dreyfus par le premier Conseil de guerre de Paris, en décembre 1894, à la réintégration de celui-ci dans l'armée, après que la Cour de cassation l'eut relevé de toute accusation, en juillet 1906.

Cependant, cette chronologie-là pèche à la fois par excès et par défaut. Il importe de la resserrer car l'affaire Dreyfus en tant qu'affaire publique et politique ne commence pas avant la fin de 1896 ; elle ne prend son caractère passionnel qu'à partir du moment où Émile Zola lance son « J'accuse » en janvier 1898 ; elle touche à son terme en septembre 1899, sous le gouvernement de « Défense républicaine » formé par Waldeck-Rousseau, sur le double coup de la grâce présidentielle accordée à Dreyfus et de la condamnation par la Haute Cour de l'antidreyfusisme subversif. Dans cette chronologie courte, « l'Affaire » occupe donc principalement les années 1898 et 1899. Toutefois, par son retentissement dans les consciences, en France et dans le monde, l'affaire Dreyfus ne saurait être enfermée dans un laps de temps étriqué ; elle appartient à l'histoire universelle, elle est frappée d'une sorte d'immortalité. C'est qu'elle n'est pas une simple crise politique : elle a mis en jeu des valeurs morales sur lesquelles le XXᵉ siècle n'a pas cessé de s'entre-déchirer ; elle a opposé deux philosophies politiques dont les partisans respectifs s'affrontent encore à l'échelle de la planète.

Au départ, elle n'est pourtant qu'une petite et banale affaire d'espionnage, vite jugée, vite classée, avant qu'elle n'explose sur la place publique et ne déchaîne, dix ans après les passions boulangistes, de nouvelles convulsions dans un pays en proie à la fièvre nationaliste.

« L'injustice militaire » (Clemenceau)

L'attaché militaire de l'ambassade d'Allemagne à Paris, le colonel Schwartzkoppen, dirige sous l'apparence diplomatique le service d'espionnage de son pays en France. Il utilise à cette fin des agents français qu'il rémunère contre des renseignements concernant tout ce qui touche l'armée. Les Français, de leur côté, ont organisé, après la défaite de 1871, un véritable service d'espionnage et de contre-espionnage. Ce bureau a pris le nom discret de « Section de statistique ». Celui-ci, en bonne logique, surveille l'attaché militaire allemand ; il ne répugne pas aux méthodes que nous appellerions d' « intoxication » ou de « désinformation », en faisant parvenir à l' « ennemi héréditaire » des rapports faux par ses agents doubles. C'est dans ce jeu de miroirs, dans cette perspective en abîme, dans cette guerre sourde et occulte où Français et Allemands depuis de longues années rivalisent de duplicité et de falsification, que s'inscrit le drame dont va être victime Dreyfus.

Au sein de l'ambassade d'Allemagne, les Français disposent d'un agent qui n'attire pas le soupçon. Il s'agit d'une femme de ménage soi-disant illettrée, Mme Bastian, laquelle, depuis 1889, transmet (et transmettra jusqu'en 1897), au cours de rendez-vous secrets, le contenu des corbeilles à papier et autres documents négligés par les bureaux de l'ambassade à la Section de statistique. C'est par cette « voie ordinaire » — comme on désigne cette livraison régulière — qu'à la fin de septembre 1894 le contre-espionnage français prend connaissance d'une lettre adressée à Schwartzkoppen — pièce qu'on appellera tout au long de l'affaire le « bordereau » —, lui annonçant l'envoi de documents militaires confidentiels. Une enquête furtive est immédiatement menée, d'où il est conclu au bout de quelques jours que le traître doit être de toute évidence un officier d'artillerie puisque trois des cinq notes de renseignement promises par le bordereau avaient trait à cette arme ; que cet officier faisait partie de l'état-major puisque ces questions y étaient à l'étude ; qu'enfin cet officier d'artillerie ne pouvait être qu'un stagiaire, seuls les stagiaires passant d'un bureau à l'autre et pouvant ainsi recueillir des informations relevant de sources différentes. Cette démonstration échafaudée par le colonel d'Aboville, sous-chef du IVe bureau, emporta les convictions et désigna le suspect : le capitaine d'artillerie Alfred Dreyfus, stagiaire à l'état-major général. Deux charges supplémentaires firent du suspect un coupable : l'une, avancée comme « preuve », était une similitude d'écriture entre le bordereau et une dictée qu'on fit faire à Dreyfus ; l'autre, implicite, était que ce capitaine d'artillerie était juif. A ce sujet, le commandant du Paty de Clam écrira dans ses *Souvenirs* : « Il y a des situations où il n'est pas bon de mettre des gens qui ne soient pas indiscutablement des Français de France[1]... » En 1894, l'antisémitisme est en effet largement répandu dans le pays ; l'armée y échappe moins que tout autre corps constitué.

Le 15 octobre 1894, Alfred Dreyfus est arrêté et écroué. A la suite d'une indiscrétion, la presse se saisit de l'affaire le 1er novembre, brode à plaisir faute d'informations consistantes, trace d'Alfred Dreyfus le portrait le plus noir d'un Juif décavé, perdu de dettes et d'ignominie, entraîné dans la trahison par la passion effrénée du jeu et des femmes. D'emblée, une presse sans scrupule s'emparait de Dreyfus comme d'un sujet de scandale lucratif ; tout au long de l'affaire, elle devait exercer sa redoutable influence — heureusement réversible.

Le 7 novembre, l'instruction judiciaire est ouverte contre le capitaine Dreyfus. Les cinq experts en écriture appelés à confirmer les hypothèses des enquêteurs, se contredisent. Qu'importe ! On ne retient que les conclusions qui rejoignent celles du Service de renseignements — en particulier la démonstration d'Alphonse Bertillon, directeur de l'identité judiciaire de la préfecture de police, qui déploie un renfort d'arguments « scientifiques » incompréhensibles mais qui ont le mérite d'étayer le sentiment des militaires. Le 28 novembre, le ministre de la Guerre, le général

Mercier, n'hésite pas à déclarer avant le procès, dans une interview au *Figaro,* qu'il existe des « charges accablantes » contre Dreyfus, dont la culpabilité est « absolument certaine ». Mercier avait remis aux juges militaires, sans que la défense sût rien, un « dossier secret » préparé par la Section de statistique. Les juges y trouvaient notamment un billet de Schwartzkoppen à son homologue italien Panizzardi (l'Allemagne et l'Italie étaient alliées et les deux attachés étaient intimes), où était mentionné « ce canaille de D... », initiale qu'on décida être celle de Dreyfus, même si la date et le contenu du message n'avaient pas de lien avec le fond de l'affaire. De plus le dossier contenait des rapports d'un agent du bureau de renseignements, Guénée, qui mettaient en cause un « officier de l'état-major » ayant des relations avec les attachés allemands. On saura, mais beaucoup plus tard, qu'il s'agissait de faux purs et simples. A défaut de preuves suffisantes, la Section de statistique, rompue aux contrefaçons, n'éprouvait nulle vergogne à en ajouter quelques-unes en vue de châtier un officier félon.

C'est sur cette base fragile (une expertise d'écriture contradictoire) et illégale (un « dossier secret » forgé par les militaires) qu'Alfred Dreyfus est déclaré coupable, le 22 décembre 1894, et condamné à la déportation à vie. Rien pourtant ne désignait dans la personnalité de ce polytechnicien disposant d'une fortune familiale, le « traître » que l'accusation jetait à la pâture publique. Rien, sinon qu'il fallait un coupable et que Dreyfus était juif.

Le verdict du 22 décembre 1894, la dégradation solennelle du capitaine dans la cour de l'École militaire le 5 janvier 1895, son départ pour l'île du Diable, en Guyane, le 21 février, toutes ces premières étapes d'un drame qui va ressembler à une agonie se succèdent sur un fond d'opinion quasi unanime. La famille Dreyfus, convaincue de l'innocence d'Alfred, éprouve alors une terrible solitude. Deux noms qui compteront parmi les dreyfusards les plus célèbres, Georges Clemenceau et Jean Jaurès, manifestent même contre ce qu'ils jugent une indulgence du Conseil de guerre. Clemenceau, tout en souhaitant la disparition de la peine de mort, proteste contre les iniquités des conseils de guerre qui infligent le châtiment suprême à de pauvres bougres coupables d'indiscipline et les « joies de la culture du cocotier » à « l'homme qui facilite à l'ennemi l'envahissement de la patrie[2] ». A vrai dire, la sentence du conseil de guerre avait été la plus sévère qui fût possible puisque la peine capitale n'existait plus depuis 1848 en matière de crime politique. Mais Clemenceau, justement, déniait qu'il s'agissait d'un crime « politique ». A la veille de cet article, le 24 décembre, le général Mercier avait proposé à la Chambre de rétablir la peine de mort en cas d'espionnage et de trahison. Jaurès avait saisi l'occasion pour prendre la défense des simples soldats, justiciables, eux, du peloton d'exécution pour « voies de fait commises au service ». Deux poids, deux mesures, disait-il en substance : la solidarité de caste avait sauvé le traître Dreyfus jugé par ses pairs, cependant qu'on envoyait au peloton la piétaille pour des fautes sans conséquence. Qui plus est, Jaurès fournit l'explication principale selon laquelle on avait refusé d'appliquer l'article 76 du code de justice militaire : c'était dû, selon lui, à « l'énorme pression juive qui a été loin d'être inefficace[3] ». La cause de Dreyfus était entendue ; on ne discutait pas de sa culpabilité ; si l'on bataillait à son propos, c'était sur l'insuffisance du châtiment. De l'extrême gauche à l'extrême droite, peu de voix manquaient à la vindicte politique[4].

Seule la découverte du véritable coupable pouvait aider Mathieu Dreyfus, frère aîné du condamné, qui s'attelle à la cause de la révision du procès dès la fin de celui-ci ; seule cette découverte pouvait ébranler la quasi-unanimité de l'opinion et des autorités civiles et militaires. Ce n'était pas chose facile, mais tandis que Mathieu Dreyfus multipliait en vain ses démarches en faveur d'un frère tombant dans l'oubli, un changement de personnel à la tête de la Section de statistique allait entraîner le rebondissement de l'affaire. En juillet 1895, le lieutenant-colonel Sandherr, malade, est remplacé par le commandant Picquart. Or, en mars 1896, celui-ci prend connaissance de la reconstitution d'une carte-télégramme (le « petit-bleu ») déchirée en multiples morceaux, que la Section de statistique vient d'intercepter — toujours par la « voie ordinaire » — et qui se présente comme le brouillon d'un télégramme ou comme un télégramme non envoyé, dont l'expéditrice est l'ambassade d'Allemagne et le destinataire un commandant français du nom d'Esterhazy, demeurant 27 rue de la Bienfaisance à Paris. Picquart entame alors une enquête personnelle sur cet officier sans en aviser ses chefs, se fait communiquer le « dossier secret » de 1894, et acquiert finalement la certitude que l'écriture du bordereau accablant Dreyfus est celle d'Esterhazy. On sait que c'était bien lui le coupable, même si l'on ignore toujours de quelles complicités il pouvait bénéficier parmi ses collègues[5]. Cet officier raté, ruiné, endetté, amoral, envieux, escroc chimérique, spéculateur malheureux, présente tous les traits d'un méchant personnage de roman-feuilleton — le « traître de mélodrame » trop stéréotypé pour paraître vrai[6]. C'est au cours de l'été 1894 qu'il avait offert ses services à l'attaché Schwartzkoppen et commencé à lui fournir des informations sur le matériel militaire — d'une médiocre importance au demeurant. Ce commerce n'avait pas été interrompu par le procès Dreyfus, la condamnation de celui-ci l'encourageant même.

Picquart, n'ayant plus de doutes, est résolu à confondre le coupable et permettre la réparation de l'erreur judiciaire. Aucune motivation idéologique ne pousse ce saint-cyrien d'origine alsacienne, ancien combattant d'Afrique et du Tonkin, d'un patriotisme au-dessus de tout soupçon et partageant les préjugés antisémites de l'époque. Mais c'est un esprit de grande rigueur morale et un caractère. S'il y a eu déni de justice, il faut réparer : conviction simple, qui ne souffre pas d'objection, d'un honnête homme. Picquart s'ouvre au général de Boisdeffre, chef d'état-major, de ce qu'il a trouvé. Boisdeffre l'adresse au général Gonse, sous-chef d'état-major, qui lui indique alors la démarche à suivre : « séparer les deux affaires » — que Boisdeffre confirme. Dès cet instant, Picquart va se trouver en butte à la résistance et de son service, et de l'état-major, et du ministre de la Guerre — qui est alors le général Billot. Malgré lui, sa découverte va rester circonscrite aux instances militaires, au mépris du pouvoir politique. A la fin d'octobre, Picquart, jugé désormais dangereux, est déplacé en Tunisie. Sur ces entrefaites, le commandant Henry, successivement adjoint de Sandherr et de Picquart, qui s'était montré depuis septembre 1894 acharné à la perte de Dreyfus, remet le 2 novembre 1896 au général Gonse un nouveau document en provenance de l'ambassade d'Allemagne et achevant d'accabler le capitaine. Le « faux Henry » — car il s'agissait d'une nouvelle invention — venait compléter un « dossier secret » menacé, après les initiatives de Picquart, de se révéler trop fragile. Cependant, en juin 1897, Picquart, brouillé avec Henry, revient en permission à Paris. Désireux de ne pas emporter dans sa tombe le secret qui lui pèse, il s'en confie à son ami l'avocat Mᵉ Leblois. Celui-ci, en juillet, rapporte au vice-président du Sénat, Scheurer-Kestner, la double révélation : la culpabilité d'Esterhazy et l'innocence de Dreyfus.

La suite de cette phase policière de l'Affaire est faite de la lutte, restée longtemps invisible, que vont se livrer le petit groupe des « révisionnistes », réunis autour de Mathieu Dreyfus et de l'écrivain Bernard Lazare, et les militaires des Renseignements et de l'état-major. On n'entrera pas dans le détail d'une intrigue où l'odieux le dispute au pittoresque, et dont Marcel Thomas s'est imposé comme l'impeccable historien[7]. En bref, disons que les hommes du service de contre-espionnage prennent à tâche de perdre Picquart, pour innocenter Esterhazy et confirmer la culpabilité de Dreyfus. Une logique infernale entraîne en effet ceux qui défendent à tout prix la « chose jugée » et la sentence du 22 décembre 1894 à mettre hors de cause celui contre qui toutes les présomptions sont désormais réunies. Pour y aider, Henry et du Paty de Clam hasardent leur honneur dans une complaisance active au profit d'Esterhazy. Le 15 novembre 1897, Mathieu Dreyfus rend alors publique la certitude qu'il s'est faite de la culpabilité de celui-ci, véritable auteur du bordereau. Une enquête est ouverte sur les faits et gestes d'Esterhazy, qui est finalement envoyé devant le premier Conseil de guerre de Paris. La vérité va-t-elle éclater ? Le procès des 10 et 11 janvier 1898, dans lequel les révisionnistes ont misé tout leur espoir, se conclut par un acquittement de l'accusé à l'unanimité. « Ce fut un rude coup porté à la justice », écrit Péguy, et Léon Blum : « Comment concevoir que l'honneur de l'armée ait pu être obstinément attaché au salut d'un Esterhazy[8]? » Tout se passe comme si rien n'était plus redoutable, plus effrayant, plus terrible, pour l'armée et pour la France, que l'aveu de l'erreur judiciaire commise en 1894. Tout plutôt que reconnaître l'innocence de l'innocent : camouflage du vrai coupable et de ses turpitudes, faux en tout genre, campagnes de presse insanes, il n'était rien d'interdit aux officiers compromis dans leur forgerie pour sauver la face, acculer Dreyfus au désespoir et défendre « l'honneur de l'armée ». Esterhazy déclaré innocent, les ouvriers de la révision dont le cercle s'était élargi autour de Mathieu et de Bernard Lazare retombaient à pied d'œuvre. C'est alors que se produisit l'acte héroïque qui allait réanimer toutes les énergies. Le 13 janvier 1898, *l'Aurore* publie l'article d'Émile Zola, qui sera qualifié de « révolutionnaire » et qui retentit encore aujourd'hui comme le cri d'un prophète : « J'accuse... » Titre simple et génial, suggéré par Clemenceau, figurant en énormes caractères au-dessus d'une lettre au président de la République lancée contre la chaîne des personnalités mêlées à la double « erreur » judiciaire : celle du 22 décembre 1894 et celle du 11 janvier 1898.

> « Toute la journée dans Paris, écrit Péguy, les camelots à la voix éraillée crièrent *l'Aurore*, coururent avec *l'Aurore* en gros paquets sous le bras, distribuèrent *l'Aurore* aux acheteurs empressés. Ce beau nom de journal, rebelle aux enrouements, planait comme une clameur sur la fiévreuse activité des rues. Le choc donné fut si extraordinaire que Paris faillit se retourner[9]. »

L'affaire Dreyfus ne faisait que commencer.

Une affaire d'opinion

Affaire d'espionnage, affaire judiciaire, affaire policière, l'affaire Dreyfus est aussi et surtout une affaire d'opinion.

Mais qu'est-ce que l'opinion, ce nouvel acteur politique insaisissable, susceptible de variations à forte amplitude, sinon les voix discordantes qui se prévalent de parler en son nom ? Qu'est-ce alors l'opinion, sinon la presse ? Cette presse, rendue nombreuse par la loi de 1881, est aussi une presse nerveuse. A l'appétit public, elle offre autant qu'elle peut du sensationnel, des polémiques, des révélations surprenantes mais non vérifiées. Les attaques *ad hominem* font partie de ses exercices coutumiers : elle invective, elle dénonce, elle injurie. Il en résulte pour tous les journalistes en vue une obligation d'assiduité à la salle d'armes car les duels font partie des risques du métier. Ce qui aujourd'hui se réglerait devant un tribunal correctionnel se concluait à l'époque au bois de Boulogne, à coups d'épée ou de pistolet. A-t-on jamais fait la statistique des duels provoqués directement ou indirectement par l'affaire Dreyfus ? Ce furent les années reines des batteurs de fer, demandant raison à tort et à travers : journalistes, députés, sénateurs, officiers, tous vont « sur le pré » flanqués de leurs témoins, et ils en reviennent le plus souvent, moyennant quelques égratignures, l'honneur « sauf » ou le « différend » vidé. Ces combats singuliers, où certains meurent parfois, corsent les nouvelles du jour et théâtralisent l'information. La presse exerce ainsi une force d'amplification qui arrache l'affaire au huis clos des tribunaux militaires et au secret des conseils des ministres. C'est la presse qui fait la rumeur, qui — par ses bruits et ses faux bruits — entraîne les convictions, excite les passions et menace les hommes en place.

La presse de l'époque a été aussi le support d'un genre littéraire populaire, le roman-feuilleton. On peut observer un parallélisme suggestif entre l'imagination rocambolesque et débridée des feuilletons et les multiples péripéties de l'affaire, dont le « scénario » paraît avoir été écrit selon les principes du merveilleux populaire : rencontres fortuites, découvertes inopinées, bourreaux victimes de leurs machinations, complots nocturnes, héros positifs faisant pleurer les chaumières, hasards et métamorphoses, femmes voilées et récits secrets... Depuis le *Rocambole* de Ponson du Terrail, dont les aventures complètes sont publiées en

1884, le goût des récits invraisemblables et des choses diaboliques a été régulièrement entretenu par d'autres auteurs à l'imagination fertile. Drumont, un des nouveaux « leaders d'opinion » de cette fin de siècle, grand admirateur d'histoires abracadabrantes, a chargé ses pamphlets contre les Juifs du même goût pour le secret, le mystérieux, le souterrain, l'occulte. Certains des romanciers de l'époque sont du reste nettement engagés dans la cause nationaliste et antisémite. Gyp, *alias* comtesse de Martel, descendante de Mirabeau, restée connue pour son *Mariage de Chiffon*, a illustré le genre feuilletoniste et antisémite : après son *Baron Sinaï,* en 1897, elle publie *Israël,* en 1898. Dans ces histoires-là comme dans la réalité, les méchants n'avaient pas des noms chrétiens[10] !

Cette presse, évidemment contradictoire grâce aux libertés publiques, provoque la formation et le durcissement des antagonismes. Nouveau pouvoir, elle n'est souvent que l'instrument d'autres pouvoirs. Ces journaux sont en général commandités par des personnalités en vue ou des groupes financiers ; ils sont, vu le prix de revient, la concurrence et la relative étroitesse du marché, très accessibles à la vénalité. Heureusement, le conflit des intérêts en jeu entretient le pluralisme et la diversité des éditoriaux. Et puis, si la presse de l'époque mérite tous les blâmes, elle s'impose aussi comme une arme irremplaçable en faveur de la vérité : c'est aussi par le journal que les défenseurs du droit et de la justice ont pu mener leur combat.

Avant le retentissant « J'accuse », les journaux s'étaient déjà amplement mêlés de la partie. Presque unanimes, ils avaient accablé Dreyfus en novembre et décembre 1894. Mais c'est aussi la presse qui va faire rebondir l'Affaire, révéler les anomalies du procès, rendre une part de l'opinion pitoyable au sort du condamné. En 1896, désespérant de faire rouvrir le dossier de son frère, Mathieu Dreyfus s'avise d'attirer l'attention publique sur celui-ci, en lançant un « canard » en Angleterre. Le 2 septembre, le *South Wales Argus* de Newport, rémunéré par Mathieu, annonce l'évasion de Dreyfus de l'île du Diable. La fausse information, reprise le 3 septembre par le *Daily Chronicle* est aussitôt diffusée par la presse française. Effet réussi : on reparle de Dreyfus. Le 10 septembre et les jours suivants, *l'Éclair* peut ainsi revenir sur les conditions du procès. Le 14, un article anonyme, de tonalité très antidreyfusarde, faisait référence à une pièce du dossier dont il n'avait jamais été question jusque-là, une lettre où le nom de Dreyfus aurait été écrit par l'attaché militaire d'Allemagne. C'était une allusion au « canaille de D... » qui ne désignait nullement le capitaine mais qui avait été utilisé à charge contre lui à l'insu de la défense. La révélation de l'existence d'une pièce secrète, c'était un premier point acquis à la cause révisionniste. Cet article permet à Joseph Reinach de demander au garde des Sceaux une enquête, et à Lucie Dreyfus, l'épouse du condamné, de présenter une pétition au président de la Chambre des députés.

A partir du moment où Zola jette sa bombe accusatrice, la bataille des journaux va trouver son écho dans les manifestations de rue. Deux camps sont alors nettement dessinés. D'un côté, ceux qui soutiennent Zola et le principe de la révision. Outre *l'Aurore,* dont Clemenceau rythme de ses articles quotidiens l'appel à la justice ; outre *la Petite République,* d'où Jaurès va bientôt propager sa conviction entraînante, il faut citer, parmi les plus ardents, les journalistes des *Droits de l'Homme,* feuille fondée le 9 janvier 1898, pur produit de l'affaire, *le Radical* d'Arthur Ranc et de Sigismond Lacroix, *le Rappel* d'Henry Fouquier. Ce sont là sans doute les cinq journaux les plus marquants et les plus décidés du dreyfusisme dans la grande presse. Il faut citer à leurs côtés *la Fronde,* de moindre tirage mais d'une grande nouveauté, puisqu'il s'agissait d'un organe féministe, entièrement rédigé et fabriqué par des femmes. Créé en 1897, dirigé par Marguerite Durand, ce quotidien brillait du style des meilleures courriéristes et chroniqueuses de l'époque, dont Séverine était la plus connue. Elle aussi, en 1894, comme tout le monde ou presque, avait flétri le « traître », ce « petit-fils de Judas ». Elle aussi, comme d'autres, était revenue sur ses certitudes initiales. Mais mieux que d'autres elle avait su parler avec sensibilité du sort infligé au déporté. Dans ses « Notes d'une Frondeuse », réunies plus tard en volume, elle va se révéler une des combattantes les plus efficaces du camp dreyfusiste : ces billets bien timbrés, ramassés autour d'un fait ou d'un mot, font souvent mouche. *La Fronde* reproduisit le texte provocateur de Zola, précédé d'un « chapeau » dû à la plume de Séverine :

> « Quelle que soit l'opinion que l'on professe au sujet de la cause défendue par M. Émile Zola, il est impossible de ne pas reconnaître qu'en adressant à *l'Aurore* la lettre que nous reproduisons plus loin, l'éminent écrivain a fait preuve de bravoure. Des femmes sont heureuses de saluer, par ce temps de veulerie et de lâcheté, un acte de courage moral[11]. »

Dans le camp opposé, quatre journaux, par l'importance de leur audience, ont tenu un rôle majeur dans la bataille. D'abord *l'Intransigeant* de Rochefort, organe de la revanche boulangiste, décidément rallié au nationalisme le plus exalté ; il était le porte-parole et son directeur l'idole du petit peuple parisien. Se réclamant à tout jamais de la Commune, protecteur des ouvriers en grève, il troquait seulement ses intolérances anticléricales contre une fureur tout aussi virulente à l'endroit des protestants et des Juifs[12]. Du côté catholique, *la Croix* couvrait une surface d'autant plus large que la maison mère de la Bonne Presse avait eu l'ingénieuse idée de jumeler l'information générale, rédigée à Paris, et les informations locales, détaillées par ses suppléments provinciaux. En 1895, le journal se démultiplia ainsi en six quotidiens, en sept *Croix* bi-heddomadaires et soixante-treize *Croix* hebdomadaires. Les assomptionnistes avaient ainsi réussi à quadriller l'ensemble du territoire par une presse à prix modique et attrayante, rien n'y étant négligé, ni le sigle, ni les sujets traités, pour répondre aux tendances du public populaire. La violence des charges antisémites de *la Croix* (articles et caricatures) s'inspire du mythe d'un complot juif acharné à perdre la chrétienté et à miner la France par tous les moyens, y compris législatifs : « Jamais des Français de race n'auraient eu l'idée d'organiser de toutes pièces chez nous un système de gouvernement ayant pour objectif formel de diviser entre eux les citoyens d'une même patrie[13]. » La « trahison » de Dreyfus était pour *la Croix* une preuve supplémentaire du « péril juif » et justifiait le combat mené par ce journal qui se proclamait depuis 1890 « le plus antijuif de France, celui qui porte le Christ, signe d'horreur aux Juifs ».

Moins systématique, *le Petit Journal* d'Ernest Judet occupa aussi une place de choix dans l'antidreyfusisme en raison de son tirage atteignant jusqu'à un million et demi d'exemplaires ; il devait son succès à sa couverture en couleurs et à son imagerie qui familiarisèrent ses lecteurs avec les principaux protagonistes de l'affaire. Enfin, il y eut *la Libre Parole* de Drumont. Lancée depuis 1892 comme le moniteur d'un antisémitisme que son directeur avait largement contribué à diffuser par ses livres, depuis *la France juive* de 1886, *la Libre Parole* parvint à capter un public fidèle à coups de campagnes dénonciatrices incessantes. Édouard Drumont, pamphlétaire impénitent, hanté par l'idée fixe de la « conquête juive » et maître-enchanteur de l'ancienne France, avait réussi à mêler dans ses livres comme dans son journal l'antisémitisme de *l'Intransigeant* et l'antisémitisme de *la Croix*. Comme Rochefort, il flattait la mémoire des communards, défendait les ouvriers exploités par le capital juif et vitupérait les bien-pensants ; comme le père Bailly, il réchauffait le vieil antijudaïsme catholique, l'antimaçonnisme et l'esprit de croisade contre les persécuteurs du Christ. De surcroît, Drumont complétait ses « démonstrations » philosophiques et sociales par des descriptions franchement racistes à prétention « scientifique[14] ». Le temps des assassins à plume était arrivé.

Bien des journaux échappent cependant à ce partage trop bien tranché. Beaucoup ont évolué pas à pas vers la révision, après une période d'antidreyfusisme déclaré. D'autres ont varié en sens inverse, tel *le Figaro* qui, malgré les convictions de son directeur Gaston Calmette, crut opportun de virer de bord sur la crainte de perdre trop de lecteurs, avant de redevenir favorable aux dreyfusards. *La Lanterne* du radical Camille Pelletan ne se départit pas de son antirévisionnisme ; en revanche *l'Autorité* du bonapartiste Paul de Cassagnac fut des premiers à s'émouvoir des anomalies du procès. De sorte qu'au moment le plus intense de l'affaire, et ceci tout comme au temps du boulangisme, l'opinion ne fut pas coupée par la ligne du clivage gauche-droite. La gauche politique dans sa majorité ne soutenait pas encore la petite minorité révisionniste. Par dérision, ses adversaires appelèrent celle-ci « le Syndicat », l'assimilant à un groupe de pression stipendié par la « caisse noire » des Juifs. Cependant, « J'accuse » et le procès de Zola qui s'ensuivit ébranlèrent des convictions et accrurent les rangs du révisionnisme. Pourtant, si à dater du mois de janvier 1898 la vérité était « en marche », comme l'avait proclamé Zola, c'est à une longue marche qu'elle était promise.

Zola avait tout de même, de manière magistrale, redonné confiance aux dreyfusards que l'acquittement d'Esterhazy avait désemparés. Le procès que le ministre de la Guerre se voit contraint de lui intenter s'ouvre à Paris devant la cour d'assises, le 7 février. L'occasion est enfin donnée aux défenseurs de Dreyfus d'étaler publiquement les vices du procès de 1894. L'accusé est de taille : un des écrivains les plus célèbres et les plus détestés, à cause de ces *Rougon-Macquart* dont chaque volume atteint des records de vente, en même temps qu'il suscite la révulsion de certains censeurs qui assimilent l'auteur à un pornographe ; à cause aussi de ses livres sur *Lourdes* et sur *Rome* qui ont fourni des raisons supplémentaires contre lui à la critique catholique. Le procès va se dérouler, pendant deux semaines, dans une atmosphère de tumulte, une foule grondante se tenant aux portes du Palais de Justice, conspuant l'accusé à chacune de ses entrées ou de ses sorties, déclenchant des bagarres quotidiennes, hurlant des cris de mort contre les « Juifs » et contre les « traîtres ». (*La Libre Parole* du 9 février : « La foule crie : " A l'eau le youtre ! A mort les juifs ! " Son mufle immonde de bête sarcastique se plisse d'une façon horrible... ») Impératif absolu imposé au président du tribunal : que le procès Zola ne dégénère pas en révision du procès Dreyfus. Mais comment faire respecter pareille consigne : non seulement Labori, avocat de la défense, est habile, mais, de surcroît,

le zèle intempestif des témoins à charge jette une lumière
crue sur les conditions illégales du procès de 1894. Zola est
finalement condamné au maximum : un an de prison et
3 000 francs d'amende. Quelques jours plus tard, le lieutenant-colonel Picquart est mis en réforme. La cause dreyfusarde a subi une nouvelle défaite, la révision n'était pas
plus sortie du procès Zola qu'elle n'était sortie du procès
Esterhazy. Le verdict connu, ce fut une tempête de joie
dans la rue et dans la presse. La pression du public a-t-elle
compté dans la condamnation de l'écrivain ? Pour *la Petite
République,* le jury a été « terrorisé » :

> « Le public, trompé par une presse où le mensonge éclate à
> chaque mot, qui imprimait blanc quand on disait noir au
> Palais de Justice, le public affolé par des histoires de
> brigands, par de fausses nouvelles, par l'attitude du gouver-
> nement et de l'état-major, travaillé par les agents des
> sacristies ; le public eût certainement imputé à des causes
> infamantes une décision indulgente du jury [15]. »

Pourtant, ce n'était qu'une bataille perdue. Le 2 avril
1898, le procès de Zola fut cassé pour vice de forme, la
plainte ayant été déposée, non comme de droit par les
membres du conseil de guerre mais par le ministre de la
Guerre, ce qui rendait nulle la procédure. La Cour de
cassation redonnait ainsi espoir aux dreyfusistes. Le second
procès Zola s'ouvrit le 23 mai devant les assises de Seine-et-
Oise, à Versailles. La passion publique redoubla. Le 10
avril, Zola a été assailli à coups de pierres, près de Médan.
A Paris et à Alger, les incidents antisémites se sont
multipliés. Le 22 mai a eu lieu le premier tour des élections
législatives. Jaurès était battu à Carmaux ; Drumont était
élu à Alger. Le 23 mai, *le Petit Journal* publiait une
biographie mensongère et diffamatoire du père de Zola :
on n'épargnait rien à l'accusateur de l'« armée ». Un
pourvoi toutefois suspendait son procès dès la première
séance, jusqu'au 16 juin. Zola devait être finalement
condamné le 18 juillet, ce qui le détermina à quitter
aussitôt la France pour l'Angleterre d'où il rentrera après
onze mois d'exil, en juin 1899.

Cependant, le ministère Méline a été mis en minorité le 15 juin. Jusque-là Méline s'était efforcé de rester à distance de l'affaire judiciaire : pour lui, il n'y avait ni affaire Zola ni affaire Dreyfus. Tout autre va être l'attitude du nouveau ministre de la Guerre, le radical Cavaignac, membre du ministère formé par Brisson le 28 juin. Cavaignac, de bonne foi convaincu de la culpabilité de Dreyfus, horripilé par les incidents des deux procès Zola, défié par la requête en annulation adressée à son collègue à la Justice, Sarrien, par Lucie Dreyfus — requête fondée sur l'existence d'un dossier secret, établie aux assises —, décide d'intervenir personnellement *pour en finir*. Le 7 juillet, montant à la tribune de la Chambre, il fait état de trois pièces chargeant Dreyfus et mentionne de prétendus aveux du « traître ». Discours impressionnant, très applaudi et dont l'affichage est voté à l'unanimité moins une vingtaine d'abstentions. Le lendemain, Picquart écrit au président du Conseil : il se fait fort de prouver que sur les trois pièces lues à la Chambre, deux ne concernent pas Dreyfus et que la troisième est un faux. Le 13 juillet, Picquart est arrêté sur plainte de Cavaignac, pour divulgation de documents secrets intéressant la défense nationale.

Après ce nouveau coup, les dreyfusards sont en proie au découragement. Léon Blum, qui avait mis ses compétences de juriste au service de Labori, l'avocat de Zola, raconte dans ses *Souvenirs sur l'affaire Dreyfus* le choc éprouvé par lui et ses amis après le discours de Cavaignac, qui donnait en quelque sorte une « homologation officielle » à la campagne antisémite et nationaliste. Il se trouvait, ce soir-là, en compagnie de Mathieu Dreyfus et de Lucien Herr, muets, défaits, consternés. « Tout à coup, dit-il, la sonnette tinta et Jaurès poussa la porte. » Un Jaurès triomphant et qui les rabroue :

> « Mais ne comprenez-vous pas que maintenant, pour la première fois, nous tenons la certitude de la victoire ? Méline était invulnérable, parce qu'il se taisait. Cavaignac parle, discute, donc il est vaincu [16]. »

Le secret avait cessé d'être la règle, on était en droit désormais d'exiger la totalité du dossier. Dès lors, Jaurès va entreprendre une série d'articles d'une implacable logique où il démonte morceau par morceau l'échafaudage des accusateurs de Dreyfus [17]. Dès le 9 juillet, il s'adresse à Cavaignac dans *la Petite République* sur un ton comminatoire :

> « [...] en citant vous-même les pièces qui selon vous doivent former notre conviction, et qui ne figurent pas à l'acte d'accusation, vous avouez, vous proclamez la monstrueuse iniquité de la procédure militaire et vous fournissez à votre collègue M. Sarrien les éléments de preuves dont il a besoin pour la révision. »

Léon Blum traduit ce redressement de la cause dreyfusiste sous « l'ironie dialectique » de Jaurès par ce mot : « Après la seconde chute venait le second miracle. »

Dans cette affaire à rebondissements, un nouveau coup de tonnerre survient au moment où Jaurès rédige ses *Preuves*. Le 13 août 1898, le capitaine Cuignet, attaché au cabinet de Cavaignac et chargé par le ministre de reprendre le dossier Dreyfus, s'aperçoit qu'un des documents présentés à la Chambre est un faux. Il s'agit de la seule pièce impliquant nommément Alfred Dreyfus, la lettre du colonel Panizzardi à Schwartzkoppen. Or Cuignet, à la lumière de sa lampe de bureau, constate que les quadrillés du papier utilisé sont de deux teintes différentes. Le commandant Henry, qui avait fourni cette lettre arrivée, disait-il, par la « voie ordinaire », devenait suspect de faux. Interrogé, il avoue son crime le 30 août. Mis aux arrêts de rigueur au Mont-Valérien, il est retrouvé dans sa cellule le lendemain, 31 août, la gorge tranchée. La découverte et le suicide du faussaire interdisent désormais la résistance à la révision. Le 3 septembre, Cavaignac donnait sa démission. Le lendemain, Esterhazy s'exilait en Belgique avant de gagner l'Angleterre. Le 27 septembre, la demande en révision déposée par Lucie Dreyfus faisait enfin l'objet d'une saisie par la chambre criminelle de la Cour de cassation, sur ordre du garde des Sceaux. La nuit devenait moins opaque.

L'avènement des intellectuels

La charge de fascination qu'a prise la crise dreyfusienne dans notre histoire vient de ce qu'elle n'est pas d'abord une crise politique mais une crise morale. A cette occasion, de nouveaux protagonistes ont surgi qui ont pris le nom d'*intellectuels*.

> « Il faut le dire à leur honneur, écrit Clemenceau dans *l'Aurore* le 18 janvier 1898, les hommes de pensée se sont mis en mouvement d'abord. C'est un signe à ne pas négliger. Il est rare que, dans les mouvements d'opinion publique, les hommes de pur labeur intellectuel se manifestent au premier rang. »

Le geste hardi de Zola, aventurant sa notoriété, s'exposant à tous les coups, ruinant ses dernières chances d'être élu à l'Académie, des centaines de professeurs, d'hommes de cabinet, de paisibles savants y font chorus, en signant une proclamation en faveur de la révision. Ce nom d'intellectuels, pris comme substantif, était nouveau. Joseph Reinach l'explique ainsi :

> « Comme les premiers pétitionnaires pour la révision étaient des hommes de lettres et des hommes de science, on les désigna du nom d'*intellectuels*. Le mot traînait, depuis quelque temps, dans de petites revues littéraires ; de jeunes contempteurs de la politique se l'appliquaient pour marquer leur supériorité sur le reste des humains. Il fut repris, on ne sait par qui *, avec une nuance marquée de dédain, celui du Sabre pour la Raison. Mais les hommes qu'on désignait ainsi acceptèrent l'étiquette avec joie [18]... »

Le mot est désormais dans toutes les bouches, soit qu'on s'en gausse, soit qu'on s'en flatte. Ainsi, dans son *Journal de l'affaire Dreyfus*, Maurice Paléologue, narrant une discussion passionnée au cours d'un dîner chez Mme Auber-

---

* G. Clemenceau utilise le mot dans un article de *l'Aurore* du 23 janvier 1898.

non, le 15 janvier 1898, rapporte ces propos de l'académicien Ferdinand Brunetière :

> « Et cette pétition que l'on fait circuler parmi les *Intellec-
> tuels !* Le seul fait que l'on ait récemment créé ce mot
> d'*Intellectuels* pour désigner, comme une sorte de caste
> nobiliaire, les gens qui vivent dans les laboratoires et les
> bibliothèques, ce fait seul dénonce un des travers les plus
> ridicules de notre époque, je veux dire la prétention de
> hausser les écrivains, les savants, les professeurs, au rang de
> surhommes [19]. »

Le même Brunetière a trouvé là un beau sujet à
disserter. Dans une brochure, qu'il publie en cette même
année 1898, il explicite ainsi son irritation : « Ils ne font
que déraisonner avec autorité sur des choses de leur
incompétence [20]. » Polémique mise à part, Brunetière
mettait en lumière la nouveauté dont l'affaire Dreyfus
accouchait : l'intervention collective des hommes de pensée dans la vie publique. Sartre le dira avec d'autres mots :

> « Originellement, donc, l'ensemble des intellectuels appa-
> raît comme une diversité d'hommes ayant acquis quelque
> notoriété par des travaux qui relèvent de l'intelligence
> (sciences exactes, sciences appliquées, médecine, littérature,
> etc.) et qui abusent de cette notoriété pour sortir de leur
> domaine et critiquer la société et les pouvoirs établis au nom
> d'une conception globale et dogmatique [...] de l'homme
> [...] [21]. »

Cet engagement n'est pas d'une seule inspiration. Le
combat en faveur de la révision procède de deux motivations principales. Chez beaucoup, chez la plupart, l'élan est
donné par un impératif moral doublé de compassion. Lors
du dîner raconté par Paléologue, l'un des convives, signa-
taire du manifeste, dit notamment : « L'honneur d'un
homme n'est pas moins précieux que l'honneur d'une
armée... Le supplice d'un innocent est une image insupportable pour quiconque a tant soit peu de pitié au cœur... »
D'autres, agissant strictement en intellectuels, résistent à
toute effusion du cœur, s'interdisent de quitter la terre

ferme de la pensée logique ; « disjoindre la défense de la raison d'avec les positions sentimentales que comportait le dreyfusisme », telle est la maxime d'un Julien Benda, qui refuse, contre « les Barrès, les Maurras, les Lemaitre », de « plier la raison aux intérêts de la société[22] ». Deux modèles d'intellectuels dreyfusards se dessinent ainsi, les moralistes et les rationalistes. Les premiers travaillaient, comme leurs adversaires antidreyfusards, à la cohésion sociale mais en estimant, contre leurs adversaires, que celle-ci dépendait des valeurs éthiques de justice et de vérité — au lieu que les antidreyfusards défendaient les bases de la société dans ses institutions, dans l'armée, dans la « chose jugée », au mépris éventuel de l'individu et au mépris affiché des droits de l'homme. Ils s'affrontent au-dessus de la nappe de Mme Aubernon, mais ils peuvent encore dîner ensemble :

> « Rentrant à pied chez moi, écrit Paléologue, je songe que, malgré tant de violences et d'injures, tant de scandales et de vilenie, le drame qui bouleverse la France ne manque pas de grandeur, puisqu'il met aux prises deux sentiments sacrés, l'amour de la Justice et la religion de la Patrie[23]. »

En revanche, le « rationalisme absolu » d'un Benda n'était pas digne du dîner en ville, vu ses implications anarchiques :

> « J'admettais d'ailleurs fort bien, dit notre clerc, que notre rationalisme subît les conséquences de sa nature antisociale. Contrairement à mes frères d'armes, qui trouvaient que l'État devait faire droit à toutes nos requêtes et s'indignaient de sa résistance, j'estimais qu'il était bien bon de nous tolérer et ne ferait peut-être que son devoir en nous muselant ; que Socrate était dans son rôle en plaçant le vrai au-dessus de l'utile, mais que l'État était dans le sien en lui faisant boire la ciguë[24]. »

Autant, aux yeux d'un Péguy, le combat de la vérité et de la justice était consubstantiel à l'idéal d'une société réconciliée, autant pour Benda il y avait « une opposition fondamentale entre les intérêts du social et du vrai ».

Le rationalisme absolu de Benda était peu répandu chez les révisionnistes mais son aveu nous aide à comprendre les raisonnements du camp adverse. Doit-on dire des intellectuels de droite ? Ce n'est certes pas la désignation qui aurait eu leur approbation. En tout cas, chez eux non plus l'unanimité n'existe pas. Certains, tel Maurras, formés à l'école positiviste, n'entendent nullement abdiquer les droits de la raison et c'est en son nom *aussi* qu'ils méprisent leurs adversaires, tombés dans la sentimentalité. D'autres, comme Barrès, jugeant peu probantes les œuvres de l'intelligence, s'en remettent à l'instinct, à la tradition, à la continuité qui lie les vivants aux morts, opposant les *racinés* aux *déracinés*. Les uns et les autres ont en commun le refus de l'universalité. Ils ne comptent pour rien l'humanité, chose abstraite, car, tout comme Joseph de Maistre, ils ne l'ont jamais rencontrée, d'où résulte leur récusation de la morale universelle.

> « Il faut, écrit ainsi Barrès, surveiller l'Université. Elle contribue à détruire les principes français, à nous décérébrer ; sous prétexte de nous faire citoyen de l'humanité elle nous déracine de notre sol, de notre idéal aussi [25]. »

Pour les écrivains nationalistes, l'affaire Dreyfus est un révélateur de décadence mais elle est aussi une chance de redressement. Ils dénoncent dans l'intellectuel et dans le Juif les deux faces complémentaires d'une modernité abhorrée, les figures complices de la turbulence déstabilisant la France séculaire, les agents de la décomposition sociale, les destructeurs des institutions organiques de la patrie, au premier chef l'Armée et l'Église. L'anti-intellectualisme et l'antisémitisme produisent parfois une véritable *Weltanschauung* raciste. Voici Barrès à Rennes, pour le procès Dreyfus de 1899 ; Jules Soury, qui enseigne à l'École pratique des hautes études, vient le rejoindre. Que dit le savant ?

> « Je suis arrivé au point où vous étiez quand vous me disiez : Je ne tiens plus qu'à la tradition et il n'y a plus d'ordre et de dignité que dans l'armée... Combattre pour la France et

pour les Aryens [...]. Car vous l'avez très bien dit, il ne s'agit pas d'un pauvre petit capitaine juif, il s'agit de l'éternelle lutte entre le Sémite et l'Aryen[26]. »

La division des intellectuels sur l'affaire Dreyfus peut se prêter à l'analyse sociologique[27]. On serait tenté de dire qu'il y eut la rive droite contre la rive gauche, si l'Académie et l'École normale n'étaient du même côté de la Seine. L'*establishment* littéraire et académique fut, en effet, massivement antirévisionniste ; c'est lui qui fournit ses membres les plus notoires à la Ligue de la Patrie française, dont l'antidreyfusisme distingué était placé sous la houlette de Jules Lemaître. Cette ligue avait été constituée à l'automne 1898 afin de montrer que le dreyfusisme ne régnait pas sans partage à l'université. De fait, à côté des vingt-deux académiciens, des membres de l'Institut, des grands noms du barreau, du monde médical, de la presse et des arts, un certain nombre d'universitaires avaient donné leur signature à l'appel de fondation de la Ligue[28]. Mais c'était une réaction à la mobilisation des intellectuels en faveur de la révision, antérieure de plusieurs mois, mobilisation dont le quartier général se situait entre la rue d'Ulm (l'École normale) et la rue de la Sorbonne.

« Dans l'ensemble, écrit Léon Blum, l'Université, prise à tous ses degrés, fut la première catégorie sociale ou professionnelle sur laquelle le dreyfusisme put prendre appui[29]. »

Pourtant, le premier intellectuel révisionniste ne fut pas un universitaire : c'était Bernard Lazare, écrivain marginal, anarchisant, auteur d'un livre sur l'antisémitisme sans complaisance pour ses « coreligionnaires » ; c'est lui que Mathieu Dreyfus avait recruté pour l'aider à faire la lumière. Il fut, dans cette traversée du désert — de la condamnation de Dreyfus à la levée en masse des intellectuels — un tenace instructeur de l'ombre. Sa première brochure révélant l'erreur judiciaire, publiée à Bruxelles en novembre 1896, buta sur l'indifférence générale. Il récidiva avec plus d'arguments en 1897 et avec plus de succès en

1898. Péguy a laissé sur lui, dans *Notre Jeunesse,* des pages encore vibrantes :

> « Le prophète en cette grande crise d'Israël et du monde fut Bernard Lazare . Saluons ici l'un des plus grands noms des temps modernes [...], l'un des plus grands parmi les prophètes d'Israël [30]. »

Le nom de Lucien Herr vient ensuite ; il nous introduit pleinement dans l'univers des intellectuels puisqu'il était agrégé de philosophie et bibliothécaire de l'École normale. Ce fut lui qui réunit les signatures de la première pétition. La bibliothèque de la rue d'Ulm, que fréquentent non seulement les élèves mais aussi les anciens élèves, était un poste stratégique de premier ordre. C'est là que Lucien Herr avait fait la connaissance du jeune Péguy. Celui-ci en imposait à ses camarades de promotion et même à ses aînés par son air de gravité, son caractère impérieux et son éloquence tout à fait particulière, faite de lenteur et de savantes reprises. Péguy fut un des militants inlassables du dreyfusisme, un de ses sergents recruteurs, un de ses lieutenants actifs, avant d'en devenir le poète et le moraliste. Ses camarades et lui, écrit Charles Andler, « furent la milice ardente et juvénile de l'École normale au moment de l'affaire Dreyfus [31] ». Plus loin, le Collège de France et l'École des Chartes, hauts lieux de propagande révisionniste, complétaient ce « foyer brûlant de la conscience nationale », comme dit encore Andler de l'École de la rue d'Ulm.

Comme ces dreyfusards avaient jusqu'en 1898 éprouvé de l'admiration pour Barrès, Léon Blum, qui était de ses fervents, raconte dans ses *Souvenirs* comment il avait espéré l'amener dans le camp de la révision. Ce fut pour lui une cruelle désillusion. Herr, Blum et Barrès collaboraient à une même publication, la *Revue blanche*. Lucien Herr fut chargé de signifier son congé à Barrès ; il le fit dans la livraison du 15 février 1898 avec une certaine hauteur de ton qui suggère bien la coupure du monde intellectuel provoquée par l'Affaire.

« L'homme qui, en vous, hait les juifs et hait les hommes d'outre-Vosges, soyez sûr que c'est la brute du XIIᵉ siècle et le barbare du XVIIᵉ. Et croyez que le monde moderne serait peu de chose, s'il n'était l'avènement du droit nouveau, la lente croissance d'une volonté raisonnable, maîtresse de ces instincts et tueuse de ces haines. »

Herr en arrivait plus loin à la ligne de partage décisive :

« Vous avez contre vous à la fois le vrai peuple et les hommes de volonté réfléchie, les déracinés, ou, si vous le voulez bien, les désintéressés, la plupart des hommes qui savent faire passer le droit et un idéal de justice avant leurs personnes, avant leurs instincts de nature et leurs égoïsmes de groupe. »

Il importait de concrétiser cet idéal défendu par les intellectuels. La fondation de la Ligue française pour la défense des droits de l'homme et du citoyen provient de cette nécessité. Lucien Herr et Charles Seignobos, maître de conférences d'histoire à la Sorbonne, furent membres de son comité central. Du cas Dreyfus, on voulait généraliser le droit imprescriptible à la justice et à la dignité pour chaque individu. « Nous avons les uns et les autres une grande mission à remplir. Nous avons à répandre, à faire connaître et aimer les idées de Justice, de Vérité et de Liberté [32]. »

Les intellectuels, tout au long de l'affaire Dreyfus, ne sont pas seulement apparus comme un groupe de pression supplémentaire — ce qu'ils sont devenus incontestablement depuis dans la vie politique. Ils ont aussi incarné une certaine idée de la France, qui mérite mieux que des sourires. L'un d'eux l'exprima bien, lors des obsèques d'Émile Zola, en octobre 1902 : c'était le seul académicien qui se fût risqué pour Dreyfus, Anatole France. Sur la tombe de l'écrivain, il fit retentir ces mots :

« Messieurs, il n'y a qu'un pays au monde dans lequel ces grandes choses pouvaient s'accomplir. Qu'il est admirable le génie de notre patrie ! La France est le pays de la raison ornée et des pensées bienveillantes, la terre des magistrats équitables et des philosophes humains, la patrie de Turgot, de Montesquieu, de Voltaire et de Malesherbes. Zola a bien mérité de la patrie, en ne désespérant pas de la justice en France [...]. Envions-le : il a honoré sa patrie et le monde par une œuvre immense et par un grand acte. Envions-le, sa destinée et son cœur lui firent le sort le plus grand : il fut un moment de la conscience humaine [33]. »

Le danger nationaliste

Les adversaires du révisionnisme étaient au moins de deux sortes ; c'est justement parce qu'ils avaient contre eux la coalition de deux antidreyfusismes que les dreyfusards eurent tant de mal à faire avancer leur cause. Il y eut le concours de l'antidreyfusisme modéré, respectueux, conservateur, et de l'antidreyfusisme violent et « révolutionnaire » ; l'antidreyfusisme institutionnel et l'antidreyfusisme de coup d'État. Le premier a eu longtemps son épicentre au Parlement ; il s'exprime par le truchement des ministres, il est amplement majoritaire, il est à certains moments unanime à la Chambre des députés. Il n'est pas seulement de droite, il dispose des voix républicaines, y compris d'une grande partie des voix radicales, sans compter l'abstention des voix socialistes. Le ministre Cavaignac, issu d'une famille de républicains « historiques », est représentatif d'un radicalisme sourcilleux sur la question nationale et militaire. L'affrontement politique véritable, la séparation des deux blocs, n'aura lieu qu'au moment du gouvernement de Défense républicaine créé par Waldeck-Rousseau en juin 1899. En attendant, les ministères qui se succèdent, tout comme le président de la République Félix Faure, s'interdisent de révoquer en doute la « chose jugée », de ternir l'« honneur » de l'armée et n'entendent nullement entrer dans les vues d'un Clemenceau ou d'un Scheurer-Kestner. En dehors des sphères politiques, cet antidreyfusisme conformiste est largement représenté dans le pays, et bien symbolisé par cette Ligue de la Patrie française dont il a été question plus haut. Ni l'antisémitisme, ni la défense catholique n'inspirent la plupart de ses adhérents. S'ils exaltent l'amour de la Patrie et le culte de l'armée, c'est au nom d'une République modérée ou d'un conservatisme de notables.

Cependant, un antidreyfusisme beaucoup plus radical a pris consistance. La violence est son expression habituelle, celle de la tribune et celle de la rue. Il a pris le nom de *nationalisme* — autre mot qui s'est diffusé au temps de l'Affaire[34]. Certes, la République de Gambetta et de Ferry avait été — elle restait — nationaliste à sa façon ; elle professait même le sentiment national comme ciment nécessaire de la communauté française. Mais ce patriotisme, qui n'était pas dépourvu d'un sentiment de supériorité, qui avait une de ses sources dans l'orgueil révolutionnaire et missionnaire, qui ne dédaignait ni l'idéal d'une revanche ni la grandeur militaire, ce patriotisme ne mettait pas en cause mais étayait au contraire la République parlementaire. Le nationalisme proprement dit a été conçu vers 1886 et s'est imposé comme une nouvelle force politique au cours de l'affaire Dreyfus. De la crise boulangiste à la crise dreyfusienne, son incubation avait eu lieu. On pourrait le ramener à une idée simple : le primat de la nation impliquait un remplacement du système politique parlementaire par une nouvelle puissance d'État ; la politique extérieure dont la finalité restait le recouvrement des provinces perdues avait pour préalable un programme intérieur de remise en ordre. Au début des années 1890, le scandale de Panama, où se trouvaient compromis directement ou indirectement des parlementaires, avait été comme une revanche du boulangisme. Paul Déroulède, à la tribune de la Chambre, avait accusé Clemenceau d'avoir reçu pour son journal des fonds de Cornélius Herz, affairiste impliqué dans la débâcle de la Compagnie du canal de Panama. Rien n'avait jamais pu être prouvé contre l'honnêteté de Clemenceau mais sa réputation en avait été atteinte : il était, pour une partie du public, devenu un « chéquard ». C'était en 1892, l'année où Drumont lançait *la Libre Parole*. Peu à peu, le journal de Drumont, *la Cocarde* où collaborait Barrès, *l'Intransigeant* de Rochefort firent converger leurs attaques contre le régime. Le nationalisme se parait de probité contre les élus concussionnaires.

Le nationalisme n'avait pas d'unité, s'il avait un ennemi commun. L'affaire Dreyfus lui permit de rassembler ses différentes composantes grâce à la lutte simplificatrice déclarée contre la trahison et pour la défense de l'armée. Une de ses parties intégrantes était faite des demi-soldes du boulangisme. Rochefort, le bateleur, Barrès, le poète, et Déroulède, le clairon, en constituaient la triade capitoline. Chacun avec ses nuances propres revendiquait l'avènement d'une « république nationale » — « cette république, dira Rochefort, qui réunit sous le même drapeau le socialisme et le patriotisme ». Ce socialisme national était né de la révolte contre la république bourgeoise établie ; il avait plongé ses racines dans l'extrême gauche, il avait tiré ses troupes des foules boulangistes. Il se retrouvait désormais à l'extrême droite, opposé au socialisme internationaliste qui s'était développé en France depuis 1889, date à laquelle les groupes socialistes français étaient repris dans ce qu'on allait appeler la deuxième Internationale. Encore divisés entre eux, les socialistes remportaient leurs premiers grands succès électoraux en 1893. Or cette force montante professait, toutes nuances confondues, sa haine du militarisme, les plus extrêmes allant jusqu'à célébrer l'antipatriotisme[35]. Une des familles du nationalisme va être faite des défenseurs d'un autre socialisme — celui qui se refuse à « l'Internationale ». Nous y retrouvons de façon exemplaire Ernest Roche, qu'on a vu, passé du blanquisme au boulangisme, réélu député en 1893 et 1898. Son comité électoral, lors de ce dernier scrutin, rappela « que dans l'abominable conspiration dreyfusarde qui paralyse les affaires, tue le travail et déshonore la patrie, le citoyen Ernest Roche a par deux fois, à la tribune de la Chambre démasqué et flétri les traîtres et tous ceux qui, à la solde de la juiverie et de l'Allemagne, visent à affaiblir la France et la République[36] ».

Une autre composante provient d'une radicalisation du conservatisme. Le duc d'Orléans, prétendant des monarchistes, laissa en effet ses partisans s'engager sous la bannière du nationalisme. Lui-même, lançant des lettres

publiques contre les ennemis de l'armée, n'hésita pas à
rallier l'antisémitisme et à faire de Guérin, l'un de ses chefs
populaires, son agent stipendié ; l'alliance du royalisme
avec la Ligue antisémitique suggère la force d'attrait
éprouvée par nombre de monarchistes devant la montée
d'un mouvement populaire qu'ils rêvent d'utiliser à leurs
propres fins. Les manœuvres du boulangisme se répé-
taient ; Jules Guérin reçut d'eux des subsides comme jadis
Boulanger. La monarchie avait été alors populiste, elle
devenait populacière.

Le nationalisme se renforça aussi de l'apport catholique.
Un petit nombre de prêtres et de fidèles s'étaient affichés
dreyfusards. Dans sa *Vie de Lucien Herr,* Charles Andler
rend hommage à leur courage [37]. Ils étaient cependant de
peu de poids comparés au reste des pratiquants, acquis
pour la plupart à un antidreyfusisme qu'on peut qualifier de
fanatique au vu des *Croix* de Paris et de province, du
Pèlerin et jusqu'à la revue des jésuites, *les Études,* et aux
organes de la nouvelle démocratie chrétienne, *la Justice
sociale, la Démocratie chrétienne* et *le XXᵉ Siècle* [38]. La
Bonne Presse, en élargissant son audience, avait sensiblement évolué depuis ses origines. Ouvriériste et distante vis-
à-vis de l'idée de Revanche avant 1880, elle se fait de plus
en plus conservatrice, xénophobe, antisémite et militariste
dans les dernières années du siècle. Elle n'a pas été
jusqu'au-boutiste, elle s'est même opposée aux agitations
de Déroulède, mais elle a tenu une place considérable dans
l'exaspération des passions par ses diatribes venimeuses et
l'influence qu'elle a exercée sur le clergé et le peuple
catholique [39]. Agent de diffusion de l'antisémitisme chez les
fidèles du Christ, *la Croix* a fortement contribué à la
collusion du catholicisme et du nationalisme le plus exclusif
— alliance contradictoire entre le principe d'universalité et
le particularisme de l'État-nation. Mais, on l'a vu, le
catholicisme est alors sur la défensive ; le nationalisme
exprime une même rétraction, une égale fermeture, une
même névrose obsidionale : dans l'hostilité à la cause
dreyfusienne on discerne bien la crispation des volontés
contre l'œuvre de « décadence » ; la sauvegarde des églises,
des cimetières, des familles, des villages, des traditions, des

institutions d'ordre, va de pair avec l'exaltation de la patrie
de toutes parts en détresse.

Mais qu'est-ce qui peut unir les nostalgiques de la
monarchie, les défenseurs de la « Sociale », les libres
penseurs nationaux et les curés de village ? Un chef avait
réalisé l'ébauche de cette union, au temps du boulangisme.
Le nationalisme de l'Affaire ne trouva pas son Boulanger.
Il trouva cependant son principe de cohésion dans ce qui
n'était pas encore opérant dix ans plus tôt : l'antisémitisme.
Celui-ci avait pris une force redoutable dans l'entre-deux-
crises. L'affaire de Panama avait offert à Drumont et aux
siens une nouvelle occasion de jouer les procureurs.
L'antisémitisme devenait une doctrine ramasse-tout : il
expliquait la misère des ouvriers par les financiers juifs ; les
malheurs de l'Église, par le complot judéo-maçonnique ; la
division des Français par la « conquête juive ». La présence
« israélite » en métropole se bornait pourtant à 80 000 Juifs
environ. Mais, émancipés depuis la Révolution, devenus
citoyens à part entière, leurs noms apparaissaient peu à peu
dans toutes les sphères de la vie économique, sociale et
politique. L'installation de la troisième République néces-
sitant un renouvellement de personnel, on vit donc des
Juifs prendre des emplois où ils n'étaient pas très visibles
ou pas du tout visibles auparavant : dans le corps préfecto-
ral, au Parlement, dans les cadres de l'armée… La liberté
de la presse et son développement firent surgir des noms
juifs dans les journaux. Les prophètes de malheur avaient
trouvé leur victime émissaire, la raison de tous les maux,
l'alpha et l'oméga de la « décadence » : le Juif était
partout, il y avait un complot juif ! Le préjugé antijudaï-
que, renforcé par l'anticapitalisme (socialiste et réactionnaire), se trouva confirmé par le « mythe aryen » : les
sciences naturelles et la linguistique concouraient à établir
le tableau méthodique et méritoire des *races*. Les antisémites substituèrent à l'explication marxiste de l'histoire par
la lutte des classes l'explication également universelle par la
lutte des races. Entre les Aryens et les Sémites, la guerre
avait commencé dès les origines de l'humanité. Avant
qu'Hitler n'en fît une idéologie du massacre, il y eut dans le
nationalisme français de cette fin de siècle une première

ébauche de racisme politique. Au Français, espèce devenant rare, Drumont, Rochefort, le révérend père Bailly,
apprirent à se définir contre le Juif[40].

Au mois de janvier 1898, tandis qu'au lendemain de
l'acte accusateur de Zola les intellectuels lançaient leur
manifeste, le pays fut pendant plusieurs semaines traversé
par une onde de fanatisme. Le 17 janvier, à Nantes, un
défilé entraîne le bris de devantures de magasins juifs ; à
Nancy, la synagogue est prise d'assaut ; à Rennes, on
vilipende le professeur Victor Basch ; à Bordeaux, on
profère comme ailleurs : « Mort aux Juifs ! Mort à Zola !
Mort à Dreyfus ! » Dans les jours qui suivent, presque
toutes les villes deviennent le théâtre de manifestations
nationalistes et antisémites : Moulins, Montpellier, Angou-
lême, Tours, Poitiers, Toulouse, Lille, Angers... A Saint-
Malo, le 22 janvier, on brûle un mannequin de Dreyfus. A
Marseille, à Orléans, à Grenoble, au Havre, se multiplient
bagarres et agressions contre des Juifs. Le 23 janvier des
troubles sérieux éclatent à Alger, où des affrontements
sanglants ont lieu entre Juifs et antisémites ; une émeute
prend forme, aggravée d'incendies. Le lendemain, des
scènes de pillage recommencent à Bab el-Oued, où le jeune
Max Régis, ami de Jules Guérin, est acclamé. A Paris,
Guérin se pose en véritable chef d'armée, à la tête de sa
Ligue antisémite. Née en 1889, sous l'influence d'Édouard
Drumont, elle avait d'abord été dirigée par un ami de celui-
ci, le marquis de Morès. Cet aventurier, avant de mourir en
1896, avait à son actif une carrière de chef de bande
enrôlant ses hommes de troupe parmi les bouchers de la
Villette et autres casseurs. Un de ses adjoints, Jules
Guérin, reprit la ligue en main en 1897. Il se proposait de
« libérer les Français et la nation du joug des Juifs ». On a
pu estimer à 20 000 le nombre des adhérents à Paris. Tandis
que Drumont, élu député en mai 1898, va figurer au rang
des notables de l'antisémitisme, Guérin en devient le
camelot tapageur et glorieux. Il dispose d'un hebdomadaire, *l'Anti-Juif,* qui tirera jusqu'à 150 000 exemplaires.
Grâce à diverses subventions, dont celles du duc d'Orléans,
la Ligue, métamorphosée en « Grand Occident de
France », s'installe dans un immeuble de la rue de Chabrol

— véritable forteresse gardée par une cinquantaine de permanents. Guérin avait organisé ainsi la milice plébéienne du nationalisme antidreyfusard.

La Ligue des Patriotes de Déroulède avait, de son côté, repris toute sa vigueur. Rebâtie en septembre 1898, elle s'engage activement dans l'antidreyfusisme, ayant adopté entre-temps les mots d'ordre antisémites qui lui étaient étrangers au temps du boulangisme. Déroulède, réélu député, disposant d'une audience appréciable, entendait établir « la République du peuple » ; il était désormais résolu au coup de force. Entouré de fidèles, admirateurs de son éloquence et de son courage et insensibles à ses ridicules, il pouvait compter sur ses bataillons de ligueurs recrutés dans la petite bourgeoisie parisienne, et sur des dons multiples qui lui permirent sa propagande et la publication du *Drapeau*. Tout au long de l'Affaire, ces ligues s'employèrent à révolutionner la capitale : réunions publiques houleuses, manifestations de rue incessantes, affichages provocateurs, actions multiples d'intimidation... Le 22 décembre 1898, lors d'un « meeting » à Toulouse, des dirigeants de la Ligue des droits de l'homme, Pressensé, Mirbeau et Quillard sont précipités de la tribune à coups de canne et couverts de crachats : exemple entre cent autres d'une violence politique qui devient ordinaire. Parfois les bandes de Guérin trouvent à qui parler. Ainsi le 11 décembre, à Nantes, les socialistes d'Allemane affrontent dans les rues les antisémites de Milleroye et de Guérin. Ces troubles répétés risquaient d'ancrer un sentiment d'insécurité chez les citadins et spécialement chez les petits commerçants, plus exposés aux agitations de la rue : le besoin d'ordre pouvait renforcer les solutions expéditives, les ultras du nationalisme en faisaient le calcul.

L'aveu d'Henry et son suicide rendaient inévitable la procédure de révision. Cependant, loin d'en imposer à la fureur nationaliste, le drame du mont Valérien l'excita de plus belle. Henry convaincu de faux devint un héros. Protecteur d'Esterhazy, accusateur acharné de Dreyfus dès l'origine, il devint suspect à tous les dreyfusards : quelle était sa part de complicité dans les activités d'espionnage ? Rien ne fut prouvé mais le cas de cet officier restait énigmatique. Cela n'empêcha nullement les nationalistes d'en faire un martyr. Maurras élabora même la théorie de ce que d'autres appelèrent le « faux patriotique ». Oui, dira-t-il en substance, le mensonge est licite, la fabrication du faux est honorable quand il s'agit de confondre la trahison et de sauver la patrie. Cette justification cynique de l'imposture au nom de la raison d'État marquait une régression morale que le xxᵉ siècle totalitaire allait banaliser. En attendant, on embaumait Henry après avoir disculpé Esterhazy. Tout se passait comme si la découverte des véritables coupables n'avait aucun prix au regard de cette exigence : la défense de la « chose jugée », c'est-à-dire le respect d'une armée au-dessus de tout soupçon et l'accablement du Juif Dreyfus. La question de sa culpabilité devenait secondaire : coupable ou innocent, il devait rester dans son rôle de traître ; sa réhabilitation serait trop néfaste à la cause nationale.

Dans cette logique, Henry eut droit aux honneurs posthumes. A la suite d'un article de Joseph Reinach mettant en doute la loyauté du commandant, la veuve de celui-ci attaqua le journaliste en diffamation. Drumont saisit l'occasion pour ouvrir une souscription en faveur de Mᵐᵉ Henry. Au-dessus des fenêtres de son journal il avait étendu une bande de toile portant l'inscription : « Pour la veuve et l'orphelin du colonel Henry contre le juif Reinach. » Du 14 décembre 1898 au 15 janvier 1899, une quinzaine de milliers de souscripteurs envoyèrent 130 000 francs en l'honneur de « l'officier français tué, assassiné par les Juifs ». Les listes de noms et de mentions accompagnant l'obole ont été réunies par Pierre Quillard sous le titre : *le Monument Henry* [41]. Le fanatisme, la haine et le racisme ont rarement atteint un pareil taux de concentration. Nul mieux que cet ouvrage ne rend compte de l'esprit de guerre civile tel qu'il peut saisir une opinion ameutée. L'appel au meurtre était devenu vertu patriotique.

Le danger nationaliste se précise en février 1899, au lendemain de la mort du président de la République Félix Faure. Ce décès brutal pouvait servir la cause de la révision, Faure s'y étant opposé. Drumont, jamais à court d'explications, fait entendre « qu'une odeur de meurtre s'exhalait de ce cercueil » et que les Juifs n'étaient pas loin. Le 19 février, le président du Sénat, Émile Loubet qui, lui, passait pour favorable à la révision, est élu au premier tour président de la République. La nouvelle agit comme un signal de mobilisation. L'entrée de Loubet à l'Élysée a lieu sous les huées, tandis que les camelots de Guérin distribuent des tracts contre « l'élu des Juifs ». Quant à Déroulède, replié avec ses partisans place des Pyramides, il dit sa volonté de « bouter hors de France, comme Jeanne d'Arc avait fait des Anglais, une constitution étrangère ». Tandis qu'on crie : « A l'Élysée ! », Déroulède prie ses partisans de se tenir prêts pour le jeudi suivant, le jour des obsèques de Félix Faure. « Le moment de faire un coup » — comme il fut dit plus tard en Haute Cour — était arrivé. Déroulède précisera même : « Depuis six mois, j'ai préparé et réuni tous les éléments d'une insurrection nationale [42]. » Le plan ? Le peuple, entraîné par les ligueurs, ferait escorte au général choisi pour marcher sur l'Hôtel de Ville et ensuite sur l'Élysée. Là, un triumvirat provisoire abrogerait la Constitution de 1875, dissoudrait le Parlement et appellerait les Français aux urnes. L'occasion des obsèques de Félix Faure tombait à point : la foule serait dans les rues et une effervescence de bon aloi faciliterait le coup. Encore fallait-il un général. Ce fut le point faible du plan : Déroulède ne put obtenir aucune promesse formelle du côté militaire. Parallèlement, Guérin mit sur le pied de guerre ses bouchers et autres gros bras. Le duc d'Orléans, qui venait de faire une déclaration tonitruante à San Remo, comptait toujours sur lui. Ce furent deux complots en concurrence, le second parasitant le premier au service du duc d'Orléans. Mais Déroulède n'eut pas à affronter ce rival car sa « technique du coup d'État » se révéla au-dessous de son ambition.

Le 23 février, le général attendu fut le général Roget, caracolant à la tête des troupes de retour du Père-Lachaise. Déroulède avait espéré Pellieux. Mais il ne voulut pas reculer et se jeta à la bride de son cheval tandis que ses hommes lançaient des « Vive l'armée » et des « Vive la République » assourdissants. Roget refusa de suivre. Tout se termina à la caserne de Reuilly où Déroulède et ses ligueurs se retrouvèrent enfermés. Le coup d'État s'était joué sur un coup de dés ; Déroulède avait perdu.

Le danger nationaliste ne retomba pas pour autant, comme on put en juger le 31 mai 1899. Ce jour-là, Déroulède passant en jugement aux assises de la Seine était triomphalement acquitté. Le lendemain, la réception du commandant Marchand de retour de Fachoda tourne encore en manifestation d'hostilité au gouvernement et aux dreyfusards :

> « Sans l'affaire, déclare Marchand à Toulon, la France aurait pu faire à l'Angleterre la réponse énergique et fière que dix siècles d'histoire lui avaient enseignée. »

Le 3 juin cependant, les dreyfusards prenaient leur revanche : la Cour de cassation, « toutes Chambres réunies », se prononçait pour « l'annulation du jugement de condamnation rendu le 22 décembre 1894 contre Alfred Dreyfus » et renvoyait l'accusé devant le Conseil de guerre de Rennes. Cette décision déterminait Zola au retour :

> « Aujourd'hui, écrivait-il dans *l'Aurore* du 5 juin 1899, la vérité ayant vaincu, la justice régnant enfin, je renais, je rentre et reprends ma place sur la terre française. »

Clemenceau, de son côté, avait accueilli cette conclusion avec enthousiasme :

> « Que le télégraphe, que la presse portent ces courtes lignes à tous les hommes des terres civilisées qui, depuis dix-huit mois, étreints d'une affreuse angoisse, se demandaient si la France, annonciatrice de lumière et de justice, allait sombrer dans la nuit de l'iniquité... Le mensonge est vaincu, le crime est terrassé, la vérité luit et la justice triomphe [43]. »

Cependant le lendemain, dimanche 4 juin, le président Loubet qui, selon la coutume, assiste au Grand Steeple d'Auteuil et au Grand Prix de Paris est assailli par une bande, dont un membre, le baron de Christiani, tente de l'assommer de sa canne. Le chef de l'État n'y perd que son chapeau, mais le danger nationaliste se révèle toujours plus préoccupant. La phase judiciaire de l'affaire Dreyfus est en voie d'achèvement, la phase politique va prendre le relais.

Défense et victoire républicaines

La menace d'extrême droite, devenue évidente au début de juin 1899, eut pour effet de ressouder la gauche idéologique, comme au temps du 16 mai et du boulangisme, sur le thème de la *défense républicaine*. Il est notable que, dans les années qui ont précédé la crise dreyfusienne, le système politique de la troisième République était en passe d'évoluer. Le ralliement, préconisé en 1892 par Léon XIII, n'avait pas été pleinement suivi d'effet ; cependant une partie des catholiques avait accepté la discipline du *Roma locuta,* au premier rang desquels Albert de Mun, jusque-là fidèle au royalisme. Autour de celui-ci et de Jacques Piou, on vit donc une droite « républicaine » prendre forme, une droite « ralliée » qui, sans faire sienne l'idéologie révolutionnaire, déclarait accepter loyalement les institutions démocratiques. A peu près simultanément, on l'a vu, le « péril à gauche » — selon l'ancienne expression de Jules Ferry — se précisait dans l'essor d'un mouvement socialiste qui obtint une cinquantaine de députés lors des élections de 1893. Ces faits contribuèrent à développer chez les républicains modérés ce que l'un d'eux, Charles Spuller, nomma « l'esprit nouveau », c'est-à-dire le désir d'une politique d'apaisement avec les catholiques. Face aux menaces de l'extrême gauche, une coalition centriste pouvait être réalisée entre républicains modérés — les anciens opportunistes qui s'appellent alors « progressistes » et droite ralliée — coalition capable d'entraîner une majorité conservatrice sur le terrain économique et social. Ce fut tout le sens du ministère Méline, qui se maintint d'avril 1896 à juin 1898. Les « républicains de gouvernement » rompaient avec le reste de la gauche et, pour la première fois, dirigeaient le pays avec le soutien de la droite (même celle qui n'avait pas déclaré son ralliement à la République). Pour eux, le danger social était devenu plus grave que le danger clérical. Méline donna des gages à la droite par une politique d'apaisement qui se concrétisa notamment par la tolérance qu'il manifesta devant le retour des congréganistes. De ce fait, il eut à affronter les attaques des radicaux sur sa politique religieuse. Ceux-ci, maintenant supplantés dans les villes par les socialistes en plein essor, s'enracinaient dans les campagnes et commençaient à conquérir le Sénat. Les loges maçonniques, très puissantes dans les rangs opportunistes au début de la troisième République, agissaient désormais en symbiose avec les radicaux. Dans les mois qui précédèrent les élections de 1898, la gauche anticléricale ranima ses troupes contre « l'esprit nouveau », et l'influence grandissante de « l'hydre cléricale ». De leur côté les catholiques, pour divisés qu'ils fussent, défendaient dans le pays les positions les plus extrêmes de la Bonne Presse dont l'hostilité aux lois laïques ne faiblissait pas. Le centre, incarné par Méline, avait beau jouir d'une majorité stable au Parlement, le pays restait partagé entre les deux idéologies antagonistes qui le ramenaient à choisir entre les « républicains » et les « cléricaux », entre les défenseurs de l'Église et les « francs-maçons ».

Les élections législatives des 8 et 22 mai 1898 n'eurent pas comme enjeu l'affaire Dreyfus mais, une fois de plus, le combat sur la question religieuse — avec cette variante qu'il ne s'agissait plus d'un combat entre deux camps puisque les républicains modérés qui avaient suivi Méline se trouvaient pris entre deux feux. Ceux-ci se retrouvèrent le groupe le plus nombreux à la Chambre, mais sans être majoritaires. Deux coalitions restaient possibles : ou la concentration républicaine — c'est-à-dire l'union avec les radicaux — ou la reprise du pacte avec la droite comme l'avait si durablement pratiqué Méline. Malgré les désirs de celui-ci, ce pacte se révéla impossible à reconduire, trop de « progressistes » ayant eu à souffrir durant la campagne électorale des attaques violentes de la droite catholique. Il suffit d'une trentaine de défections pour interdire à Méline la poursuite de sa politique d'alliance avec la droite : il démissionna le 15 juin 1898.

Son successeur, Henri Brisson, renoue donc avec un gouvernement de concentration républicaine, dont la plupart des membres sont radicaux — tel Godefroy Cavaignac, nouveau ministre de la Guerre. Ce gouvernement de gauche, nullement révisionniste on l'a vu, entendait réduire au silence la droite en crevant l'abcès provoqué par l'affaire Dreyfus, en étalant au grand jour les pièces du procès et en arrêtant ainsi la vague de troubles qui menaçait le pays. Cependant la découverte du faux Henry entraîne la démission de Cavaignac et une série de complications dont Brisson tombe victime le 26 octobre 1898. Son successeur, Charles Dupuy, forme un ministère plus axé au centre. Mais l'agitation des ligues devenant de plus en plus préoccupante, on assiste à un resserrement de la gauche républicaine, dont la première manifestation fut l'élection de Loubet. Loubet élu président de la République, au lieu de Méline, c'était le signe précurseur de la « défense républicaine ». Le 28 février 1899, au Sénat, quelques jours après la tentative de Déroulède qui s'était achevée en farce, Waldeck-Rousseau prend nettement position contre le danger nationaliste :

> « Le sentiment d'une insécurité croissante se répand [...]. Les ligues se forment, c'est l'aurore de l'anarchie [...]. Le complot matériel n'est nulle part, mais la conspiration morale est partout [44]. »

Le sénateur de la Loire, républicain modéré, allait faire savoir qu'il n'était pas modérément républicain ; il prenait rang comme futur chef d'un gouvernement décidé à imposer résipiscence à ceux qu'Anatole France désigna du néologisme de *trublions*. Il était temps de faire respecter la loi républicaine.

L'occasion lui en fut donnée au mois de juin. L'acquittement de Déroulède en cour d'assises et toute l'effervescence nationaliste qui s'ensuit au début de juin provoquent la chute du ministère Dupuy. Loubet, après avoir sollicité Poincaré qui se récuse, fait appel à Waldeck-Rousseau le 17 juin. Celui-ci, décidé à « sauver la République », reçoit

un très bon accueil des radicaux et des socialistes ; ses amis
politiques sont plus réservés et il n'est pas sûr de pouvoir
obtenir une majorité. Composant son gouvernement avec
beaucoup d'autorité, il prend l'audacieuse initiative d'y
faire entrer conjointement le général Galliffet — à la
retraite depuis 1895 — et le socialiste Alexandre Millerand.
Celui-ci accepte et déclenche du même coup une crise dans
les rangs socialistes, où la présence d'un des leurs au côté
d'un « fusilleur de la Commune » apparaît plus inaccepta-
ble encore que le principe de la participation. Jaurès, qui
avait été favorable à la participation de Millerand avant
d'être averti du choix de Galliffet comme ministre de la
Guerre, passe outre aux critiques de ses camarades et
entraîne derrière lui une bonne partie des forces socialistes
dans la « défense républicaine ». Finalement, le gouvernement de Waldeck-Rousseau obtient vingt-cinq voix de
majorité, le 26 juin ; quatre jours plus tard, interpellé par
un nationaliste, il obtient le ralliement de la majorité des
progressistes. Disposant cette fois d'une majorité confortable, assise sur les trois grandes familles qui constituent
désormais la gauche — socialistes, radicaux et républicains
modérés —, Waldeck-Rousseau va se maintenir au pouvoir
jusqu'à la fin de la législature. Désireux de mettre fin à la
crise politique, tenant fermement en main ses ministres
auxquels il impose l'obligation de lui soumettre leurs
projets de discours, il va d'abord faire tandem avec
Galliffet pour remettre l'armée au pas.
    Le nouveau ministre de la Guerre n'était certes pas un
modèle de républicanisme mais, ami de Waldeck-Rousseau
et de Joseph Reinach, il nourrissait de la haine et du mépris
à l'endroit de Déroulède et de Drumont autant qu'il avait
jadis souffert des succès de Boulanger. Son amour de
l'armée excluant toute sensibilité à l'égard des officiers
dont aucun n'avait grâce à ses yeux, il était bien décidé à
redresser une situation compromise par la médiocrité de
ses collègues. Faisant des coupes sombres dans les services
du ministère, il propose une série de mises en disponibilité,
de déplacements et de mises à la retraite qui bouleverse le
Haut Commandement. Cet impérieux « silence dans les
rangs » mettait le holà aux velléités de rébellion.

L'urgent était d'en finir avec l'affaire Dreyfus proprement dite. Le gouvernement Waldeck-Rousseau n'est pas dreyfusard *stricto sensu*. Sa volonté est d'apaiser les esprits ; Waldeck-Rousseau est conscient que le préalable en est le règlement de l'Affaire. Le président du Conseil, prenant à la fin de juillet connaissance du dossier, des erreurs et des manœuvres qui se sont succédé depuis 1894, est convaincu de l'innocence de Dreyfus. Lorsque celui-ci est jugé à nouveau par le Conseil de guerre de Rennes à partir du 7 août et encore une fois reconnu coupable... « avec circonstances atténuantes » (!) ce qui équivaut à une condamnation à dix ans de détention, le 9 septembre, à la grande joie des nationalistes, Waldeck-Rousseau est d'abord décidé à saisir derechef la Cour de cassation et à reprendre l'Affaire au point de départ. C'est sur la demande de Galliffet qu'il y renonce finalement ; il suggère alors à Émile Loubet d'accorder la grâce au condamné [45].

Cette solution provoque des divisions dans le camp dreyfusard. Mathieu Dreyfus et Joseph Reinach, soucieux de l'état de santé du prisonnier, acceptaient ce compromis. C'était aussi l'avis de Millerand qui en entraîna d'autres. En revanche, Clemenceau, qui n'avait cessé de fustiger « l'injustice militaire » ne peut supporter cette reculade. « Vous humiliez la République devant le sabre ! » s'écrie-t-il en présence de Mathieu Dreyfus [46]. Cependant Clemenceau se soumet, la mort dans l'âme, vu l'aspect humain de la question. Le décret de grâce est signé le 19 septembre 1899. Galliffet, dans un ordre du jour à l'armée, avait ce mot de la fin : « L'incident est clos. » On avait ainsi tiré du bagne l'innocent châtié tout en ménageant « l'honneur » de l'armée. L'honneur de Dreyfus, lui, restait compromis. Il faudra attendre 1906 pour que son innocence soit officiellement reconnue.

Restait la mise à la raison des factieux. Contre eux, Waldeck-Rousseau est décidé à la plus grande fermeté. A ce parlementaire modéré, avocat d'affaires jouissant d'une confortable fortune, la droite nationaliste paraît une aberration. Adversaire de la lutte des classes, sans indulgence pour l'extrême gauche, il est néanmoins convaincu en 1899 que le danger principal vient d'une droite excitée par les ligues — ce « phénomène unique dans l'histoire des partis ». Derrière leurs mots d'ordre nationalistes et antisémites, il croit voir resurgir l'éternelle ennemie de la République : la monarchie. Défenseur de l'ordre républicain, il est déterminé à frapper fort contre qui le menace.

Le premier épisode de la lutte qu'il livre aux nationalistes est l'affaire du Fort-Chabrol, au cours de l'été 1899. A la nouvelle des arrestations qui sont déclenchées le 12 août dans les milieux activistes, Jules Guérin se verrouille avec ses partisans dans l'immeuble de l'impasse Chabrol, dont il a fait le quartier du Grand Occident de France. Au lieu de lancer l'assaut contre eux Waldeck-Rousseau se contente d'organiser un blocus. L'événement suscite d'abord une reprise de l'agitation puis, s'éternisant, décourage l'intérêt. Quand Guérin se rend, le 20 septembre, il a perdu le soutien de l'opinion. Le deuxième épisode de la répression a pour cadre la Haute Cour où sont traduits les chefs nationalistes, le 18 septembre. Déroulède, Guérin et quelques autres sont inculpés de complot contre la sûreté de l'Etat. Ce procès est entaché d'illégalité dans la mesure où le complot n'est pas prouvé et parce que Déroulède a déjà été jugé sous le même chef d'inculpation et acquitté aux assises le 31 mai précédent. La condamnation frappe Déroulède et Buffet de six années de bannissement ; Guérin, en raison d'infractions connexes, a pour sa part droit à dix ans de détention. Les autres accusés sont relâchés. Ce jugement est prononcé le 8 janvier 1900 dans un pays progressivement revenu au calme.

Le 19 novembre, un événement symbolique avait consacré la défaite de la réaction : pour l'inauguration du *Triomphe de la République* du sculpteur Dalou, un grand défilé avait été organisé ; le peuple avait manifesté de concert avec son gouvernement. Péguy a laissé une célèbre description de cette journée, dans le premier numéro des *Cahiers de la Quinzaine*, le 5 janvier 1900 :

« [...] Quelques-uns commencèrent à chanter : *Vive Dreyfus !* un cri qui n'a pas retenti souvent même dans les manifestations purement dreyfusardes. Ce fut extraordinaire. Vraiment la foule reçut un coup, eut un sursaut. Elle ne broncha pas, ayant raisonné que nous avions raison, que c'était bien cela [...] Puis nous continuâmes avec acharnement [...], sentant brusquement comme l'acclamation au nom de Dreyfus, l'acclamation publique, violente, provocante était la plus grande nouveauté de la journée, la plus grande rupture, la plus grande effraction de sceaux de ce siècle. Aucun cri, aucun chant, aucune musique n'était chargé de révolte enfin libre comme ce *Vive Dreyfus !* »

En mars 1900, Waldeck-Rousseau dépose un projet de loi d'amnistie pour toutes les actions judiciaires se rattachant à l'Affaire. Cette loi d'apaisement est votée sans difficulté. Du printemps à l'automne 1900, l'Exposition universelle qui se tient à Paris achève de détourner l'attention de la scène politique. C'était devenu un rituel : pour la troisième fois depuis 1878, une crise nationale s'achevait dans les flonflons d'une exposition universelle.

Après l'Affaire

Le 12 juillet 1906, la Cour de cassation, toutes chambres réunies, annulait le jugement de Rennes, prononcé *par erreur et à tort*. Par une majorité de 31 voix contre 18, les conseillers prononcèrent la cassation sans renvoi : il n'y aurait pas de troisième procès Dreyfus. Le coup d'éponge officiel était définitivement donné mais l'absence de pourvoi et, « en raison de la loi d'amnistie », l'oubli des « irrégularités » commises au préjudice de Dreyfus continuèrent à laisser planer un doute que les groupes nationalistes et antisémites se firent fort d'exploiter. De son côté, la Chambre vota la réintégration dans l'armée de Dreyfus, avec le grade de commandant, et de Picquart, avec le grade de général. Le 22 juillet 1906, dans la cour de l'École militaire, là où il avait subi l'outrage de la dégradation, Dreyfus était décoré de la Légion d'honneur. Le 26 octobre 1906, le dreyfusisme combattant parachevait son triomphe : Georges Clemenceau, qui en avait été l'un des militants les plus acharnés, devenait président du Conseil et n'hésitait pas à choisir comme ministre de la Guerre celui qui avait été l'une des personnalités les plus haïes des nationalistes, le général Picquart... « Picquart, autant dire Dreyfus, écrit Rochefort dans *l'Intransigeant* du 26 octobre 1906, les deux misérables étant aussi experts l'un que l'autre en trahison. » Comme on le voit, l'antidreyfusisme avait été écrasé mais il survivait et survivra à sa défaite car l'affaire ne s'est achevée ni par la victoire de la Défense républicaine ni par l'arrêt de la Cour de cassation ; elle est demeurée vivante comme peut l'être un grand *mythe* — au sens anthropologique du mot — de notre culture politique. On doit donc considérer l'importance et le retentissement de l'affaire Dreyfus sur plusieurs registres.

L'affaire Dreyfus a mis un terme à ce qu'on pourrait appeler l' « expérience Méline », cette réconciliation, dans le fait d'une majorité parlementaire, entre républicains modérés et une partie de la droite — ralliés et conservateurs. Ce long ministère avait suscité de la part des radicaux de vives attaques. Léon Bourgeois avait solennellement rappelé Méline à l'orthodoxie républicaine, qui ne pouvait accepter l'intrusion romaine « dans le domaine temporel, politique et électoral » de la France. Après les élections de 1898, on vit d'abord la reconstitution d'un gouvernement de concentration républicaine, sous la direction du radical Henri Brisson. Mais ce fut sous la présidence de Waldeck-Rousseau que reprit forme dans toute sa vigueur une union des forces républicaines, de l'extrême gauche socialiste au centre gauche : le danger nationaliste avait ressoudé les partis « républicains » ; l' « esprit nouveau » avait fait long feu ; la politique du « ralliement » se révélait décidément un échec.

L'adversaire nouveau — le nationalisme — compta moins, en définitive, que le vieil adversaire clérical. Ce n'était pas une simple invention de l'esprit pour les besoins de la cause unitaire. Sans doute convient-il de ne pas simplifier à outrance les attitudes catholiques. Celles-ci sont fort diverses. Tous les dreyfusards ont rendu hommage à Paul Viollet, juriste, créateur du *Comité catholique pour la défense du Droit,* au sein duquel se regroupèrent un certain nombre de révisionnistes. D'autre part, la mort du comte de Chambord et la ruine des espoirs monarchiques avaient divisé politiquement le monde catholique, dont le vote se partageait entre toutes les nuances de la droite, des républicains modérés aux monarchistes. La « question sociale », comme on disait au XIXe siècle, séparait aussi les conservateurs de tendance libérale des catholiques sociaux. Parmi eux, une nouvelle démocratie chrétienne (après celle de 1848) s'organisait pour mettre en pratique l'encyclique sociale *Rerum Novarum.* Cependant, ce pluralisme ne doit pas, à son tour, cacher le fait dominant : toutes tendances confondues, les organisations et les journaux qui se réclament de l'Église romaine restent hostiles à la République laïque — le mot « laïque » étant pris dans son sens le plus neutre. Certes, un grand nombre de catholiques français, et c'est même leur originalité dans cet univers dominé encore par l'esprit du *Syllabus,* veulent séparer la politique et la religion ; ils acceptent, comme les protestants, et comme le leur demandent les libres penseurs, de faire du religieux un fait privé. C'est ce qui explique que, dans un pays où presque tout le monde reçoit le baptême catholique et où la croyance en Dieu reste le fait du plus grand nombre, les citoyens affirment leur anticléricalisme. Celui-ci peut prendre un tour violent et parfois grotesque, il est le plus souvent, pour les Français, une conviction tranquille et bien ancrée dont les origines remontent très haut : au gallicanisme des rois, soucieux de leur indépendance vis-à-vis du pape. Toutefois la voix officielle du catholicisme est celle d'une minorité combattante, rassemblée sur le thème de la défense religieuse, volontiers ultramontaine, structurée par un réseau d'œuvres et de publications, qui demeure foncièrement anti-libérale. Minoritaires dans la société civile, minoritaires dans l'appareil d'État, ces catholiques dominés par les idées d'intransigeance ou d'intégrisme disposent aussi d'un quadrillage scolaire de plus en plus serré : à la fin du XIXe siècle, la fréquentation des institutions secondaires catholiques dépasse celle de l'État (52 % contre 48 %) ; 3 000 écoles primaires nouvelles ont été ouvertes de 1887 à 1895 ; les œuvres post-scolaires comme les patronages se sont multipliées[47]. Or cette puissance ne se résigne pas à l'exclusion des références chrétiennes dans les institutions. Si elle admet de plus en plus le principe républicain, c'est à une République *chrétienne* qu'elle aspire. *L'Univers,* qui avait fondé la Ligue de la Contre-Révolution en 1884, *la Croix,* qui avait accepté l'idée du ralliement — mais pour réintroduire en force l'influence cléricale dans l'État —, et les autres publications catholiques ne pouvaient se résoudre au pluralisme libéral, la vérité étant à leurs yeux « indivisible ». L'attitude de Léon XIII, plus politique, plus diplomate que son prédécesseur Pie IX, avait laissé espérer une évolution vers le compromis. Mais on a vu que, au cours de l'expérience Méline, les élections de 1898 avaient jeté les comités des *Croix* contre les lois laïques, alors même que « l'esprit nouveau » avait cherché à en atténuer tous les effets. Dans cette hostilité entretenue contre la République libérale et laïque, les leaders de l'opinion catholique en arrivèrent à mêler plus souvent leurs voix à celles des antisémites et des nationalistes. Certes, ils condamnaient pour la plupart les entreprises subversives d'un Déroulède mais, par leurs campagnes de presse, par leurs outrances haineuses, par leurs simplifications insensées (« la question sociale, au fond, écrit *la Croix,* c'est la question juive [48] »), il n'est pas douteux que le catholicisme le plus actif, le plus voyant, le plus influent, n'ait cultivé dans l'esprit des fidèles une mentalité de croisade, que l'affaire Dreyfus et ses conséquences ont excitée et entretenue.

Les liens de ce catholicisme avec la droite dans son ensemble, avec la droite extrémiste plus particulièrement, retardaient d'autant plus la réintégration des catholiques dans le système politique français que l'anticléricalisme était un instrument d'unité efficace au service d'une gauche dont l'identité était de plus en plus menacée par la montée du socialisme. Il y avait donc une logique dans les prolongements qu'eut l'affaire Dreyfus sur le terrain des rapports entre l'Église et l'État. Ainsi la loi sur les associations, que Waldeck-Rousseau fait voter en 1901 relance-t-elle le conflit dans la mesure où elle prohibe explicitement les congrégations, sauf autorisation du pouvoir, l'autorisation n'étant accordée que par une loi. Dans ce débat, Waldeck-Rousseau n'a pu contenir l'aile gauche de sa majorité qui a aggravé les obligations faites aux congréganistes. En d'autres termes, alors que le président du Conseil voulait s'en tenir au terrain de la « défense républicaine », la gauche qui le soutenait entreprenait une nouvelle « offensive républicaine ». Les passions religieuses relaient dès lors celles du nationalisme : c'est après la victoire des gauches en 1902 et sous le ministère d'Émile Combes qu'elles vont s'affronter avec virulence. Cette fois, les prudences et les modérations de Waldeck-Rousseau sont oubliées ; la loi qui porte son nom va, contre son gré, devenir une arme de guerre contre les ordres réguliers. L'aboutissement du conflit sera la loi de séparation des Églises et de l'État en 1905. Une loi qui devait se montrer bénéfique à terme parce qu'elle concrétisait cette idée chère au plus grand nombre des Français — y compris les catholiques — de la nécessaire sécularisation du politique. Mais c'était alors une de ces idées « modernes », une de ces manifestations « libérales » qui répugnaient aux tenants de la chrétienté. La République et les catholiques n'étaient pas réconciliés.

Notons, pourtant, un changement que l'affaire Dreyfus a provoqué dans le rapport des forces politiques au Parlement. Tous les républicains n'ont pas rallié la « défense républicaine », ni le ministère Waldeck-Rousseau ni *a fortiori*, le ministère Combes. Une bonne partie des « progressistes » a suivi Méline : le rassemblement des républicains modérés s'est fractionné. Tandis que les uns, faisant du danger nationaliste et clérical le danger le plus immédiat, se ralliaient à une union de la gauche derrière Waldeck-Rousseau (c'était le cas, notamment, des hommes nouveaux comme Barthou ou Poincaré), les autres — plus conservateurs, plus soucieux du « péril à gauche » — font désormais cause commune avec la droite. Au lieu que celle-ci était jusqu'alors composée d'élus hostiles au régime ou de ralliés suspects, voici qu'un centre droit, indiscutablement républicain par ses origines, se constitue : la « légitimité républicaine » dans l'avenir ne serait peut-être plus monopolisée par la gauche, c'est une étape importante dans ce processus de translation vers la droite de toutes les formations de gauche sous la troisième République. Méline et ses amis furent ainsi les premiers à passer le Rubicon en sens inverse. En 1903, ils se donneront la structure d'un parti, la Fédération républicaine, après que leurs anciens amis modérés, acquis à la Défense républicaine puis au Bloc des gauches, eurent constitué l'Alliance républicaine démocratique, où Barthou, Poincaré et Caillaux se proclament fidèles à une politique « anticléricale, mais non antireligieuse ». Ainsi le conservatisme républicain a-t-il été scindé par l'Affaire, la question de la laïcité restant plus déterminante que la question sociale, l'anticléricalisme est bien toujours le critère nécessaire de la gauche : c'est grâce à lui qu'elle peut faire « bloc ».

Du même coup, s'est posé un problème stratégique au socialisme montant. L'affaire Dreyfus et ses conséquences risquaient de l'entraîner hors du terrain où il s'identifiait : celui de la lutte des classes. La lutte contre l'antisémitisme ne faisait pas encore partie des impératifs du socialisme — des préjugés antijuifs étant très répandus dans ses rangs[49]. Le groupe parlementaire socialiste, par son manifeste du 19 janvier 1898, s'était placé en quelque sorte au-dessus de la mêlée — une mêlée qui mettait aux prises deux familles distinctes d'un même adversaire de classe : la bourgeoisie opportuniste et la bourgeoisie cléricale. « Prolétaires, ne vous enrôlez dans aucun des clans de cette guerre civile bourgeoise » ; certains socialistes ou anarchistes comme Jean Allemane et Sébastien Faure s'étaient engagés aux côtés de Zola contre les antisémites et les militaristes mais, jusqu'aux élections de mai 1898, les autres tendances s'en tiennent à la prudence ou à la neutralité. Cette date marque pourtant la rupture définitive entre les socialistes et ce nationalisme issu de la gauche, dont Rochefort était le champion. Depuis décembre 1897, Jaurès avait été peu à peu convaincu du bien-fondé de la cause révisionniste. Cependant, il ne s'était pas séparé du groupe parlementaire et avait signé le manifeste « neutraliste » du 19 janvier. Mais il sort bientôt de sa réserve et attaque Méline à la Chambre : « Oui, si le cri de " Mort aux Juifs ! " a été poussé dans les rues, c'est par ceux qui vous soutiennent[50]. » Battu aux élections, à Carmaux, par le marquis de Solages, Jaurès peut alors s'engager plus à fond dans l'Affaire. Outre son action personnelle qui allait se concrétiser par la rédaction des *Preuves,* ses amis socialistes furent amenés à prendre en compte la montée du danger nationaliste. A la fin de novembre 1898, les différentes fractions se rapprochent dans un Comité d'entente, qui met sur pied des groupes de défense — cette défense de la République qui ne pouvait laisser les socialistes insensibles. Toutefois, cet impératif qui était un facteur de leur union devient, lors de la constitution du ministère Waldeck-Rousseau, un nouveau facteur de division : la présence de Galliffet dans ce gouvernement et le « cas Millerand » détruisent l'unité et opposent Jaurès et Allemane à Guesde et Vaillant. Il faudra attendre 1905 pour que la réconciliation se fasse et que la S.F.I.O. voie le jour.

A tout le moins la crise dreyfusienne avait eu une double importance sur l'évolution du socialisme français. Elle a d'abord eu une influence morale et intellectuelle. Ce fut le génie de Jaurès que d'assimiler la cause dreyfusienne à la cause socialiste : défendre un innocent persécuté, fût-il un officier, fût-il un bourgeois, c'était viser la finalité universelle du socialisme ; à travers la souffrance d'un individu, victime de l'injustice, c'était la cause du genre humain et celle de la classe la plus opprimée, victime structurelle de l'injustice capitaliste. En la personne du capitaine juif dégradé, déshonoré, déporté, c'est la cause prolétarienne que Jaurès s'entendait à servir, une cause inséparable de la justice universelle. Jules Guesde, tout en admirant Zola, a soutenu au contraire l'idée selon laquelle, dans cette occurrence, il fallait laisser les bourgeois s'entre-déchirer : le parti de Dreyfus, officier à la richesse notoire, n'était pas celui des ouvriers. Cependant, la communauté du combat pour le socialisme et pour les droits de l'homme prônée par Jaurès attira à lui et au socialisme une partie de ces intellectuels qui avaient pris rang dans le dreyfusisme. Le groupe de normaliens et d'universitaires qu'avait su rassembler Lucien Herr devait jouer un grand rôle dans la formation du socialisme français : leur activité dans l'édition (la « Bibliothèque socialiste »), leur présence massive dans la rédaction de *l'Humanité,* que fonde Jaurès en 1904, l'organisation des universités populaires... autant de faits qui révèlent leur apport spécifique. L'affaire Dreyfus allait durablement les lier aux espérances socialistes. Ce « socialisme des intellectuels », si actif au temps du Bloc des gauches, provoqua en retour la dénonciation des partisans du « socialisme ouvrier ». La revue *le Mouvement socialiste* se fit amplement l'écho des protestations de Robert Louzon ou de Georges Sorel. Il y aurait désormais un anti-intellectualisme de gauche, renforçant l'ouvriérisme d'un syndicalisme français qui tenait en suspicion les « phraseurs » de la Chambre. Autre histoire que celle-ci, mais sur laquelle l'affaire Dreyfus a laissé sa marque.

Cependant, il faut insister encore sur la prépondérance morale que prennent Jaurès et ses amis dans la crise dreyfusienne. Le socialisme français a été enchâssé par eux dans le système républicain, il en a pris ce caractère unique en Europe — qui est à la fois sa force et sa faiblesse. Il est devenu, et ce fut encore plus vrai au sein du Bloc des gauches où Jaurès soutenait Émile Combes de toute son influence, une des composantes actives de la grande coalition républicaine. Du point de vue révolutionnaire, du point de vue marxiste, on lui a reproché cette altération qu'il a fait subir à l'esprit de classe. Quoi qu'il en soit, le socialisme est devenu une force de soutien au régime républicain : il l'a été pour avoir défendu le système en place contre le danger nationaliste et clérical ; il l'a été comme instrument d'intégration des ouvriers. Ce compromis *de fait* avec le système capitaliste a été passé dans le cadre idéologique républicain : le socialisme, par bien des aspects, devenait en France, malgré son discours sur lui-même, une des parties de la synthèse républicaine. La Révolution avait commencé depuis 1789 ; il appartenait au socialisme de l'achever mais il ne l'achèverait que *dans* la République. Celle-ci, en attendant, serait défendue par la « classe ouvrière » contre tous ses ennemis.

La séparation définitive entre les socialistes et Rochefort avait aussi redéfini le nationalisme français. Le nationalisme républicain avait encore été une des forces du boulangisme. Avec l'affaire Dreyfus, il change définitivement de nature et de localisation. Abandonnant les caractères universalistes du patriotisme républicain, il célèbre désormais l'égoïsme sacré, se targue de xénophobie et prêche d'exemple l'antisémitisme. Il rallie maintenant une partie des droites, des catholiques, et s'oppose à la gauche dont il récuse le parlementarisme ou l'internationalisme. Ce nationalisme de combat dont les défenseurs les plus extrêmes soutiennent le projet de coup d'État, il importe d'observer qu'il a gardé une large base populaire. Bien des petites gens, vieux républicains, admirateurs de Rochefort ou lecteurs de Drumont, sont ainsi passés de gauche à droite par passion nationaliste et antisémite. De sorte qu'à dater des élections de 1900, le conseil municipal de Paris est acquis au nationalisme, après avoir représenté la ville républicaine par excellence. Le combisme en administrera toutes les preuves : c'est la province qui s'impose en définitive comme le terroir de la République.

Ce nationalisme est aussi une nouveauté par son organisation en ligues, par ses manifestations de rue et toutes les techniques d'agitation dont il a fait l'expérience. Ce qui avait débuté au moment du boulangisme s'est confirmé, s'est structuré. Ces ligues sont apparues à un républicain parlementaire comme Waldeck-Rousseau comme une chose incongrue, monstrueuse et dangereuse. Une autre époque commence en cette fin de siècle, l' « ère des masses » interdit à la politique d'être confisquée par les acteurs professionnels ; ceux-ci doivent tenir compte d'une opinion publique qui pèse chaque jour davantage ; il importe d'être à son écoute, il devient tentant de la manipuler. En ce sens, les épisodes de l'Affaire, ses manifestations violentes, la rue disputée entre les factions, la concurrence des réunions publiques, les débordements de la presse, tout démontre les nouvelles règles du jeu politique et la fin des notables traditionnels.

Le nationalisme antidreyfusard a révélé l'ampleur de l'antisémitisme dans toutes les classes sociales du pays. L'anticapitalisme primaire, l'antijudaïsme catholique, le racisme de la nouvelle « science », tous ces rameaux se trouvent joints en gerbe dans l'œuvre de Drumont et *la Libre Parole*, mais aussi dans *la Croix* des révérends pères assomptionnistes. En même temps, le dreyfusisme a

dénoncé l'horreur des haines raciales. Les préjugés antijuifs étaient jusque-là communs à toutes les familles
politiques françaises. Seuls peut-être les libéraux y étaient
étrangers — catholiques, protestants ou libres penseurs. En
tout cas, le refus de l'antisémitisme n'était pas au programme de la gauche, non plus que de la droite. Or l'affaire
Dreyfus, faisant apparaître l'antisémitisme comme le déno-
minateur commun du nationalisme, va avoir un effet
décapant sur la gauche et l'interdire des manifestations
officielles des « républicains », sinon toujours de leurs
propos privés. Jaurès, à qui il arrive de tenir des discours
empreints de préjugés jusqu'au début de 1898, s'abstient de
toute attaque contre les Juifs après cette date. Un homme
de gauche ne pouvait plus être antisémite après l'affaire
Dreyfus. Contrevenir à cette loi — et on y a contrevenu —,
c'était s'exposer à l'accusation de racisme et s'exclure soi-
même de sa famille politique. Au demeurant, une partie de
la droite — dans ses tendances libérales ou « orléanistes »
— n'avait jamais nourri d'antisémitisme. Un catholique
libéral comme Anatole Leroy-Beaulieu en est une démonstration. Mais, justement, défenseur du libéralisme économique, il était le point de mire de toutes les tendances
« anticapitalistes ». Où l'on voit que la « question juive »
n'est en aucun cas réductible à la coupure droite/gauche[51].

Enfin, l'Affaire a déclenché l'engagement collectif des
intellectuels dans la vie politique. Il n'est pas douteux que
la place très particulière des intellectuels en France, leur
influence privilégiée comparée aux habitudes des autres
pays, lui est en partie redevable, sans préjudice de l'exemple antérieur des « philosophes » avant la Révolution.
Toutefois, cet engagement des intellectuels pouvait prendre des formes différentes : ou bien ils mettaient tout leur
prestige et tout leur talent au service d'une éthique, d'une
morale universelle, et c'était notamment la défense des
valeurs de vérité et de justice ; ou bien, au mépris des
valeurs universelles, ils se mobilisaient au nom de la
cohésion sociale, de la défense particulariste de la nation
considérée comme un tout organique, sans égard pour les
intérêts de l'individu[52]. De ce point de vue, à travers
l'opposition paradigmatique de Zola et de Barrès, l'affaire

Dreyfus n'a cessé d'agir sur les consciences françaises comme un référent historique s'apparentant à un mythe des origines :

> « Nous savons aujourd'hui, écrivait François Mauriac en 1960, que l'Affaire ne fut pas l'accident, que les deux familles d'esprit qu'elle avait dressées l'une contre l'autre n'ont pas cessé de s'affronter, que ceux qui étaient capables, il y a soixante ans, de maintenir un innocent au bagne, le sont encore de ces sortes de crimes que la raison d'État recouvre [53]. »

A l'extrême droite, Maurras et ses amis entretiendront aussi dans l'Action française, devenue une ligue en 1905, le souvenir de l'affaire Dreyfus qui en avait été à l'origine. Mais Maurras devait affaiblir finalement le nationalisme en l'enfermant dans une formule de néo-monarchisme dont le caractère abstrait l'éloignait des réalités « positives » dont il se réclamait. Jamais le nationalisme ne pourra se flatter d'être unifié. Le cadre républicain était confirmé : c'est en son sein que s'affrontaient désormais les passions françaises.

5

Le 6 Février

De l'affaire Dreyfus au 6 février 1934, la France traverse un tiers de siècle sans crise interne majeure. Sans doute convient-il de ne pas trop forcer les traits de cette pacification civile : le conflit des « inventaires » en 1906, consécutif à l'application de la loi de séparation des Églises et de l'État ; les affrontements de classe, de 1906 à 1910, au cours desquels des hommes issus de la gauche comme Clemenceau et Briand doivent faire respecter *manu militari* l'ordre républicain contre les assauts de la C.G.T. ; de nouveau l'ample vague des grèves de 1919 et 1920, dans une Europe en proie au feu révolutionnaire allumé à Petrograd ; la mobilisation des catholiques, quatre ans plus tard, après l'élection d'un Cartel des gauches décidé à faire appliquer une politique de stricte laïcité... autant d'épisodes qui tendent à prouver la continuité des antagonismes dans la société française. Malgré tout, le recul aidant, force est de reconnaître que la troisième République, aux assises d'apparence si fragiles, a conquis le mérite d'une longévité dont aucun régime, depuis la Révolution, n'a pu se targuer.

De ce point de vue, la Grande Guerre a été un révélateur de consensus surprenant. Face à l'ennemi extérieur, les Français ont manifesté, plus de quatre ans durant, une volonté quasi unanime de défense nationale.

> « Il n'y a plus de distinctions politiques, disait Louis Barthou en 1916, il n'y a plus de confessions religieuses, il n'y a plus de luttes de classes [1]. »

Il n'est pas douteux que ce jugement global appelle bien des nuances ; il est certain qu'une évolution des esprits est perceptible, à preuve qu'au sein de la S.F.I.O. la majorité favorable à l'Union sacrée s'amenuise du début à la fin de la guerre, au point de devenir minorité dans la dernière année ; il est patent qu'en 1917 et en 1918, la tentation d'une « paix blanche » a exercé de plus en plus de force sur une population accablée de contraintes multiples, de souffrances et de deuils. Mais, tout débattu, les mouvements — assez brefs — de mutinerie, la montée du pacifisme et le déclin de l'Union sacrée pèsent de peu de poids au regard de ce fait massif que, de 1914 à 1918, la société française a préservé sa cohésion et sa vaillance dans la plus terrible des guerres que l'humanité ait connue jusqu'alors. Le sentiment national, partagé également entre la droite et la gauche, avait créé, qu'on l'admire ou qu'on le déplore, cette volonté commune que tous les malheurs de la patrie n'ont pu ébranler.

Pourtant, le 6 février 1934, la République parlementaire, sortie victorieuse seize ans plus tôt du conflit mondial, subit un nouveau choc. On est tenté d'y voir l'effet de la crise économique mondiale, qui frappe de plein fouet la France depuis 1931. N'est-ce pas cette crise et le chômage qui ont favorisé, un an plus tôt, en Allemagne, l'avènement de Hitler au pouvoir ? Le nombre des chômeurs secourus qui était quasi nul en 1929 est passé à 273 000 en 1932, à plus de 340 000 en 1934. L'indice de l'activité industrielle se dégrade régulièrement dans ces mêmes années. Après une éclaircie, constatée en 1932, une rechute plonge la France dans le marasme en 1933. Les gouvernements qui se succèdent, désireux de maintenir le franc face à une livre et à un dollar dévalués, placent les industries françaises d'exportation hors du jeu international. La récession économique provoque une moindre rentrée fiscale, un déséquilibre budgétaire et une augmentation de la dette publique. De proche en proche, toutes les couches sociales sont touchées : les ouvriers par le chômage ; les paysans par un effondrement des cours que les bonnes récoltes de 1933 accélèrent ; les fonctionnaires par une politique de déflation qui fait peser une menace sur leurs salaires ; les commerçants par la baisse générale du pouvoir d'achat, la charge des impôts ; les industriels par les difficultés à vendre et à exporter. Faillite et chômage : couple infernal de la crise.

Le problème, cependant, devient rapidement politique, dans la mesure où la Chambre issue des élections de 1932 se révèle dans l'incapacité d'appliquer un programme cohérent. Aucune politique financière, en effet, ne parvient à convaincre une majorité stable ; il en coûte la vie à quatre ministères en moins de douze mois, tous renversés sur des questions financières [2]. Le nouveau gouvernement du radical Camille Chautemps, mis en place à la fin de novembre 1933, réussit à faire admettre à une majorité de gauche résignée le principe d'économies substantielles. C'est alors que l'espoir d'une pause se trouve balayé par l'éclatement de l'affaire Stavisky. Le 24 décembre, on arrête le directeur du Crédit municipal de Bayonne, Tissier ; le 8 janvier, on annonce le suicide de l'escroc Stavisky à Chamonix : entre ces deux dates, un nouveau scandale politico-financier a déchaîné l'indignation publique et réactivé tous les moteurs de l'antiparlementarisme. Une large partie de l'opinion ne fait plus confiance ni aux mécanismes du système politique ni à son personnel. Ce constat banal exige cependant deux remarques complémentaires : 1. il y a une réelle déficience du fonctionnement parlementaire en France. Ce serait s'interdire toute compréhension de la crise du 6 février que ne pas reconnaître les raisons objectives qui ont produit les attitudes de rejet que tant de Français ont prises contre leurs institutions ; 2. il importe aussi de ne pas perdre de vue les activités subversives d'une droite ultra, trop heureuse de tirer parti des carences endémiques du régime. Voir dans le 6 février le résultat d'un complot ourdi par ce qu'on a appelé avec plus de conviction que d'exactitude les forces « fascistes » serait simpliste ; ne voir dans cette « journée » qu'une manifestation rien qu'un peu plus fiévreuse qu'à l'accoutumée de la colère publique contre les prévaricateurs d'État serait trop naïf. Les rêveurs de coup d'État sont condamnés à sécher sur pied faute d'un appui populaire, de même que les grands mouvements d'opinion ne deviennent dangereux pour les autorités publiques que s'ils sont canalisés par un état-major qui s'en fait le *complément de but*. De ce point de vue, la grande faiblesse

du « 6 février » fut le manque d'unité de sa direction
stratégique. D'états-majors, on ne manqua point ; il y en
eut trop, sans communauté d'intention. De là résulte
l'impression de confusion qui incline l'historien à minimiser
la réalité de la menace. Les contemporains, sous l'état de
choc, ne l'auraient-ils pas, quant à eux, surévaluée ?

Les pannes du système

D'où vient qu'au début des années 1930 on assiste à un
réveil de la fronde antiparlementaire ? Même si l'antiparlementarisme fait partie du lot ordinaire des simplismes
politiques, il faut admettre que les attaques auxquelles le
Parlement est alors en butte ne sont pas sans fondement.
Le jeu qu'on y joue n'est plus tout à fait le même qu'avant
la guerre. Il faut s'y attarder un peu pour saisir l'originalité
du 6 février.

Les deux blocs antagonistes de la droite et de la gauche
qui continuent à polariser les familles politiques ont subi de
notables changements. La guerre et l'Union sacrée ont
accéléré l'intégration des catholiques dans le système
républicain. Le maréchal Foch n'était-il pas un ancien élève
des jésuites ? La loi sur les congrégations fut appliquée avec
élasticité dès lors que bon nombre de leurs membres eurent
rejoint leurs compatriotes dans les tranchées. Quant à
l' « Alsace-Lorraine », recouvrée après la victoire, on aurait
eu mauvaise grâce à la soumettre contre son vœu à la loi de
séparation qui, dans le reste du pays, avait remplacé le
Concordat. La majorité du Bloc national, issue des élections de 1919, respectueuse de la culture catholique des
provinces regagnées, favorisa encore le « second ralliement » des catholiques par la reprise des relations diplomatiques entre la France et le Saint-Siège.

Cependant, ce ralliement reste un objet de suspicion
pour la gauche radicale et socialiste qui reprend le mot
lancé en 1893 par Léon Bourgeois aux ralliés : « Vous
acceptez la République, messieurs, c'est entendu. Mais

acceptez-vous la Révolution ? » Aussi bien, les lois laïques qui avaient été suspendues par le Bloc national, il entrait dans les intentions du Cartel des gauches, vainqueur en 1924, de les appliquer sans faiblesse et de les imposer aux trois départements — Bas-Rhin, Haut-Rhin et Moselle — qui n'y étaient pas encore assujettis. Ce fut pour la gauche un écart d'imagination : on n'était plus dans la République d'Emile Combes. Partie d'Alsace, la protestation contre la menace laïque gagna tout le pays, rassemblant des foules enthousiastes, et entraîna la structuration de la défense religieuse en diverses organisations, dont la Fédération nationale catholique du général de Castelnau se révéla la plus apte à la réplique de masse. Le gouvernement Herriot finit par renoncer à ses projets de laïcisation.

Il serait pourtant erroné d'interpréter cet échec de la gauche comme un nouveau coup porté à la République. C'est dans le cadre républicain, en effet, que les catholiques avaient présenté la défense de leurs intérêts propres. Leur succès ne pouvait que confirmer leur adhésion au régime. D'autant plus qu'en 1926 le pape Pie XI prononçait une condamnation formelle de l'Action française, dont Charles Maurras avait fait une école d'antirépublicanisme très influente dans les milieux cléricaux et dans la bourgeoisie catholique. Le seul mouvement monarchiste qui gardât de la vigueur contre-révolutionnaire était condamné au dépérissement. Les catholiques, pour la seconde fois depuis Léon XIII, étaient invités à christianiser la République plutôt que de subordonner l'idéal de la Cité de Dieu à un retour aléatoire à la monarchie. La crise durable de l'Action française facilita le renouveau du catholicisme français : l'impérialisme intellectuel du maurrassisme était battu en brèche, une nouvelle pensée catholique s'en trouvait stimulée, l'ouverture politique en était une des conséquences.

Tous ces faits contribuaient au renforcement d'une droite constitutionnelle. La Fédération républicaine, créée au lendemain de l'affaire Dreyfus par les transfuges du centre gauche suivant Méline, s'enrichissait ainsi de ces nouveaux ralliés. D'autre part, ceux des « progressistes » qui, derrière Waldeck-Rousseau, Barthou, Poincaré,

étaient restés dans le Bloc des gauches, jugeant le danger
de droite plus redoutable que le socialisme, ceux-là, dans
l'effervescence révolutionnaire de l'après-guerre, préférè-
rent à leur tour l'alliance avec les catholiques et la droite
plutôt que les compromis électoraux avec l'extrême
gauche. La ligne de clivage entre la gauche et la droite
s'était donc déplacée : toute la famille des fondateurs de la
République, opportunistes, progressistes, modérés, tous
les épigones de Ferry, de Méline et de Waldeck-Rousseau
offraient à la droite leur légitimité républicaine. Aux
élections de 1919, l'Alliance démocratique, foyer du nouveau centre droit, provoque l'union de toute la droite sur
des listes dites de « Bloc national ». Le retour au scrutin de
liste amplifie encore le succès de cette coalition de laïques
et d'antilaïques. Alexandre Millerand, Raymond Poincaré,
Louis Barthou, Aristide Briand, c'étaient les noms les plus
représentatifs de cette translation vers la droite : à leurs
yeux, les conflits idéologiques d'autrefois comptent moins
que les problèmes issus de la guerre — problèmes exté-
rieurs, économiques, financiers. Sur ce terrain, les « centristes » se sentent plus proches de la droite conservatrice
que d'une gauche investie par les « collectivistes ».

En d'autres termes, un des défauts majeurs de la
démocratie parlementaire à la française est en passe d'être
corrigé : l'impossibilité de l'alternance semble appartenir
au passé. Il existe désormais une droite ou, si l'on préfère,
l'alliance d'un centre (laïque) et d'une droite (catholique),
capable d'obtenir une majorité, capable de mener une
politique conservatrice sans menacer les principes de la
République. Ce qui soude cette coalition est l'hostilité
qu'elle manifeste aux idéologies matérialistes-collectivistes
incarnées par les socialistes et les communistes. C'est
Marx, ce n'est plus Jésus, qui établit la ligne de partage. Du
moins, ce serait Marx si les radicaux ne restaient pas le
groupe parlementaire le plus nombreux de la gauche. Rien
n'est simple dans la vie politique française.

Une contradiction insurmontable affecte la gauche tout
au long de l'entre-deux-guerres : en des temps où les choix
financiers et économiques prennent le pas sur les confron-
tations idéologiques, socialistes et radicaux ne parlent plus

la même langue. Qui plus est, la création du parti communiste, à l'issue du congrès de Tours de décembre 1920, ajoute encore à la cacophonie. Dès les élections de 1919, la gauche a été victime de ses divisions. Dans les départements, face au regroupement du Bloc national, socialistes et radicaux ont présenté leurs listes chacun de son côté. Les militants de la S.F.I.O., qui ont soutenu l'effort de guerre du gouvernement, sont sortis du conflit mondial très déchirés. Le schisme de Tours a donné vie à un parti communiste, « bolchevisé » en 1924, qui va opérer jusqu'au début de l'été 1934 une véritable rupture de communauté avec le reste de la gauche française. Parti révolutionnaire, lié à la stratégie mondiale d'un Komintern progressivement stalinisé, il dénonce même dans le parti socialiste la caution ouvrière offerte à la bourgeoisie capitaliste : de 1928 à 1934 (« ligne classe contre classe »), les « social-traîtres » et les « social-fascistes » sont devenus pour lui les adversaires à abattre avec le plus d'urgence. La surenchère d'extrême gauche a pour effet de durcir les positions doctrinales du parti socialiste. En particulier, le « ministérialisme » est nettement repoussé par Léon Blum, qui impulse désormais la ligne théorique de la S.F.I.O. Celle-ci, toute fidèle qu'elle reste à la défense républicaine, récuse toute participation ministérielle : elle ne saurait être l'appoint d'un gouvernement bourgeois. Le but du socialisme est révolutionnaire — Léon Blum le réaffirme —, il vise à abolir le régime de la propriété, ce qui suppose, à un moment donné, vacance de légalité et dictature du prolétariat. Entre les socialistes qui prônent la révolution prolétarienne et les radicaux qui sont devenus les défenseurs attitrés des classes moyennes attachées à la propriété et promises selon le schéma marxiste à la disparition, le conflit des buts est patent. Leur alliance est possible dans une perspective défensive et électorale, face à une droite qui représente toujours à leurs yeux les forces organisées du capitalisme et du cléricalisme, mais cette alliance se révèle vite impropre à un gouvernement commun.

Ainsi la gauche se trouve morcelée en trois forces principales que les temps nouveaux tendent à séparer de manière tranchante. Aux élections de 1924, le Cartel, c'est-à-dire l'alliance socialistes-radicaux, l'avait emporté mais, dès 1926, il est disloqué au profit d'un gouvernement d'union nationale qui, sous la présidence de Raymond Poincaré, détache les radicaux de l'alliance socialiste. Aux élections de 1928, le scrutin uninominal à deux tours est rétabli. Le comble de la désunion de la gauche est atteint par l'attitude d'un parti communiste qui refuse de respecter la tradition de « discipline républicaine » au second tour. Lors des élections de 1932, il s'agit toujours pour les communistes d' « arracher les ouvriers à la social-démocratie [3] », tandis que socialistes et radicaux se prêtent à une entente électorale pure et simple. Quand bien même les suffrages de gauche l'emportent, l'évidence est que *la* gauche n'a plus d'existence que théorique.

Comptant le plus grand nombre de députés, le parti radical est donc, de nouveau, chargé du pouvoir en 1932. Mais de quelle majorité peut-il disposer ? Au moment électoral, les radicaux se rapprochent des socialistes. Non seulement le mode de scrutin à deux tours les y pousse, mais ils partagent avec les socialistes un patrimoine commun : fidélité à l'idéologie républicaine, attachement à la laïcité, méfiance à l'endroit de tout ce qui touche à l'Église et à l'héritage de l'Ancien Régime. Cependant, les radicaux, vu leur anticollectivisme, leurs préférences pour l'orthodoxie financière, l'oreille qu'ils prêtent à toutes les catégories de non-salariés qui forment la majorité de leur clientèle, n'entendent nullement, une fois au pouvoir, appliquer les recettes socialistes en matière de budget et de fiscalité. *Grosso modo,* dans ce pays en crise, où la population active est encore largement représentée par les petits producteurs indépendants ruraux et citadins, la divergence entre socialistes et radicaux reflète dans une certaine mesure le conflit entre les intérêts confondus des ouvriers et des fonctionnaires et les intérêts des classes moyennes. Sentimentalement, les radicaux se sentent proches des socialistes : le « pas-d'ennemis-à-gauche ! » les définit comme des cartellistes convaincus ; pratiquement (pratique financière et économique), ils penchent plutôt du côté droit. Cette ambivalence du radicalisme introduit un facteur supplémentaire d'instabilité dans le système politique français.

Cette analyse classique reste encore trop simple car elle postule une gauche à trois acteurs principaux, ce qui ne correspond pas à la réalité parlementaire. Notons d'abord l'existence d'une quatrième composante, une constellation de « socialistes indépendants », d' « indépendants de gauche » et autres « républicains socialistes », dont la représentation à la Chambre de 1932 est renforcée par la scission néo-socialiste de 1933. Ensuite et surtout, le groupe de gauche le plus nombreux (radicaux et radicaux socialistes) laisse à ses inscrits leur liberté d'action, de sorte que ce défaut de discipline peut aller jusqu'à entraîner des députés radicaux à voter contre leur propre gouvernement et contribuer ainsi à le renverser. Ainsi, le 14 décembre 1932, ne voit-on pas une dizaine de radicaux se joindre à la coalition de la droite et des socialistes pour mettre en minorité Édouard Herriot ! Non seulement la gauche parlementaire souffre d'une division chronique mais, en plus, au sein même du groupe radical dominant, les dissensions internes renforcent la vulnérabilité des gouvernements dont il est l'assise théorique. La République est malade de la gauche ; c'est elle qui, désormais, rend l'alternance vicieuse, sinon impossible. La gauche est encore capable de régner en France mais elle ne gouverne pas.

L'agonie de la République radicale

Comprendre le 6 février nécessite de remonter aux élections de 1932. Le Janus *bifrons* radical avait, la victoire venue, le choix entre deux types d'alliances : l'union nationale, que lui proposait le président du Conseil sortant, André Tardieu, ou le gouvernement de Cartel avec la S.F.I.O. A la proposition de Tardieu, le parti radical répond par une fin de non-recevoir. En même temps, décidés à ne pas renouveler l'expérience malheureuse de 1924, les radicaux refusent de se lier par un quelconque engagement avec les socialistes. Ils se présentent devant leurs électeurs avec leur propre programme. La lecture de leurs professions de foi laisse deux idées marquantes : la place très modérée que prend la crise économique dans cette campagne où la défense des intérêts locaux prime toujours — et, quand il est question de la crise, le caractère conventionnel des solutions avancées : rééquilibrer le budget, économiser, économiser encore, bref entreprendre une politique de rigueur déflationniste. En somme, les radicaux se posent en champions de l'orthodoxie financière et de la rigueur comptable [4].

Au premier tour du scrutin, la S.F.I.O. confirme sa progression de 1928 ; pour la deuxième fois, elle obtient plus de suffrages que le parti radical. Toutefois, les voix de celui-ci sont en nombre plus élevé que la dernière fois : 64 élus radicaux dès le premier tour contre 15 en 1928. Pour le second, et malgré un appel pressant de Tardieu qui est radiodiffusé, les radicaux confirment leur attachement à la discipline républicaine, tout en proclamant l' « indépendance des partis ». Le 8 mai 1932, les radicaux peuvent se flatter d'avoir obtenu un beau succès. Forts de 160 élus, ils redeviennent le premier parti de la Chambre. Les députés socialistes voient aussi leur nombre s'accroître de 112 à 129, sans compter les socialistes indépendants (29). Les communistes, en perte de voix et peu avantagés par le mode de scrutin, n'ont que 9 sièges : ils n'ont pas encore la capacité d'empêcher une majorité de gauche gouvernementale. Mais cette majorité éventuelle souffre, on l'a dit, d'inconsistance. Entre les deux tours, le 7 mai, le président Paul Doumer a été assassiné. Or, pour élire son remplaçant, la désunion se manifeste d'emblée : les radicaux mêlent leurs voix à celles de la droite en faveur d'Albert Lebrun. Nous saisissons au vif la contradiction centrale de la troisième République, entre la majorité de gauche idéologique, dont l'efficacité électorale ne se dément pas, et l'impossibilité des élus de cette gauche à gouverner ensemble. Édouard Herriot est appelé à former le nouveau ministère ; il n'est assuré d'aucun soutien durable.

Le gouvernement Herriot est interrompu dans sa carrière dès le 14 décembre 1932, sous les coups d'une opposition disparate. Après le bref intermède d'un ministère Paul-Boncour (décembre 1932-janvier 1933), un nouveau gouvernement radical, présidé cette fois par Édouard Daladier, reste en place de janvier à octobre 1933. Une nouvelle fois, un gouvernement de gauche est en butte à la double hostilité de la droite et des socialistes. La politique de déflation, qui implique une ponction sur le traitement nominal des fonctionnaires, est dénoncée par les socialistes tandis que les menaces d'interventionnisme étatique mécontentent la droite. La République radicale est dans l'impasse. Le désaccord persistant sur la politique financière entre radicaux et socialistes entraîne la chute du gouvernement Albert Sarraut, qui ne se maintient pas un mois au pouvoir (26 octobre-23 novembre 1933). C'est alors le tour d'un autre radical, Camille Chautemps, qui prend à peu près les mêmes ministres et recommence. Sa précédente tentative comme président du Conseil remonte à février 1930 ; elle avait duré quatre jours. Cette fois, le gouvernement Chautemps atteindra deux mois, le temps qu'il faut au scandale Stavisky pour éclater. La République radicale n'y résistera pas.

Le moulin parlementaire

L'affaire Stavisky va devenir un instrument d'une redoutable efficacité aux mains de ceux qui rêvent d'abattre le régime parce qu'elle surgit à un moment où la crédibilité de celui-ci est déjà largement sapée dans l'opinion. Ses insuffisances suscitent des commentaires acerbes et le renouveau d'une tendance « révisionniste ».

> « Sans doute, écrit ainsi François Mauriac en juillet 1933, faut-il incriminer d'abord les institutions qui, d'avance, détruisent les chefs. Nul régime n'aura, autant que le nôtre, usé d'individus ni plus rapidement[5]. »

La même année, Octave Aubert expliquait, dans *le Moulin parlementaire,* les carences du système : faiblesse générale de l'exécutif, crise d'autorité, excès numérique des députés, électoralisme arrondissementier aux dépens de l'intérêt général, verbiage inconséquent des élus, jeu de massacre des ministères, louvoiements des ministres menacés en permanence, tumultueuse impuissance du Palais-Bourbon, lenteur du train sénatorial : le tableau était accablant. Pour beaucoup de Français, le système paraît tombé en catalepsie, comme insensible aux réalités extérieures, comme incapable d'action volontaire, trouvant seulement sa fin en lui-même et s'étiolant sous l'éloquence de la tribune. Pour d'autres, la Chambre est trop ouverte, au contraire, sur l'extérieur, elle est devenue le réceptacle de toutes les ambitions locales, de toutes les revendications corporatives, de tous les intérêts de sous-préfecture, autant de causes particulières qui finissent par neutraliser l'action gouvernementale. André Tardieu, un des praticiens du système, trois fois président du Conseil entre 1930 et 1932, prend à tâche, au lendemain de son dernier mandat, de promouvoir la révision constitutionnelle. Dans *le Souverain captif,* où il reprend en 1936 l'ensemble de ses analyses et de ses propositions, on retrouve formulé le vieux thème « boulangiste » mais non obsolète de la « souveraineté escamotée » :

> « Peuple souverain, ainsi qu'on lui affirme tous les dimanches, le peuple français, qui a versé son sang pour conquérir cette souveraineté, ne peut en user pour rien de ce qui constitue la substance de la souveraineté des autres démocraties. S'il est un souverain, c'est un souverain captif. C'est un souverain captif, à qui il est interdit de se demander si le régime le satisfait, comme aussi de se prononcer directement sur des problèmes essentiels de la vie nationale. Son pouvoir étriqué se borne et s'humilie à des choix équivoques de mandataires : députés, tous les quatre ans ; conseillers municipaux et généraux, tous les six ans ; sénateurs, tous les neuf ans.
> « Voilà, quant à la puissance populaire, le fruit d'un siècle et demi de démocratie française [6]. »

Selon Tardieu, on avait « substitué la souveraineté parlementaire à la souveraineté populaire[7] ». La formule perd en vérité ce qu'elle gagne en tranchant. Les esprits cyniques pourraient en effet se consoler de l' « escamotage » de la volonté populaire, si c'était au profit de l'efficacité de la Chambre. Or celle-ci, pour s'affirmer, doit disposer d'une majorité, soit celle d'un parti dominant, soit celle d'une coalition bien soudée, soit encore la majorité alternée du bipartisme. Rien de tel dans la troisième République. De surcroît, il faut avoir idée de ce qu'était la marqueterie politique de la Chambre des députés : l'instabilité ministérielle en est la résultante obligée. Des groupes, souvent sans discipline, qui disputent entre eux sur des pointes d'aiguille ; les rancunes personnelles ; le pouvoir inhibiteur de l'héritage historique qui fige les attitudes hors des réalités de l'heure ; la surestimation des différences au détriment des convergences nécessaires... Il faudrait encore évoquer le mépris des mots, les étiquettes qu'on prend par antiphrase, l'écart entre les discours dominicaux et les actes des jours ouvrables, pour comprendre l'état de l'esprit public. Cet André Tardieu, qui se fait le censeur souvent lucide du régime tel qu'il fonctionne, ne répugne pas à s'inscrire au groupe des « républicains de gauche » alors qu'il est très précisément comme tous ceux qui le composent un républicain de droite. Sans exagérer les conséquences de ce qu'Albert Thibaudet appelait alors le « sinistrisme », cette tendance des élus de droite à s'affirmer de gauche, gageons que ce détournement sémantique porte naturellement les citoyens au scepticisme : quel crédit peuvent-ils donner à un système qui s'interdit d'appeler un chat un chat, et un « modéré » un homme de droite ?

Depuis le début de la nouvelle législature, ouverte par les élections de 1932, jusqu'à la veille de la crise du 6 février 1934, cinq ministères se sont succédé. Leur durée moyenne a dépassé à peine *quatre mois*. Voilà un « indicateur » à ne pas perdre de vue si l'on veut avoir une conscience claire de la désapprobation encourue par le Parlement devant l'opinion. L'esprit ancien combattant comme l' « esprit des années trente[8] » révoquent en doute les jeux de la Chambre. Les grandes organisations — Union fédérale, Union nationale des combattants, Fédération nationale des combattants républicains — prônent toutes la réforme de l'État, moyennant le renforcement de l'exécutif et la discipline imposée au Parlement. Pour elles aussi, comme pour Tardieu et autres révisionnistes, une réestimation, une restauration du droit de dissolution devait devenir une des armes du gouvernement contre des députés concourant sans relâche à sa perte[9] ; une autre mesure était réclamée, la réforme électorale, notamment l'extension du droit de vote aux femmes, dont Tardieu s'était fait aussi l'avocat. La campagne de réforme, suscitée par les milieux d'anciens combattants, reste très modérée et dans le fond et dans la forme. Tout autre est le langage de la nouvelle génération intellectuelle — ces « non-conformistes des années trente » — qui, sans indulgence aucune pour le libéralisme parlementaire, usent et abusent du mot panacée de « révolution ». Tandis que les uns ont choisi la révolution marxiste et s'engagent, tel Nizan, sous la bannière rouge du communisme, d'autres développent l'idée d'une révolution spirituelle dont les implications politiques exigent la liquidation du régime parlementaire. Toutes les images de la « pourriture » lui sont associées : miasmes, vermine, décomposition...

> « Il n'y a plus de politique, écrit *Ordre nouveau,* en février 1934 ; il n'y a plus que des politiciens, six cents bavards soit inconscients, soit trop malins, toujours impuissants. Élire un député signifie trop souvent aujourd'hui donner l'impunité parlementaire à un escroc, un receleur, un dangereux imbécile[10]. »

Cependant, la réactivation du vieil antiparlementarisme sous l'effet de la crise et par l'impossibilité d'une politique de continuité, est à replacer dans un contexte international qui lui-même favorise la fronde contre les élus. La victoire des Alliés en 1918 avait consacré en apparence la démocratie parlementaire. La défaite de l'Allemagne du Kaiser, l'éclatement de l'Empire austro-hongrois, l'effondrement des Romanov, c'était — avec le remodelage de la carte politique européenne sur la base du principe des nationa-

lités — l'ultime victoire de la Révolution sur l'ancien
régime, le triomphe du libéralisme et du système représentatif sur l'autoritarisme monarchique. Mais à peine les
jeunes États européens étaient-ils entrés dans l'ère libérale
qu'ils devaient affronter une autre menace de déstabilisa-
tion, celle que représentaient la révolution bolchevique et
l'Internationale communiste. Si l'on ajoute à ces deux
chocs simultanés tout ce que les temps de fer de l'après-
guerre ont accumulé, crises économiques, inflation, ruine
des monnaies, conflits sociaux, poussées d'irrédentisme, on
peut imaginer pourquoi, là où elles ont été établies sans
racines profondes, les démocraties parlementaires ont été
de courte durée. Une nouvelle forme de réaction a pris
corps en Italie sous le nom de fascisme dès 1922. Les
bouleversements consécutifs à la grande crise des années
trente vont partout favoriser en Europe les solutions
autoritaires. En 1933, le chef du parti nazi, Hitler, qu'on
n'avait jamais pris au sérieux en deçà du Rhin, accède au
pouvoir et rétablit l' « ordre » en Allemagne. L'idée va se
répandre à droite et dans des couches profondes de la
population qu'il faut, en France aussi, changer de régime
pour rester une grande puissance. L'idée symétrique va
s'imposer à la gauche, qu'il existe un réel danger fasciste en
France. Ainsi, le révisionnisme constitutionnel, exclu jadis
de l'idéologie républicaine par le boulangisme, ne peut
toujours pas être réintroduit dans la problématique de la
gauche : on l'impute désormais à la panoplie « fasciste ».
Quoi qu'on pense de la scission « néo-socialiste » qui se
produit en 1933, elle atteste l'irrecevabilité de toute
révision doctrinale par la majorité des socialistes. Quoi
qu'on pense des idées de Tardieu, la réception hostile que
lui font aussi bien un Édouard Herriot qu'un Léon Blum
confirme le blocage du système.

L'incapacité d'autoréformation du régime parlementaire
n'encourage que mieux le nouvel essor des ligues. La
continuité entre les anciennes et les nouvelles était assurée
par les Jeunesses patriotes, issues de l'ancienne Ligue des
Patriotes, et dont le député et homme d'affaires florissant
Pierre Taittinger était le chef ; de son côté, la Ligue
d'Action française, malgré la condamnation pontificale,

poursuivait sa carrière, et les Camelots du roi restaient en force au quartier Latin. La nouveauté venait de la Solidarité française, du Francisme et surtout des Croix-de-Feu. La première était une création de François Coty, datant de 1933 ; elle avait des milices revêtues d'une chemise bleue et obéissait aux ordres de Jean Renaud. Cette pâle imitation du fascisme mussolinien eut une rivale dès septembre 1933 dans l'organisation de Marcel Bucard, le Francisme. L'une comme l'autre, Solidarité française et Francisme, n'ont jamais eu qu'une faible audience. Autrement sérieux se révélait le mouvement Croix-de-Feu de François de La Rocque. Simple association des « combattants de l'avant et des blessés de guerre cités pour action d'éclat », les Croix-de-Feu avaient progressivement élargi leur champ d'action depuis qu'en 1931 La Rocque, lieutenant-colonel en retraite, en était devenu président : sous son impulsion et de par ses qualités d'organisateur, les Croix-de-Feu vont devenir une véritable ligue politique. En 1932, s'ouvrant aux jeunes générations, le mouvement se complète des « Fils et Filles des Croix-de-Feu » ; en 1933, généralisant l'accueil des non-combattants de tous âges, La Rocque crée la Ligue des Volontaires nationaux. Au début de 1934, celle-ci est forte de plusieurs dizaines de milliers d'adhérents. Les Croix-de-Feu n'ont pas de doctrine bien définie mais préconisent la « réconciliation nationale », sur un fond d'antiparlementarisme et de catholicisme social. Condamnant ces « facteurs de désunion » que sont le communisme, le marxisme, la franc-maçonnerie, ils repoussent le dualisme de la droite et de la gauche qu'entretient le régime parlementaire. Avec des formules plus ou moins heureuses, un style plus ou moins suspect et un chef plus ou moins habile, les Croix-de-Feu manifestaient avec des allures militaristes des sentiments assez répandus dans l'opinion publique — et qu'on peut résumer d'une formule simple : la demande d'État. Les faiblesses redoublées de l'exécutif et la crise d'autorité grandissante depuis la retraite de Poincaré en 1929 sécrètent un dangereux mépris des institutions et, partant, de la classe politique. Une certaine droite en tire profit dans les projets qu'elle médite contre la République libérale, mais la

gauche, confondant depuis longtemps la défense républicaine avec la défense du *statu quo,* proscrit de fait la
réforme, le rééquilibrage des pouvoirs, le renforcement du
pouvoir ministériel ainsi que la participation populaire aux
grands choix nationaux.

La notion d'antiparlementarisme se réfère à deux attitudes : l'hostilité de principe à tout régime parlementaire et
la critique particulière d'un régime parlementaire qui ne
fonctionne pas. La journée du 6 février a pris tout son éclat
de la rencontre de ces deux antiparlementarismes, le
premier exploitant au mieux le second pour ébranler le
régime.

De Stavisky en Chiappe

Avant la crise, donc, la république radicale est frappée
d'impuissance. La figure d'Édouard Herriot (dominante
chez les radicaux) prend alors le double sens symbolique
qui restera attaché à sa mémoire. Pour les uns, le maire de
Lyon incarne la République des braves gens et des bons
élèves, la promotion sociale par l'école, la modération
politique alliée à une fidélité proclamée à la philosophie
des Lumières et à la Révolution. « Le cœur à gauche et le
portefeuille à droite », cette formule caricaturale par
laquelle André Siegfried se moquait du « Français moyen »
(inventé précisément par le maire de Lyon) résumait bien
la synthèse ou la contradiction du radicalisme, qui se
confondait avec une bonne partie de la France « profonde », c'est-à-dire provinciale [11]. Pour d'autres, Herriot,
inlassable fumeur de pipe, le postérieur collé à son rond-
de-cuir présidentiel et le ventre en proue « qui regarde
l'avenir », était l'allégorie vivante de l'immobilisme et de
l'imposture du régime. Brocardé dans tous les journaux, il
capitalisait sur sa tête le mépris des jeunes gens en colère,
la haine de l'extrême droite et le fusain des caricaturistes.
Le radicalisme avait épuisé son programme ; il n'avait plus
de projet. Ce parti de boursiers était devenu un parti
d'héritiers occupés à gérer un patrimoine idéologique qui

avait de moins en moins de prise sur la réalité des temps nouveaux. En son sein, les « Jeunes Turcs » comme Pierre Cot, Jean Zay ou Mendès France, tentaient bien de moderniser la vieille machine, mais sans grande réussite. L'affaire Stavisky va achever de discréditer le radicalisme.

Le scandale politique commence le 7 janvier 1934 avec l'arrestation de Joseph Garat, député-maire radical de Bayonne, qui a été mis en cause par Tissier, directeur du Crédit municipal de la même ville, arrêté le 24 décembre 1933 pour avoir émis de faux bons de caisse d'une valeur égale à 200 millions de francs. Garat, qui était le bailleur de fonds de *la Volonté,* dont le directeur, Albert Dubarry, était un spéculateur notoire, est inculpé de vol, faux, usage de faux, détournements de pièces et deniers publics, escroqueries et complicités, abus de confiance et recel. Le lendemain, 8 janvier, on apprend le suicide dans une villa de Chamonix d'Alexandre Stavisky, escroc plusieurs fois condamné et ami du député Garat. D'emblée, la presse jette un doute sur cette version du suicide. Le 13 janvier, la veuve de Stavisky déclare que son mari, qui s'était tiré une balle dans la tête au moment où la villa était assiégée par la police, avait été laissé sans soins pendant plus d'une heure avant d'être transporté à l'hôpital où il était mort. La rumeur d'un assassinat ou d'un « suicide par persuasion » paraît à beaucoup d'autant mieux fondée que Stavisky, escroc de moyenne envergure mais jouissant depuis des années d'une impunité exceptionnelle, aurait pu, vivant, compromettre jusqu'au président du Conseil lui-même. Un des frères de Chautemps n'avait-il pas été l'un des avocats de l'escroc ? Et surtout son beau-frère, Pressard, procureur de la République auprès du tribunal de la Seine, avait laissé le Parquet renvoyer dix-neuf fois le procès de Stavisky. Autant de remises supposaient de nombreux appuis, de vraies complicités. Or un des ministres en poste, Albert Dalimier, député radical chargé des Colonies, avait en 1926 signé des lettres dont Stavisky avait fait usage dans ses filouteries : Dalimier donnait sa démission le 9 janvier.

Ce même jour, les Chambres faisaient leur rentrée. *L'Action française* saisit cette magnifique coïncidence pour entamer une nouvelle campagne contre « la Gueuse ». Dès l'arrestation de Tissier, avant tout autre organe de presse, le quotidien de Maurras avait entonné l'air du « nouveau scandale républicain ». C'était lui qui, le 3 janvier, avait publié les deux lettres compromettantes d'Albert Dalimier ; ce fut lui qui, le 7 janvier, reprit en première page le vieux slogan antiparlementaire « A bas les voleurs ! », et lança les premiers appels « au Peuple de Paris » :

> « Au début de cette semaine qui verra la rentrée du Parlement, écrivait Maurice Pujo, nous engageons les Parisiens à se tenir prêts à venir en foule, autour du Palais-Bourbon et, au cri de " A bas les voleurs ! ", à exiger la justice et l'honneur. »

Le suicide de Stavisky s'étant produit sur ces entrefaites, *l'Action française* s'enhardit ; le 9 janvier, elle ne titre plus seulement « A bas les voleurs ! », elle ajoute : « A bas les assassins ! » A la convocation du quotidien monarchiste répondent environ deux mille personnes, entraînées boulevard Saint-Germain et place de la Concorde par les Camelots du roi. Des bancs et des grilles d'arbres sont arrachés, la circulation est arrêtée, la bataille de rue commence. Ce n'est encore qu'un combat d'avant-garde : tout au long du mois de janvier, au fur et à mesure que l'affaire Stavisky est étalée à la Chambre et dans la presse, le journal de Maurras, auquel fait écho une large part de la presse parisienne, multiplie les appels à la subversion.

Le 11 janvier, Albert Dubarry, directeur de *la Volonté,* et Camille Aymard, ancien directeur de *la Liberté,* sont arrêtés pour avoir reçu de l'argent de Stavisky — le jour même où la Chambre entend les interpellations relatives à l'affaire. De nouveau, *l'Action française* appelle à la manifestation. Vers 18 heures 30, environ deux mille militants dressent des barricades pour arrêter tramways et autobus ; des arbres, des grilles, des kiosques sont amoncelés sur la chaussée, tandis que les affrontements avec la police provoquent blessures et arrestations. Le lendemain, tandis que *l'Action française* imprime en manchette : « La révolte de Paris : contre les voleurs ! Pour l'honneur français ! En avant ! Jusqu'au bout ! », la séance à la

Chambre reprend dans l'exaltation. Jean Ybarnegaray, au terme d'un discours accusateur, propose une commission d'enquête ; la proposition, venant de la droite, est rejetée sur la demande de Chautemps par 372 voix contre 209 ; peu après, la confiance est votée au gouvernement par 372 voix contre 196. Le refus de la commission d'enquête était d'une insigne maladresse ; il ne pouvait qu'aggraver la suspicion publique sur la république radicale. Qu'on voulût cacher à la population la vérité et l'étendue de la corruption parlementaire, l'hypothèse, repassée au fer chaud par la presse de droite, en devenait certitude.

Camille Chautemps, craignant l'exploitation du scandale, avait choisi de laisser l'affaire aux tribunaux. C'était ne faire aucun cas d'une opinion publique déjà enflammée par la véhémence des journaux. Les militants et les sympathisants des ligues n'étaient pas seuls à donner en spectacle leur indignation : ils le faisaient avec l'approbation croissante et sous les applaudissements d'un public convaincu d'être la dupe des politiciens malhonnêtes. La tiédeur de Chautemps n'était pas de mise ; il fallait faire la vérité le plus vite possible ; châtier les coupables sans fléchir, refuser tout prétexte à ceux qui, pour écurer l'État, voulaient s'en emparer. Trop soucieux du cadre parlementaire où il s'attachait, Chautemps pouvait se flatter d'avoir retrouvé l'appui massif des socialistes mais il négligeait trop la rue, chaque jour plus houleuse.

Le 12 janvier, l'Action française avait encore convoqué ses militants mais, cette fois, comme il pleuvait, après une discussion entre Pujo et le préfet de police Jean Chiappe, la dispersion des manifestants eut lieu sans incident. Connivence entre l'extrême droite et la police ? Ce n'était pas d'hier que le préfet Chiappe était le point de mire de la gauche ; depuis sept ans en fonction dans un des postes d'autorité les plus importants, il avait montré autant de longanimité face aux organisations de droite qu'il s'était montré implacable avec l'extrême gauche. Son nom était attaché à quelques réalisations, comme la création des passages cloutés, qui lui valaient l'estime des Parisiens. Le bruit se répandit d'une collusion occulte entre Chiappe et *l'Action française*.

Au demeurant, le journal de Maurras n'était plus seul dans l'escalade de la violence. Son tirage avait fortement augmenté au cours de ces semaines agitées : de 40 000 exemplaires, en décembre 1933, il atteint 165 000 le 12 janvier 1934 et 186 000, le 28. Mais l'ensemble des quotidiens de droite, s'acharnant contre le gouvernement radical, peut se féliciter, à Paris, de tirages très supérieurs à ceux de la presse de gauche : *l'Ami du Peuple, l'Écho de Paris, le Figaro, l'Intransigeant, le Jour, le Matin,* etc., bénéficiaient d'une clientèle beaucoup plus nombreuse que *l'Œuvre* (radical), *le Populaire* (socialiste) ou *l'Ère nouvelle* (« entente des gauches ») — sans parler du quotidien communiste *l'Humanité,* rien moins alors que « cartelliste ». Philippe Henriot, député de droite, fit grand cas dans son livre sur *le 6 Février* d'une radiodiffusion acquise au gouvernement [12] ; à vrai dire, celle-ci jouait encore un rôle bien modeste dans la vie politique (on comptait 1,5 million de récepteurs dans l'ensemble du territoire). En revanche, la presse hebdomadaire présentait un déséquilibre flagrant à l'avantage de la droite. Pour une *Marianne,* radicalisante, tirant à 60 000 exemplaires, un *Canard enchaîné* s'élevant à 200 000, mais toujours jaloux de son indépendance critique, la droite pouvait se flatter de gros bataillons, en particulier *Candide,* dirigé par Pierre Gaxotte, dans le sillage de *l'Action française,* que publiait les éditions Fayard et dont le tirage croissant atteindra 465 000 exemplaires en 1936 ; et plus encore *Gringoire,* dont l'essor va être constant jusqu'en 1936 (atteignant alors 650 000 exemplaires), sous l'impulsion de Philippe Henriot et d'Henri Béraud. Cet hebdomadaire avait été créé en 1928 par Horace de Carbuccia, qui avait épousé la belle-fille du préfet Chiappe. Pendant toute la crise de 1934, *Gringoire* rivalisa dans la vitupération avec les libellistes de *l'Action française.* Le 12 janvier, Henri Béraud, pamphlétaire venu de la gauche, prix Goncourt 1922, ancien grand reporter, écrivait ainsi :

« L'année puante a fini comme elle devait finir : par un banquet de puanteur [...]. Mais voici Stavisky. A la bonne heure ! Parlez-nous de l'affaire Stavisky !... Enfin un scandale à la mesure de notre temps... Grâces soient rendues à l'enfant du ghetto de Kiev qui, en guise d'étrennes, nous a fait ce beau cadeau [...]. Si l'âme du pays doit mourir, que ce soit en pleine clarté, dans le feu de la bataille et non sous le manteau des étouffeurs, dans les couloirs de la Chambre, dans les coulisses de la Bourse, le vestibule des Loges ou le corridor du Palais. »

A l'antiparlementarisme, Béraud associait les stéréotypes de la xénophobie, qui vont devenir itératifs jusqu'à la veille de la guerre :

« Les étrangers chez nous, la racaille des spéculateurs, la vermine des rats d'hôtel, la pègre de l'espionnage, de l'agitation, de la provocation, des attentats, des enlèvements, et, couvrant le tout, le permanent scandale des naturalisations où politiciens et fonctionnaires semblent rivaliser d'imprudence, voilà ce que remue l'affaire Stavisky. »

Le moralisme inspirait sa conclusion sur les deux France, celle des « hommes aux mains propres » et celle des « hommes aux mains sales » : entre les uns et les autres, il fallait choisir... Simplisme ponctué d'une menace finale : « Ou alors, gare ! »

Si l'on y regarde de près, le scandale Stavisky est démesurément grossi et habilement travesti. Les radicaux, dont la malchance est alors d'être au pouvoir, ne sont pas seuls en cause. Tardieu lui-même, grand accusateur, écrit régulièrement dans *la Liberté* de Camille Aymard, accusé, on l'a vu, d'avoir reçu des subsides de Stavisky. De nombreuses accusations portées contre des personnalités radicales se révèlent, après enquête, dépourvues de fondement. L'affaire elle-même n'a pris ses dimensions que par la savante exploitation politique qui en a été faite. Le scandale de Panama jadis, ceux de la banque Oustric ou de l'Aéropostale naguère, ont été autrement préjudiciables aux petits épargnants. L'affaire Stavisky est d'abord une machine de guerre ; elle est dirigée contre le parti radical par la droite conservatrice et, au-delà, contre le régime par la droite ultra. Au total, deux élus radicaux ont été convaincus de corruption et condamnés : on peut difficilement en inférer que le Parlement est un ramas de « chéquards ». Pourtant, l'extrême droite trouve à ses outrances un écho complice jusque dans les rangs modérés. Ainsi André Tardieu n'hésitera-t-il pas à imputer aux subventions de Stavisky la victoire électorale des radicaux en 1932, après une « fastueuse campagne [13] ».

Dans la seconde quinzaine de janvier, les assauts se succèdent, à la Chambre et dans la rue. Le 19, cependant que Camelots du roi et Jeunesses patriotes continuent à fomenter les troubles de la rue — cette fois entre l'Opéra et le carrefour Drouot —, Philippe Henriot, à la tribune du Palais-Bourbon, porte la charge contre le garde des Sceaux, Eugène Raynaldy, accusé d'avoir été jadis un souscripteur fictif d'actions de la *Holding commerciale de France,* montée par la banque Sacazan. De nouvelles attaques suivent les jours suivants, qui entraînent un vote de confiance renforcé à Camille Chautemps, tandis que les échauffourées prennent dehors des proportions inquiétantes. Le 22 janvier, de 18 heures 30 à minuit, une bonne partie des VIe et VIIe arrondissements, boulevard Raspail et boulevard Saint-Germain, subit les outrages d'un vandalisme systématique ; arbres, grilles d'arbres, corbeilles d'arbustes, matériel de marché, bancs et autres objets sont arrachés et jetés sur la chaussée. Simultanément, sur la rive droite, ajoutant au désordre, une manifestation de fonctionnaires et d'employés des services publics réunit 4 000 personnes qui protestent contre les diminutions de salaires. Le 23, deux rendez-vous sont fixés, l'un par l'Action française, rive gauche ; l'autre par la Ligue des contribuables, à la Concorde.

> « C'est ce jour-là, écrit Laurent Bonnevay, président de la future commission d'enquête du 6 février, que s'esquisse la tactique qui prévaudra le 6 février, de convocations de ligueurs en des points séparés, mais donc l'action doit converger sur le Palais-Bourbon [14]. »

De nombreux badauds, aux fenêtres et sur les trottoirs, témoignent leur sympathie aux manifestants. Ceux-ci béné-

ficient encore de l'approbation des édiles parisiens, dont
fait preuve la *Ville de Paris,* organe du conseil municipal
qui fait l'apologie des « citoyens honnêtes » contre « tous
les profiteurs du gouvernement [15] ».

L'offensive contre Raynaldy était bien méditée : la
réputation du garde des Sceaux, alors que la Justice était
saisie d'une affaire capitale, devait évidemment rester au-
dessus de tout soupçon. Poussé à la défensive, le ministre
donne sa démission le 27 janvier : « Je ne peux plus rester
inerte au banc du gouvernement. L'odieux chantage est
déchaîné. » C'était le deuxième ministre du cabinet Chautemps à battre ainsi en retraite depuis le début de l'affaire
Stavisky. Ce samedi-là, une nouvelle manifestation de
l'Action française, renforcée des Jeunesses patriotes et de
la Solidarité française, tourne à l'émeute. Pour la première
fois, on observe des tentatives d'incendie, « des kiosques
de journaux sont renversés auxquels on met le feu ; des
canalisations de gaz sont enflammées, après que les lampa-
daires qu'elles alimentent ont été arrachés. Deux ou trois
terrasses de café sont plus ou moins saccagées ». Laurent
Bonnevay, qui relate ces faits, ajoute :

> « Le service d'ordre ne paraît pas, ce soir-là, avoir réagi
> avec beaucoup d'énergie. Les agents, sur certains points,
> laissent faire, et les bras ballants, au dire d'un témoin,
> regardent brûler les kiosques [16]. »

Le lendemain, Camille Chautemps remettait la démission de son cabinet, malgré la majorité imposante dont il
était assuré dans les deux chambres. Cette capitulation du
gouvernement de la République devant l'émeute était un
encouragement donné à tous les fauteurs de troubles.
L'Action française, qui fut selon le mot de Maurice Pujo
dans sa déposition devant la commission d'enquête « le
levain de la foule », avait, sans doute, remporté le plus
beau succès de son histoire. Elle avait démontré qu'on
pouvait désormais, à partir d'une campagne de presse et
des manifestations de rue, imposer sa loi au pouvoir légal.
La police de Chiappe avait empêché les manifestations
d'aborder la Chambre, mais non les perturbateurs d'entre-

tenir la violence tout au long du mois de janvier dans plusieurs quartiers de la capitale. Deux policiers, Rigail et Riou, respectivement secrétaire général et secrétaire du Syndicat général du personnel de la préfecture de police, firent savoir officiellement leur étonnement. D'autre part, s'il y eut 2 000 arrestations au cours de ce mois de janvier, les juges firent preuve d'une mansuétude rare à l'égard des destructeurs d'objets d'utilité publique. La magistrature comme la préfecture de police s'étaient montrées d'une extrême indulgence. C'est donc l'appareil d'État lui-même qui révélait ses défaillances. Autre encouragement donné aux émeutiers de janvier : ils avaient « eu » Chautemps ; ce n'était qu'un début.

Le lundi 30 janvier, le président Lebrun commençait ses consultations en vue de la formation d'un nouveau gouvernement. Gaston Doumergue, ancien président de la République retiré à Tournefeuille près de Toulouse, Jules Jeanneney, président du Sénat, Fernand Bouisson, président de la Chambre, successivement pressentis se récusèrent. Faute d'une autorité morale, Lebrun fit appel à un caractère : Édouard Daladier, qui passait pour un homme d'énergie et de sang-froid, donna son accord.

Daladier allait avoir cinquante ans. Fils d'un boulanger de Carpentras, agrégé d'histoire, il avait fait une guerre brillante et avait été élu député en 1919 et réélu sans cesse dans son Vaucluse natal. Rival d'Édouard Herriot au sein du parti radical, plusieurs fois ministre depuis 1924, il avait déjà été président du Conseil en 1933. De tempérament taciturne, d'une honnêteté sans faille, jouissant d'une réputation de fermeté, il apparut comme l'homme de la situation. Daladier, sitôt désigné, entreprit de constituer un ministère « au-dessus des querelles des partis », allant des socialistes à la droite. Mais il ne put convaincre ni Frossard ni Ybarnegaray sur lesquels il comptait pour reproduire en quelque sorte le duo Millerand-Galliffet imaginé par Waldeck-Rousseau au temps de l'affaire Dreyfus. Le 31 janvier, l'annonce de la composition du nouveau gouvernement ne réservait guère de surprise ; c'était du radical-socialiste presque pur. Tout juste Daladier avait-il pu convaincre deux membres du centre droit de devenir ministres, Jean Fabry à la Guerre, et François Piétri aux Finances — sans parler de Gustave Doussain, sous-secrétaire d'État à l'Enseignement technique. Caution de droite du reste fragile et sans lendemain, à cause de l'affaire Chiappe qui vient se brocher sur l'affaire Stavisky.

Daladier, une fois en poste, se plonge sans tarder dans le dossier Stavisky. Il n'est pas d'emblée résolu à limoger Chiappe. Le préfet de police lui paraît utile : ne vient-il pas, grâce à son entregent, de faire différer une manifestation d'anciens combattants prévue pour le 4 février ? Mais le nouveau président du Conseil découvre dans le rapport de l'inspecteur général Mossé que Jean Chiappe a reçu Stavisky en février 1933, à la demande de Dubarry, et que le rapport Sevestre-Cousin sur les agissements de l'escroc, porté à la connaissance du préfet, a été gardé par-devers lui jusqu'au mois d'octobre. Daladier, convaincu des fautes graves imputables à Chiappe et à ses subordonnés, prendra donc des sanctions administratives, sous forme de mutations. Chiappe bénéficiera ainsi d'une « promotion » au poste de résident général au Maroc. Telle est du moins la version que Daladier donne lui-même à la commission d'enquête. La droite, au contraire, accuse Daladier d'avoir fait un marché avec la S.F.I.O. : Chiappe contre les voix socialistes [17]. Quoi qu'il en soit, Daladier téléphone à Chiappe sa décision, le samedi matin 3 février. Tout à trac, Chiappe lui répond d'une manière comminatoire, refusant sa mutation au Maroc et annonçant sa résolution de « descendre dans la rue le soir même ». Le président du Conseil, irrité par cette insubordination caractérisée, décide de révoquer incontinent l'ancien préfet de police. Chiappe contestera formellement avoir dit au téléphone les mots que lui prête Daladier — question secondaire : le sûr était que Chiappe avait cessé d'être préfet de police. La nouvelle est répercutée avec fracas par la presse du lendemain, dimanche 4 février. Tandis que *le Populaire* ne cache pas sa satisfaction — « Enfin Paris est délivré de son préfet de coup d'État » —, toute la presse de droite accable Daladier et met l'alarme au quartier en criant à l'injustice. La riposte n'attend pas. Diverses organisations lancent des appels à une manifestation pour protester contre le limogeage de Chiappe ; l'Union nationale des combattants, les Croix-de-Feu, l'Action française, les Jeunesses patriotes, la Solidarité française, la Fédération des contribuables, les Anciens Combattants corses publient séparément des textes incendiaires. Le 5 février, les membres du conseil municipal de Paris se réunissent à l'Hôtel de Ville, pour examiner quelle sorte de protestation on donnerait à la révocation du préfet de police, qui avait entraîné à sa suite la démission par solidarité du préfet de la Seine, Édouard Renard. Parallèlement à un texte voté à l'unanimité, où des conseils de sang-froid étaient donnés à la population, une quinzaine de conseillers de la majorité cosignent un appel aux Parisiens, où il est dit :

> « Demain sera ce que vous déciderez : ou bien la consécration de la tyrannie, du sectarisme ou de l'immoralité, ou bien le triomphe de la liberté et de la probité. »

Ainsi, de toutes parts, d'une des deux plus importantes associations d'anciens combattants jusqu'aux ligues factieuses, de l'Action française aux conseillers municipaux, les citoyens de Paris étaient conviés à s'opposer par une contestation de masse au nouveau gouvernement. Édouard Daladier ne pouvait plus compter sur aucun appui à droite, après la démission de Piétri et Fabry consécutive au renvoi de Chiappe. Mais, sans se laisser impressionner, loin d'offrir la démission qu'on lui suggère ici et là, il est décidé à braver les provocateurs et à se présenter devant la Chambre. Dans cette atmosphère de plus en plus passionnée, les élus de droite, loin d'aider à éteindre le feu, n'hésitent pas à y jeter de l'huile. André Tardieu, leader officieux de l'opposition, se répand contre Daladier dans *la Liberté,* mais ce sont aussi Paul Reynaud, Marcel Héraud, Georges Bonnefous, et autres modérés qui attisent la colère publique. Pierre Taittinger, quant à lui, répond à une interview :

> « Paris se doit de manifester à M. Chiappe sa reconnaissance. Il se doit de ne pas le laisser partir sans donner la

preuve de son indignation. Nous sommes en face d'un coup d'État jacobin [18]. »

Les organisations appelant à la manifestation lui fixent pour date le 6 février, jour où Édouard Daladier présente son gouvernement à la Chambre. Le matin du 6, *l'Humanité* annonce que l'A.R.A.C., association d'anciens combattants d'obédience communiste, sera, elle aussi, « dans la rue ». L'A.R.A.C., au contraire des autres, préconisait l'« arrestation » de Chiappe, mais entendait « protester de la façon la plus énergique contre le régime du profit et du scandale en même temps que contre son mandataire le gouvernement de M. Daladier, auteur de la révision des pensions [19] ». Les communistes avaient beau se démarquer de la droite, outre qu'ils lançaient eux aussi une partie de leurs troupes dans la rue contre Daladier, ils ne répugnaient pas à reprendre à leur compte les mots convenus de l'antiparlementarisme des ligues. S'ils disaient : « A bas le fascisme ! A bas la guerre impérialiste ! », ils finissaient leur appel par ces mots : « A bas le gouvernement voleur des mutilés de guerre et complice des escrocs ! »

La journée du 6 février s'annonçait pour le moins confuse.

Du sang sur la place

Le mardi 6 février, bon nombre de journaux du matin publient les appels de la manifestation. *L'Écho de Paris* donne le ton :

> « Comme on le voit il ne s'agit pas là d'improvisations rapides et sans ordre de marche. C'est une véritable mobilisation de toutes les forces nationales qui se dispose à crier au gouvernement la volonté du pays. Ce sera, au sens propre du mot, une manifestation de masse dont il sera impossible de ne pas tenir compte, car elle aura la force d'imposer ses décisions. »

On ne pouvait mieux prouver à quel point la presse de droite entendait, par les clameurs et les violences de la rue, damer le pion au gouvernement cartelliste qui se mettait en place. Le colonel de La Rocque, dans un appel « à la nation », demandait aux « Français et Françaises » de suivre les Croix-de-Feu « qui imposeront une équipe de bons Français affranchis des abjectes combinaisons politiques ». Le même verbe *imposer* donnait le sens de l'opération : la légitimité était déniée à la majorité parlementaire, elle appartenait aux citoyens parisiens convoqués sur la place publique. Taittinger avait qualifié l'action de Daladier de « coup d'État jacobin ». En fait, s'il y avait de la méthode jacobine dans l'air, c'était bien du côté de Taittinger qu'on l'observait : *forcer* une assemblée élue — jadis la Convention, cette fois la Chambre —, la placer sous le contrôle d'une foule soulevée contre sa majorité, subordonner le pouvoir du peuple et de ses mandataires à la véritable instance de validation, jadis celle du club des Jacobins ou celle des sections, aujourd'hui celle des ligues, qu'était-ce donc ? [20] Évidemment, ce n'était plus l'extrême gauche qui voulait dicter sa volonté aux assemblées élues, l'assaut du Parlement était donné désormais par la droite. Depuis 1900, la municipalité parisienne affichait ses positions nationalistes. Dans le même temps que la banlieue industrielle en croissance était en proie à la conquête communiste, le Paris *intra muros* distribuait ses sympathies aux ligueurs. L'inégalité démographique des quatre-vingts quartiers de la capitale, chacun pourvoyeur d'un unique conseiller municipal, amplifiait encore la représentation de la droite à l'Hôtel de Ville. Ce contraste Paris-banlieue se doublait d'un contraste Paris-province plus vif encore. La presse des départements était largement « républicaine », entendons par là favorable au régime parlementaire et respectueuse du gouvernement. D'où s'ensuit la validité de la comparaison avec les temps de la Révolution et, au-delà, avec toutes les périodes qui ont connu ce conflit entre les autorités légales et leur environnement local, parisien. Pendant tout le XIXe siècle, on avait vu des gouvernements de droite, monarchistes, républicains ou bonapartistes, siéger au beau milieu d'une ville hostile. En février 1934, le même cas de figure se reproduit, mais inversé : cette fois, la majorité de la Chambre soutient un gouvernement de gauche qui se trouve en butte à l'hostilité d'une ville largement acquise aux slogans des diverses droites.

Vers 15 heures, Daladier monte à la tribune. Il est d'emblée injurié par les députés nationalistes, tandis que les communistes scandent : « les Soviets ! les Soviets ! » et tentent de faire entendre *l'Internationale.* Cette attitude est explicitée par le discours préparé par Maurice Thorez :

> « L'expérience internationale prouve qu'il n'y a pas de différence de nature entre la démocratie bourgeoise et le fascisme. Ce sont deux formes de la dictature du Capital. Le fascisme naît de la démocratie bourgeoise. Entre le choléra et la peste, on ne choisit pas [21]. »

Cette réaffirmation de la ligne *classe contre classe,* plus d'un an après l'arrivée au pouvoir de Hitler, donne la mesure de l'aveuglement du Komintern. Elle explique aussi pourquoi *l'Humanité* a appelé les anciens combattants communistes à une manifestation séparée, dirigée à la fois contre le fascisme et contre Daladier, deux faces d'une même réalité capitaliste !

Pendant tout le débat, le tumulte ne sera interrompu que par les suspensions de séance. Daladier, cependant, n'est pas seul. Il peut compter sur l'appui décidé du parti socialiste. Léon Blum déclare :

> « Les partis de la réaction, vaincus il y a deux ans, et qui ont cherché tour à tour leur revanche dans la panique financière et dans la panique morale, tentent aujourd'hui le coup de force. Ce n'est même plus la dissolution qu'ils visent ; c'est la mainmise brutale sur les libertés publiques que le peuple des travailleurs a conquises, qu'il a payées de son sang, qui sont son bien, qui restent le gage de son affranchissement final. Ce peuple, qui a fait la République, saura la défendre ! »

La fermeté du propos ne prête à nulle équivoque : les socialistes, une nouvelle fois, s'affirment les défenseurs résolus du régime. On ne peut, toutefois, en écoutant Léon

Blum, réprimer un regret : une entente *positive* antérieure avec les radicaux eût sans doute évité cette alliance *défensive* réalisée devant le danger, après deux ans d'instabilité. L'affaiblissement du régime par la mésentente de la gauche avait pour contrepoids les bons réflexes de défense républicaine. Ceux-ci, pour autant, n'étaient pas un programme de gouvernement.

A partir de 20 heures, la manifestation de rue prenant toute son ampleur, la droite en utilise les échos pour obtenir la démission de Daladier. Place de la Concorde, de nombreux incidents ont déjà eu lieu. Avant 19 heures, on a pris d'assaut un autobus, brisé ses vitres, tenté de le renverser ; on se décide finalement à l'incendier — vaste feu de joie jetant longtemps ses flots de lumière au milieu de la place. Les scènes de la violence urbaine, répétées tout au long de janvier, se succèdent à un rythme accéléré : barricades dressées à la hâte, charges de police, évacuation des blessés, coups de feu sur le service d'ordre, affaissement du cheval d'un garde républicain... Le nombre des manifestants s'élève sans cesse. Soudain, une colonne rangée de la Solidarité française se dirige vers le pont de la Concorde. Ils sont deux mille environ, résolus à forcer le barrage des gardes et des agents qui se tiennent sur le pont, le dos à la Chambre des députés. Les pompiers arrosent les assaillants mais ils sont tournés, frappés et leurs tuyaux sectionnés. Les gardes à cheval à leur tour rendent le combat. Cette fois, l'affaire prend un tour dramatique ; des coups de feu partent. Le barrage soutient le choc mais on compte vite plusieurs morts et de nombreux blessés dans les deux camps. A l'autre bout de la place, des incendiaires ont investi le ministère de la Marine ; les pompiers accourus doivent reculer sous les projectiles. Les voitures des gardiens transportant leurs blessés sont assaillies, elles aussi, à coups de pierres, de morceaux de fonte, et même à coups de feu. A 20 heures 30, une accalmie est produite par l'arrivée imposante des anciens combattants de l'U.N.C. A leur tête on reconnaît Jean Goy, député, Boulard et Lebecq, conseillers municipaux de Paris. Venant du Cours-la-Reine, ils débouchent sur la place en ordre serré, précédés d'une immense banderole : « U.N.C. Groupe de la Région parisienne. Nous voulons que la France vive dans l'ordre et la propreté. » Devant leurs drapeaux, pompiers et gardiens de la paix saluent. Les manifestants exhortent les anciens combattants à marcher sur la Chambre. A leur grand dépit, ceux-ci prennent la direction opposée, celle de la rue Royale. Mais, en raison de la proximité de l'Élysée et du ministère de l'Intérieur, un choc, bref mais violent, a lieu entre anciens combattants et policiers, à l'entrée de la rue du Faubourg-Saint-Honoré. Les cordons sont franchis, on doit réclamer des renforts de police ; la dispersion se fait à coups de matraque. Du côté du pont de la Concorde, des tentatives similaires se produisent. Le service d'ordre faiblit à chaque assaut ; seules les charges des gardes à cheval parviennent à maintenir les assaillants à distance, encore que certains de ceux-ci, usant de rasoirs fixés au bout de leur canne, parviennent à désarçonner les cavaliers.

Toujours sur la rive droite, un autre cortège, celui des Jeunesses patriotes de Taittinger, encadrant un bon nombre de conseillers municipaux l'écharpe tricolore en travers de leur poitrine, arrive de l'Hôtel de Ville par le pont Royal jusqu'au barrage établi quai d'Orsay, à la hauteur du pont Solférino. Le heurt, ici encore, laisse l'avantage aux défenseurs de l'ordre. Plusieurs conseillers municipaux sont blessés, notamment Frédéric-Dupont, sévèrement matraqué. Cependant quelques conseillers ont pu s'infiltrer à travers le barrage ; quatre d'entre eux seront introduits à la Chambre. Ils demandent au gouvernement de démissionner.

Pendant ce temps, la rive gauche, elle non plus, n'échappe pas à l'agitation. A 19 heures 30, une colonne des Croix-de-Feu d'environ 2 000 hommes parvient dans la rue de Bourgogne, située derrière la Chambre des députés. Ils sont sans armes ; beaucoup se sont coiffés de leur casque de tranchée. La rue est barrée par deux camions, un maigre peloton de gardes mobiles et une dizaine de gardiens. Barrage apparemment aisé à franchir ! Mais, sur l'injonction d'un adjudant-chef avancé à leur rencontre, les Croix-de-Feu, après quelques instants d'hésitation, acceptent de se replier ; ils prennent la direction du quai d'Orsay où ils sont rejoints par l'autre colonne Croix-de-Feu formée au Petit-Palais. De son poste de commandement, La Rocque donnera l'ordre de dispersion, auquel on obéira « militairement ».

Au total, le bilan de la « journée » se révèle très lourd : 1 435 blessés et 15 morts [22]. Cependant, les représentants du peuple, restés sous la protection de la police et de la garde républicaine, n'avaient pas cédé à l'émeute. Daladier avait dû affronter toutes les tentatives d'obstruction de l'opposition. Pas moins de dix-sept interpellations avaient été déposées sur la politique générale. Pendant plusieurs heures, on s'est battu sur la procédure, Daladier voulant réduire à quatre le nombre des interpellations. Finalement, le président du Conseil a demandé le renvoi de celles-ci et posé la question de confiance. Elle lui a été accordée par 343 voix contre 237. Au soir du 6 février, l'émeute n'avait donc pas atteint son but.

Mais de quel genre d'émeute s'agissait-il ? D'une manifestation qui aurait dégénéré ou d'un véritable complot organisé ? A vrai dire, le défaut d'unité entre les organisateurs est flagrant. Sans doute a-t-on pu noter une certaine simultanéité des opérations dispersées mais les rendez-vous coïncidaient nécessairement : ils ne pouvaient avoir lieu qu'en fin d'après-midi, après la fermeture des bureaux et des ateliers. On peut distinguer au moins deux projets en concurrence. Les plus décidés des manifestants appartenaient aux ligues — Action française, Solidarité française, Jeunesses patriotes —; ce sont eux qui ont affronté les barrages policiers *manu militari*, qui ont voulu pénétrer de vive force dans l'enceinte du Palais-Bourbon. Il n'est pas sûr qu'ils aient eu un plan concerté. L'un d'eux, Henri Dumoulin de Labarthète (futur directeur du cabinet civil de Pétain entre 1940 et 1942), inspecteur des Finances, qui suivit les Jeunesses patriotes jusqu'au barrage du quai d'Orsay, écrivit sans fard à la commission d'enquête, le 11 avril 1934 :

> « Quant à notre but, il était de pénétrer, sans armes, au Palais-Bourbon, par le seul effet d'une poussée de masse, et d'y exercer, après les discriminations nécessaires (je connais-

sais dans l'ancienne Chambre, au moins de vue, 370 députés sur 610) de solides représailles (solides, mais non sanglantes) sur les élus d'un suffrage universel qui mène la France à la guerre et à la ruine [23]. »

Cependant, les plus nombreux des manifestants appartenaient à des organisations qui s'en sont tenues à des démonstrations de force sans volonté d'assaut. Ce fut notamment le cas de l'U.N.C. et des Croix-de-Feu, organisations jalouses de leur autonomie et n'ayant jamais, au cours de la soirée du 6, voulu enfreindre la légalité. Les esprits les plus aventureux, les plus exaltés, les plus extrémistes ont sans doute espéré, comme Dumoulin de Labarthète, l'invasion de la Chambre et la mise en place d'un gouvernement de « salut public » (toujours le retournement des méthodes jacobines), mais l'organisation d'un véritable coup d'État n'a encore jamais été démontrée.

S'appuyant sur les archives Daladier, Serge Berstein a conclu que si cette « journée » a tout de même eu une cohérence, il faut aller la chercher du côté de la majorité du conseil municipal de Paris, ce qu'avait déjà suggéré le livre de Laurent Bonnevay. Ces conseillers municipaux, on les a vus marcher à la tête des Jeunesses patriotes ; on a vu leur délégation pressant Daladier de démissionner. Ainsi l'Hôtel de Ville aurait été une sorte de « centre politique de la journée du 6 février [24] ». But de l'opération ? Ramener la droite au pouvoir qu'elle a perdu depuis 1932, sous couvert de « salut public ». Jean-Pierre Taittinger, dirigeant des Jeunesses patriotes et député de Paris, apparaît du même coup comme un des acteurs clés de la journée. A l'intérieur de la Chambre, André Tardieu, dernier chef en date d'un gouvernement de droite, exprimait, par ses interventions, une solidarité de fait avec ce projet.

Si le but de la manifestation était un complot contre les institutions républicaines — et il fut cela pour certains —, le 6 février a été un échec. Si le but, plus limité, était de faire revenir la droite au pouvoir, la journée a finalement réussi. Daladier, en effet, après avoir reçu le soutien d'une large majorité le 6, a démissionné le 7. Pourquoi ? La défaillance personnelle n'en est pas la raison : le président du Conseil a eu le sentiment d'être « lâché » par les siens. Dans la nuit du 6 au 7 février, il énumère devant ses ministres toutes les mesures qu'il juge indispensables : proclamation de l'état de siège, ouverture d'une information contre la sûreté de l'État ; arrestation des chefs des Ligues. Or magistrats et fonctionnaires chargés d'exécuter ces décisions témoignent de leur mauvaise volonté. Ainsi le procureur général Donat-Guigne dit à Daladier : « Monsieur le Président, c'est avec des complots imaginaires ou des ouvertures d'informations intempestives qu'on discrédite la Justice. Ne mêlez pas la justice à la politique [25]. » Surtout, Édouard Daladier bute sur une opposition dans son propre parti. A l'annonce d'une nouvelle manifestation pour le soir du 7 février, Daladier et son ministre de l'Intérieur, Eugène Frot, étaient décidés à procéder à des arrestations préventives, fussent-elles illégales, et à appeler l'armée. Dans la matinée du 7, les ministres de la nouvelle génération radicale, sur lesquels Daladier s'était jusque-là appuyé (son ami Guy La Chambre et les trois Jeunes-Turcs, Pierre Cot, Jean Mistler et Léon Martinaud-Deplat), lui conseillent de démissionner. Tour à tour, le président de la Chambre, Bouisson, et le président du groupe radical, Herriot, l'encouragent eux aussi à la démission. Pour Herriot, la nécessité de reformer l'union nationale pour sauver le régime en danger est devenue évidente. Sans l'appui ferme du parti radical, Daladier ne pouvait continuer. Léon Blum, au nom du parti socialiste, prêchait pour la résistance, mais gênait lui-même Daladier en lui refusant la possibilité réclamée par celui-ci de mettre les Chambres en vacance. En fin de matinée, le président du Conseil se rend à l'Élysée et annonce sa démission. Pour la deuxième fois en onze jours, la rue ameutée avait eu raison d'un gouvernement disposant d'une forte majorité. Le commentaire de Maurras, dans *l'Action française* du 11 février ne manquait pas de pertinence :

> « Nous venons d'assister à trois opérations anticonstitutionnelles au premier chef : renversement du cabinet Chautemps, renversement du cabinet Daladier, naissance du cabinet Doumergue, toutes trois par les moyens extérieurs et

supérieurs au suffrage des Chambres qui, seules, sont compé-
tentes aux termes de la LOI. Si cela est républicain, moi je
veux bien... [26]. »

Lendemains

Comme en 1926, deux ans après une victoire électorale,
la gauche doit rendre le pouvoir à la droite. Après la
démission de Daladier, en effet, le parti radical entre dans
une combinaison d'union nationale, sous la houlette, cette
fois, de Gaston Doumergue, tiré de sa retraite de Tournefeuille par les supplications du président Lebrun. L'ancien
président de la République, qui avait alors soixante et onze
ans et bénéficiait de l'estime générale, ne passait pas pour
un « homme fort » mais il était l'honnêteté et la jovialité
réunies : il fut accueilli à Paris en sauveur. Même si la
gauche gardait la majorité dans le pays (hypothèse confirmée en 1936), la France n'avait plus de majorité de gauche.
Tout se passe comme si, à cause de ses contradictions
internes, celle-ci avait perdu son aptitude à gouverner.
Avec des variantes, le même scénario va être rejoué en
1938, deux ans après la victoire du Front populaire. La
formule « Union nationale », c'est-à-dire la coalition des
radicaux et de la droite, tend à s'imposer comme la solution
parlementaire de la troisième République entre les deux
guerres. Doumergue, à titre symbolique, choisit pour
l'entourer deux ministres d'État qui sont, l'un le leader du
parti radical, Édouard Herriot, l'autre le chef de l'ancienne
opposition de droite, André Tardieu.

Cette faiblesse de la gauche est criante le 7 février 1934.
Car, on l'a vu, ce n'est pas l'émeute du 6 — repoussée —
mais, le lendemain, la démission de la classe politique
« républicaine », et d'abord celle des chefs radicaux, qui
trahit le déclin du régime. Le président de la République,
le président de la Chambre, le leader du parti radical, les
ministres et parlementaires radicaux eux-mêmes ont poussé
Daladier à la démission et, partant, sapé l'autorité de la loi.

En bon républicain de gouvernement, Daladier s'apprêtait à prendre les décisions qu'en leur temps un Constans ou un Waldeck-Rousseau avaient su prendre face au danger de subversion nationaliste. Mais, derrière lui, les timidités, les relâchements, les défaillances se sont succédé en chaîne, à peine acquis le vote triomphal du 6 février. Le parti radical, à dater de ce jour, se trouve définitivement privé du *leadership* de la gauche. La défense du régime, ce sont le parti socialiste et la C.G.T. qui en assument désormais la direction... en attendant l'entrée en scène des communistes.

Au moment du 6 février, socialistes et communistes sont, et vont rester jusqu'au mois de juin 1934, sur des positions antagonistes. Au soir de la journée sanglante, une délégation des deux fédérations socialistes de la Seine et de la Seine-et-Oise, conduite par Zyromsky, Marceau Pivert et Farinet, s'est rendue au siège du parti communiste qui lui a refusé sa porte. La délégation laisse une lettre proposant une action commune. Son heure n'est pas encore arrivée. Le 9 février, le P.C.F. et la C.G.T.U. organisent une manifestation place de la République, en refusant toute idée d'accord avec le parti socialiste. Journée communiste qui demeure dans la ligne du 6, c'est-à-dire refus de la défense républicaine et lutte sur deux fronts « pour l'arrestation immédiate de Chiappe, des chefs de ligues fascistes *et des fusilleurs Daladier et Frot (sic),* pour la dissolution des ligues fascistes, pour celle de la Chambre, pour la R.P. [représentation proportionnelle], pour la défense des salaires et traitements ». Le nouveau préfet de police, Bonnefoy-Sibour, interdit la manifestation et installe un important service d'ordre place de la République, dont il barre toutes les issues. Les militants accourus de toutes parts vont se heurter aux barrages des boulevards Voltaire, Magenta, Saint-Martin et de Strasbourg. Des barricades sont dressées, des coups de feu échangés ; des heurts particulièrement violents se produisent à la gare de l'Est puis à la gare du Nord. Le bilan de la soirée est sévère : plus de 200 blessés des deux côtés des barricades et 4 morts, tués par balles de pistolet, chez les communistes. Le 11 février, *l'Humanité* continue à pourfendre « les chefs socialistes qui ont le cynisme et l'audace de prétendre entraîner les ouvriers à la lutte contre le fascisme ».

Pourtant, si les mécanismes de défense républicaine — qui s'appellera désormais « antifascisme » — sont enrayés en ce qui concerne les états-majors politiques, les intellectuels, quant à eux, vont saisir une nouvelle occasion de prendre l'initiative. Le 10 février, un certain nombre d'écrivains, tels Malraux, Alain, Eluard, Guéhenno, lancent un appel « à tous les travailleurs, organisés ou non, décidés à barrer la route au fascisme sous le mot d'ordre : unité d'action ». Celle-ci paraît s'amorcer le surlendemain. La C.G.T., soutenue par le parti socialiste, ayant appelé à la grève générale et à la manifestation pour le 12 février, la C.G.T.U., appuyée par le parti communiste, s'aligne sur les mêmes mots d'ordre. La réplique du 12 février remporte un succès incontestable : une grève largement suivie, 120 à 150 000 manifestants de la porte de Vincennes à la Nation. Là, Léon Blum déclare :

> « Nous sommes là tous unis pour défendre la République parce que nous savons que la République peut seule permettre notre marche en avant[27]. »

Cependant, aucun accord officiel entre les deux partis ouvriers n'a été conclu. S'il y eut « fraternisation » dans la rue entre les deux cortèges, elle ne dura que quelques heures. Au matin des obsèques des victimes communistes du 9 février, Vaillant-Couturier écrivait encore :

> « Nous n'oublions pas que nos camarades ont été tués par des balles payées sur les crédits votés par les élus socialistes. » (*L'Humanité* du 17 février)

La ligne « classe contre classe », excluant toute union « au sommet » avec les socialistes, n'était nullement remise en question. Cependant, dans les semaines suivant le 6 février, on apprit la création d'un Comité de vigilance des intellectuels antifascistes, ayant à sa tête le socialiste Paul Rivet, le radical Alain et le communisant Paul Langevin. Il publiait le 5 mars son manifeste, appelant à la « résistance populaire » pour « sauver contre une dictature fasciste ce que le peuple a conquis de droits et de libertés publiques ». Le même jour, le comité central du P.C.F. publiait une résolution où il se flattait de « l'unité d'action contre la bourgeoisie »... mais d'une unité à la base, répétant la nécessité « d'une lutte acharnée contre le parti socialiste et la C.G.T., diviseurs de la classe ouvrière [28] ». Ce n'est qu'au mois de juin que les communistes cesseront leurs attaques contre les socialistes ; c'est le 27 juillet seulement qu'un pacte d'union sera signé entre les deux partis. Cet accord, réalisé avec l'approbation du Komintern qui remettait ainsi en cause la ligne précédemment suivie, précédait la formation en 1935 du Rassemblement populaire [29], par lequel les radicaux — donnant leur adhésion — se réinsèrent de nouveau à gauche.

Ainsi, le danger pesant sur le régime a déclenché les mises en route de deux types de solution, dans lesquelles les radicaux ont été tour à tour partie prenante : au Parlement, la formation d'un gouvernement d'Union nationale ; entre les partis, la réalisation d'un nouvel avatar du Bloc des gauches, qui s'appellera Front populaire. La première solution, plus prompte à s'imposer, n'aura qu'une faible efficacité. Le ministère Doumergue ne restera en place que neuf mois. Au début de novembre, les ministres radicaux démissionnent, se déclarant hostiles aux intentions de réforme de l'État exprimées par Gaston Doumergue. Le 21 mars, une commission avait été constituée pour y travailler. Toutefois, ses propositions de révision constitutionnelle — et en particulier celle qui portait sur le droit de dissolution — étaient restées lettre morte. Doumergue avait repris l'initiative, en s'adressant directement au pays par la voie des ondes les 24 septembre et 4 octobre. Il affirmait la nécessité « de restaurer l'autorité de l'exécutif », une bonne réglementation et un bon usage de la dissolution devaient en être le moyen. Les socialistes et les radicaux du Sénat firent connaître leur hostilité. Léon Blum n'hésitait pas à écrire dans *le Populaire* : « C'est un coup d'État légalisé que prépare M. Doumergue », et de rappeler, *horresco referens,* « les coups de force à la 16 mai » : « Le gouvernement cesserait d'être un gouvernement parlementaire. Cet État cesserait d'être de la République [30]. » L'équation était devenue immuable ; la défense de la République équivalait toujours à la défense du régime tel qu'il était — en dépit de ses lourdeurs, de ses contradictions et du discrédit croissant dont il souffrait. L'heure n'était donc pas aux réformes ; Gaston Doumergue reprit le train pour son potager de Tournefeuille.

La seconde solution, plus classique, de l'union des gauches, triompha aux élections législatives d'avril-mai 1936, qui permirent aux communistes d'entrer en force à la Chambre et aux socialistes d'acquérir le groupe parlementaire le plus puissant, aux dépens des radicaux. Mais, unis face à un adversaire commun, à ses réalités et à son fantôme aux chaînes fascistes, les trois composantes principales de la gauche devaient démontrer leur incapacité à gouverner ensemble ; elles ne défendaient ni les mêmes philosophies politiques, ni les mêmes intérêts sociaux. En 1938, on retomberait à pied d'œuvre. On peut se demander devant pareille répétition de l'échec — trois fois en trois législatures différentes —, pourquoi les radicaux, défenseurs des classes moyennes et fidèles au système libéral, s'entêtaient à une union apparemment factice avec le reste de la gauche. Deux facteurs les y poussaient : non seulement l'intérêt électoral pour lequel ils s'assuraient les dividendes de la discipline républicaine, mais encore, et c'était moins mesquin, la puissance de leur fidélité idéologique aux grands principes historiques de la gauche. Au nom du passé, ils se considéraient, à chaque moment électoral, comme tenus de participer à l'alliance socialiste ; de fait, un abîme culturel séparait la famille radicale de la droite. Simultanément, les problèmes du présent les rendaient plus proches des modérés que de la gauche « marxiste ». La crise des années trente a imprimé une ligne de faille à travers le parti radical, parfois même à travers chacun de ses membres : trop prisonniers de leurs origines pour opter franchement pour l'Union nationale, mais trop profondément en contradiction avec le reste de la gauche pour assurer avec elle un gouvernement « populaire », les radicaux ont, par la dualité de leur nature, accru une instabilité gouvernementale que les lendemains du 6 février n'ont pu résoudre.

Cette journée d'émeute marque toutefois une rupture. Elle représente une étape dans la *dramatisation* de la vie politique française d'avant-guerre. Les Français auront de plus en plus tendance, à dater de ce jour-là, à s'affronter moins en adversaires qu'en ennemis. Le 6 février a ancré dans maints esprits d'une extrême droite renforcée et d'une droite frondeuse la conviction que le régime est fragile. Chez beaucoup, l'espoir d'une nouvelle journée, plus décisive, va en effet être entretenu jusqu'à la veille de la guerre.

> « Le 6 février, écrit le jeune député Mendès France, l'existence même de la République a été menacée. Les républicains doivent veiller, pour qu'une nouvelle émeute du même genre ne réussisse pas définitivement à la renverser [31]. »

Dans les années qui suivent, on observe les traits divers d'une « imprégnation fasciste » dans les discours de la droite [32]. Gardons-nous, cependant, de prendre toute manifestation d'antiparlementarisme pour une volonté de coup d'État. Il existe une critique saine et fondée d'un système parlementaire inefficace, d'élus jaloux de leurs prérogatives ; de partis incapables de placer le salut commun au-dessus de leurs passions sectaires. Mais l'impossibilité avérée de la réforme entraîne un certain nombre de censeurs modérés à sympathiser avec les solutions de force et les régimes autoritaires. A gauche, le 6 février va lancer définitivement le thème du « danger fasciste ». Les événements qui suivent ne font que durcir les antagonismes. L'accord socialiste-communiste, la guerre d'Éthiopie, les initiatives hitlériennes, les grandes grèves de juin 1936, la mise en place d'un gouvernement de Front populaire, la guerre civile espagnole, tout va se prêter au feu des passions opposées, aux désirs de revanche et aux critiques violentes du régime. Au demeurant, la défense de celui-ci va trop souvent équivaloir à la défense du *statu quo*.

Cette dramatisation de la vie politique intérieure a contribué, d'autre part, à distraire l'opinion et les hommes d'État du danger extérieur. Ainsi, toute mobilisation et toute ferveur, que réussira à provoquer, en France, le thème de l'antifascisme, vont se trouver concentrées contre les ennemis — vrais ou supposés — des ligues et des partis de droite, au préjudice d'une vigilance soutenue devant le danger le plus redoutable, celui de l'impérialisme hitlérien. En ce sens, le 6 février a pris dans les esprits antifascistes plus de place que le 30 janvier 1933 (l'accès de Hitler au pouvoir) : l' « esprit de Munich » en sera une marquante illustration et une funèbre conséquence.

Le 6 février 1934 est une date référence dans la mythologie de la gauche. Porteuse d'une double signification, elle rappelle l'hydre fasciste et l'union défensive et finalement victorieuse des forces progressistes. Le 6 février est par là même considéré comme l'une des causes majeures du Front populaire, lui-même longtemps exalté comme paradigme politique.

L'étude historique de la journée sanglante altère quelque peu cette imagerie militante. Outre que les organisations les plus représentatives ou les plus aptes à mobiliser se sont bien gardées de tenter l'assaut du Palais-Bourbon, la lecture de *l'Humanité* du 6 février, si hostile au gouvernement Daladier, et la seule présence des anciens combattants communistes de l'A.R.A.C. dans la manifestation créent une difficulté supplémentaire à baptiser celle-ci d'opération fasciste.

L'union de la gauche qui en résulterait est tout aussi sujette à caution. Elle avait un moyen efficace de se réaliser sur-le-champ, par le soutien inflexible au gouvernement Daladier. Or, c'est au sein de son propre parti que le président du Conseil rencontre le plus de résistance ; l'acceptation d'un gouvernement d'union nationale par les radicaux consomme la capitulation de ceux-ci. Ce n'est qu'en 1935 que le parti valoisien ralliera avec un enthousiasme mitigé le Rassemblement populaire, lequel, cependant, ne pouvait sans lui prétendre à la victoire. Quant à la réconciliation entre socialistes et communistes, elle n'a lieu qu'à la fin de juin 1934, au terme de la conférence nationale d'Ivry, entamée sur l'air de l'antisocialisme. Entre le début et la fin de la réunion, les consignes du Komintern ont assuré le changement de cap. En d'autres termes, la création du Rassemblement populaire doit plus à la conjoncture internationale et à la diplomatie stalinienne qu'aux échauffourées de la place de la Concorde. A tout le moins peut-on dire que les journées de février ont favorisé chez les électeurs de gauche la combativité antifasciste et la volonté d'union, qu'elles ont psychologiquement préparé la victoire électorale d'avril-mai 1936. Mais rien n'eût été possible sans le virage du parti communiste, c'est-à-dire du Komintern : comme on l'a vu, au cours des semaines qui ont suivi l'émeute, la presse du P.C. a réservé ses flèches les plus affûtées aux socialistes, toujours considérés comme l'adversaire à abattre en priorité.

Il faut donc dégager le 6 février de sa légende pour en saisir le sens véritable. Cette journée a mis à nu la crise du parti radical et, au-delà, l'usure de la « synthèse républicaine ». Le parti valoisien, dans les semaines et les mois suivants, est en butte aux attaques croisées de la droite et de la gauche. Pour les socialistes et les communistes, les radicaux se sont révélés des « capitulards », incapables de gouverner ; pour la droite — et malgré leur présence dans le cabinet de trêve présidé par Doumergue — les radicaux ont été convaincus de corruption et se sont montrés indignes de diriger le pays. La reculade du 7 février, le changement de majorité et les agressions venues de tous côtés provoquent de sérieux troubles dans les rangs du parti. Ainsi, Jacques Kayser dénonce-t-il le divorce croissant entre le pays « et les formes actuelles d'un parlementarisme de stagnation et de combinaisons personnelles qui entravent au lieu de la contrôler toute action gouvernementale [33] » ; ainsi une opposition interne grandit-elle contre la participation au gouvernement d'Union nationale ; ainsi, entre la base, animée par les Jeunes Radicaux, et les dirigeants du parti le désaccord devient-il manifeste : on exige l'épuration, un nouveau programme, une autre ligne ! Mais ces revendications sont bientôt dissoutes au congrès de Clermont-Ferrand, sous le flot oratoire d'Édouard

Herriot. L'impossibilité du parti radical à se reprendre est un signe de son inéluctable déclin.

Ce déclin politique, mis en lumière par le 6 février, traduit un malaise plus profond. Le parti radical, représentant des classes moyennes, éprouve des difficultés croissantes à protéger leurs intérêts dans une majorité de gauche. Depuis la fin de la Grande Guerre les producteurs indépendants se sont heurtés aux conséquences des bouleversements économiques et financiers : l'inflation, la concentration industrielle et commerciale ont pesé sur les revenus et menacé le statut social des classes moyennes. La crise a touché gravement le budget des agriculteurs ; les petits commerçants demandent en vain la disparition des magasins à prix unique ; les petits industriels protestent contre les charges fiscales... Ces diverses catégories ont été longtemps la clientèle du radicalisme. Or celui-ci ne peut répondre à leurs vœux sans se heurter à son allié politique privilégié, le parti socialiste — défenseur des salariés, ouvriers et fonctionnaires. Le marxisme mécanique et « ouvriériste » de la S.F.I.O. est hors d'état de formuler une théorie « frontiste » à même de redonner une armature doctrinale à l'ensemble de la gauche. L'impuissance de celle-ci à improviser pour le moins les mesures techniques appropriées à la situation va contribuer au mouvement de refuge généralisé vers l'idéologie : le « fascisme » a tenté de prendre le pouvoir le 6 février ; l'heure est donc à l'antifascisme. Mais cette solution n'est qu'un masque. Dans le fond, radicaux et socialistes n'ont plus en commun que des souvenirs. A quoi leur sert de se coaliser lors des élections s'ils s'entre-déchirent dès le lendemain ? La crise du parti radical, tiré à hue et à dia, déchiré entre son idéologie de gauche et sa politique économique, est ainsi celle de toute la gauche : celle-ci ne peut exister et prétendre à la victoire sans les radicaux, mais les radicaux ont de moins en moins de raison d'être à gauche.

Profitant de l'incapacité nouvelle de la gauche à gouverner, les forces de droite en viennent à s'estimer comme les seules légitimées à prendre en main la direction de l'État. Faute de l'appui du suffrage universel, elles n'hésitent pas à mettre tout en œuvre pour briser ce maillon le plus faible de la gauche malade qu'est le parti radical. Celui-ci, en 1932, a refusé les avances de Tardieu et s'entête à une « discipline républicaine » qui lui réserve l'accès au pouvoir. Le scandale Stavisky, dès lors, devient une merveilleuse machine à discréditer les radicaux, à en faire des modèles de ministres tarés et d'élus concussionnaires, et à les frapper d'indignité politique. Le coup réussit : le 6 février casse le nouveau « Cartel », détache les radicaux des socialistes et rouvre les portes du pouvoir à la droite. Mais les moyens employés par celle-ci pour y parvenir, la collusion avec l'extrême droite que certains de ses membres ont délibérément acceptée, les abus de langage devenus habituels dans ses rangs, l'utilisation à Paris d'une presse vénale qui lui est largement acquise aux fins de la désobéissance publique, la campagne pour la « dissolution » à temps et à contretemps... il est patent que le désir de revanche a provoqué dans ses diverses composantes des réactions lourdes de conséquences sur l'avenir de l'esprit civique.

En fait, ni le 6 février ni la suite — en particulier le Front populaire — ne résolvent le problème politique français. Tout au contraire : loin de susciter les analyses sereines et les diagnostics nécessaires sur les erreurs des choix économiques et financiers, la journée sanglante entraîne un durcissement idéologique, le recours aux invectives manichéennes, bientôt la coupure d'une France en deux camps acharnés à s'entraccuser de complot. De tous les grands pays frappés par la crise économique, la France va se trouver le moins capable de sortir du marasme : de 1929 à 1938, la production industrielle française baisse de 24 %, tandis qu'elle augmente de 20 % en Angleterre, de 16 % en Allemagne et de 10 % dans l'ensemble du monde. Ni la droite ni la gauche ne sauront prendre les mesures efficaces : le fétichisme du franc-or, l'entêtement dans la déflation, le refus de dévaluation, autant de signes... A défaut de prendre les réalités à bras-le-corps, on a de nouveau agité les épouvantails.

De ce point de vue, le 6 février n'est pas insignifiant. La dramatisation de la scène politique qu'il suscite va enchaîner la France à ses mythes et à ses divisions. Si les crises précédentes avaient eu des effets constructifs, celle-ci contribue à installer dans la psychologie collective la démonologie de la guerre civile : dans un pays modéré dans ses profondeurs, gouverné depuis longtemps par le « Centre », il ne sera bientôt bruit que de « fascisme » et de « communisme ». De cette montée des extrêmes, de cette polarisation binaire si rassurante pour l'esprit, allait résulter l'exaspération des passions et la victoire du Front populaire. Une moitié de la France contre l'autre — pour le meilleur (les lois sociales) et pour le pire (la mythologie de la guerre de Religion). Solution de courte durée, qui ne réglait que de manière précaire ce que le 6 février avait mis en évidence : l'incapacité des diverses familles de gauche à gouverner ensemble depuis l'armistice ; l'impréparation des droites à prendre le relais.

6

Le 10 juillet 1940

Le 10 juillet 1940 doit être retenu avant tout comme une date symbolique : elle consacre plus qu'elle ne provoque la mort de la troisième République. Ce jour-là, l'Assemblée nationale réunie à Vichy sonnait le glas de la démocratie parlementaire en votant les pleins pouvoirs constitutionnels au maréchal Pétain. En fait, la déroute militaire, confirmée par la signature de l'armistice du 22 juin, s'est révélée comme la cause nécessaire et suffisante de la chute du régime. Depuis Napoléon, tout se passe comme si aucun pouvoir politique, en France, ne pouvait survivre à une défaite : de Waterloo à Sedan, aucune légitimité ne résiste au sort funeste des armées. Aussi les origines de la crise de 1940 seraient-elles à rechercher d'abord dans les causes de la débandade des régiments. Là-dessus, on n'a cessé de parler, de gloser, de débattre : les Mémoires personnels, les commissions d'enquête, les procès des vaincus et des doubles vaincus — ceux de l'an 40 et ceux de la Libération — ont lâché un flux de plaidoyers, d'explications *a posteriori* et d'analyses contradictoires, où chacun puise encore aujourd'hui d'inébranlables certitudes. L'effondrement de 1940 reste de nos jours, pour les générations avancées, un des plus efficaces sujets de discorde. On n'entrera pas, ici, dans cette controverse qui, pour être sans cesse renouvelée, n'est pas exactement dans notre propos. Je renvoie le lecteur à l'immense littérature qui en traite[1]. Il y découvrira, du reste, que l'explication de la défaite est presque toujours inspirée par des considérations extra-militaires — le discours politique et idéologique prospère sur les désastres ; ce sont les états-majors qui gagnent, ce sont les gouvernements qui perdent les guerres.

Une manière d'expliquer la chute de la troisième République consisterait donc à partir de cette défaite militaire et, par induction, à en chercher les causes de moins en moins immédiates, jusqu'à trouver l'idée mère de ce que Georges Bernanos appelait « la Grande Culbute ». Dans le cadre de ce livre portant sur les crises politiques, on procédera autrement. Sans oublier la guerre, qui est au centre de l'événement, je me contenterai de suivre l'évolution proprement politique que connaît la France, de l'éclatement du Front populaire à l'abdication de l'Assemblée nationale.

Toutefois, avant d'examiner les dernières années et la chute de la troisième République, il faut révoquer sans appel le déterminisme selon lequel et le sort des armes et la chute des institutions étaient rendus inévitables par une sorte de décomposition organique du régime, devenue évidente depuis le début des années trente. Cette étiologie politique a été maintes fois avancée, reprise, orchestrée. Qu'il suffise de noter, pour l'instant, que l'ultime gouvernement du temps de paix — celui d'Édouard Daladier — a été un des plus longs depuis 1875 ; qu'il fut soutenu, de surcroît, par la grande majorité des Français. Ce simple fait appelle la prudence de l'analyste ; il lui interdit de condamner rétroactivement un système institutionnel encore loin de l'agonie. S'il est peu contestable que les déchirements français ont, depuis l'avènement de Hitler, affaibli les capacités de résistance armée à l'impérialisme nazi, on doit cependant garder en mémoire les signes de redressement dont témoigne ce gouvernement Daladier et les responsabilités écrasantes de la Grande-Bretagne dans la funeste politique d'*apeasement* si favorable aux ambitions national-socialistes. Dans ce dernier cas, nul ne remet en cause le régime parlementaire britannique ; la bataille d'Angleterre, remportée par la Royal Air Force, l'explique aisément. La géographie y a sa part, on ne saurait l'oublier, quelles que soient la trempe du peuple anglais et la stabilité légendaire de sa démocratie. Inversement, la campagne de France, perdue par les forces françaises et britanniques, ne saurait à elle seule démontrer l'inévitable fin d'un régime nécrosé. Même aux explications déterministes en apparence les plus fondées, il ne faut jamais omettre d'opposer le poids des contingences ; l'esprit de système le néglige par définition. Tel homme, placé à un moment donné dans une situation de responsabilité éminente, peut faire des choix aux conséquences incalculables. Pareille affirmation pourrait rappeler la vieille histoire à la Plutarque, où les exploits et les défaillances des « grands hommes » restent l'alpha et l'oméga du destin universel ; pourtant, en faisant bien la part des choses, l'historien des crises ne peut manquer de prendre en considération la portée de certains actes individuels, quand le sort même de la nation se trouve entre les mains de quelques-uns. En voici un exemple : Paul Reynaud, président du Conseil, décidé à se battre jusqu'au bout contre l'envahisseur, désigne comme généralissime Weygand et fait entrer dans son cabinet le maréchal Pétain, plaçant ainsi au premier rang les deux soldats les plus hostiles à ses vues, les moins aptes à assumer la politique de « la Patrie en danger », qui se révèlent être les plus acharnés à vouloir l'armistice. Les erreurs de Reynaud au cours des semaines tragiques du printemps 1940 ne peuvent rendre raison de la supériorité stratégique de l'armée allemande ; en revanche, elles contribuent à la « solution » politique du 10 juillet, comme d'autres actes personnels de ses ministres. Par une de ces ironies de l'Histoire, c'est l'ultime défenseur du régime qui introduisait dans la place ses fossoyeurs.

A l'opposé, n'accordons pas plus d'importance qu'il n'en mérite au nez de Cléopâtre. Un événement aussi capital que la chute de la troisième République ne tient pas seulement aux caprices du hasard. Comme pour tous les grands faits historiques, il importe de rendre au hasard ce qui appartient au fortuit et à la nécessité ce qui coule de source. La maxime, il est vrai, s'énonce plus facilement qu'elle ne s'applique !

L'échec du Front populaire

Le Front populaire a été une formule politique conjuguant l'ancien et le nouveau. Comme gouvernement d'union des gauches, il avait des précédents. La nouveauté venait de ce que cette coalition de gauche incluait la C.G.T. réunifiée et un parti communiste qui, jusqu'à la fin de juin 1934, avait fait cavalier seul. Les élections législatives d'avril-mai 1936 ont permis aux trois formations principales de tirer le meilleur profit de la « discipline républicaine ». 1. La S.F.I.O., sans gagner de voix, devenait le premier parti français par le nombre des suffrages exprimés et des sièges conquis. Pour la première fois de son histoire, son leader Léon Blum était appelé à former un cabinet. 2. Les radicaux, en perte d'audience, réussissaient néanmoins à maintenir une représentation flatteuse à la Chambre. 3. Le parti communiste faisait sa véritable percée électorale (de 8 à 15 % des suffrages exprimés entre 1932 et 1936 et 72 sièges cette fois, au lieu d'une dizaine), tout en obtenant une unification syndicale dont il allait pleinement profiter à plus long terme.

Le 5 juin 1936, Léon Blum dispose ainsi d'une confortable majorité à la Chambre. Le 15 juin 1937, celle-ci lui vote encore, par 346 voix contre 247, « les pouvoirs nécessaires pour assurer le redressement financier ». Mais le Sénat, entraîné par le radical Joseph Caillaux, refuse de suivre les députés par son vote du 21 juin 1937, à la suite duquel Léon Blum donne sa démission. Le premier gouvernement de Front populaire a duré à peine plus d'un an. La majorité de gauche issue des élections de 1936 ne survivra pas plus d'un an encore : on peut dater l'agonie du Front populaire du printemps 1938.

On doit évidemment se demander pourquoi Léon Blum s'est incliné aussi facilement devant le Sénat. Il pouvait revenir très légalement devant la Chambre et se faire confirmer l'appui des députés. Ce conflit entre les deux assemblées, à supposer que le Sénat s'entêtât, aurait pu être tranché par de nouvelles élections, après dissolution de la Chambre. Le président du Conseil n'a pas voulu de l'affrontement, il s'en est expliqué[2]. En fait, au bout d'un an, il avait compris l'échec de ce qu'il avait nommé son « expérience », aussi bien du point de vue social que politique. Cette tentative socialiste d' « exercice du pouvoir » en régime capitaliste, on l'appellerait volontiers aujourd'hui « social-démocrate ». En d'autres termes, refusant, dans les circonstances précises de 1935-1936, la voie révolutionnaire, le leader socialiste a proposé au patronat français un compromis : d'un côté, celui-ci acceptait une nouvelle législation sociale, de nouvelles conventions entre le capital et le travail ; d'un autre côté, le gouvernement et le mouvement ouvrier ne porteraient atteinte ni à la propriété privée des moyens de production ni aux grands principes du libéralisme économique. Le patronat a été acculé aux concessions par la puissance du mouvement de grèves de mai-juin 1936. Mais, la vague retombée, il s'est évertué à entraver l'application de l'accord Matignon et des lois sociales de juin. A cet égard, il faut observer le poids décisif exercé par les petits et moyens patrons, plus directement touchés par les lois sociales que les grandes entreprises. Faute d'analyse prenant en compte les intérêts des classes moyennes non salariées, dont une partie fournissait sa clientèle à la gauche modérée, les socialistes au pouvoir ont provoqué la gêne et l'opposition des radicaux à l'écoute des diverses catégories d' « indépendants ». Le front de classes qu'avait implicitement instauré le Front populaire n'avait pris en considération — en dehors des ouvriers — que certains intérêts de la paysannerie, comme en témoigne la création de l'Office du blé, garantissant les prix des céréales. Mais, entraînés par leur formation marxiste à négliger les classes moyennes en général, les dirigeants du Front populaire indisposaient gravement une partie de cette clientèle de gauche défendue par les radicaux, à cette époque où les salariés dépassent à peine 60 % de la population active[3]. La contradiction de classes, minant l'unité de la gauche, reproduisait la division entre socialistes et radicaux déjà observée antérieurement.

Cet échec social se double en effet d'un échec politique.

La réaction patronale a encouragé le Sénat qui, après sa docilité première, s'est peu à peu cabré contre le ministère. Toutefois, le conflit politique n'a pas été un simple démarquage d'une lutte des classes. En fait, la coalition de gauche de 1936 était très hétéroclite. Chacune des trois formations principales qui la composaient visait des buts différents. Dès les premiers mois, la guerre d'Espagne a fait apparaître les désaccords. Les radicaux se sont sentis de plus en plus mal à l'aise dans cette union qu'ils ne dirigeaient pas et dont ils formaient l'aile droite. Ces radicaux, on le sait, répugnent à la discipline de parti ; certains députés abandonnent la majorité dès l'été 1936. Si la majorité des radicaux de la Chambre est restée solidaire du gouvernement, il n'en a pas été de même des radicaux du Sénat qui entraînent finalement la chute du gouvernement Blum. Une nouvelle fois se trouvait vérifiée dans le pays l'inaptitude au gouvernement d'une gauche pourtant majoritaire. Après les tentatives de Chautemps et un second et éphémère ministère Blum, qui bute derechef, au bout de trois semaines, le 10 avril 1938, sur l'hostilité de la deuxième Chambre, la formule du Front populaire s'altère rapidement dès la formation du gouvernement Daladier, le 12 avril 1938.

La République de Daladier (avril 1938-mars 1940)

Certains auteurs voient dans la conférence de Munich (29 septembre 1938) le moment de la rupture entre les partis de gauche. En fait, les liens entre eux se sont quasiment brisés dès la mise en place du second gouvernement Daladier. Celui-ci, en effet, n'hésite pas à faire entrer dans son cabinet à dominante radicale plusieurs représentants de la droite, dont le plus connu, Paul Reynaud, a été un adversaire loyal mais ferme de Léon Blum et de la loi des 40 heures, considérée comme un des principaux acquis du Front populaire. Ce gouvernement est accueilli à la Chambre par une quasi-unanimité lourde d'équivoque. Par la suite, Daladier se maintient grâce à des majorités changeantes, au gré des questions débattues. Mais, progressivement, le cas de figure produit par les discussions de la Chambre est l'opposition d'un nouveau bloc majoritaire (radicaux et droite) et du bloc minoritaire (communistes et socialistes). Cette majorité de rechange s'esquisse dès le 17 juin 1938, lorsque deux cent quarante et un députés socialistes et communistes s'élèvent ensemble contre le décret de clôture. Pour la troisième fois consécutive en trois législatures entamées par une majorité de gauche, la formule d'Union nationale, telle que Poincaré l'avait expérimentée en 1926, s'imposait au Parlement, sans que, contrairement aux règles de la démocratie parlementaire britannique, on jugeât utile de consulter le corps électoral. La France reste le pays où, depuis 1877, *on ne dissout plus la Chambre*. Au demeurant, ce nouvel avatar d'Union nationale était peut-être la meilleure combinaison, vu l'état des forces sociales et de l'opinion : un Jacobin, au menton carré, sans complaisance pour le fascisme, dirigeait un gouvernement pour Français moyens, sans complaisance pour le collectivisme. La répétition du phénomène n'était pas hasardeuse mais la formule était cette fois plus achevée, puisque, la direction du gouvernement revenant à un homme de gauche, il n'y avait plus de doute sur la légitimité républicaine du conservatisme gouvernant.

Le ministère Daladier est le dernier cabinet de paix et le premier cabinet de guerre. Le danger extérieur devient chaque jour plus préoccupant. Le président du Conseil va connaître l'infortune d'attacher pour la deuxième fois son nom à une reculade, malgré qu'il en ait. Après la démission du 7 février 1934, voici l'abdication devant Hitler, de concert avec Chamberlain. A dire vrai, Daladier ne partage pas l'optimisme du Premier ministre anglais ni de son propre ministre des Affaires étrangères, Georges Bonnet — lesquels, d' « apaisement » en « apaisement », ne font qu'exciter les appétits insatiables du Führer. A la conférence de Munich, Daladier, vu l'avis de son état-major et la position anglaise, doit se résigner à l'abandon de l'allié tchécoslovaque. Mais il n'est « munichois » que par résignation, sans illusions, et décidé à une politique de fermeté

à laquelle le sursis accordé par l'accord du 30 septembre
devrait contribuer.

C'est sur cette toile de fond inquiétante, face à un danger
extérieur de plus en plus pressant, que le gouvernement
Daladier va faire montre d'une autorité nouvelle. Selon
Roger Génébrier, chef de son cabinet, le président du
Conseil est alors animé d' « une seule passion : la défense
du pays devant le péril extérieur, et [...] on doit expliquer
tout son comportement en partant de cette donnée essentielle[4] ».

Ce « comportement » correspondait à une évolution
sensible de la pratique institutionnelle, au profit d'un
renforcement de l'exécutif. Cette tarte à la crème des
révisionnistes, voilà qu'elle devenait une réalité. Sans
vouloir réformer la Constitution, Daladier a exercé alors
une sorte de magistrature exceptionnelle, dans la tradition
du salut public républicain[5]. Cet exercice de l'autorité lui a
valu d'abondantes attaques, où l'accusation de dictature
n'a pas manqué. Mais l'opinion, dans son ensemble, si l'on
en juge par les élections partielles de la période, acquiesce
à cette nouvelle *existence* gouvernementale : on demande
de l'ordre, de la discipline, de l'État ! Le principal instrument de renforcement de l'exécutif a été la procédure
généralisée des décrets-lois. Celle-ci, adoptée pendant la
Grande Guerre, réutilisée à partir de 1934, paraît être
devenue la règle et non plus l'exception. Par trois fois, la
Chambre accorde à Daladier une large délégation de
pouvoirs : par les lois du 13 avril 1938, du 5 octobre 1938 et
du 19 mars 1939. Les deux premières avaient trait aux
questions économiques et financières ; la troisième portait
sur « les mesures nécessaires à la défense du pays » — ce
qui était vague et vaste — et cela pour huit mois durant.
Cette pratique avait pour corollaire l'effacement du Parlement, ce qui répondait à un vœu répandu. Daladier n'avait
pas inventé les décrets-lois mais aucun gouvernement n'en
avait usé avec une telle régularité et fort d'un soutien aussi
constant des députés. L'appui que le président du Conseil
trouve chez eux reflète celui d'une opinion satisfaite par le
raffermissement du pouvoir.

Le 1er septembre 1939, les troupes allemandes envahissent la Pologne. Le 3, le Royaume-Uni et la France déclarent la guerre au troisième Reich. Le ministère Daladier assume la conduite de la guerre jusqu'au 20 mars 1940. Du point de vue de la politique intérieure, cette période dite de la « drôle de guerre » est marquée par la dissolution du parti communiste, le 26 septembre 1939, à la suite de l'invasion de la Pologne par les Russes consécutive à la signature du Pacte germano-soviétique, et par le vote de la déchéance des parlementaires communistes, le 20 janvier 1940. L'entente entre Hitler et Staline et la suspension de la ligne antifasciste par l'Internationale communiste achevaient de ruiner la cohésion de la gauche. Tributaire des aléas de la diplomatie soviétique, le parti communiste disparaissait de l'horizon, avant de renaître dans la clandestinité. Sombre et douloureux épisode dans l'histoire d'un parti qui, par les voix de Thorez ou de Gabriel Péri, avait manifesté tant de bonheur à réintégrer la communauté nationale[6]. Épisode, qui plus est, démonstratif : la gauche dépendait désormais d'une extrême gauche, dont la dimension « internationaliste » rendait problématique, suspect et précaire le retour à l'union. La séquence 1939-1941 aura beau être refoulée dans la mémoire communiste par la geste héroïque de la Résistance, elle aura beau être « arrangée » dans la vulgate historique des militants, elle n'en constituera pas moins la référence clé de la dépendance du P.C.F. à l'égard de l'Union soviétique. Front populaire ou futur Front national, l'union avec le parti communiste, quelle que soit sa formule, risquait d'être un « échec permanent[7] ». Cette faiblesse s'ajoutait aux autres divisions de la gauche et rendait plus fragile la base populaire de la troisième République, avant la suivante.

De son côté, le gouvernement Daladier s'est usé ; le 20 mars 1940, le président du Conseil, de plus en plus critiqué pour son « attentisme », était amené à remettre sa démission.

L'échec de Paul Reynaud (22 mars-16 juin 1940)

Sur le conseil des présidents des deux Chambres, Jeanneney et Herriot, Albert Lebrun fait appel à Paul Reynaud
pour remplacer Daladier. Cet homme de petite taille,
d'esprit vif, libéral de centre droit, s'est fait souvent
remarquer par une lucidité qui brave les conformismes.
Favorable à la dévaluation, en 1934, contre l'orthodoxie
financière de la majorité, il devint, l'année suivante,
favorable aux thèses du colonel de Gaulle, théoricien de la
guerre de mouvement, contre l'orthodoxie de l'École de
guerre. Sous le Front populaire, il attaque vigoureusement
la loi des 40 heures, ce qui ne l'empêche nullement de se
faire l'avocat de l'union nationale avec les socialistes, en
1938, au moment de l'*Anschluss*. A la demande de Léon
Blum proposant une formule d'unanimité nationale, Reynaud est des quelques hommes de droite avec Mandel et
Kérillis, à lui donner son appui. « On ne peut [...] résoudre
les problèmes d'aujourd'hui, dit-il alors à la Chambre, que
par l'unanimité. » Cette déclaration ayant suscité les tollés
du sectarisme, Reynaud avait répliqué :

> « En vérité, Messieurs, je suis surpris de cette intolérance.
> Je crois qu'à l'heure actuelle, alors que la paix et la guerre
> sont en question, c'est une faute que de repousser l'offre qui
> vous est faite, et pour ma part, cette responsabilité, je ne la
> prendrai pas. »

Garde des Sceaux puis ministre des Finances du cabinet
Daladier, il a fait signer par le président du Conseil, le
12 novembre 1938, une kyrielle de décrets-lois, qui notamment assouplissaient la règle des 40 heures dont la rigidité
était nuisible à la reprise et aux volontés de réarmement, ce
qui l'amena à affronter la grève générale lancée par la
C.G.T. le 30 novembre suivant, qui fut un échec. Son
effort de redressement économique et financier a été
complété par des mesures d'encouragement à la natalité,

inspirées par Alfred Sauvy, qui préfigurent le premier
Code de la famille, réalisé en 1939. C'était là, entre autres,
quelques-uns des mérites dont il pouvait se targuer. Mais si
cet anticonformiste en impose par son intelligence à des
députés dont il sait obtenir le silence, il ne parvient pas
toujours à mettre en pratique ses convictions. Une certaine
aménité mondaine l'entraîne à s'entourer d'esprits qui ne
partagent pas ses résolutions. On a fait grand cas, à ce
sujet, — notamment le journaliste Pertinax —, de
l'influence politique malheureuse qu'aurait exercée sur lui
Hélène de Portes. Quoi qu'il en soit, lorsque Paul Reynaud
accède au pouvoir, en mars 1940, à la faveur d'une petite
majorité (par 268 voix, c'est-à-dire une voix de plus que le
total des votes contre — 156 — et des abstentions — 111),
c'est pour en finir avec l'attentisme qui use le moral des
armées ; c'est pour prendre l'initiative : il fait partie du
camp qu'on appelle « belliciste », des partisans de la guerre
à outrance. Il ne supporte pas l'idée qu'après avoir
abandonné la Pologne à Hitler, on attende que celui-ci
engage le combat où et quand il le voudrait.

Reynaud, à son corps défendant, a laissé le ministère de
la Défense nationale et de la Guerre à Daladier : c'était le
prix à payer à l'appui des radicaux. Le nouveau président
du Conseil voudrait réaliser une nouvelle Union sacrée.
Les socialistes, et surtout Léon Blum, ne lui ménagent pas
leur soutien ; plusieurs membres de la S.F.I.O. font partie
du nouveau cabinet. Mais ce fait même encourage les
attaques de la droite et du centre et achève de lui aliéner ce
que son activisme belliqueux avait déjà dressé contre lui
dans sa propre famille politique. Le 22 mars, Reynaud se
présente devant la Chambre et lit une courte déclaration,
où l'on reconnaît déjà la marque de son collaborateur
Charles de Gaulle, qu'il devait faire entrer un peu plus tard
dans son gouvernement :

> « La France est engagée dans la guerre totale.
>
> « Un ennemi puissant, organisé, résolu, transforme en
> moyens de guerre et concentre pour triompher toutes les
> activités humaines.
>
> « Aidé par la trahison des Soviets, il porte la lutte dans

tous les domaines et conjugue tous les coups qu'il frappe, avec une sorte de génie de la destruction dont nous ne méconnaissons point ce qu'il a de grandiose en même temps que d'odieux.

« Par le fait même, l'enjeu de cette guerre totale est un enjeu total.

« Vaincre, c'est tout sauver. Succomber, c'est perdre tout.

« Messieurs, le Parlement, exprimant le sentiment national, a mesuré dans toute leur étendue ces terribles réalités. Aussi le gouvernement qui se présente devant nous n'a-t-il pas d'autre raison d'être et n'en veut-il pas d'autre que celle-ci :

« Susciter, rassembler, diriger toutes les énergies françaises, pour combattre et pour vaincre, écraser la trahison, d'où qu'elle vienne.

« Grâce à votre confiance et avec votre appui nous accomplirons cette tâche.

« S'il nous fallait un autre réconfort, nous n'aurions qu'à compter les ressources immenses de la patrie et de l'Empire, nous n'aurions qu'à évoquer la vaillance de notre peuple, le labeur de nos ouvriers et de nos paysans, la force de nos armées, l'ardeur de nos soldats, la valeur de leurs chefs, nous n'aurions enfin qu'à penser au génie éternel de la France. »

Cette scène du 22 mars n'est pas de celles qui restent gravées dans le marbre de la mémoire nationale. Elle est médiocre, parfois mesquine. On critique la composition du gouvernement ; on s'en prend à la personne de tel ou tel ministre ; un député de droite — Fernand Laurent — va jusqu'à reprocher au socialiste Georges Monnet (ministre du Blocus) d'avoir signé, huit ans plus tôt, une motion pacifiste lors d'un congrès de l'Internationale socialiste ; on incrimine ce ministère d'être plus de gauche que d'unanimité ; on suggère que Reynaud a comploté avec les socialistes pour s'emparer du pouvoir. L'intervention de Léon Blum rehausse le niveau du débat. Pourquoi les socialistes auraient-ils refusé la collaboration qu'on leur demandait ?

« Le parti socialiste l'a fait, sans autre pensée que de remplir son devoir et de faire ce qu'il n'a cessé de désirer, ce à quoi il n'a cessé de travailler depuis deux ans : le plus grand rassemblement de toutes les énergies vitales, de toutes les forces républicaines de ce pays. »

Finalement, l'ordre du jour accordant la confiance au gouvernement est voté par la majorité absolue d'une seule voix. En pleine guerre, la Chambre ne parvient même pas à créer, derrière un nouveau chef déterminé à se battre, l'élan d'unité patriotique qui, sous la menace extérieure, paraît de rigueur. Du moins la résolution de Paul Reynaud pourrait-elle suppléer au soutien massif des parlementaires ?

> « L'essentiel, écrit le président du Sénat, Jules Jeanneney, est que [...] l'énergie croissante dans la conduite de la guerre se manifeste vite [8]. »

L'initiative attendue va fixer son théâtre d'opérations sur la Scandinavie. Reynaud parvient à convaincre les Britanniques de lancer un corps expéditionnaire commun destiné à couper la route du fer suédois aux Allemands. Mais ceux-ci prennent leurs ennemis de vitesse en occupant le Danemark et la Norvège. Les Alliés s'emparent finalement de Narvik, mais le 27 mai seulement, alors que la bataille de France contraint le corps expéditionnaire à réembarquer quatre jours plus tard.

Depuis le 10 mai, en effet, l'offensive allemande avait été lancée. Cependant que le gros des forces franco-britanniques est envoyé au nord et en Belgique, Hitler fait appliquer le plan Manstein, faisant porter l'attaque principale sur les Ardennes, à la charnière du dispositif allié — secteur jugé sans danger, comme l'avait affirmé Pétain en 1934. L'impéritie du haut commandement est patente dans les jours suivants. Reynaud, depuis longtemps, était en désaccord avec Daladier et le commandant des armées de terre, Gamelin, eux-mêmes solidaires : les aléas de l'affaire de Norvège avaient achevé de les opposer. Dans l'impossibilité de faire admettre ses propres vues, le président du Conseil offre la démission de son gouvernement le 9 mai — offre qu'il reprend dès le lendemain en raison de l'offensive allemande. Louis Marin, président de la Fédération républicaine, et Jean Ybarnegaray, autre député de droite, deviennent ministres d'État : cette fois, quoiqu'un peu tard, l'union était faite des socialistes aux conservateurs. Le sol foulé par l'ennemi, Paris menacé par l'arrivée des *panzers*, alors qu'on venait à peine d'apprendre la reddition de Rotterdam, la Chambre s'est ressaisie. Le 16 mai, elle fait une ovation à Reynaud, qui déclare :

> « Il faut nous forger tout de suite une âme nouvelle. Nous sommes pleins d'espoir, nos vies ne comptent pour rien. Une seule chose compte : maintenir la France. »

Trois jours plus tard, l'armée allemande poursuivant sa marche fulgurante grâce à ses blindés et à ses *stukas,* Reynaud est en position de se débarrasser de Gamelin. Il le remplace par le général Weygand, qu'il a fait revenir de Beyrouth où il commandait l'armée du Levant. De plus, il fait revenir de Madrid, où il était ambassadeur, le maréchal Pétain, qu'il nomme vice-président du gouvernement. A cette occasion, Reynaud procède à un remaniement ministériel ; en particulier, il charge Georges Mandel, l'ancien collaborateur de Clemenceau, jusque-là sous-secrétaire d'État aux Colonies, du ministère de l'Intérieur et, enfin, il prend en charge lui-même la Défense nationale, en permutant avec Daladier, appelé aux Affaires étrangères. Quand on sait la suite, on se demande pourquoi Reynaud, désireux de prendre les habits d'un Carnot (« En France, lui disait le colonel de Gaulle, le grand homme de cette guerre sera Carnot, ou ne sera pas »), a-t-il eu recours à Weygand et à Pétain. Il s'en est expliqué dans ses *Mémoires :*

> « Des chefs illustres de la Grande Guerre, il n'en reste que deux : Pétain " le vainqueur de Verdun ", Weygand " le bras droit de Foch ". Eux seuls ont assez de prestige pour redresser le moral de l'armée[9]. »

De fait, l'opération psychologique du « retour des vieux chefs » est dans l'immédiat réussie. Le lendemain, la presse exprime son enthousiasme :

« Pétain ! s'exclame *le Jour*. Ces deux syllabes ont dû claquer sur tout le front, au plus fort de la mêlée, comme l'annonce d'un renfort inespéré ! »

Au milieu du concert plébiscitaire qui accueille le rappel du « glorieux vainqueur de Verdun », *l'Ordre* écrit :

« Je suis sûr qu'à Berlin le nom de Weygand est dans toutes les bouches pour la plus grande inquiétude de tous les esprits. Ce n'est pas, en effet, un nom de défaite, un nom de capitulation. Il prend le commandement à l'heure décisive.... »

Hélas ! par une mauvaise disposition de la fortune, les deux « illustres » rescapés de 14-18 donnèrent vite beau jeu à tous les alarmistes et à tous les défaitistes. Reynaud pouvait-il se douter que ces Nestors fameux allaient se révéler comme les champions de l'armistice ? Lui qui avait soutenu les thèses que le colonel de Gaulle opposait aux conformismes de l'École de guerre, lui était-il interdit d'éprouver un doute sur la pertinence de son choix ? De Gaulle, il est vrai, va aussi faire partie de son ministère, à dater du 5 juin, mais c'est à un modeste poste de sous-secrétaire d'État à la Guerre. Tout de même, quelle étonnante cohabitation, que celle de ces deux soldats sous les yeux bridés de Paul Reynaud : Pétain ! De Gaulle ! ces deux hommes qui, quatre ans durant, vont incarner les deux politiques antagonistes, celle de « l'État français », emmuré dans l'illusoire révolution nationale, et celle de la France libre qui, sans l'autre, aurait dû monopoliser l'espoir national. Le maréchal et son subordonné n'auront guère le temps de se côtoyer dans le cabinet Reynaud, puisque celui-ci est conduit à donner sa démission le 16 juin.

Le retrait de Paul Reynaud va peser très lourd sur le sort du régime. Il faut bien en saisir le contexte dramatique. Depuis plusieurs jours, les routes de France, au sud et à l'ouest de Paris, sont encombrées par des millions de Français fuyant devant les troupes allemandes. Le spectacle de cet exode est pathétique : voitures individuelles en quête d'essence, autobus, charrettes à bras, bicyclettes, brouettes, piétons, tous surchargés d'objets familiers et inutiles, avancent avec une désespérante lenteur en direction d'un refuge inconnu. Obstruant les mouvements des armées, mitraillé par les avions allemands, couché dans les fossés ou réfugié dans les bois au moment de l'alerte, envahissant les dernières boulangeries ouvertes dans les villages traversés, cherchant avec anxiété un toit pour la nuit, le flot grossissant des fugitifs offre le spectacle d'un peuple pris de panique, abandonné par un gouvernement sans autorité, sans plan, et sans avenir. Celui-ci avait donné l'ordre à quelques administrations de se replier sur le sud. Par contagion, un vaste mouvement collectif entraîne les Français des départements du Nord, eux-mêmes entraînés par les Belges, puis les habitants de la région parisienne à quitter leurs domiciles par tous les moyens.Faisant boule de neige, la débâcle impressionne les plus résolus. Le 10 juin, au terme d'un ultime Conseil des ministres tenu à l'Élysée le gouvernement décide son transfert en Touraine. De ce Paris indéfendable et décapitalisé, plus des trois quarts des habitants vont se lancer sur les routes[10].

La situation militaire est si grave que Reynaud envisage de changer encore de généralissime ; il dépêche de Gaulle auprès du général Huntziger, pour lui proposer de remplacer Weygand, mais se heurte à un refus de sa part. Le président du Conseil suggère alors l'idée de former un « réduit breton », qui serait une base de reconquête restant en liaison avec la Grande-Bretagne. Mais sa volonté de poursuivre la lutte est contrebattue par une autre proposition, celle de Pétain et de Weygand : la demande d'armistice. On en discute lors du Conseil des ministres, tenu à Cangé le 12 juin. Paul Reynaud, qui refuse farouchement de se soumettre à l'avis des « deux chefs illustres », rappelle la convention du 28 mars 1940 qui lie la France et l'Angleterre. Ce jour-là, lors d'un suprême conseil de guerre tenu à Londres, les alliés français et britanniques s'étaient engagés « à n'entamer aucune négociation, à ne conclure aucun armistice ou traité de paix, sauf d'un commun accord ». Le président du Conseil invoque aussi les forces de réserve qui offrent une perspective d'avenir au pays : la flotte, l'Empire, et il défend de nouveau le principe du réduit breton. A ce moment du débat intraministériel, la majorité des présents appuie la ténacité de Reynaud et s'oppose à la demande d'armistice. La discussion est reprise le lendemain, 13 juin, toujours à Cangé. Fort de l'appui de la majorité des ministres, Paul Reynaud se sent autorisé à déclarer à la radio :

> « Nous lutterons en avant de Paris, nous nous enfermerons dans nos provinces, et si nous en sommes chassés, nous irons en Afrique du Nord et au besoin dans nos possessions en Amérique. »

Le 14 juin, la Wehrmacht fait son entrée à Paris. Le même jour, le général de Gaulle est envoyé à Londres par Paul Reynaud, pour obtenir tout l'appui de Churchill pour resserrer le plus possible l'alliance au moment où, dans son cabinet, certains appellent de leurs vœux une négociation séparée avec l'Allemagne. Pendant ce temps, le gouvernement se replie sur Bordeaux. Le 15 juin, au cours d'un entretien avec Herriot et Jeanneney, Reynaud se plaint de l' « inconsistance de son cabinet » et du défaitisme de certains — Pomaret, Frossard, Pernot, Baudouin, Bouthillier... Mais qui les a choisis ? En tout cas, les deux présidents assurent Reynaud de leur soutien dans son idée de transférer le gouvernement en Afrique du Nord et de continuer la résistance aux côtés de l'Angleterre. Quant à Pétain et Weygand, ils réunissent les partisans de l'armistice, qui se sont renforcés de l'amiral Darlan. Deux thèses s'affrontent donc lors du premier Conseil des ministres tenu à Bordeaux, en ce 15 juin. Celle des « chefs prestigieux », selon lesquels le gouvernement n'a pas d'autre choix que de demander l'armistice ; celle de Reynaud, pour qui il suffirait d'un cessez-le-feu, c'est-à-dire d'une capitulation proprement militaire sans préjudice d'une continuation de la guerre par d'autres moyens. Pétain et Weygand assènent « l'honneur de l'armée » à leurs adversaires : il leur interdit pareille humiliation. Une arrière-pensée politique concourt à leur sens de l'honneur : l'armistice est un acte politique qui n'engage que la responsabilité du gouvernement et, derrière elle, celle du régime. L'armée, espoir suprême d'un ordre restauré, serait blanchie de toute souillure et jugée, au contraire, comme une victime de la corruption parlementaire et « maçonnique ». Reynaud, toujours décidé à continuer la lutte, entend, par une simple capitulation militaire, sauvegarder la liberté du gouvernement, ainsi que la reine de Hollande vient d'en donner l'exemple. Mais les intrigues l'enveloppent : Hélène de Portes défend auprès de Reynaud l'influence de son ami Baudouin en faveur de l'armistice. Dans ce camp défaitiste, personne ne tient pour plausible la résistance britannique ; dès lors que la campagne de France a été perdue, rien ne peut ébranler leur conviction : la guerre est finie. Le 13 juin, à Tours, Pétain s'est prononcé sans ambages pour l'armistice. En principe, Reynaud pourrait évincer Pétain, alors qu'il dispose encore du soutien majoritaire de ses collègues. En a-t-il les moyens ? Comme on l'a dit : « Sa pensée a été beaucoup plus ferme que sa conduite. Parce que son tempérament s'accordait mal à sa doctrine [11]. » Ces deux inspecteurs des Finances, Baudouin, Bouthillier, qui se dévouent maintenant corps et âme à la cause de l'armistice, pourquoi les a-t-il introduits dans son gouvernement ? Les influences de l'entourage, les relations mondaines, l'esprit de caste gâtent en lui la sagacité du chef d'État.

Le 15 juin, Chautemps, vice-président du Conseil, formule une proposition de compromis : pour prendre définitivement son parti, on doit être informé des clauses d'armistice exigées par l'Allemagne. Cette suggestion camoufle une demande d'armistice pure et simple ; elle parvient à ébranler la majorité du Conseil, qui s'y rallie. Paul Reynaud la désapprouve sans hésiter. Le lendemain, 16 juin, lors d'un nouveau Conseil des ministres tenu à Bordeaux, le chef du gouvernement dispose d'une nouvelle arme pour ramener la majorité de ses collègues à ses vues. De Gaulle lui a téléphoné de Londres une nouvelle qui devrait faire sensation et retremper le moral de tous : Churchill et le Conseil des ministres du Royaume-Uni offrent la fusion des deux États français et anglais :

« A l'heure du péril où se décide la destinée du monde moderne, les gouvernements de la République française et du Royaume-Uni, dans l'inébranlable résolution de continuer à défendre la liberté contre l'asservissement aux régimes qui réduisent l'homme à vivre d'une vie d'automate et d'esclave, déclarent :

« Désormais, la France et la Grande-Bretagne ne sont plus deux nations, mais une nation franco-britannique indissoluble. »

Suivait une série d'implications concrètes : nécessité d'une « constitution de l'Union », double citoyenneté, unique cabinet de guerre qui « gouvernera de l'endroit qui sera jugé le mieux approprié à la conduite des opérations », l'association des deux Parlements, l'unicité du commandement suprême...

« Cette Union, disait enfin le texte de la proposition, cette unité, concentreront toutes leurs énergies contre la puissance de l'ennemi, où que soit la bataille — et ainsi nous vaincrons. »

Loin de provoquer l'enthousiasme, cette offre, solidarisant complètement la France et l'Angleterre face à Hitler, est accueillie froidement par les ministres. Camille Chautemps va jusqu'à imputer à l'Angleterre le secret désir de réduire la France au rang d'un dominion. On retombe donc à pied d'œuvre. Retour à la proposition Chautemps. Reynaud, qui croit n'être suivi que par une minorité de ses collègues, suspend la séance pour aller consulter le président de la République.

Une discussion capitale s'engage alors entre Paul Reynaud, Albert Lebrun, et les présidents des deux Chambres. De cet entretien, nous avons plusieurs versions, chacun des protagonistes en ayant fait le récit[12]. Pour Reynaud, le président de la République doit trancher entre « deux politiques diamétralement contraires »; il se refuse, pour sa part, à rester à son poste pour soutenir une politique qu'il n'a eu de cesse de récuser. Lebrun lui demande en effet de se maintenir tout en suivant l'avis du plus grand

nombre, appliquant les principes de la majorité parlementaire à un Conseil des ministres où l'on ne vote pas ; il
déclare arbitrer « dans le sens du vote qui venait d'être
émis ». Si Reynaud ne veut pas suivre la majorité, il faut
donc remplacer Reynaud. Et par qui donc, sinon par celui
qui défend avec le plus d'autorité la thèse adverse, c'est-à-
dire Pétain ? Du reste, écrit Lebrun, c'est Reynaud qui
« me conseille d'appeler pour le remplacer le maréchal
Pétain ». Ce point d'histoire reste obscur, entaché d'un
vraisemblable quiproquo. Autant que Paul Reynaud,
Édouard Herriot dénie la version d'Albert Lebrun [13]. Ni le
président du Conseil sortant ni les présidents des Chambres
n'ont soutenu la candidature de Pétain. Au demeurant, si
le président de la République a bien appliqué une sorte de
règle parlementaire qui l'aurait conduit à faire appel au
maréchal comme le chef d'une opposition à Reynaud
devenu majoritaire au sein du Conseil, on peut s'étonner
que celui-ci, résolu à la résistance, ait laissé faire cette
succession sans protestations. Deux causes expliqueraient
cette attitude d'apparente résignation. On a avancé
d'abord la fatigue nerveuse du chef du gouvernement :
plusieurs témoins ont évoqué sa lassitude extrême, après
tant de journées éprouvantes [14]. Lorsque, afin de rationali-
ser son attitude, Reynaud entendit prouver l'impossibilité
où il se trouvait de continuer sa mission envers et contre la
majorité des ministres, il omit de dire que celle-ci s'était
faite sur le projet Chautemps et non sur le principe même
de l'armistice. Un Paul Reynaud déterminé pouvait piquer
d'honneur un Albert Lebrun et provoquer un remaniement
ministériel au profit des intransigeants. Cet abattement
physique d'un homme sur qui s'étaient concentrées toutes
les charges depuis l'offensive allemande est à compléter par
un autre fait, qui ressortit au raisonnement de type
parlementaire dans lequel Reynaud rivalisait avec Lebrun,
et qui a pu justifier l'appel à Pétain. Une fois satisfaite, la
demande des conditions d'armistice révélerait l'impossibilité d'une acceptation de la part de la France. L' « abcès »
serait « crevé », l'hypothèque Pétain serait levée, la nécessité de poursuivre la lutte s'imposerait à tous les esprits et il
redeviendrait alors, lui, Paul Reynaud, l'ultime recours de

la patrie. Ces deux types d'explication ne sont pas incompatibles : l'état de fatigue de Reynaud l'aurait poussé à laisser à Pétain le soin de faire la démonstration d'un impossible armistice. C'était donc une défaillance doublée d'une faute tactique. Les habitudes parlementaires avaient rejoué, en la circonstance, comme si l'on débattait encore sur les bords de la Seine sur le budget de la fonction publique. La manœuvre de Camille Chautemps avait pleinement réussi : sous couvert d'information auprès de l'ennemi, elle avait brisé la majorité du Conseil des ministres encore acquise à la fermeté, provoqué la démission de Paul Reynaud, et fait le lit de la dictature pétainiste.

L'armistice

Quand Albert Lebrun, dès le départ de Reynaud, fait appeler le maréchal Pétain, celui-ci tire de son portefeuille la liste toute faite des ministres qu'il soumet au président de la République. Moyennant quelques modifications, comme l'écartement du socialiste Paul Faure dont le pacifisme intégral est notoire, et de Pierre Laval, Pétain se retrouve à la tête d'un gouvernement d'apparence Union nationale, comprenant des radicaux, des socialistes et des conservateurs, mais en fait fédérés par le désir commun d'armistice, sous l'autorité de la triade étoilée Pétain-Weygand-Darlan. Camille Chautemps reste ministre d'État et vice-président du Conseil, tandis que Baudouin et Bouthillier, qui ont si bien plaidé le compromis Chautemps, se retrouvent en bonne place, tous deux ministres, l'un aux Affaires étrangères, l'autre aux Finances.

Dès la première réunion du nouveau Conseil, le soir du 16 juin, l'unanimité sur la proposition Chautemps ne souffre pas d'exception. Par l'intermédiaire de l'ambassadeur du gouvernement espagnol en France, on s'enquiert des « conditions de paix (*sic*) proposées par l'Allemagne » en vue de « la cessation des hostilités ». Parallèlement, le nonce est prié de demander les conditions italiennes par le

Vatican. Cette démarche auprès de l'ennemi, entamée le 16 juin, aboutira à la signature de l'armistice le 22, lequel prendra effet le 25. Or, tout se passe comme si, dès son arrivée au pouvoir, le maréchal Pétain considérait la guerre comme terminée. Le 17 juin, au cours d'une allocution radiodiffusée, le nouveau président du Conseil déclare : « C'est le cœur serré que je vous dis aujourd'hui qu'il faut cesser le combat. » Même de la part d'un chef de gouvernement pressé de conclure, ce n'est pas la meilleure façon d'entamer la négociation avec le vainqueur ; c'est aussi une manière d'ordre de cessez-le-feu, laissant à l'envahisseur le champ libre jusqu'à l'arrêt officiel des combats. Weygand est ainsi amené à réparer l'acte manqué du Maréchal, en précisant publiquement qu'il faut continuer de se battre ! La France en guerre de juin 1940 était gouvernée comme la France en guerre de l'automne 1870, par un militaire qui n'aspirait à rien tant qu'à déposer les armes ; elle avait subi Trochu, elle héritait de Pétain. Sa bonne étoile voulut qu'elle eût encore un Gambetta. La voie des airs restait de mise mais le temps des ballons n'était plus : c'est dans l'avion anglais, par lequel il était revenu la veille de sa mission de Londres, que le général de Gaulle quitte Bordeaux, le 17 juin, en compagnie du général Spears et du lieutenant de Courcel. Paul Reynaud lui a fait remettre, quand il le pouvait encore, une somme de 100 000 francs tirée sur les fonds secrets : c'est au moyen de ce modeste trésor de guerre que le sous-secrétaire d'État, devenu récemment général de brigade, est parti rallumer « la flamme de la résistance française ». Soutenu par Churchill, de Gaulle lance, le 18 juin, son premier « Appel aux Français », engageant tous ceux qui le peuvent à le rejoindre car « la France n'est pas seule » et « la défaite » n'est pas « définitive ».

Ce 18 juin, si tout n'est plus possible, rien du moins n'est encore arrêté. En ces jours dramatiques qui précèdent la signature de l'armistice, le choix demeure entre la résignation et la continuation de la guerre hors du territoire métropolitain. Pétain a formé un gouvernement homogène favorable à la première solution mais il doit compter avec les autres autorités de l'État : le président de la République et les présidents des Chambres, représentant les élus de la nation. De fait, dans l'attente de la réponse allemande, une ténébreuse partie va s'engager à Bordeaux entre les partisans résolus de l'armistice et ceux qui veulent au moins mettre une représentation de l'État républicain hors de portée de l'envahisseur. Jeanneney et Herriot, dès le 18 juin, pressent Pétain pour que soit préservée l'indépendance des autorités civiles. De son côté, Albert Lebrun convainc le Conseil des ministres, le 20 juin, qu'il faut à tout prix épargner au gouvernement de tomber prisonnier. On décide alors le repli sur Perpignan ; on envisage même qu'une partie du gouvernement gagnera Alger, sous la direction de Camille Chautemps. Le maréchal, quant à lui, se refuse une fois pour toutes à quitter la métropole. Dès lors, une extraordinaire bataille de couloirs va être livrée entre les « partants » et les « restants ». Au cœur de l'intrigue, visant à bloquer le départ, Pierre Laval va donner sa mesure. Il n'est pas au gouvernement Pétain, faute d'avoir été invité à prendre le portefeuille qu'il attendait — celui des Affaires étrangères —, mais il n'en dépense pas moins son entregent pour rallier à la cause défaitiste les parlementaires qui rejoignent Bordeaux. La défaite militaire lui donne plus d'assurance que jamais : ne l'avait-il pas prévue ? n'était-il pas depuis toujours hostile à cette guerre ? On devait maintenant rendre hommage à sa lucidité, à sa sagesse, à son talent. A ses yeux, la page de la guerre est tournée. Les Britanniques ne lui inspirent que du mépris, il ne leur accorde aucune chance face à Hitler. Au nom du réalisme, c'est toute la future politique de collaboration d'État que Laval est en train d'esquisser, au cours de cette « Commune de Bordeaux », comme on a appelé, avec approximation, ces jours sinistres et décisifs. Bien épaulé par Adrien Marquet, maire de la ville, acquis à la même cause, Laval va mettre à profit sa familiarité avec le milieu parlementaire et user de toute sa rouerie de « maquignon » pour retarder puis empêcher la formation d'un gouvernement en exil.

Depuis le 18 juin, l'amirauté tient à la disposition des parlementaires le *Massilia,* qui mouille à l'embouchure de la Gironde, dans le port de Verdon. Herriot y fait porter ses bagages, tandis qu'Albert Lebrun s'apprête à gagner Perpignan. Cependant, à la suite de manœuvres dilatoires, dans lesquelles le sous-secrétaire d'État Raphaël Alibert n'hésite pas à forger un faux [15]. Lebrun est encore retenu à Bordeaux le 21. Ce jour-là, il subit l'algarade d'une délégation conduite par un Laval sorti de ses gonds, intimant au président de la République l'ordre de rester sur le territoire métropolitain. Finalement, au terme de ces heures chaotiques où la brigue le dispute au chantage et à l'intimidation, dans un Bordeaux devenu florentin, le départ du gouvernement est ajourné ; lorsque, le 21 juin, à 13 heures 30, le *Massilia* appareille, il n'emporte vers le Maroc que vingt-six députés et un sénateur [16].

Hitler pouvait se féliciter : il évitait d'avoir contre lui un gouvernement légal en exil, continuant la guerre aux côtés de l'Angleterre. C'est aussi dans cette intention qu'il va proposer aux Français des conditions d'armistice relativement modérées. Son allié Mussolini, qui n'avait pas remporté le moindre succès militaire sur la France depuis l'entrée en guerre de l'Italie, le 10 juin 1940, voit ses exigences rabattues par Hitler. Celui-ci, en politique avisé, désireux de neutraliser les derniers atouts conservés par la France, en particulier sa flotte, offre à Pétain une apparence de souveraineté sur le territoire français et un semblant d'indépendance sur une zone dite « libre », sans présence militaire allemande. D'une pierre, deux coups : il rendait impossible le gouvernement en exil et faisait faire « le ménage » en France par les autorités indigènes ; c'était la meilleure façon de décourager les volontés de résistance et d'impliquer la France officielle dans le nouvel ordre européen en construction.

Dans la nuit du 21 au 22 juin, le Conseil des ministres prenait connaissance des conditions imposées par Hitler. Après quelques heures de discussion, il donnait son accord, en formulant quelques demandes d'amendement. Le 22 juin, à Rethondes, le général Huntziger pour la France et le général Keitel pour l'Allemagne signèrent la convention d'armistice ; le 24 juin, c'était le tour de l'armistice avec l'Italie. Le 25 juin, à 0 heure 15, les combats cessaient. Entre-temps, les relations avaient été rompues entre la

France et la Grande-Bretagne. Tandis que Churchill encourageait la création, à Londres, du Comité national français par le général de Gaulle, Pétain faisait entrer dans son gouvernement les deux anglophobes avérés Laval et Marquet. Le 22 juin, Churchill disait, sur les ondes de la B.B.C., la « douleur » et la « stupéfaction » des Anglais à l'annonce des conditions d'armistice imposées à leurs alliés de la veille :

> « Non seulement le peuple français serait tenu en sujétion et forcé de travailler contre ses alliés, non seulement le sol de France serait employé, avec l'approbation du gouvernement de Bordeaux, pour servir à attaquer ses alliés, mais toutes les ressources de l'Empire français et de la marine française passeraient rapidement entre les mains de l'adversaire et lui serviraient à réaliser ses desseins. »

Le lendemain, 23 juin, Pétain, à la radio, prenait à partie le Premier britannique : « M. Churchill est juge des intérêts de son pays. Il ne l'est pas des intérêts du nôtre. Il l'est encore moins de l'honneur français. » Et Pétain d'annoncer allusivement son programme :

> « Pour le présent, [les Français] sont certains de montrer plus de grandeur en avouant leur défaite qu'en lui opposant des propos vains et des projets illusoires. Pour l'avenir, ils savent que leur destin est dans leur courage et leur persévérance. »

Dans cette guerre des ondes, le général de Gaulle prit sa part, déclarant le 24 juin, à la B.B.C. :

> « La France et les Français sont, pieds et poings liés, livrés à l'ennemi. Mais si cette capitulation est écrite sur le papier, innombrables sont chez nous les hommes, les femmes, les jeunes gens, les enfants qui ne s'y résignent pas, qui ne l'admettront pas, qui n'en veulent pas. »

On était sorti du drame, on entrait dans la tragédie. La France, par l'acceptation de l'armistice, allait fourvoyer ses habitants dans une guerre civile conçue dans la guerre étrangère. Par un de ces paradoxes cruels et dérisoires, ceux qui, tels Pétain et Weygand, avaient été rappelés pour incarner la défense de la patrie et l'honneur national avaient prêché d'exemple l'esprit de capitulation, cautionné la reddition aux *desiderata* de l'ennemi et cru sauver le principal (leur projet politique) contre l'accessoire (le maintien de la France dans une guerre qui se poursuivait). Vivant dans l'illusion gallocentrique, ils croyaient l'affrontement avec l'Allemagne achevé quand il ne faisait que commencer et s'imaginaient pouvoir construire le régime de leurs espérances sous l'aile de la paix hitlérienne. Forts de leur prestige, ils allaient abuser la majorité des Français décontenancés par la rapidité de la défaite, les souffrances de l'exode et l'abdication de la classe politique entre les sept étoiles du rédempteur.

La continuité de la résistance française n'était plus assurée que par la décision aventureuse du général de Gaulle envoyant des messages à la radio anglaise. Cependant, vingt-sept parlementaires s'étaient embarqués sur ce qui devait être le radeau de l'État et qui n'était plus qu'un piège au service des nouveaux maîtres de l'heure. Ils atteignent Casablanca, sur le *Massilia,* le 24 juin. Ils se voient retenus à bord sur l'ordre du gouvernement, cependant que la presse bien inspirée lance une campagne contre les « fuyards », à l'instigation de l'amiral Darlan, lequel avait lui-même mis le bateau à la disposition des parlementaires. L'affaire est utilisée par les artisans du régime qui se met en place ; elle sert à « déshonorer le Parlement » ; elle permet aussi de consigner au Maroc des gêneurs, des anciens ministres comme Daladier et Mandel, qui pouvaient contrecarrer leurs desseins. La majorité de ces parlementaires ne pourront être à Vichy lors du vote du 10 juillet. Quatre élus mobilisés, dont Jean Zay et Pierre Mendès France, sont inculpés de désertion. Jean Zay, ancien ministre du Front populaire, sera condamné en octobre 1940 à la détention perpétuelle dans une enceinte fortifiée, d'où la Milice viendra le tirer, en 1944, pour l'assassiner. Pierre Mendès France, lui, pourra s'échapper de sa prison de Clermont et regagner Londres, où il deviendra pilote de guerre. Cet épisode du *Massilia*

témoigne déjà des intentions et des méthodes du régime
pétainiste en formation : discréditer la troisième République, faire endosser par le Front populaire le revers des
armes auquel les chefs militaires étaient censés n'avoir pris
aucune part, prendre une revanche sur tous ceux qui
avaient appelé à la vigilance contre le nazisme et résisté au
suicidaire « esprit de Munich », c'était bien la volonté
commune de ces hommes rassemblés derrière le Maréchal,
impatient de restaurer l'État selon ses vues à l'occasion du
désastre.

Le nouveau gouvernement, investi par les militaires
supposés innocents et par les hauts fonctionnaires supposés
compétents, évacue Bordeaux, situé en « zone occupée »,
pour s'installer, le 29 juin, à Vichy, en zone dite « libre ».
L'autorité de Pétain est alors à son apogée. Sous le teint
rose d'un vieillard de quatre-vingt-quatre ans, le maréchal
a gardé bon pied bon œil. Deux sentiments paraissent
l'animer également : une grande soif de pouvoir personnel
et la conviction intime d'avoir une mission à remplir. La
défaite peut être une grâce, l'occasion d'une régénération :
c'est sa pensée intime. La popularité du vieux chef est
immense. Il la doit notamment à la grande réputation qu'il
a acquise en 1914-1918 : il reste le grand patriote soucieux
d'économiser les vies humaines. Il a toujours défendu une
stratégie défensive, en quoi il plaisait à la gauche, tandis
que le colonel de Gaulle, avec ses blindés et son armée de
métier, sentait le soufre chez les « républicains ». Au
moment de l'armistice, presque tous les bras se tendent
vers Pétain, caution vénérable du soulagement et du
caractère nécessaire de la capitulation. Mais, en faisant
« don de [s]a personne » à la France, le vieil homme
n'entendait nullement borner son action à la protection de
ses concitoyens. Il s'est mis en tête de réparer les erreurs
passées, d'en finir avec les causes profondes de la défaite,
autrement dit avec un système politique défaillant.

Ce régime, dont il s'évertue à faire le procès de jour en
jour, Pétain en a tout de même été un dignitaire. Après
avoir été ministre de la Guerre dans le cabinet Doumergue,
il avait décliné l'offre de continuer dans le ministère
Flandin, déclarant alors : « Jamais plus je ne ferai partie

d'un gouvernement. » Ce qui ne l'empêcha nullement d'accepter de devenir ministre d'État sans portefeuille dans le cabinet très éphémère de Fernand Bouisson, en juin 1935. Vice-président du Conseil supérieur de la Guerre, inspecteur général de l'Armée, puis, après sa participation au ministère Doumergue, membre du Conseil supérieur de la Défense nationale, avec voix délibérative, ambassadeur extraordinaire auprès du général Franco depuis mars 1939, membre de l'Académie française depuis 1929, il faisait bien partie de l'élite d'un régime qui contribua à la préparation ou à l'impréparation de la stratégie française face au danger hitlérien. Quoi qu'il en soit, Pétain a ses idées sur la nécessité d'instaurer un ordre nouveau. A cette fin, il peut compter sur une foule de partisans, de conseillers zélés, de revanchards en mal d'emploi, qui se précipitent à Vichy et vont s'y disputer les chambres d'hôtel que n'ont pas réquisitionnées les ministères, qui s'installent vaille que vaille dans les palaces surpeuplés. Entre le 17 juin et le 11 juillet, le Maréchal prononce cinq discours, qui livrent les idées générales de ce qui va s'appeler l'État français. « C'est à un redressement intellectuel et moral », selon l'expression de Renan après la défaite de 1871, que les Français sont conviés. « L'esprit de jouissance » avait fait tout le mal ; l'heure était à « l'esprit de sacrifice ».

Restait à définir légalement ce nouveau pouvoir qui aspirait à devenir un nouveau régime. Pétain, à la fin de juin 1940, n'est toujours qu'un président du Conseil de la troisième République. A ses yeux, il est probable que cette situation de fait suffisait, mais autour de lui — et l'on pense surtout à Raphaël Alibert —, on voudrait parer à toute contre-offensive du régime parlementaire en donnant à l'ordre nouveau une assise légale. Pierre Laval devait se charger de cette opération délicate : faire voter par les parlementaires leur propre évincement au profit d'un chef unique, habilité à mettre en œuvre une nouvelle Constitution. Sur l'instigation de Laval, les deux Chambres sont donc convoquées à Vichy, le 2 juillet 1940.

La ville d'eaux du Bourbonnais, envahie par les sénateurs, les députés, les militaires désœuvrés, les quémandeurs de toute obédience, les arrivistes de tout poil, les routiniers de l'antichambre, sans parler des femmes fatales, devient le théâtre inattendu et parodique du dernier acte. Pétain, Laval et le ministère des Affaires étrangères avaient installé leurs bureaux à l'*Hôtel du Parc*, tandis que quelque sept cents parlementaires prenaient pension pour le plus grand nombre à l'hôtel *Majestic*. A peine arrivés, ceux qui allaient devoir se prononcer sur le sort des institutions apprenaient l'épisode douloureux de Mers el-Kébir. Le 3 juillet, l'opération « Catapult » lancée par Churchill aboutissait à l'anéantissement d'une partie de la flotte française basée devant Oran. Dans sa politique de guerre à outrance contre l'Allemagne, Churchill, après le refus des Français de laisser leur marine de guerre à leur allié avant de signer l'armistice de Rethondes, et en dépit de la convention de cet armistice qui garantissait en principe la neutralisation de cette flotte, ne voulait pas courir le risque de voir celle-ci tomber aux mains des Allemands. L'amiral Sommerville, commandant une escadre anglaise, avait fait savoir à l'amiral Gensoul, commandant les navires français, qu'il avait ordre de lui faire choisir entre trois solutions : le ralliement à la lutte antiallemande, l'appareillage en vue de gagner un port britannique, ou encore l'appareillage à destination d'un port français des Antilles où ses bâtiments seraient démilitarisés ou confiés aux États-Unis. Dans le cas où « ces offres raisonnables » seraient refusées, Gensoul devrait couler ses navires ; faute de quoi, l'amiral Sommerville emploierait tous les moyens de force nécessaires à empêcher les bâtiments français de renforcer l'ennemi. Sur le refus de l'amiral français, Sommerville ouvrit le feu ; seuls quatre bâtiments sur onze purent en réchapper et gagner Toulon. Simultanément, une opération semblable était dirigée à Alexandrie par l'amiral Cunningham. Là, l'amiral Godfroy, commandant l'escadre française, accepta de placer ses navires sous le contrôle britannique. La décision brutale de Mers el-Kébir, qui coûta la vie à près de 1 300 marins français et passa par le fond un cinquième de la flotte française, est restée un objet de débat [17]. Le général de Gaulle n'a pas ménagé son allié, à cette occasion :

> « Il est clair, écrit-il dans ses *Mémoires de guerre,* que,
> pour le gouvernement et l'amirauté britanniques, l'angoisse
> du péril, les relents d'une vieille rivalité maritime, les griefs
> accumulés depuis le début de la bataille de France et venus
> au paroxysme avec l'armistice conclu par Vichy, avaient
> éclaté en une de ces sombres impulsions par quoi l'instinct
> refoulé de ce peuple brise quelquefois toutes les barrières. »

Cependant, l'effet le plus immédiat de Mers el-Kébir sur
la politique française fut de renforcer le camp des politiciens acharnés à enterrer la République parlementaire.
Darlan proposait de poursuivre le combat contre les
Anglais, Laval affirmait que la France et la Grande-
Bretagne étaient désormais en état de guerre. Un vent
violent d'anglophobie souffla sur la station thermale. Après
Mers el-Kébir, la rupture de l'alliance franco-britannique
se trouvait justifiée *a posteriori ;* la position de Pétain, de
Weygand, de Laval et de tous ceux qui avaient travaillé
pour l'armistice s'en trouvait renforcée. Il leur fallait
maintenant triompher des ultimes scrupules du Parlement
pour achever l'œuvre entreprise : abattre la République.

L'homme providentiel

En ce mois de juillet 1940, le premier rôle est joué par
Pierre Laval. On le voit partout et, quand on ne le voit pas,
on ne le redoute que plus. Pétain, l'homme providentiel,
doit garder une dignité hiératique, ne pas se commettre
dans les menues intrigues, être économe de son verbe qu'il
réserve à l'essence des choses ; il ne compte pour rien les
basses manœuvres alentour, il n'a que mépris pour les
tripotages, les menées louches, les coups montés. A cet
usage néanmoins nécessaire, l'homme providentiel ne
compte pas sur la seule Providence mais sur quelques
esprits triviaux et crottés qui se chargent des travaux
salissants. Laval est de ceux-là. Vincent Auriol disait que
tout était noir chez lui (le poil, l'œil, l'âme, etc.), sauf la

cravate toujours blanche. Le trait est gros mais Laval ne laisse jamais indifférent. Le 22 août 1945, Bernanos écrira dans *Combat* :

> « Le général Weygand peut très bien tenir Laval pour un bougnat, il n'en est pas moins vrai que les généraux de la Grande Culbute, lui compris, sont visiblement des généraux comme tout le monde au lieu que Laval n'est pas un bougnat comme tous les bougnats. En n'importe quel temps, sous n'importe quel régime, je dis que Laval eût été un aventurier, un homme qui prend son risque, un homme seul. »

De son Châteldon natal, il s'est élevé à la force du poignet, d'abord jusqu'au Barreau, puis au Parlement, enfin au pouvoir. Avocat, il était défenseur des organisations ouvrières ; député d'Aubervilliers avant d'en devenir le maire, il était socialiste en 1914 ; sous-secrétaire d'État d'Aristide Briand, ministre de la Justice, sénateur, il a cessé d'être un homme de gauche quand il est nommé pour la première fois président du Conseil en 1931. Il est devenu au fil des années un animal politique retors, sûr de lui, prodigue en manigances. Une conviction l'habite pourtant : son pacifisme. Il est persuadé qu'on l'a empêché d'éviter la guerre, comme il avait entrepris de le faire, en 1935, alors qu'il était de nouveau président du Conseil. Il a une revanche à prendre contre les hommes du Front populaire qui ont tout mis en œuvre pour le maintenir éloigné du pouvoir et qui ont finalement entraîné la France dans la catastrophe. Pétain n'a aucune tendresse pour Laval. Le 16 juin, quand il a formé son gouvernement, le maréchal, sous la pression de Weygand, lui a refusé les Affaires étrangères qu'il attendait. Mais Pétain a besoin de Laval, qui est du sérail parlementaire et connaît le milieu politique par cœur.

A Vichy, Pierre Laval est décidé à jouer son va-tout. Il dispose d'un moyen pour s'imposer à Pétain : amener l'Assemblée nationale à résipiscence. Pour convaincre les sénateurs et les députés de déposer tous leurs pouvoirs entre les mains du Maréchal, il ne va ménager ni sa peine, ni son éloquence, ni sa séduction, ni sa violence. Pétain lui saura gré de lui tirer les marrons du feu ; pendant qu'il se salira les mains, il pourra, lui, continuer à jouer les pères nobles, offert au sacrifice sur l'autel de la patrie. Cette division du travail est sans risques : que Laval échoue n'empêchera pas Pétain de garder la direction du pays ; qu'il réussisse, ce sera tout bénéfice. Laval saura réussir et Pétain obtiendra des pouvoirs exceptionnels en toute légalité. La troisième République s'effondre sans coup d'État inutile.

Dès le 5 juillet, Laval mobilise tous ses talents de persuasion auprès des parlementaires qui arrivent à Vichy. Infatigable, il déploie auprès des uns et des autres tout l'éventail de son art : il explique, il menace, il cajole, il enjôle, il éblouit, il impressionne, il corrompt, tantôt grandiose, tantôt mesquin, tour à tour violent et affectueux, offrant des places, n'oubliant pas de promettre même la sauvegarde de l'indemnité parlementaire. Aux récalcitrants, il fait valoir le danger de putsch fomenté par Weygand, décidé à « des opérations de nettoyage à l'intérieur ». A vrai dire, s'il travaille pour Pétain, Pétain le lui rend bien : la caution du Maréchal est son meilleur atout. Le « vainqueur de Verdun » est encore inattaqué, il est célébré par tous comme l'ultime rempart de l'État en ruine et de la Nation en déroute. Le 5 juillet, devant les députés réunis au Casino de Vichy, Laval laisse pourtant passer le bout de l'oreille. Ce parlementaire roué veut bel et bien en finir avec la République parlementaire : « C'est fini, les discours », dit-il, lui qui ne cesse d'en faire... « Nous avons à rebâtir la France. » L'aveu suit :

> « Nous voulons détruire la totalité de ce qui est. Ensuite, cette destruction accomplie, créer autre chose qui soit entièrement différent de ce qui a été, de ce qui est. »

Le ton monte :

> « De deux choses l'une : ou bien vous acceptez ce que nous vous demandons et vous vous alignez sur la Constitution allemande ou italienne, ou bien Hitler vous l'imposera. »

Le programme est clair. Laval le précise encore :

> « Nous payons aujourd'hui le fétichisme qui nous a
> enchaînés à la démocratie en nous livrant aux pires excès du
> capitalisme, cependant qu'autour de nous l'Europe forgeait
> sans nous un monde nouveau, qu'animaient des principes
> nouveaux. »

A la présentation de ce programme, que répondent les
députés ? Rien. Ils sont abasourdis, ils ont peur. Un
Daladier, un Mandel, un Zay, un Mendès France...
auraient peut-être réagi. Mais ils étaient du *Massilia* et on
les retient habilement en Afrique du Nord. Mais Léon
Blum ? Pendant ces sombres journées, il va s'enfermer
dans un étonnant mutisme. Il est en butte à l'hostilité active
des affidés de Laval ; il ne peut sortir sans gardes du corps.
Pourtant, ce n'est pas la peur qui le rend muet ; il a su
braver, en maintes circonstances, l'hostilité des assemblées
et la haine des foules. C'est l'impression d'isolement, le
spectacle du groupe socialiste qui se délitait :

> « Je ne pouvais douter, écrit-il, que, dans l'échauffourée
> dont mon intervention donnerait le signal, la très grande
> majorité de mon groupe m'abandonnât ; que dis-je ? Nom-
> breux seraient ceux qui feraient secrètement *chorus* avec les
> insulteurs. Je ne voulais pas offrir le spectacle public de ce
> reniement. C'est là seulement ce qui me paralysa, ce qui me
> cloua la bouche[18]. »

Autour de lui, Blum a vu et décrit un milieu en voie de
décomposition, sous la triple menace des soldats de Weygand, des bandes de Doriot et des Allemands qui étaient à
Moulins : mieux valait suivre Laval, à tout prendre, plutôt
que de se laisser imposer la révision constitutionnelle par la
force.

Le 7 juillet, Laval obtient du maréchal une lettre qui le
mandate et dont il donnera lecture, le 10 :

> « Le projet d'ordre constitutionnel déposé par le gouver-
> nement que je préside viendra en discussion les mardi et
> mercredi 9 et 10 juillet, devant les Assemblées. Comme il

m'est difficile de participer aux séances, je vous demande de m'y représenter. Le vote du projet que le gouvernement dépose me paraît nécessaire pour assurer le salut de notre pays. »

La résistance aux pleins pouvoirs va se révéler très faible. Elle vient d'abord d'un groupe de vingt-cinq sénateurs anciens combattants, représentés par Jean Taurines, qui ne discutent pas la nécessité des pleins pouvoirs à Pétain mais récusent celle d'abolir la Constitution. Cette proposition, écartée par Laval, ne sera même pas discutée en Assemblée. Autre projet : celui de Pierre-Étienne Flandin, qui suggère, lui aussi, le 7 juillet, de ne rien changer à la Constitution. Il suffirait que le président Lebrun démissionne et laisse sa place, de manière légale, à Pétain, nouveau président de la République. Mais Lebrun, soucieux de légalité, se refuse à cette transaction : gardien de la Constitution, tenant son pouvoir de l'Assemblée nationale, il ne peut l'abandonner que si les sénateurs et les députés votent une révision constitutionnelle. Finalement, Flandin, comme beaucoup d'autres, va se rallier au projet de Laval. Une dernière tentative de résistance vient d'un groupe de députés entraînés par le député radical-socialiste de Lodève, Vincent Badie. Eux aussi acceptent de remettre tous les pouvoirs « en ces heures graves », mais ils se refusent à donner leur aval à un projet destiné à provoquer « la disparition du régime républicain ». Aussitôt, on redouble auprès des signataires de ce texte tous les moyens de pression, Adrien Marquet, lancé par Laval, s'appliquant à les débaucher un par un. Les heures qui précèdent les débats officiels sont encore employées par Laval et ses lieutenants aux derniers démarchages, aux ultimes préparations du conditionnement psychologique et à la mise au point du scénario final.

Le 9 juillet, siégeant séparément, la Chambre et le Sénat acceptent à la quasi-unanimité le principe de la révision constitutionnelle. Le 10 juillet, les deux Chambres réunies en Assemblée nationale sont d'abord convoquées le matin pour une sorte de répétition générale à huis clos. Laval, sûr du résultat, pressé de conclure, demande même à Bergery, désireux de lire une déclaration portant soixante-neuf signatures, d'abandonner son texte au procès-verbal. Il n'est pas indifférent de s'y reporter : Bergery, Déat, Xavier Vallat, Scapini et autres futurs collaborateurs y avaient résumé leur pensée commune. On y voit qu'un dixième de la représentation nationale était explicitement acquis d'ores et déjà à une politique de collaboration avec le vainqueur et souhaitait en France l'instauration d'un régime autoritaire, voire fasciste. Sans doute s'agissait-il d'un soutien par trop voyant et superflu à Laval, qui n'avait pas besoin de ce zèle excessif pour enterrer le régime.

La séance officielle s'ouvrit à 14 heures, au Casino, sous la présidence de Jules Jeanneney. On eut d'abord à définir la majorité absolue : serait-ce celle « des membres composant l'Assemblée », comme le stipulait la loi constitutionnelle de 1875 ? ne serait-ce que celle des membres actuellement en exercice à l'Assemblée nationale, ce qui excluait les parlementaires communistes déchus et abaissait donc la barre de la majorité absolue ? On fit mieux : on se rallia à la proposition de Boivin-Champeaux, selon laquelle on s'en tiendrait aux suffrages exprimés. Du reste, ces accommodements avec la règle constitutionnelle allaient se révéler sans importance puisque c'est par un soutien massif que le projet Laval-Pétain fut ratifié.

Ce projet de loi était ainsi libellé :

　　« Le président de la République française, vu l'article 8 de la loi constitutionnelle du 25 février 1875,

　　« Vu les résolutions adoptées par le Sénat et la Chambre des députés,

　　« Décrète :

　　« Le projet de loi constitutionnelle dont la teneur suit sera présenté à l'Assemblée nationale par le maréchal de France, président du Conseil, qui est chargé d'en soutenir la discussion :

　　« Article unique. — L'Assemblée nationale donne tous pouvoirs au gouvernement de la République, sous l'autorité et la signature du maréchal Pétain, à l'effet de promulguer, par un ou plusieurs actes, une nouvelle Constitution de l'État français. Cette Constitution devra garantir les droits du travail, de la famille et de la Patrie.

« Elle sera ratifiée par les Assemblées créées par elle. »
Fait à Vichy le 8 juillet 1940.
Par le président de la République,
Signé : Albert Lebrun
Le Maréchal de France
Président du Conseil,
Philippe Pétain

Le président Jeanneney a laissé ce témoignage :

> « Pour Laval et les agents de son opération, la séance ne doit être qu'une formalité : approbation sans débat du projet du gouvernement, dans sa nouvelle forme. Le mot d'ordre donné par eux est que cela doit être mené rondement et point selon des méthodes " périmées ". Mon devoir était de rappeler les règles normales des délibérations de l'Assemblée et d'appeler l'attention sur le caractère constitutionnel de certaines d'entre elles. Devoir bien ingrat, devant le parti pris forcené des meneurs et l'indolence de la salle [19]. »

Laval consentit cependant à modifier la dernière phrase du projet concernant la ratification de la Constitution future. « Elle sera ratifiée par la nation, disait le nouveau texte, et appliquée par les Assemblées qu'elle aura créées. » Après discussion du projet en commission, lecture en séance publique du rapport de Boivin-Champeaux, on passa au vote sans plus attendre, sans explication de vote, sans débat, sans laisser même à Vincent Badie la possibilité de défendre sa motion, tant « la meute des lavalistes » avait su imposer sa règle.

> « Dès le premier engagement, écrit Léon Blum, M. Jeanneney fut donc attaqué, bousculé, avec une brutalité de boxeur, par Fernand Bouisson, ancien président de la Chambre, ancien et présent ami de Laval, qui réduisit le malheureux Jeanneney au silence, et s'empara haut la main de la direction effective. Dans la salle des séances, une centaine d'affidés, bien dressés et bien en main, occupaient par petits groupes les positions dominantes, comme la claque dans un parterre de théâtre, et leurs huées étouffaient d'avance toute velléité d'opposition. [...] D'autres groupes, debout contre la scène qui servait de tribune, étaient prêts à

prêter main-forte et à appuyer les cris par des gestes
exécutoires. Les loges et les galeries réservées au public
avaient été garnies par Doriot dont la meute répondait de la
voix aux Montigny *et aux Tixier-Vignancour ** de la
salle [20]. »

C'est dans ce tohu-bohu, dont témoignent de nombreux
autres récits [21], que la loi fut votée, par 569 voix pour sur
649 votants. Il y avait 80 voix contre et 20 abstentions.

On a pu dire, à ce propos, que la Chambre du Front
populaire avait démissionné entre les mains de Pétain. La
formule, pour n'être pas entièrement fausse, n'en reste pas
moins une approximation. En l'occurrence, il s'agit d'un
vote émis par l'Assemblée nationale, et non par les seuls
députés élus en 1936. D'autre part, il y a lieu de signaler les
absences notoires non seulement des parlementaires du
Massilia mais aussi des parlementaires communistes
déchus. Il n'en reste pas moins que la majorité des
socialistes et la majorité des radicaux ont accepté la
liquidation du régime républicain. Léon Blum et ses amis
socialistes ne sont que 29 à dire non ; si l'on y ajoute les
7 sénateurs S.F.I.O., on arrive à un total de 36 résistants
socialistes à Pétain, tandis que 90 S.F.I.O., sénateurs et
députés, ont voté pour le Maréchal et que 6 s'abstenaient.
Si « la Chambre du Front populaire » n'a pas, *stricto sensu,*
offert un blanc-seing au « Sauveur suprême » proscrit par
l'Internationale, en raison de l'absence des communistes, il
est clair que la majorité des socialistes et des radicaux
partage avec la droite une lourde responsabilité dans le
suicide collectif du 10 juillet 1940. Après que le parti
communiste s'était mis au ban de la Nation en suivant la
ligne stalinienne, les socialistes et les radicaux avaient
remisé les principes de la défense républicaine qui les
avaient si souvent rassemblés. La coupure droite-gauche
n'éclaire d'aucune façon l'effondrement du régime : des
hommes de tous les partis y ont participé. Certes, quand la

* Jean Montigny, ancien radical-socialiste, adversaire du Front
populaire.
** Jean-Louis Tixier, dit Tixier-Vignancour, avocat d'extrême
droite, député d'Orthez depuis 1936.

situation est exceptionnelle, on attend que les représentants du peuple soient exceptionnels ; la plupart n'étaient
que des hommes très ordinaires. Jules Jeanneney, président digne mais submergé, en a donné dans son *Journal
politique* une illustration allégorique, rien qu'une anecdote
mais suggestive. Il nous dépeint un brave vétérinaire,
sénateur de la Creuse, accaparé par une seule idée, trouver
une table, pour écrire une lettre urgente. Qu'à cela ne
tienne : Jeanneney lui cède son bureau : « Il s'y installe,
puis impassiblement, indifférent à toute chose, il écrit,
signe, cachette... des lettres-cartes à ses électeurs, en
souvenir de l'Assemblée nationale [22]. » Périsse la République, plutôt que ma circonscription !

Cela dit, était-il bien légal, ce vote des pleins pouvoirs à
Pétain ? De Gaulle l'a réfuté et bien d'autres après lui.
Dans les formes, point de contestation ou presque. Car si,
sur le papier, tout semble régulier, peut-on dire qu'une
Assemblée sous la menace puisse émettre un vote aussi
important en toute légalité ? L'avis de Léon Blum est
évidemment celui d'un opposant mais ses arguments de
juriste n'en sont pas moins forts :

> « L'Assemblée de Vichy, écrit-il, ne délibéra pas plus
> librement que la Convention, au 31 mai, sous les canons
> d'Henriot. Les signes matériels de la force ne se manifes-
> taient pas sous une forme aussi proche, aussi tangible, les
> tanks de Hitler étaient à Moulins, les cavaliers de Weygand
> étaient à Clermont ; les prisons de Laval n'existaient sans
> doute que dans des imaginations déréglées ; mais la
> contrainte ne se faisait pas sentir moins pesamment ; la peur,
> et je dirai même la terreur, n'entravaient pas moins étroite-
> ment les volontés. Par surcroît la ruse et le mensonge, c'est-à-
> dire le dol, s'ajoutaient à la contrainte pour vicier le
> consentement. Or, il en est d'une loi collective comme d'un
> contrat individuel ; sa validité, son existence juridique dépen-
> dent de la liberté de consentement, qui en est l'âme. Quand
> ce consentement a été surpris par le dol ou forcé par la
> contrainte, la loi est nulle en son essence, comme le contrat.
> On n'a même pas besoin de l'abroger plus tard ; on constate
> qu'elle n'a jamais existé en droit, puisque la condition
> essentielle de l'existence lui a toujours fait défaut, et on la
> déclare nulle [23]. »

Doit-on suivre Léon Blum dans cette démonstration ? Lui-même n'avait-il pas prouvé, par son vote hostile, et soixante-dix-neuf autres parlementaires avec lui, que si forte ait été la contrainte, les esprits républicains les plus chevillés avaient su rester fidèles aux principes fondamentaux de la démocratie ?

La République est morte

A tout prendre, le vote du 10 juillet est sans doute moins décisif que la demande et la signature d'armistice ; tout en découle. Par l'armistice, la France s'est officiellement séparée de la Grande-Bretagne et s'est offerte aux pressions de tout genre de l'occupant. Un gouvernement paré des attributs de la légalité est demeuré en France métropolitaine, vivant dans l'illusion de la paix retrouvée, préparant la coupure tragique qui va s'approfondir entre Français. Ce gouvernement trouve sa meilleure justification dans la volonté de protéger les populations vivant en France. Or cette protection ne s'étendra pas aux réfugiés politiques, comme l'en empêche un article de la convention d'armistice ; elle ne s'étendra pas non plus, comme on sait, à la population juive ; elle ne s'étendra pas davantage aux départements de l'ancienne « Alsace-Lorraine », qui se trouveront intégrés de fait dans le Reich. Et pas plus aux jeunes gens qui seront réquisitionnés pour le travail obligatoire en Allemagne. C'est dans l'illusion de la souveraineté que ce gouvernement va accomplir son œuvre. Or, loin de se contenter d'être un « bouclier » — sauver dans la tourmente ce qui peut être sauvé, préserver l'avenir, en attendant la fin de la guerre —, les hommes de Vichy ont voulu créer un ordre nouveau, un régime nouveau, sur la base des idées contre-révolutionnaires. Cette volonté s'exerce dans un état de myopie fatal. Pétain et ceux qui le suivent ont misé sur une victoire définitive de l'Allemagne, sans même de solutions de rechange. Accordons-leur que la majorité des Français jugent aussi la guerre finie au moment de l'armistice. Peu d'entre eux, y compris les intellectuels, ont la vision planétaire d'un de Gaulle. Il faudra attendre la victoire de la R.A.F. dans la bataille d'Angleterre pour que des Français un peu plus nombreux sortent de leur isolationnisme. Mais le régime de la Révolution nationale est déjà installé. L' « État français », comme il se désigne par discrétion, va se trouver entraîné par une logique issue de l'armistice à une collaboration d'État avec le troisième Reich, et sa fortune liée de plus en plus étroitement au sort des armées allemandes.

Le vote du 10 juillet, cependant, n'est pas une simple formalité. Il a rendu plus facile l'instauration du régime pétainiste ; il lui a conféré, textes officiels à l'appui, les apparences de la légalité. De ce fait, l'immense majorité parlementaire qui a signé un chèque en blanc à Pétain porte de lourdes responsabilités dans la fin de la République. Une partie de ses membres se justifieront plus tard, alléguant avoir été trompés par un héros national qui capitalisait sur son bâton de maréchal tous les espoirs et toutes les consolations. Pourtant, ces parlementaires républicains avaient connaissance des discours aux Français que le « vainqueur de Verdun » avait prononcés dès le 17 juin. Ils auraient pu y subodorer un danger. Ils avaient appris le traquenard du *Massilia,* où une partie de leurs collègues, et non des moindres, avaient pu éprouver les méthodes qui se mettaient en place. Surtout, ils avaient entendu Laval répéter au cours de ses grandes manœuvres entre le Casino et l'*Hôtel du Parc* le peu de prix qu'il accordait à la démocratie, son désir de voir s'installer un « régime autoritaire, hiérarchique, national et social ». Outre le groupe qui, derrière Bergery, bataillait pour une solution de type plus ou moins fasciste, il y eut cinq cents élus qui sombrèrent corps et biens, faute d'imagination, faute de convictions ou faute de courage. Ils n'ont même pas eu l'idée de se retirer sur l'Aventin, comme les députés italiens après l'assassinat de Matteoti ; ils n'ont même pas eu à être chassés des séances sous la menace du sabre ou tirés de leur lit au petit matin pour être jetés en prison ; ils ont tu leurs scrupules, oublié les grands principes, et confié leur honneur au prestige d'un vieillard abusif.

Le 11 juillet, les journaux annonçaient le premier des actes constitutionnels promulgués par « Nous, Philippe Pétain », devenu « chef de l'État français ». Il n'y avait plus de président de la République ; il n'y avait plus de République. L'acte constitutionnel n° 2 attribuait au « chef de l'État français » à peu près tous les pouvoirs, gouvernemental et législatif. L'acte constitutionnel n° 3 préservait le Sénat et la Chambre des députés mais les ajournait *sine die,* car n'étant susceptibles de convocation que par le chef de l'État. Il n'y avait plus de Parlement, que sur le papier. L'acte constitutionnel n° 4 justifiait tous les efforts de Pierre Laval, en faisant de lui le successeur du Maréchal de plein droit, en cas d'empêchement... Vu l'âge vénérable du Chef, le dauphin pouvait caresser de belles espérances.

On ne tentera pas, pour finir, un nouvel essai de bilan sur les responsabilités de cette chute sans grandeur de la troisième République. Il n'est point de famille politique qui n'y ait pris sa part et il faut remonter loin pour en suivre les lignes causales. La méthode régressive, rétroactive et finaliste a néanmoins ses faiblesses. De proche en proche, à la recherche des soubassements de l'événement, on remonte au déluge. Ainsi, de façon caricaturale, William Shirer voulant rendre raison de la crise finale, est allé jusqu'à chercher dans l'œuf la programmation de l'échec : tout était presque joué dès le départ, soixante-dix ans auparavant[24]. Restons-en, ici, pour conclure, à quelques observations, visant à résister à l'histoire toute faite, toute cuite et bien enveloppée, qui fait fi de la contingence :

1. En 1914, la France envahie par les armées allemandes n'a dû son salut qu'à la victoire de la Marne. Celle-ci a été possible grâce à deux atouts : la qualité d'initiative et d'imagination du haut commandement (Joffre, Gallieni) et, il ne faudrait pas l'oublier, à l'existence de l'alliance russe. Moltke s'est vu contraint de dégarnir le front ouest de régiments nécessaires à renforcer le front est, où les Russes lançaient leur offensive. En 1940, la France a été privée d'un commandement de qualité et a souffert d'un pacte germano-soviétique qui permit à Hitler, après l'écra-

sement de la Pologne, de concentrer toutes ses forces sur le front occidental. Y a-t-il donc un lien de causalité entre le faible niveau du commandement français et la nature du régime politique ? Non, puisque la République parlementaire a présidé aux deux guerres, à la victoire et à la défaite. Y a-t-il un lien de causalité entre le pacte germano-soviétique et la nature du régime politique français ? Sans doute l'anticommunisme de la droite, l'hostilité forcenée au Front populaire, ont-ils joué en faveur de la palinodie stalinienne ; mais le pacifisme invétéré d'une bonne partie de la gauche n'a pas davantage servi une diplomatie de fermeté, antimunichoise, résolument antinazie qui eût rassuré le maître du Kremlin. Rien cependant ne prouve avec certitude qu'une autre politique française eût empêché l'accord entre Hitler et Staline.

2. Admettons la proposition suivante : la France a changé de régime parce qu'elle a perdu la guerre ; elle a perdu la guerre moins sur le terrain que sur le tapis vert. L'effondrement de 1940 n'est que l'aboutissement d'une politique pacifiste, d'une attitude d'abandon et d'aveuglement face à Hitler. Pour fondée que soit l'affirmation, on doit cependant se demander quel est le pays qui, pendant des années, s'est montré le moins ferme, le plus « compréhensif » et, partant, le plus encourageant pour le Führer ? Assurément l'Angleterre ! Aussi bien au moment de la remilitarisation de la Rhénanie, en mars 1936, qu'à Munich, en septembre 1938, le gouvernement français n'a fait que suivre, comme on a dit plaisamment, sa « gouvernante anglaise [25] ». Or entre l'Angleterre résignée de Chamberlain et l'Angleterre décidée de Churchill, s'il y a bien une solution de continuité, nous avons affaire au même peuple et aux mêmes institutions. Évidemment, la Grande-Bretagne a des atouts géopolitiques que la France n'a pas ; il est bien connu que c'est une île... Par cette comparaison, on veut seulement suggérer que ce qui est vrai à un moment donné — en 1936, en 1938 — ne l'est plus forcément deux ans plus tard. Il faut se garder des perspectives téléologiques et ne pas trop soumettre l'Histoire à un enchaînement de fatalité. Tel peuple qui meurt le vendredi ressuscite le dimanche.

3. Remarquons aussi le rôle des individus dans une situation décisive. On a évoqué la médiocrité du commandement militaire. Mais l'attentisme de Daladier, pendant la « drôle de guerre » ? Mais le rôle de Paul Reynaud ? C'est celui-ci, qui manifeste la volonté de se battre jusqu'au bout, qui fait entrer dans les lieux du pouvoir les partisans les plus actifs de l'armistice : Pétain, Weygand, Baudouin, Bouthillier... Si l'on admet que la chute du régime et la naissance de l'État français sont directement liées à la signature de l'armistice — puisque la simple capitulation militaire eût permis le prolongement de la République à travers l'existence d'un gouvernement légal en exil —, alors il faudrait recenser toutes les faiblesses personnelles qui, des ministres au président de la République, ont cautionné la proposition Chautemps et placé Reynaud en « minorité ». Si Reynaud lui-même ne s'était entouré que de gens à l'âme résolue, partageant ses convictions, secondant avec cran sa politique, on peut avancer au moins que la signature d'un armistice n'était pas inscrit dans la force des choses. Or les choix de Paul Reynaud ont tenu à des aspects de son caractère, de sa vie, de son milieu ; ils sont en contradiction avec sa politique.

On pourrait continuer, mais loin de moi l'envie de refaire l'Histoire avec des *si*. Résistons au vertige relativiste. Mon propos n'était que de suggérer qu'à côté de tout ce qu'on dit, et qui souvent ne manque pas de sens, sur le déclin de la troisième République, sa chute finale compte aussi parmi ses causes une part de contingent, d'imprévisible, d'aléatoire. Il faut considérer le passé comme on imagine l'avenir, c'est-à-dire comme un scénario à dénouement variable.

Dans cette crise de 1940, il importe de distinguer deux séquences qui n'ont pas les mêmes implications, quoiqu'on les confonde souvent : la défaite militaire et la signature de l'armistice.

Sur la première, tout a été dit. Un *tout* résumable d'un mot : la France n'était pas prête, elle ne s'était pas préparée, ou elle s'était préparée trop tard, à affronter le choc d'un nouveau conflit mondial, une vingtaine d'années après la Grande Guerre. Cette impréparation, plus politique, plus psychologique encore que matérielle, trouve une de ses sources principales dans l'irréductible opposition des Français entre eux depuis le début des années trente, et que le danger extérieur, loin d'atténuer, a exacerbée. Les dimensions idéologiques des nouvelles tensions internationales qu'inaugure l'avènement de Hitler rendent impossible une politique extérieure d'unanimité. Même la guerre une fois engagée, on voit un Paul Reynaud, au moment où il succède à Daladier, privé de cet appui parlementaire massif sans lequel toute politique de salut public est impossible en démocratie. Quoi qu'il en soit, la défaite ne consacre pas *ipso facto* la mort du régime. Ce qui, sur le plan juridique comme sur le plan symbolique, entraîne la liquidation de la troisième République est bien la décision d'armistice, d'où s'ensuivent : la survie d'un gouvernement pseudo-souverain dans une illusoire *pax germanica,* la Révolution nationale, le conflit de légitimité avec la France libre, et finalement la guerre à forces ouvertes entre les fidèles de Pétain et les ralliés à de Gaulle.

Quelques-uns des acteurs habituels des crises manquent à l'appel. Peut-on encore parler de l'opinion publique, devenue insaisissable dans le remue-ménage de l'exode ? Jetés sur les routes, restés dans des communes désertées ou privées de leurs représentants officiels, souvent éloignés de tous moyens d'information, assujettis à toutes les rumeurs, les Français hébétés n'ont pas pleinement conscience de la situation. Les partis politiques sont disloqués, vidés de leur substance, quand ils ne sont pas purement et simplement dissous. Les Chambres, censées représenter le peuple souverain, ne sont jamais convoquées, qu'*in extremis* pour la cérémonie du « hara-kiri » collectif. Paradoxalement, l'espace des instances de décision est en proportion inverse de leur champ d'application. Tout s'est joué en quelques jours, entre le 13 et le 21 juin, de Cangé à Bordeaux, entre quelques hommes, par quelques intrigues de couloirs, en quelques séances de Conseil des ministres, on est tenté de dire : en quelques coups de dés. C'est dans une sorte de huis clos obsédant qu'on a pris la décision suprême, mettant les Français devant le fait accompli. Un petit théâtre d'ombres pour une apocalypse.

Cependant, les premiers actes de Pétain sont pris sans déclencher d'hostilité. Les dépositaires de la volonté nationale eux-mêmes ne parviennent pas à enrayer la démission de tous entre les mains du vieillard insigne en qui se projettent toutes les demandes de protection. En quelques semaines, la personne du Maréchal a pris un caractère sacré ; des plus hostiles au projet de Laval, pas un ne manque au respect, pas un ne conteste la nécessité de « l'appel au Soldat » et de l'attribution des pleins pouvoirs. Au fond, les parlementaires eux-mêmes paraissent résignés, peu après leur arrivée à Vichy, au dépôt de bilan de la démocratie. La défaite, comme un rouleau compresseur, a renversé tous les principes républicains ; elle agit comme une preuve active des faiblesses accablant le système parlementaire ; elle fait la démonstration par l'horreur du bien-fondé de toutes les critiques du régime. Face à la simplicité du recours à l'homme providentiel, les élus pétrifiés n'osent plus soutenir le système décrié qui a présidé à la débâcle. En ce début d'été vichyssois, où Pierre Laval, le fouet à la main, a joué les Monsieur Loyal, les mandataires de la Nation n'avaient plus bec ni ongles ; qu'une mauvaise conscience préludant à la contrition nationale orchestrée par Pétain et les évêques. « On devient moral, dès qu'on est malheureux », disait Proust. Outre la peur sous les menaces lavalistes, les députés et les sénateurs se sont démis par une sorte d'aveu de culpabilité. Depuis des années, les vagues de l'antiparlementarisme les avaient noyés sous les accusations. Voilà qu'ils les intériorisent : c'était donc vrai ! Ils s'étaient révélés impuissants, querelleurs et aveugles : le *Blitzkrieg* avait démontré jusqu'à l'humiliation la supériorité des régimes autoritaires. Aux yeux des démissionnaires atteints néanmoins de scrupules, Pétain rassurait : il serait le magistrat de la parenthèse, le dictateur provisoire d'une République fermée pour cause de guerre, l'homme du ressaisissement national dans la tempête. Le crédit dont le Maréchal disposait dans les rangs de la gauche explique en partie la démission de tant de socialistes. Pour les pacifistes, il était devenu l'homme de la paix. Mais Léon Blum lui-même, qui lui a refusé son vote, a expliqué dans ses Mémoires le respect que lui inspirait celui qui avait été le héros de l'année 1917 :

> « J'avais été frappé et je puis dire séduit, comme tous ceux qui l'approchaient, par la noblesse de sa stature et de son port, par le regard simple et bon de ses yeux bleus à fleur de tête, par l'air de gravité et de noblesse qu'exprime son beau visage. J'avais toujours rendu pleine justice à son rôle pendant la guerre de 1914[26]. »

Cette disposition favorable à l'égard de Pétain, à gauche, ne faisait que renforcer le prestige dont il disposait à droite. Mais tandis que les uns et les autres se résignaient à une sorte de dictature à la romaine, le temps d'un malheur, tout ce que la France comptait de revanchards cumulés, réactionnaires, cléricaux, antiparlementaires, antisémites, anticommunistes forcenés, fidèles de l'Action française, vaincus de 1936, munichois impénitents, tous sentirent confusément leur heure venue. Ce fut presque un soulagement, « une divine surprise[27] », une admirable ruse de la raison ou une épreuve profitable de la Providence : du malheur où elle avait sombré, la France puiserait l'énergie de son redressement. Ainsi 1940 effacerait 1789, 1848, 1871, 1905, 1936... Une parenthèse de calamités, plus ou moins longue selon les écoles, était fermée ; une ère nouvelle commençait.

Les prisons et les chemins de l'exil s'ouvraient aux premiers résistants. Tandis que tant d'intellectuels méditaient sur l'utilité pédagogique de la défaite[28], l'instinct de défense nationale, tantôt républicain, tantôt nationaliste, l'instinct tout court de l'homme qui ne plie pas, l'instinct de liberté entraînait les meilleurs dans le refus d'obtempérer. Ce même refus qui avait présidé à la naissance révolutionnaire de la troisième République, en septembre 1870, et qui fit si cruellement défaut, en juin et juillet 1940, des quais de Bordeaux au Casino de Vichy·

7

Le 13 mai 1958

La quatrième République, issue de l'effondrement du régime de Vichy dans la débâcle allemande, n'est, d'une certaine façon, qu'un prolongement de la crise ouverte en 1940. Les Français restent toujours frustrés d'un système constitutionnel qui bénéficie du consensus et permette une vie politique régulière. Pourtant, malgré ses carences, la nouvelle République gère avec succès le développement économique ; en dépit de l'impopularité qu'elle inspire, elle manifeste en maints domaines une aptitude à l'innovation qui mériterait autant l'attention que ses faiblesses notoires. Comme en 1940, c'est finalement de l'extérieur qu'elle reçoit le coup mortel, puisque la crise algérienne a été la cause directe de sa chute. On peut discuter cette extériorité, faire valoir que l'Algérie était tenue au début du conflit pour une terre française, à maintenir justement à part entière, aux yeux des promoteurs du 13 mai, dans la communauté nationale. Cependant, la question algérienne appartient à une série historique internationale : la décolonisation affecte ou affectera sans exception toutes les puissances coloniales et tous les territoires soumis à la domination européenne ; elle met en jeu l'équilibre des forces dans le monde, et aucun de ses épisodes ne peut laisser indifférents les autres États. Au demeurant, l'agent extérieur de la crise agit aussi comme un révélateur paroxystique des contradictions et des insuffisances de la structure interne.

La crise de 1958 en reçoit une intelligibilité plus certaine que celle des autres crises. Elle se présente d'abord comme une simple équation à une inconnue : face à un problème écrasant, il faut à l'État un supplément de puissance pour parvenir à la solution. Cet *x* à trouver, on sait que ce sera le général de Gaulle. Au départ, on observe seulement le déséquilibre, entre un régime politique usé et un groupe de pression — celui de « l'Algérie française » — qu'il ne peut maîtriser. La gravité et l'originalité du 13 mai proviennent d'une des composantes de ce groupe de pression : l'armée. Celle-ci ne provoque pas directement la crise mais, par son irruption décisive, elle en autorise le déroulement jusques et y compris la solution choisie, qu'elle cautionne : le nouveau recours à l'homme providentiel, cette fois Charles de Gaulle. On peut donc définir l'événement comme la rencontre nodale de trois crises distinctes à l'origine : une crise de décolonisation, une crise du système politique et une crise militaire.

Dans le cadre de cet ouvrage, on ne suivra pas par le menu, de jour en jour, voire d'heure en heure, le déroulement chronologique de quelques semaines de fièvre intense — même si, de temps à autre, il faut bien noter les soubresauts de la courbe de température. Les récits sur le 13 mai et ses suites sont légion, parfois récents[1], on a cru plus utile, en prenant appui sur ces descriptions, de tenter de définir la nature particulière de cette crise, avant de s'interroger sur la nature de la solution qui lui a été donnée.

« Une guerre imbécile et sans issue » (Guy Mollet)

La cause immédiate du 13 mai pourrait tenir en trois mots : l'impossible décolonisation de l'Algérie. La Seconde Guerre mondiale a été l'accélérateur d'un phénomène planétaire d'émancipation nationale, entamé en 1914-1918. Le principe d'autodétermination, inspirant les 14 points du président Wilson, rendait manifeste le caractère provisoire de la colonisation et les limites de la domination européenne, même s'il n'eut pas d'effet immédiat. Le second conflit mondial amorçait définitivement le processus. La Charte de l'Atlantique d'août 1941 réaffirmait le droit à l'autodétermination ; la montée des mouvements nationalistes, nés d'une guerre à l'autre, allaient successivement mettre en demeure les États coloniaux affaiblis d'appliquer enfin leurs propres principes. En 1947, l'ancien Empire des Indes donnait naissance à trois États indépendants ; en 1948, la Birmanie se libérait à son tour de la domination britannique ; en 1949, les Néerlandais accordaient son indépendance à l'Indonésie ; en 1951, la Libye devait la sienne à une décision de l'O.N.U... Ce vaste mouvement d'affranchissement des anciennes colonies reçut son orchestration idéologique à Bandoeng, dans l'île de Java, où, du 18 au 24 avril 1955, une conférence d'une trentaine de pays d'Asie et d'Afrique proclamait l'émergence d'un tiers monde solidairement uni dans l'anticolonialisme. Comme à Valmy en 1792, la face du monde, en 1955, à Bandoeng, avait changé. La France elle-même était entraînée par le courant : en juillet 1954, les accords de Genève consacraient l'échec de sa politique de force en Indochine ; en 1955, ses comptoirs de l'Inde revenaient à l'Union indienne ; en 1956, le Maroc et la Tunisie devenaient à leur tour des États souverains. Le mouvement paraissait irréversible et universel.

Cependant, lorsqu'il atteint l'Algérie, le 1er novembre 1954, personne n'imagine, ni les responsables politiques ni l'opinion publique, que cette terre si proche, assimilée à un ensemble de départements français, où vivent près d'un million d'habitants d'origine européenne, puisse être promise à l'indépendance. Un dogme est alors accepté par la plupart des Français, des deux côtés de la Méditerranée : il n'y a pas, il ne saurait y avoir de « nation algérienne » ; il n'existe qu'une « Algérie française », partie intégrante de la République une et indivisible.

L'importance numérique de la colonisation européenne, sa diversité sociale, l'ancienneté de son enracinement expliquent la particularité du cas algérien. Ces pieds-noirs, comme on les appelle, ne se sentent nullement privilégiés par rapport aux métropolitains : 80 % d'entre eux sont nés sur cette terre, qu'ils considèrent comme leur au même titre qu'un Breton la Bretagne ou un Provençal la Provence. Pourtant si, selon le slogan consacré, « l'Algérie-c'est-la-France », elle ne l'est pas également pour tous. A côté de ce million de pieds-noirs, dont beaucoup sont de condition modeste mais qui sont tous des citoyens à part entière, on compte 8,5 millions de musulmans qui, sur une terre qu'ils peuvent légitimement revendiquer comme leur de manière bien plus ancienne, disposent d'un niveau de vie et d'un statut juridique les reléguant dans une position de dominés. Forts d'une culture propre (les langues, l'histoire, l'appartenance à une communauté islamique), les Algériens musulmans ont le double sentiment d'être une catégorie à part quoique majoritaire et tenue en état d'infériorité. Cette auto-identification, par la différence et l'inégalité, nourrit un nationalisme de vieille date, longtemps réprimé et de nouveau encouragé par le mouvement international qui aboutit à l'indépendance des autres États maghrébins. A la fin de 1955, les attentats, jusqu'alors plus ou moins isolés, laissent place à une véritable guerre, sous la direction du Front de libération nationale.

Que faire ? La tragédie algérienne résulte d'un dilemme que les gouvernements successifs de la quatrième République désespèrent de pouvoir surmonter. Ou bien on programme l'indépendance de l'Algérie, comme la Grande-Bretagne a fixé le calendrier de l'indépendance indienne, mais au risque de déclencher la guerre civile tant le « parti » de l'Algérie française est puissant et certain de gagner l'armée à sa cause ; ou bien on programme l'écrasement du nationalisme algérien, ce qui suppose d'abord une victoire militaire, partant, beaucoup d'hommes, de matériel, d'argent — et évidemment une détérioration des relations diplomatiques. Mais une telle visée exige plus encore : une victoire politique, le ralliement unanime à la cause française, moyennant un énorme effort d'assimilation, la suppression de toutes les barrières sociales entre les différentes communautés, des investissements colossaux pour tirer les musulmans de leur subordination économique. Une pareille hypothèse est d'autant plus fragile que cette population a une démographie qualifiée d' « explosive » : avec un taux de natalité de 45 ‰, elle s'accroît de 3 % par an, ce qui revient à dire qu'elle aura doublé en vingt-cinq ans[2].

Quelles qu'en soient les vicissitudes, la crise algérienne

s'amplifie à partir de 1956 en raison de l'impossibilité, vu le rapport des forces, de s'engager résolument dans l'une ou l'autre voie. C'est une situation bloquée. L'Algérie est trop française pour être séparée, d'une manière ou d'une autre, de la métropole ; l'Algérie n'est pas assez française pour annihiler un mouvement d'indépendance nationale qui fait tache d'huile à partir de l'action terroriste d'un petit groupe qui a pris en charge la construction d'un nouvel État souverain.

La République ingouvernable

Face à cette conjoncture algérienne inextricable, le système politique paraît désarmé. Un mot en résume la faiblesse et tout le discrédit qui pèse sur lui : l'instabilité concrétisée par la courte durée des ministères (moins de huit mois en moyenne). La démission de Félix Gaillard, le 15 avril 1958, ouvre la vingt-deuxième crise ministérielle !

Pour expliquer ce phénomène, on évoque la Constitution, le gouvernement d'assemblée, le système des partis, la loi électorale. De fait, on peut observer, au cours de ces années 1950, un vif contraste entre la société, recélant des réserves de renouvellement et de dynamisme, et le système politique, frappé de routine et souvent d'impuissance. La Constitution de 1946 et la façon dont on l'a appliquée n'ont pas fait preuve d'efficacité : loin de simplifier les divisions si nombreuses entre les Français, de les réduire à une concurrence entre deux ou trois grands partis, cette structure a accru le morcellement des forces politiques. Cependant, en sens inverse, le multipartisme français a sensiblement édulcoré les meilleures dispositions des textes constitutionnels. La preuve en est que l'Italie a pu maintenir une règle du jeu politique très voisine de celle qu'avait adoptée la quatrième République ; l'existence d'un parti dominant a pu suppléer aux défaillances du système — en dépit de la longue crise des « brigades rouges », capable en d'autres lieux de provoquer l'effondrement du régime.

Ce détour par l'Italie nous incline à relativiser la causalité par les institutions et à examiner ce qui, par ailleurs, a pu entretenir une situation de divorce entre l'opinion publique — ou ceux qui sont censés l'interpréter — et le régime. Il faut notamment insister sur la faible légitimité de la quatrième République. On sait à quel point l'élaboration et le vote de la Constitution de 1946 ont été longs et laborieux. Fruit d'un compromis entre les trois principales formations politiques de l'après-guerre — le parti communiste, la S.F.I.O. et le M.R.P. —, elle n'a pu s'imposer que contre la volonté du général de Gaulle, ancien chef du gouvernement provisoire, et n'a été ratifiée en octobre 1946, après qu'un premier projet eut été repoussé en mai, que par une minorité des électeurs inscrits (36 % de Oui, 31 % de Non, 33 % d'abstentions, de bulletins blancs ou nuls). Entre-temps, le 16 juin, à Bayeux, le général de Gaulle avait défini de manière retentissante les grandes lignes de ce qui devait être la Constitution de 1958 ; le 30 septembre, à Épinal, dans une autre semonce, il avait fait un mauvais sort au second projet soumis à référendum. L'opposition entre le chef de la France libre et le M.R.P., parti censé être le plus proche de lui, laissa bien des électeurs dans la perplexité et priva ce second projet d'un large soutien. De surcroît, la majorité tripartite, à l'origine de la Constitution, a éclaté dès la première année de son application, les débuts de la guerre froide ayant eu pour effet d'isoler le P.C.F. et de le maintenir durablement en marge du système.

Or, en cette même année 1947, le Rassemblement du peuple français, (R.P.F.), lancé en avril par de Gaulle, devait contribuer à saper le nouveau régime, ayant emporté une large victoire aux élections municipales d'octobre et jusqu'à 40 % des suffrages dans les grandes villes. A cette occasion, Paris se dotait d'un conseil municipal gaulliste, sous la présidence de Pierre de Gaulle, frère du général. Ainsi, dès ses débuts, la quatrième République était défiée par deux contestations massives : l'extrême gauche communiste (dont les suffrages ne descendront jamais au-dessous de 25 % des exprimés jusqu'en 1958) et le mouvement gaulliste, en brusque essor. D'emblée, la question de sa légitimité se posait pour la nouvelle République, puisque l'addition des deux partis du refus plaçait en position de minorité les formations gouvernementales.

Celles-ci — socialistes, radicaux, démocrates chrétiens, droite modérée — sont condamnées à composer une troisième force, nécessaire à la survie du système. Majoritaire au Parlement, minoritaire dans le pays, travaillée par les contradictions habituelles entre les couches sociales et les idéologies que ces partis expriment, la troisième force n'est qu'un pis-aller défensif, sans cohérence, incapable de produire une majorité stable qui, sur les deux fronts — anticommuniste et antigaulliste — pourrait imposer une unité de vue et une continuité dans l'autorité gouvernementale. Elle ne doit sa prolongation, lors des élections législatives de 1951, qu'au prix d'une réforme du scrutin qui contribue à son discrédit moral : par la loi des apparentements, donnant une forte prime aux partis coalisés, la troisième force parvient à tenir en respect la double opposition en infligeant aux communistes et aux gaullistes le traitement de la sous-représentation. Mais la coalition gouvernementale, précaire et changeante, ne résiste pas aux multiples problèmes qui l'assaillent : qu'il s'agisse de la construction européenne (et surtout de la Communauté européenne de défense), des questions économiques et financières, des conflits d'outre-mer, chaque mois occasionne de nouvelles raisons de se déchirer, sans compter les conflits de personnes qui décident parfois de tout dans cette République des caciques. Les 7 mois et les 17 jours du gouvernement Mendès France, de juin 1954 à février 1955, s'affirment comme la plus claire illustration des querelles intestines qui finissent par disloquer la troisième force et du fossé qui s'approfondit entre l'opinion publique et la classe politique dirigeante. Jamais homme d'État n'avait atteint une telle popularité sous la quatrième République mais la succession des problèmes traités (l'Indochine, la Tunisie, la C.E.D., les Accords de Londres et de Paris, les privilèges des bouilleurs de cru, l'Algérie...) additionne progressive-

ment contre lui des éléments d'opposition qui finissent par
constituer une majorité hostile [3]. De sorte qu'aux élections
de 1956, et malgré la liquidation du R.P.F., quatre blocs
rivalisent, apparemment inconciliables : un parti communiste, toujours puissant, qui contribue à renverser les
gouvernements mais n'entre dans aucune combinaison ; un
Front républicain, regroupant la gauche non communiste,
poussé par le courant mendésiste mais hors d'état d'obtenir
une majorité ; une droite et un centre qui ne peuvent
davantage y prétendre ; enfin une extrême droite antiparlementaire, représentée à l'Assemblée par une cinquantaine
de poujadistes.

Ces députés de l'U.D.C.A., que préside Pierre Poujade,
n'expriment qu'avec des excès de langage un sentiment
plus largement répandu d'hostilité, d'indifférence ou de
mépris envers les institutions et les hommes politiques de la
quatrième République. Si l'on se réfère aux sondages de
l'I.F.O.P., qui sont devenus l'instrument de mesure des
courants d'opinion, on peut juger de la médiocre légitimité
dont jouit le régime. De 1956 à 1958, le tableau suivant en
résume l'état chancelant :

*Dans l'ensemble, êtes-vous satisfait ou mécontent
de l'actuel gouvernement* [4] *?*

	MOLLET		BOURGÈS-MAUNOURY	GAILLARD
	avr. 1956	juill. 1956	sept. 1957	janv. 1958
Satisfaits	28	19	27	20
Mécontents	26	32	42	38
Indifférents ou ne se prononcent pas	46	49	31	42

Interrogés en août 1958, par le même institut de sondage
sur les défauts de la quatrième République, les Français
s'entendent sur deux vices principaux : les « changements
trop fréquents de gouvernement » et « trop de partis
politiques au Parlement ». Ces deux imperfections conco-

mitantes tiennent moins, en définitive, aux faiblesses intrinsèques de la Constitution qu'au système des partis. Ainsi, le texte constitutionnel avait armé le régime, contre l'instabilité, du droit de dissolution mis hors d'usage pendant toute la durée de la troisième République à la suite du 16 Mai. Le président du Conseil pouvait en demander l'application au président de la République, après les dix-huit premiers mois de législature, et moyennant deux conditions : qu'il y ait eu deux crises ministérielles dans les dix-huit mois suivants et que celles-ci aient été provoquées par un refus de confiance à la majorité absolue. Malgré cette limitation, la menace de la dissolution pouvait prévenir bien des votes hostiles et assurer une certaine stabilité gouvernementale. En pratique, et dès la première année, on s'ingénia à ruiner l'efficacité du dispositif : le gouvernement, sans attendre que la confiance lui soit refusée à la majorité absolue, démissionnait après un simple vote de défiance, d'où s'ensuivaient des crises ministérielles qui ne pouvaient être comptabilisées pour l'usage du droit de dissolution. Celui-ci ne fut appliqué qu'une seule fois, en décembre 1955 par Edgar Faure. On a fait le calcul que, sur 19 crises, 7 seulement entraient dans la catégorie de l'obligation constitutionnelle de démissionner [5].

Outre les mauvaises pratiques du système, le nombre excessif des partis a été la cause et la conséquence du blocage institutionnel. On connaît l'effet pervers du mode de scrutin proportionnel. Celui-ci, qui fut adopté par de Gaulle, en 1946, a favorisé indiscutablement le multipartisme, lui-même facteur d'instabilité parlementaire. Mais la loi électorale n'a fait qu'encourager un penchant national au fractionnement politique, causé par le cumul des divisions successives de la société, la concurrence des anciens et des nouveaux clivages, l'enchevêtrement des antagonismes hérités et des conflits modernes. Les variables sont si nombreuses : sociales, culturelles, géographiques, professionnelles, etc. que la tendance à la segmentation paraît sans limites.

« Loin d'intégrer et de simplifier les infinies lignes d'orientation existant dans une société, écrit Georges Lavau, notre

structure de partis tend à reproduire et à cristalliser ces lignes
en même temps que, grâce à sa rigidité, elle tend à conserver
une survie *politique* à des orientations qui ont largement
perdu leur élan vital dans la société. Conscients de leur
existence dissociée, les partis sont hostiles à tout rapport
direct entre le " pays réel " et une quelconque autorité
politique sur laquelle ils n'auraient pas un contrôle de tous les
instants[6]. »

La quatrième République ne vit donc que sur des
majorités de coalition, sans programme à long terme, sans
cohésion possible. Ainsi le gouvernement Guy Mollet, issu
des élections de 1956, est longtemps appuyé par la droite
grâce à sa politique algérienne, mais échoue sur la question
financière : la guerre, oui ; mais pas d'impôts nouveaux !
Cet exemple illustre l'inconséquence d'une Assemblée qui
souffre d'un manque corrélatif d'autorité. Ainsi le système
politique de la quatrième République, reposant sur un
compromis initial sans lendemain entre des partis s'acharnant par la suite les uns contre les autres, ratifié de guerre
lasse par une minorité d'électeurs, mais révoqué en doute
par une partie des élites politisées, incapable de faire surgir
une véritable autorité gouvernementale — et si d'aventure
il y parvient, comme dans le cas Mendès France, c'est pour
mieux lui interdire toute continuité —, a fini par vivre de sa
vie propre, coupé de la société civile et de plus en plus
décrié par des citoyens qui l'ont exclu de leurs « systèmes
de fidélité[7] ».

La République ne gouvernait guère et ne régnait plus
dans les cœurs.

L'intervention de l'armée

Par certains côtés, la crise du 13 mai ressemble au 6
février 1934. L'antiparlementarisme y préside et, dans l'un
et l'autre cas, une manifestation de rue tente de tuer dans
l'œuf un nouveau gouvernement : hier, celui de Daladier ;

cette fois, celui de Pierre Pflimlin, une des personnalités du M.R.P. de réputation trop libérale en matière coloniale (le 23 avril il avait écrit dans *le Nouvel Alsacien* un article en faveur d'un cessez-le-feu négocié). Dans les deux cas, la « rue » échoue apparemment. P. Pflimlin, sous le coup de la menace, reçoit un soutien inespéré d'une forte majorité. Dans les deux cas, la rue réussit finalement puisque Pflimlin cède la place à de Gaulle, comme Daladier à Doumergue.

Cela dit, de nombreux éléments du scénario diffèrent. D'abord, la rue dont il est question n'est plus la rue parisienne ; le Forum d'Alger a remplacé la place de la Concorde. Surtout, la nouveauté du 13 mai vient du rôle qu'y prend délibérément l'armée et qui va être décisif.

Depuis près d'un mois, la France, une fois de plus, était sans gouvernement. Le dernier en date, celui de Félix Gaillard, avait été renversé le 15 avril à la suite des complications diplomatiques provoquées par le bombardement, le 8 février précédent, de Sakhiet-Sidi-Youssef, en territoire tunisien, où l'aviation française entendait poursuivre des unités de l'armée de libération nationale. Ce raid avait provoqué 70 morts et 150 blessés, parmi lesquels de nombreux enfants. L'événement, débordant les frontières, avait entraîné l'internationalisation du problème algérien, la Tunisie adressant un recours devant le Conseil de sécurité de l'O.N.U. Le président du Conseil français, amené à accepter une offre anglo-américaine de « bons offices », suscitait la protestation violente du « parti » de l'Algérie française décidé à interdire une nouvelle capitulation « munichoise ». De nombreux députés de droite mêlaient alors leurs voix à celles des communistes pour abattre le troisième gouvernement de la législature. L'hétérogénéité de cette majorité négative est une des données du système : la présence au Palais-Bourbon d'environ cent cinquante députés communistes et affiliés constitue un des facteurs principaux du blocage ; leur alliance de fait avec la droite la plus colonialiste empêche toute majorité de gauche. Déjà, le gouvernement Mendès France avait été renversé, en février 1955, au début du conflit algérien, par la coalition des communistes et des conservateurs.

« Comment, écrivait en mai 1958 *The Economist,* une démocratie établie sur une base étroite, obligée à la vigilance contre une cinquième colonne communiste dirigée de Moscou, peut-elle se soutenir face à une droite belliqueuse et insatisfaite[8] ? »

C'était bien la question.

A Alger, la tension ne cesse de monter tout au long de cette interminable crise ministérielle. L'opinion « pied-noir », prise d'une inquiétude croissante, de plus en plus exaspérée, se montre réceptive aux mots d'ordre des meneurs résolus à défendre de vive force l'Algérie française. De leur côté, les cadres de l'armée, convaincus de remporter d'incontestables succès sur le terrain, comme l'atteste la récente bataille d'Alger, entendent n'être pas dépossédés d'une victoire finale par les politiciens de Paris. Le 8 mai, le ministre résidant en Algérie, le socialiste Robert Lacoste, s'adressant aux généraux à la veille de son retour en France, n'hésite pas à alerter leur vigilance : « Méfiez-vous. N'acceptez rien contre votre honneur. Attention à un Diên Biên Phu diplomatique. » Tel était l'état des mœurs socialistes et républicaines.

Le 9 mai, René Coty désigne P. Pflimlin pour tenter de former un gouvernement ; le rythme des événements s'accélère. On apprend que le F.L.N. a exécuté trois prisonniers, des militaires français détenus depuis le 1er novembre 1956. Un certain nombre d'organisations appellent alors à une manifestation pour le 12 mai, bientôt repoussée au lendemain quand on sait que Pflimlin se présentera devant l'Assemblée le 13. Parallèlement, en cette même journée, les quatre généraux et l'amiral responsables des forces armées en Algérie font parvenir un message au chef de l'État, par l'intermédiaire du général Ély, chef d'état-major général à la Défense nationale, mettant en garde le président de la République contre une éventuelle politique d' « abandon ». Décidément, le temps des armes n'était plus celui des lois.

La manifestation du 13 mai est une réussite à Alger. Le palais du gouvernement général est pris d'assaut par une foule qui, sous la conduite de Pierre Lagaillarde et Robert Martel, déborde tout, sans déclencher la moindre intervention des forces armées qui ont remplacé les C.R.S. Les parachutistes de service laissent les émeutiers utiliser un camion militaire pour enfoncer les grilles du gouvernement général. Celui-ci investi, un Comité de salut public est constitué à la hâte et, tout comme dans les révolutions parisiennes du XIXᵉ siècle à l'Hôtel de Ville, présenté au balcon vers lequel montent les ovations délirantes de la foule. Or ce Comité de salut public est composé de civils et de militaires. C'est même un officier général qui en prend la tête et télégraphie au président de la République :

> « Vous rendons compte création Comité de Salut public civil et militaire à Alger, sous ma présidence, moi, général Massu, en raison gravité situation et nécessité absolue maintien ordre, et ce pour éviter toute effusion de sang. »

La fin du texte est sans précédent sous un gouvernement républicain :

> « Exigeons création à Paris d'un gouvernement de Salut public, seul capable de conserver l'Algérie partie intégrante de la métropole. »

Ainsi, l'armée cessait d'être la « Grande Muette » ; elle transgressait l'obligation d'apolitisme ; elle n'acceptait plus la règle séculaire de sa subordination au pouvoir civil. Elle pesait de tout son poids — sans contrepartie en Algérie —, en faveur d'une certaine politique, d'un certain type de gouvernement, contre la majorité des représentants légaux du peuple souverain. Au soir du 13 mai, la menace de sécession et de guerre civile est réelle. Sans avoir *organisé* l'émeute, les généraux et officiers supérieurs n'ont rien fait pour l'empêcher, ils l'ont ensuite canalisée, avant de prendre finalement la tête de la rébellion.

L'attitude de ces officiers a pour origine une véritable « crise militaire », qui a commencé par la défaite de 1940. « Quelques-uns des postulats les plus élémentaires de la morale militaire — et notamment celui de l'obéissance au pouvoir politique » — ont été profondément remis en cause au cours de la Seconde Guerre mondiale [9]. L'Appel du 18 juin, le débarquement anglo-saxon en Afrique du Nord et la suite des événements ont imposé au soldat de *choisir,* de prendre parti « entre plusieurs devoirs opposés ». La victoire même de ceux qui, avec de Gaulle, avaient été des « factieux », ruinait l'ancienne conception légaliste du devoir militaire. La guerre d'Indochine et la défaite de Diên Biên Phu ont ensuite laissé des blessures qui ne se sont pas cicatrisées. L'amertume des soldats et des officiers était d'autant plus profonde qu'ils ont eu le sentiment d'être trahis par le pouvoir civil : « Les véritables raisons de la défaite d'Indochine sont politiques », écrivait en 1958 le général Navarre, ancien commandant du corps expéditionnaire en Extrême-Orient [10]. La guerre lointaine et révolutionnaire a été l'occasion pour la nouvelle génération d'officiers de prendre des initiatives exceptionnelles, tout en acquérant souvent une philosophie politique. Une « jeune armée » est née de cette expérience douloureuse, « dure, hardie, intransigeante », et sans complaisance pour le pouvoir civil, tenu en suspicion. En son sein, certains corps ou certaines unités — les régiments légionnaires et parachutistes — incarnent cette nouvelle mentalité, en déphasage avec une société civile entrée dans l'ère de la croissance et volontiers indifférente aux problèmes si exotiques de l'Indochine. On comprend pourquoi l'Algérie a pu devenir pour l'armée l'occasion de la revanche ; cette fois, elle n'est plus reléguée aux antipodes, dans un combat ignoré des Français : elle est entourée par une société pied-noir chaleureuse qui voit en elle son unique salut. Cependant, cette armée ne veut pas être un instrument de simple conservation ; elle s'affirme révolutionnaire, elle entend retourner contre le F.L.N. les principes mêmes de cette guerre qu'elle a appris en Indochine. Elle considère son combat en Afrique du Nord comme une nouvelle bataille de l'immense conflit qui oppose le monde libre à l'hydre communiste. Elle doit cependant affronter une terrible contradiction : désireuse de gagner à elle la sympathie des populations, elle sort de son rôle strictement militaire pour assumer des tâches

administratives, d'aide sociale, de scolarisation, de formation ; mais, pour faire échec à la guérilla, elle utilise les
moyens de répression, telle la torture, les plus contraires
aux droits de l'homme. Sa politisation découle presque
naturellement de ses responsabilités multiples : la propagande est devenue une de ses activités principales. L'armée
a cessé peu à peu d'être une simple force d'exécution ; elle
a conçu, en fonction des nécessités de la lutte, *sa* politique
algérienne. Celle-ci a pour principal postulat la pérennité
de la présence française sur le territoire algérien ; elle a son
corollaire dans la volonté de « promotion civique, économique et sociale de la population musulmane d'Algérie ».
Ainsi l'Algérie française sera une Algérie nouvelle ; ce sera
la terre de l'intégration, où il n'y aura plus que des Français
à part entière. Quel que soit le caractère chimérique d'un
tel programme, on ne peut dénier aux « capitaines »
d'Algérie leur générosité — lors même que les « nécessités
du terrain » les amenaient à user de méthodes de guerre
répréhensibles.

Le 13 mai, l'armée laisse donc se dérouler une rébellion
qu'elle n'a pas préparée. En prenant la tête du mouvement
elle veut résolument infléchir la politique de la métropole
dans le sens des impératifs qu'elle s'est à elle-même fixés :
sauvegarder l'Algérie française au prix d'une politique
ambitieuse d'intégration. En interdisant ce qu'elle appelle
l' « abandon », en se portant garante de la continuité
française, en se solidarisant finalement avec un mouvement
insurrectionnel, après avoir déjà pris un certain nombre
d'initiatives inhabituelles indépendamment du pouvoir central, l'armée revendique un des principaux rôles du jeu
politique.

La crise du 13 mai 1958 est donc la rencontre d'une crise
rampante de structure (l'ingouvernabilité de la quatrième
République) et d'une crise explosive de conjoncture (la
guerre d'Algérie) ; une force nouvelle fait de ce choc une
crise de régime : l'armée politisée.

Cependant, rien n'est encore consommé au soir du 13
mai. La majorité très large qu'obtient Pierre Pflimlin à
l'Assemblée (les communistes décident même de s'abste-
nir) ébranle quelques résolutions à Alger. (« Nous sommes

flambés », déclare le colonel Goussault, proche du général
Salan, en apprenant l'investiture de Pierre Pflimlin.) D'autant qu'à Paris les manifestations de soutien espérées par
les émeutiers du Forum n'ont pas eu lieu. Les journaux
métropolitains condamnent à peu près tous le « coup
d'Alger ». Nul n'est assuré de l'avenir. Le Sud a remporté
une bataille mais il n'a pas encore gagné la guerre de
Sécession.

A défaut de passer les événements à l'étamine, venons-
en aux conditions de la solution finalement trouvée : le
rappel du général de Gaulle.

L'impossible défense républicaine

On a vu, dans les précédentes crises, par quels ressorts,
voire quels automatismes, le régime parlementaire menacé
par une droite réactionnaire — ou révolutionnaire — était
parvenu régulièrement à surmonter le danger, au moins
jusqu'en 1940. L'union de tous les républicains, puis
l'union de la gauche avaient su ménager des contre-
attaques efficaces, évitant ou réprimant toutes les tentatives de coups d'État ou ce qui pouvait les faire redouter.
Pourquoi, en mai 1958, cette « défense républicaine » ne
fonctionne-t-elle plus ?

La cause principale est patente : le poids et l'isolement
du parti communiste depuis 1947. Ce n'est certes pas la
première fois que le P.C.F. est placé (ou s'est placé) hors
du coup. En gros, depuis sa naissance au terme du Congrès
de Tours de décembre 1920, jusqu'à juillet 1934, et malgré
quelques variations, le parti communiste léniniste puis
stalinien, considérant le parti socialiste comme un concurrent à abattre, n'a joué le « jeu » ni de la gauche ni de la
« démocratie républicaine » ; au demeurant, ce comportement de rupture ne portait pas trop à conséquence :
jusqu'en 1935 (municipales) et 1936 (législatives), la force
électorale et parlementaire du P.C.F. n'était pas encore de
nature à contrarier les mécanismes de la machine républi-

caine. De 1934 à 1947 (à part la parenthèse 1939-1941 si malheureuse pour sa mémoire), le « parti », en phase avec la stratégie du mouvement communiste international, a intégré le système démocratique libéral, jusqu'à la participation ministérielle de 1944 à 1947. Au cours de cette dizaine d'années, qui s'étendent du Front populaire aux lendemains de la Libération, le P.C.F. a acquis une puissance politique qui en fait le deuxième grand parti communiste de l'aire occidentale, derrière le P.C. d'Italie. Cette puissance qui se développe tous azimuts (aux élections, dans les mouvements de jeunesse et autres organisations de masse spécialisées, dans les milieux intellectuels, dans la C.G.T. que le parti finit par contrôler définitivement en 1947 lors du départ de Jouhaux et la création de Force ouvrière...), le « parti » en conserve une grande part de l'acquis jusqu'à la fin de la quatrième République. L'isolement des communistes semble pouvoir prendre fin après la mort de Staline, en 1953 : on discourt sur la « déstalinisation », il n'est bruit que de « coexistence pacifique », M. « K. » offre au monde surpris les images d'un *new look* soviétique illustré par la dénonciation des crimes de Staline. Mais plusieurs facteurs nuisent au rapprochement, pourtant souhaité par le P.C.F., des deux partis « ouvriers » : les résistances de la direction thorézienne au cours nouveau, les profondes rancunes accumulées entre socialistes et communistes au long des années de guerre froide, enfin les événements dramatiques de l'automne 1956 — aussi bien la répression par les chars soviétiques des insurgés hongrois que l'expédition de Suez lancée par le gouvernement Mollet de concert avec les conservateurs britanniques. Dès lors, l'éventuel rapprochement entre les deux grands partis de gauche est repoussé aux calendes.

Aussi comprend-on pourquoi l'un des hommes dont l'action aura été décisive dans le retour au pouvoir du général de Gaulle n'est autre que Guy Mollet, ancien chef du gouvernement et secrétaire général de la S.F.I.O. Celui-ci, résolument favorable à l'Alliance atlantique et à l'O.T.A.N., foncièrement anticommuniste (c'est à lui qu'on doit la formule : « Les communistes ne sont pas à gauche, ils sont à l'Est »), récuse l'idée d'un nouveau Front populaire, dont le P.C.F. — comme en 1936 — tirerait tous les avantages. Le maire d'Arras, qui est alors un objet de mépris aux yeux des intellectuels à cause de sa politique algérienne, jouit en revanche d'une réelle autorité au sein de son parti ; exerçant un contrôle serré sur l'appareil, il n'a aucun mal à tenir en respect la petite opposition de gauche, animée par des hommes comme Édouard Depreux, Alain Savary, Robert Verdier, voire Gaston Defferre. Il saura entraîner le ralliement de la majorité des parlementaires socialistes (députés et sénateurs) à la solution de Gaulle. Avec René Coty et Vincent Auriol, il sera l'un des trois hommes politiques qui auront le mieux contribué à rendre possible l'investiture *légale* du solitaire de Colombey.

Lorsque, le mercredi 28 mai, plusieurs centaines de milliers de personnes défilent de la Nation à la République à l'appel des journaux et des organisations de gauche, on voit bien côte à côte socialistes, communistes, radicaux, républicains populaires, bref le rapprochement apparemment réalisé de ceux qui, par leur histoire, sont devenus les composantes nécessaires de la « défense républicaine ». Mais leur accord n'est qu'illusoire, leur manifestation s'apparente plus à un rituel d'incantation qu'à une action décidée : depuis quinze jours, une autre solution a pris forme ; le matin même Pierre Pflimlin a démissionné ; le président de la République est déterminé à faire appel au général de Gaulle. C'est au lendemain de cette démonstration républicaine de masse, dépourvue de projet crédible, que l'ancien chef de la France libre est pressenti par René Coty pour former le nouveau gouvernement.

La « défense républicaine » n'a pas fonctionné parce qu'elle implique l'union des principales forces de gauche et que l'impossibilité de celle-ci est alors avérée : s'allier au P.C.F. et à la C.G.T. n'est accepté que par une minorité de la gauche non communiste ; la majorité, Guy Mollet en tête, juge trop dangereuse une solution « classique » de gauche, au moment où celle-ci reste si profondément divisée et déséquilibrée et où l'armée a versé du côté de la rébellion. Le double danger de guerre civile et d'hégémonie communiste dissuade bon nombre de « républicains » d'un nouveau front « antifasciste ». Mais ce sentiment est indissociable d'une politique « propre » de rechange : c'est le nom du général de Gaulle qu'on avance ; c'est déjà une garantie contre le pire, la dictature militaire.

Les difficultés d'un éventuel pronunciamiento

Dans son « Bloc-Notes » de *l'Express,* François Mauriac écrit, à la date du 8 juin :

> « Le fascisme algérien, nous le dénoncions depuis des années, mais la connaissance que nous en avions demeurait abstraite. Nous rappelions la conquête de l'Espagne par Franco et par ses gardes maures, comme on parle à des enfants de Croquemitaine, sans croire que cela pût menacer jamais la patrie de Descartes et de Pascal. [...] La République française, au printemps de 1958, a paru plus près d'être étranglée que l'espagnole en 1937, dont le peuple unanime et en armes aurait tenu contre Franco, sans les " Messerschmidt " de Hitler. Mais le nôtre ! J'admire que l'on ait trouvé du réconfort à voir défiler cette immense foule pacifique, sur la place de la Nation. Il ne faut pas beaucoup de mitraillettes pour disperser cent mille citoyens armés de grands principes[11]. »

Au cours des journées de mai 1958, l'idée s'est peu à peu répandue qu'un des dénouements possibles de la crise était l'établissement d'une dictature militaire en France. La rumeur est devenue un bruit lorsqu'on apprend, le 24 mai, que des parachutistes venus d'Algérie ont rejoint la Corse où ils ont aidé Pascal Arrighi à substituer à l'autorité préfectorale un comité de salut public. L'hypothèse d'une conquête de la métropole par l'armée d'Algérie, comme vingt ans auparavant celle de l'Espagne par l'armée franquiste venue du Maroc, prend alors consistance. On s'attend, dans les jours suivants, à un débarquement en force ; tout ce que le pays compte de réseaux et d'organisations favorables à l'Algérie française se mobilise et s'apprête à faire la jonction avec les soldats de Massu et de Salan. Les « putschistes » pouvaient bénéficier de nombreuses complicités dans l'appareil d'État. Ainsi, le ministre de l'Intérieur, Jules Moch, pense alors sérieusement à constituer des milices, tant les forces de police qu'il est censé diriger lui paraissent incertaines. La police parisienne, engagée dans la lutte contre le terrorisme algérien et insatisfaite de ses traitements, exprime depuis un certain temps son mécontentement ; le 13 mars 1958 une manifestation de milliers de policiers a eu lieu devant le Palais-Bourbon et a fustigé les députés. Sans doute cette police n'est-elle pas tout entière acquise aux hommes d'Alger : la Fédération syndicale des personnels de la Préfecture de police proclame son loyalisme depuis le 13 mai ; il n'en reste pas moins que le noyautage par les activistes est très avancé. Un comité de salut public de la Préfecture de police a été créé, dès le 14 mai, qui multiplie auprès des personnels les distributions de tracts condamnant « un système périmé [12] ». Le discrédit même dont souffre la quatrième République dans l'opinion ne peut qu'encourager tous ceux qui rêvent de coup de force et de dictature armée.

Le plus haut responsable militaire après le ministre, le général Ély, aggrave l'affaiblissement de l'appareil d'État en donnant sa démission le 16 mai, ne voulant pas porter atteinte à « la cohésion » et à « l'unité des forces armées françaises », sans rappeler, dans son ordre du jour, l'obligation pour elles de rester au service de l'État. C'est un de ses adjoints, le général Grout de Beaufort qui, en compagnie du général Miquel, commandant la région de Toulouse, et de quelques autres officiers monte en accord avec Alger l'opération « Résurrection », destinée à mettre la métropole sous la coupe de l'armée. Habitués à la guerre psychologique, les militaires continuent jusqu'au 29 mai leurs manœuvres d' « intoxication ». Jules Moch est prévenu le 27 d'un débarquement aérien, dans la nuit du 27 au 28 — opération remise dès lors qu'un communiqué du général de Gaulle, lu sur les ondes le 27 à midi, annonce son retour imminent au pouvoir.

Il est probable que tous les préparatifs de l' « invasion »

de la métropole ont moins compté par eux-mêmes que par la menace qu'ils ont représentée et qui a précipité la solution de Gaulle. Il n'en reste pas moins que bon nombre d'officiers ont envisagé la prise du pouvoir par la force, la transformation du « coup d'Alger » en « coup de Paris », ne fût-ce que pour offrir ce pouvoir au général de Gaulle. Salan n'a-t-il pas envoyé, le 28 mai, une délégation d'officiers auprès du général, à Colombey, pour lui exposer les dispositifs du plan « Résurrection » ? De Gaulle lui-même, qui semble bien avoir donné son aval à une opération soutenue par une partie de son état-major, écrit à son fils dans une lettre datée du 29 mai à Colombey : « D'après mes informations, l'action serait imminente du sud vers le nord [13]. »

En tout cas, la situation française du printemps 1958 présente de nombreux points de comparaison avec la situation italienne à la veille de l'arrivée de Mussolini au pouvoir : des démocrates divisés, un régime privé de soutien massif, un appareil d'État gangrené, des groupes d'activistes armés et organisés n'attendant que de prêter main-forte aux « restaurateurs de l'ordre »... On ne peut exclure, dans ces conditions, la possibilité du coup d'État et de la dictature.

Cependant, l'espérance de vie d'une dictature militaire en France risquait d'être faible. L'armée n'était pas toute rangée derrière Massu et Salan. Son unité avait été préservée par la décision du président du Conseil, Pierre Pflimlin, confirmant publiquement le 14 mai les pouvoirs du général Salan en Algérie. Il n'est pas certain qu'un *pronunciamiento* ait pu rallier toutes les unités. Du reste, l'armée d'Algérie est composée dans une large mesure des hommes du contingent : rien ne permet de dire que ceux-ci seraient restés complètement soumis aux ordres des « putschistes ». Une telle dictature aurait isolé diplomatiquement la France, engagée d'autre part dans une guerre coloniale. Les militaires auraient dû se battre sur deux fronts : contre les nationalistes algériens et contre les résistants métropolitains. Cette résistance eût été principalement prise en charge par un parti communiste encore puissant, habitué par nature à l'action clandestine, ce qui lui eût permis de reconquérir son audience acquise pendant la guerre — autrement dit, l'état de guerre civile pouvait atteindre le but inverse de celui que la philosophie politique des militaires visait : donner des gages au communisme, désigné par eux comme l'agent diabolique de la guerre coloniale.

Quelle dictature, fût-elle militaire, aurait pu tenir, ayant à se battre sur tous les fronts, sans oublier de faire tourner la machine économique, éviter la grève générale, remplir les caisses vides de l'État ? Il n'est pas douteux que les militaires impliqués dans le coup d'Alger ne tenaient guère à une épreuve de force qui eût tourné à la catastrophe de la guerre civile.

L'armée, on l'a dit, n'a pas préparé le 13 mai. Elle n'a pas de solution politique originale à la crise. Elle émet des vœux, elle exprime des refus, elle n'a pas de plan. Le 13 mai, elle ne songe même pas à de Gaulle : la pénétration gaulliste ne concerne qu'une minorité d'anciens des Forces françaises libres.

> « En fait, écrit Raoul Girardet, tout semble s'être passé, au moment du 13 mai et pour une brève période, comme si l'armée (ou tout au moins ceux qui parlaient en son nom) s'était estimée dépositaire sur le plan politique, d'une sorte de droit d'arbitrage ou de *veto :* droit d'arbitrage ou de veto qu'elle semblait penser être autorisée à faire jouer devant toute décision ou toute mutation du pouvoir civil susceptible de menacer ce qui représentait à ses yeux les grandes exigences du destin national [14]. »

A cet égard, on doit observer l'empressement avec lequel les généraux et officiers d'Alger saisissent la solution gaullienne, qui n'est pas la leur, que le gaulliste Delbecque a soufflée à l'oreille de Salan, et qui leur permet, dès le 15 mai, de sortir de l'impasse où ils pouvaient se sentir fourvoyés.

La dualité des pouvoirs établie le 13 mai 1958 des deux côtés de la Méditerranée ne pouvait prendre fin que par trois issues ; la victoire du « Nord » sur le « Sud », comme aux États-Unis en 1865 — mais le Nord, on l'a dit, est trop désuni ; ou la victoire du Sud, sous la forme d'une dictature plus ou moins militaire, en tout cas soutenue par l'armée — mais le risque de guerre civile était énorme ; la troisième issue était le compromis entre les deux parties : l'homme providentiel sera l'homme du compromis, jugé impossible au lendemain du 13 mai et de plus en plus nécessaire dans les deux semaines qui suivent.

Retour de l'homme providentiel

En proie au danger de guerre civile, les Français de 1958 disposent d'un ultime sauveur, celui qui saura attirer sur sa tête la double confiance de Paris et d'Alger, celui qui permettra à chacune des deux parties de ne pas perdre la face, celui qui saura pacifier les esprits et redonner confiance à la Nation. Charles de Gaulle était sans doute, à ce moment-là, la seule personnalité apte à remplir une telle mission. Toutefois, ici encore, il faut se garder de tomber victime du fait accompli. Si tout est lumineux après coup, au lendemain du 13 mai la solution de Gaulle ne s'impose pas d'emblée. Néanmoins, le « Général » détient trois atouts personnels : une légitimité historique, un charisme exceptionnel, un sens tactique consommé qui le désigneront rapidement à l'opinion publique puis à la classe politique comme l'aboutissement raisonnable de la crise.

Pour la plupart des Français, de Gaulle reste et restera « l'homme du 18 juin », celui qui a sauvé l'honneur de la France en 1940 ; qui a rétabli le pays au rang des grandes puissances en 1945 ; l'ancien chef de la France libre détient une légitimité historique qui l'élève au-dessus des partis. Sans doute se souvient-on de l'épisode raté du R.P.F. Du moins de Gaulle peut-il se prévaloir d'avoir eu raison contre le « système des partis » : s'il a fondé le R.P.F. en 1947, c'est après s'être opposé solennellement aux deux projets constitutionnels successifs, dont le second est devenu la Constitution de 1946. Après coup, le discours de Bayeux a été justifié par une douzaine d'années d'instabilité et une vingtaine de crises ministérielles. De Gaulle est fort de cette continuité dans l'analyse : sa légende de guerre est confortée par sa lucidité politique.

L'homme de la France libre, condamné à mort par le régime de la Collaboration, le restaurateur des libertés républicaines, ne peut pas être tenu pour un fasciste. N'est-il pas, du reste, l'objet d'une haine tenace de la part d'une extrême droite peuplée des survivants de Vichy, des fidèles inconsolés du Maréchal, des vaincus de la Libération qui ont dû affronter les tribunaux de l'épuration ? L'armée, elle-même, on l'a dit, est largement réfractaire au gaullisme historique. Ce passé de résistant lui vaut des fidélités et des sympathies dans la classe politique comme chez les intellectuels. André Malraux, François et Claude Mauriac, Robert Barrat, Jean Amrouche, un certain nombre d'hommes de gauche qui ont combattu la politique de reconquête coloniale des précédents gouvernements vont accorder leur confiance à de Gaulle en raison de son passé, qui est une assurance contre la dictature.

L'exemple d'un Pierre Mendès France atteste le capital de respect dont le Général jouit dans les rangs de la gauche. Le député radical qui s'opposera à l'investiture de De Gaulle, à cause du contexte militaire et politique, n'en exprimera pas moins son admiration pour l'homme du 18 juin. Lorsqu'il avait été investi par l'Assemblée, le 18 juin 1954, Mendès France avait adressé un message au solitaire de Colombey, comme pour se placer, en ce jour anniversaire, sous l'inspiration du général de Gaulle.

Celui-ci dispose d'un autre atout, lié à sa personnalité hors du commun, à un pouvoir charismatique dont la force de séduction s'est accrue au cours de cette « traversée du désert », après une longue cure de silence par quoi il s'est coupé des activités routinières et des joutes volubiles des politiciens ordinaires. L'éloignement et le mutisme ont dignifié sa personne. Ses premières paroles sont attendues comme le jaillissement d'une source au milieu des sables. Or le Général connaît toutes les ressources du Verbe. Il manie les mots et les formules avec un bonheur d'écrivain — ce qu'il est par ailleurs, comme en témoigne son œuvre écrite, et ses récents *Mémoires de guerre*. Dans ce livre comme dans ses conférences de presse ou ses discours, il n'hésite pas à assimiler sa personne à la France — pareille incarnation eût été chez tout autre ridicule, alors qu'on l'accepte sous sa plume et dans sa bouche. Il apparaît à beaucoup comme un roc ; la façon dont il a tenu la dragée haute à Roosevelt et autres Alliés pendant la guerre, fait de lui une de ces personnalités inflexibles, à la Churchill ou à la Clemenceau. Alors qu'il était inconnu, il a décrit, dans *le Fil de l'épée,* ce qu'il appelle l' « homme de caractère » : « Assuré dans ses jugements et conscient de sa force, il ne concède rien au désir de plaire. » Oui, mais c'est cette intransigeance qui étonne et qui plaît finalement.

De Gaulle, enfin, va se révéler un fin manœuvrier, un « artiste de la politique [15] ». Certes, bien des gaullistes vont œuvrer pour son compte (et combien peu inactifs sont restés les Guichard, les Foccart, les Debré, les Soustelle, les Chaban-Delmas, et à Alger les Delbecque et autres Neuwirth !), tandis qu'il restera, lui, sans mot dire ou presque, dans sa retraite de Colombey. *De minimis non curat praetor!* Mais le peu qu'il dira, les rares fois où il sortira de sa thébaïde, ce sera à bon escient, sans faux pas, se rapprochant un peu plus, chaque fois, du pouvoir.

Le nom du Général circulait depuis quelques mois dans les milieux de parlementaires et de journalistes. Les sondages révèlent une progression sensible de sa crédibilité politique. A la question : « Si l'on devait former un nouveau gouvernement, quel est, parmi les hommes politiques suivants, celui que vous aimeriez le mieux comme président du Conseil ? », de Gaulle ne recueillait, en décembre 1955, que 1 % des réponses ; en janvier 1958, il a atteint le premier rang, avec 13 % (à égalité avec le chef du gouvernement en place, Félix Gaillard), reléguant à 3 ou 4 points Mendès France, Pinay et Mollet. L'hypothèse de son retour, appuyée en particulier par Jacques Soustelle et discutée notamment dans les colonnes de *France-Observateur,* restait néanmoins fort improbable. On a vu qu'au moment de la formation du Comité de salut public, le 13 mai, à Alger, on ne songe pas encore à lui. A une exception cependant qui a valeur d'indice : l'ancien pétainiste Alain de Sérigny, directeur de *l'Écho d'Alger,* lance un appel à de Gaulle dans le numéro de son journal du 11 mai. C'est le jeudi 15 mai que le général Salan, inspiré par le général Petit et encouragé par Léon Delbecque, vice-président du Comité de salut public, s'écrie devant la foule algéroise du Forum : « Vive de Gaulle ! » Ce cri, poussé par Salan, n'est peut-être qu'un pis-aller. La petite histoire voudrait que l'orateur, hésitant à en appeler à de Gaulle, ait senti dans son dos comme le canon d'un revolver, qui n'était que le doigt pointé de Delbecque : « Criez vive de Gaulle [16] ! » Quoi qu'il en soit, le mot d'ordre est jeté du balcon ; la foule, cherchant à qui se vouer, le reprend, la rébellion d'Alger trouve sa direction, tandis que de Gaulle, sur-le-champ, relève le vivat algérois. En fait il avait déjà préparé un communiqué laconique, par lequel, sans rien condamner de ce qui se passe à Alger, il se déclare « prêt à assumer les pouvoirs de la République ». Dès que l'A.F.P. le diffuse, vers 18 heures, le général portait un coup mortel à toute solution de type « défense républicaine », sapait l'autorité du gouvernement Pflimlin et canalisait vers lui le dynamisme du mouvement rebelle. Entre le gouvernement légal de Paris et le Comité insurrectionnel d'Alger, un troisième pouvoir surgissait, et déjà l'esquisse du dénouement.

Pourtant, dans l'immédiat, la classe politique repousse la solution de Gaulle parce qu'il n'a formulé aucune condamnation de la mutinerie des généraux. Ce désaveu, les républicains ne l'obtiendront pas car le Général ne peut avancer ses chances qu'en raison même de l'insubordination de l'armée. Il ne remportera la partie que s'il se situe au point d'équilibre entre Alger et Paris ; que s'il apparaît comme le recours nécessaire au gouvernement légal et aux insurgés, simultanément. Dès le 16 mai, alors que se crée une « Association nationale pour l'appel au général de Gaulle dans le respect de la légalité républicaine », Guy Mollet l'interroge publiquement sur ses intentions. Il est clair que pour le leader socialiste, comme pour tous ceux qui veulent éviter et le *putsch* et le Front populaire, une solution se profile avec la candidature de De Gaulle. A condition que celui-ci veuille bien respecter les formes : reconnaître le gouvernement légal de Pierre Pflimlin, désavouer le Comité de salut public et, enfin, se prêter aux règles constitutionnelles de l'investiture.

La position de Guy Mollet est encourageante pour le Général : son retour « aux affaires » par la voie légale exige l'assentiment de la S.F.I.O. qui tient la clé d'une majorité à l'Assemblée. Cependant, de Gaulle entend bien rester désiré par les militaires, car les désapprouver ne lui serait d'aucun profit. Le 19 mai, il se résout à une explication publique, en donnant une conférence de presse à l'Hôtel du Palais d'Orsay que, pour la circonstance, le ministre de l'Intérieur Jules Moch a entouré d'un impressionnant service d'ordre. Encore une fois, le général se garde bien de prononcer quelque parole qui pourrait embarrasser Alger, mais il s'emploie à dissiper tous les doutes sur la nature du gouvernement qu'il formerait : « Croit-on qu'à soixante-sept ans je vais commencer une carrière de dictateur ? » L'argument est spécieux : le maréchal Pétain avait entrepris la sienne à quatre-vingt-quatre ans, mais le ton est rassurant : « A présent, je vais rentrer dans mon village et m'y tiendrai à la disposition du pays. » La brèche, ouverte par le communiqué du 15 mai, s'élargit : dans les jours qui suivent, les prises de position individuelles en faveur de De Gaulle se succèdent tandis que la tension monte entre l'Algérie et la métropole. Le ralliement de la Corse accélère les tractations entre le pouvoir politique et le Général. Après l'adhésion d'Antoine Pinay, qui se rend à Colombey le 22 mai, les deux leaders socialistes, Guy Mollet et Vincent Auriol, adressent chacun une lettre personnelle au Général, les 24 et 25 mai. Dans son message, l'ancien président de la République écrivait notamment :

« Je suis persuadé qu'à la clarté des événements vous vous efforcerez de ramener au pouvoir ceux des officiers généraux ou supérieurs qui ont désobéi à leur chef suprême et d'appeler tous les citoyens au respect de la loi commune. Si vous rompez toute solidarité avec ceux qui ont créé un mouvement séditieux vous retrouverez la confiance de la nation tout entière.

« La confiance ainsi rétablie entre le peuple républicain et

vous, il vous sera possible d'obtenir des hommes responsables de la République un accord rapide et un concours loyal
pour réaliser avec pleins pouvoirs un programme limité dans
un temps limité.

« La nation pourrait alors être appelée à se prononcer
librement et souverainement sur la réforme constitutionnelle
qu'exige l'intérêt supérieur de la démocratie. »

C'était déjà tout un programme qui était suggéré à de
Gaulle. Celui-ci répond :

« Les événements d'Algérie ont été, vous le savez bien,
provoqués par l'impuissance chronique des pouvoirs publics,
à laquelle j'ai naguère tout fait pour remédier.

« Le déclenchement et le développement se sont accomplis
en invoquant mon nom, sans que j'y sois aucunement mêlé.
Les choses étant ce qu'elles sont, j'ai proposé de former, par
la voie légale, un gouvernement dont je pense qu'il pourrait
refaire l'unité, rétablir la discipline dans l'État, notamment
du côté militaire, et promouvoir l'adoption par le pays d'une
Constitution renouvelée.

« Or je me heurte, du côté de la représentation nationale,
à une opposition déterminée. D'autre part, je sais qu'en
Algérie et dans l'Armée, quoi que j'aie pu dire, quoi que je
puisse dire aujourd'hui, le mouvement des esprits est tel que
cet échec de ma proposition risque de briser les barrières et
même de submerger le commandement.

« Comme je ne saurais consentir à recevoir le pouvoir
d'une autre source que le peuple, ou tout au moins des
représentants (ainsi ai-je fait en 1944 et 1945), je crains que
nous n'allions à l'anarchie et à la guerre civile. »

On achoppait toujours sur le désaveu de la sédition. Mais
à la nouvelle qu'une opération militaire était projetée sur
Paris dans la nuit du 27 au 28, de Gaulle obtient de Pierre
Pflimlin une entrevue secrète qui a lieu au château de
Saint-Cloud, dont le conservateur Félix Bruneau est un ami
du général, dans la nuit du 26 au 27 mai. La menace d'une
arrivée des parachutistes aidant, on se rapproche du
compromis. Cependant, l'entretien de Saint-Cloud se termine par un échec : Pflimlin n'a pu obtenir du Général la
réprobation des rebelles. Pourtant, loin de baisser le

pavillon, de Gaulle, convaincu de représenter la solution obligée et ne comptant pour rien le désaccord persistant, gagne tout le monde de vitesse par un nouveau communiqué : « J'ai entamé hier le processus régulier nécessaire à l'établissement d'un gouvernement républicain... » De plus, il demande à l'armée, sur le ton du commandement, de rester disciplinée « sous les ordres de ses chefs : le général Salan, l'amiral Auboyneau, le général Jouhaud ». Ce message, dont chaque mot avait été soigneusement pesé, rend l'appel à de Gaulle à peu près inévitable. René Coty demande à Pierre Pflimlin de n'opposer au général aucun démenti. Les chefs de l'armée ajournent l'opération « Résurrection » tandis que les « républicains savent gré à de Gaulle d'en vouloir passer par les formes " régulières " de l'investiture " républicaine " ».

En deux communiqués (15 et 27 mai) et une conférence de presse (19 mai), de Gaulle a su retourner la situation en sa faveur. Par la suite, il fera les concessions indispensables : malgré sa répugnance, il se présentera en personne devant l'Assemblée (mais il la quittera dès son discours d'investiture prononcé) ; il promettra que, dans la future Constitution, le gouvernement restera responsable devant le Parlement. Concessions qui s'imposent pour rallier les élus socialistes — du moins une courte majorité d'entre eux.

Dans la nuit du 27 au 28 mai, Pierre Pflimlin, prenant acte du départ de trois ministres indépendants, remet la démission de son gouvernement au président de la République alors que l'Assemblée continue de lui accorder une confiance massive. Dans ces conditions, l'initiative revient à René Coty. Celui-ci est convaincu qu'une seule issue reste possible, l'appel « à celui dont l'incomparable autorité morale assurerait le salut de la patrie et de la République ». Le 29, il adresse au Parlement un message par lequel il avertit les élus qu'il résignerait ses fonctions dans le cas où cette solution serait repoussée par eux. Cette déclaration lue à l'Assemblée par le président André Le Troquer provoque des réactions contradictoires. Aux applaudissements des uns répondent les « Vive la République », « Le fascisme ne passera pas » des autres. Le texte

de René Coty, son « chantage », sont jugés par beaucoup
« maladroits ». Insolite en tout cas, la démarche du président de la République va tout de même se révéler efficace.
De Gaulle est désigné le soir même pour former un
nouveau gouvernement.

Le samedi 31 mai, le Général recevait à l'hôtel Lapé-
rouse les représentants des groupes et des partis, au
nombre de vingt-six. Devant eux, il affirme : « Je ne serai
jamais l'homme d'une faction », et laisse entendre qu'il ne
fera appel au concours d'aucun des hommes d'Alger, et en
particulier Jacques Soustelle, un des gaullistes les plus
actifs de l'autre côté de la Méditerranée qu'il avait rejoint
de manière rocambolesque dès le 17 mai. Loin de se rallier
à la formule de l'Algérie française, de Gaulle évoque une
solution fédérale « trouvant sa place dans une Confédération englobant la métropole et les territoires d'outre-
mer [17] » ; cette idée, qui sera celle de la Communauté,
suscite les réserves de Robert Lacoste. Les propos du
Général entraînent cependant de nouvelles adhésions.

Dans *le Monde* du soir, une controverse entre Claude
Bourdet et Hubert Beuve-Méry résume bien les positions
du camp « républicain ». Bourdet dénonce « un chantage
odieux » : celui de « l'épouvantail de la guerre civile », par
le maniement duquel de Gaulle « dicte sa volonté au
Parlement » ; il stigmatise la résignation qui se prépare,
« ce défi à la volonté populaire » — une menace qu'il ne
prend pas au sérieux, et qui rend la « capitulation »
éventuelle « pire que celle de la Tchécoslovaquie à Prague,
pire que celle de Vichy, car dans les deux cas la menace
était infiniment plus réelle et plus effrayante que celle
qu'on agite aujourd'hui ». A cette argumentation qui
repose sur deux postulats invérifiés : la volonté populaire
serait hostile à la solution gaullienne et le danger de guerre
civile ne serait qu'un bluff, le directeur du *Monde* qui, la
veille, sous le pseudonyme habituel de Sirius, avait expliqué son ralliement à l'appel du grand homme, répond
brièvement à Bourdet :

> « En tout état de cause le maintien du *statu quo* n'était ni
> possible ni même souhaitable par la faute des républicains

eux-mêmes. Entre la menace immédiate de luttes fratricides et l'espoir, si ténu qu'il soit, de les épargner au pays, nous avons choisi l'espoir. »

Le 1er juin, à 15 heures, de Gaulle faisant une grâce à la coutume se présente au Palais-Bourbon. Aussitôt prononcé un discours d'une concision sans précédent, par lequel il demande des pouvoirs spéciaux en vue de la révision constitutionnelle, et la mise en congé du Parlement, il fausse compagnie aux députés. Les orateurs qui se succèdent expriment les divers courants du refus : Me Isorni, l'ancien avocat de Pétain ; François de Menthon, très minoritaire au M.R.P. ; Jacques Duclos, communiste ; Tanguy Prigent, parlant pour ceux des socialistes opposés à l'investiture ; Pierre Mendès France et François Mitterrand, jouteurs les plus éloquents dans l'apologie des grands principes républicains. Mendès France, notamment, reprend l'argumentation de Léon Blum, contestant la légalité du 10 juillet 1940 :

> « Le peuple français nous croit libres ; nous ne le sommes plus. Ma dignité m'interdit de céder à cette pression des factions et de la rue [...] notre mandat nous interdit d'abdiquer devant la force, notre mandat nous fait un devoir de revenir vers la démocratie si nous nous en sommes éloignés et non de nous en éloigner plus encore. »

Communistes mis à part, une fois encore tous les groupes politiques sont divisés : à Mendès France répond Clostermann ; à Tanguy Prigent réplique Deixonne ; à François de Menthon s'oppose Pierre-Henri Teitgen... Finalement, l'investiture est acquise par 329 voix, contre 224 (36 députés n'ont pas pris part au vote). L'opposition était constituée de 147 communistes, 49 socialistes, 4 U.D.S.R., 18 radicaux, 3 M.R.P., le reste appartenant, comme Jacques Isorni, à l'extrême droite irréconciliable.

Dans les jours suivants, les 2 et 3 juin, l'Assemblée adoptait trois textes complémentaires en faveur du nouveau gouvernement : les pouvoirs spéciaux en Algérie, le droit de prendre par ordonnances pendant six mois toutes les mesures « jugées nécessaires au redressement de la nation », enfin le pouvoir constituant, étant entendu que le projet sorti des travaux préparatoires reposerait sur quelques principes fondamentaux (suffrage universel, séparation des pouvoirs, responsabilité du gouvernement devant le Parlement, indépendance de la Justice) et serait soumis à référendum.

Ouverte le 13 mai, la crise était achevée le 3 juin. Mais ce n'était qu'une apparence : appelé et soutenu par des courants d'opinion et des organisations qui attendent de lui des politiques contraires, de Gaulle devrait de toute nécessité affronter à son tour le terrible problème algérien et, pour le résoudre, abattre des obstacles qui seraient autant de prolongements à la crise de 1958.

Contingence et déterminisme

Dans l'exposé qui précède, moins chronologique que « raisonné », on n'a sans doute pas fait la part assez belle à ce qui, dans tout événement, a nom contingence. La prétention de l'historien à mettre de la raison dans le cours des choses risque de rendre l'épisode étudié conforme à un scénario préétabli. « Comme si, écrit René Rémond, tout fonctionnement défectueux d'un régime politique suscitait mécaniquement la pratique ou l'instrument qui en corrige le dysfonctionnement[18]. »

De fait, la crise du 13 mai survient à la suite d'une chaîne causale, où l'inattendu, l'imprévisible, la coïncidence ont eu leur part. Plus encore, l'issue de la crise, le retour du général de Gaulle, ne s'impose que pied à pied malgré des obstacles d'apparence insurmontables. On sait quelle part notable a prise, dans ce dénouement, la marque personnelle des protagonistes — Pierre Pflimlin, et surtout Guy Mollet et René Coty. Quand on connaît notamment la résolution combative des élus socialistes, au lendemain du 13 mai, la motion quasi unanime votée au sein du groupe socialiste, le 27 mai encore, contre la candidature du général de Gaulle dénoncée comme « un défi à la loi républicaine », il faut reconnaître l'efficacité du secrétaire général de la S.F.I.O. qui, réunissant, le 31 mai, les deux groupes parlementaires et le Comité directeur, finit par faire entendre raison à 77 de ses camarades, en faveur de l'investiture de De Gaulle, malgré 74 récalcitrants. La majorité des *députés* socialistes y était hostile mais cette réunion autorisa la liberté de vote ce qui permit à 42 d'entre eux de soutenir de Gaulle — soutien sans lequel celui-ci n'aurait pu obtenir la majorité absolue et peut-être même, par effet de contagion, la majorité simple. De là à s'interroger sur l'hypothèse selon laquelle, sans un Guy Mollet à leur tête, les socialistes auraient pu réagir de manière différente, il n'y a qu'un pas.

Reste à savoir si la présence d'un Mollet au premier rang de la S.F.I.O. est le fruit d'un hasard, ce qui paraît improbable vu la base d'appui constante dont le secrétaire général a bénéficié dans son parti, de congrès en congrès. De manière plus globale, par comparaison avec les crises antérieures ou avec celle de 1968, il apparaît qu'en 1958 la part du contingent s'est exercée à un degré moindre. Au printemps 1958, à la chute du ministère Gaillard, l'impasse est évidente ; la situation paraît inextricable. Certes, un autre gouvernement eût succédé à celui-là, mais pour quoi faire ? Pour quoi faire d'autre que les précédents ? En s'appuyant sur quelles forces nouvelles ? La quatrième République, par défaut d'autorité gouvernementale, se révélait dans l'impossibilité de régler le conflit algérien. Un affrontement était inévitable à terme entre tout ce qui composait le parti de l'Algérie française, armée incluse, et un pouvoir civil incertain, faible et précaire. Dans *France-Observateur* du 6 mars 1958, Gilles Martinet se pose sérieusement la question : « Un putsh militaire est-il possible ? » Sa réponse est qu'il n'y a pas de « complot d'envergure » mais qu'il existe « un danger latent » ; dans le même numéro de l'hebdomadaire de gauche, Roger Stéphane calcule les chances d'un retour du général de Gaulle. Ce n'est qu'un exemple : la crise était prévisible, on en formulait la possibilité, sans qu'on sache évidemment *quand* elle devait éclater. Ici, la contingence reprend ses droits : c'est elle qui fixe la chronologie de l'événement, qui n'a pas été programmé.

La nature de la solution appelle une observation analogue. A coup sûr, elle n'est pas certaine au départ ; elle pouvait échouer, elle était à la merci d'un faux pas du Général, ou de toute autre entrave imprévisible. Mais de Gaulle ne tombe pas du ciel comme un *deus ex machina*. Son retour a déjà été envisagé, bien avant le début de la crise ; cette idée même a fait son chemin dans l'opinion, comme on l'a vu aux sondages de l'I.F.O.P. Dès le 15 mai, cette solution devient une éventualité plausible ; en une quinzaine de jours seulement, elle s'impose. De Gaulle était sans doute le seul homme d'envergure nationale en réserve, qui pût tout à la fois canaliser la rébellion d'Alger, mettre fin — provisoirement — à la dissidence et rassurer l'esprit républicain. Si l'on ne s'est pas rallié à de Gaulle par enthousiasme, on l'a fait au nom du réalisme, quand toute autre conclusion s'est révélée impossible ou trop dangereuse pour la paix civile. Bref, le dénouement de la crise ne fait pas injure à la logique, même si d'autres étaient possibles.

Cela dit, la crise est-elle finie pour autant ? L'avenir de l'Algérie reste en suspens ; la guerre, elle, n'est pas achevée. Si l'armée va peu à peu rentrer dans le rang, elle ne renonce pas définitivement à son rôle politique. L'issue gaullienne qu'elle a favorisée plus que toute autre force organisée reste conditionnelle : elle entend bien la rendre propice à la cause qu'elle ne cesse de soutenir et que sa « victoire » même de 1958 confirme — autrement dit fermer l'accès à toute politique d' « abandon ». L'armée reste un arbitre du jeu politique : il faudra que de Gaulle en passe par son projet d'intégration ou qu'il l'affronte sans détour.

Le Général, cependant, va parer à ce qui s'impose à lui comme le plus urgent, le préalable à toute solution en Algérie et, dans les circonstances, ce qui est devenu brusquement le moins difficile à réaliser : doter la France d'une nouvelle Constitution. Un sondage de l'I.F.O.P. montre l'ampleur de l'audience qui lui est accordée, en ce début de juin :

Q. : *De votre point de vue, est-ce que le retour au pouvoir du Général de Gaulle est un grand bien, un moindre mal, ou une très mauvaise chose ?*

	%	
Un grand bien	54	} 80
Un moindre mal	26	
Une très mauvaise chose	9	
Ne se prononcent pas	11	

Jusqu'à la fin de l'année, moyennant quelques fluctuations, le Général ne cesse de capitaliser les attentes. La satisfaction éprouvée au mois de juin est justifiée par trois raisons principales : de Gaulle a « évité la guerre civile » et rétabli l'ordre ; il a redonné « l'espoir » au pays ; il y a maintenant « un chef d'État au pouvoir ». Pour les Français métropolitains, le Général n'apporte pas une solution au problème algérien ; il apporte une solution à la crise permanente de l'État.

Une nouvelle République

La première conséquence du 13 mai, dont la portée se révélera, avec les années, la plus considérable, est évidemment la mise en œuvre et la ratification d'une nouvelle Constitution. Celle-ci ne prendra pleinement son sens qu'au moment de la révision de 1962 instaurant l'élection du président de la République au suffrage universel. D'ores et déjà, le projet soumis aux électeurs, le 28 septembre 1958, mettait un terme à la République parlementaire, en attribuant au chef de l'État un pouvoir inusité depuis Napoléon III — la parenthèse de Vichy mise à part. La conception même de la République, telle qu'elle s'était imposée depuis 1877, s'en trouvait profondément modifiée : les aspects plébiscitaire, « orléaniste », « réactionnaire » du texte ne laissaient pas d'inquiéter les plus fidèles à la tradition républicaine. Néanmoins, le transfert de pouvoir, du législatif à l'exécutif, répondait non seulement à la situation de crise provoquée par le conflit algérien, mais encore au vœu profond·de l'opinion publique, telle qu'elle pouvait s'exprimer depuis une trentaine d'années.

Pierre Mendès France, en conformité avec son vote du 1er juin, réaffirma dans une allocution radiodiffusée de la campagne électorale les raisons morales du *Non* :

> « La facilité c'est aussi de nous en remettre entièrement à un homme, glorieux et prestigieux, mais dont nous ignorons à ce point les intentions que d'aucuns préconisent le " oui " pour ouvrir la voie au fascisme en France et à ce qu'ils appellent l'intégration en Algérie — tandis que d'autres préconisent le même vote pour, disent-ils, fermer la voie au fascisme et mettre un terme à la politique d'intégration. L'heure est venue d'y voir clair, de refuser de nous abandonner, de résister à la facilité, pour cela de répondre " non " de sauver ainsi en France la liberté menacée, et en Algérie et dans l'outre-mer de ramener la paix, la réconciliation et la fraternité [19]. »

De telles paroles servaient au mieux à prendre date pour l'avenir, à maintenir un foyer de résistance pour le cas où de Gaulle serait submergé par les militaires et les factieux ; pour l'heure, elles n'étaient guère crédibles et ce n'était pas la proposition d'élection d'une Constituante, avancée par l'ancien président du Conseil, qui était à même d'offrir une solution de rechange [20]. Hubert Beuve-Méry, alias Sirius, explicitait dans *le Monde* les raisons de son « option » en faveur du *Oui :* l' « anémie pernicieuse » de la quatrième République ; la nécessité d'un pouvoir organisé « dans une période particulièrement difficile » ; les propositions libérales et audacieuses faites à l'Afrique noire ; l'autorité du Général sur l'armée ; le « oui » de Gaston Defferre ; la personnalité et le passé du général de Gaulle, qui « n'est pas du bois dont on fait les dictateurs ». Les congrès de la S.F.I.O. et du parti radical s'étaient prononcés auparavant pour le Oui. Seul, le parti communiste opposait un Non irréductible.

Le dimanche 28 septembre, la nouvelle Constitution était largement approuvée par près de 80 % des suffrages exprimés en métropole. En Algérie, le pourcentage des « oui » atteignait 95 %, malgré la consigne d'abstention lancée par le F.L.N. ; ce « stupéfiant » résultat appelait les réserves de la presse étrangère, très sceptique sur la valeur du scrutin. Dans la « France d'outre-mer », un seul territoire, la Guinée, votait « non » à la demande de Sekou Touré, ce qui provoquait sa rupture avec la France et son accession à l'indépendance, comme de Gaulle en avait laissé le choix — tandis que les autres territoires d'outre-mer formaient avec la République française une communauté. Dans l'ensemble, l'ampleur du succès remporté par le général de Gaulle avait dépassé toutes les prévisions.

La crise du 13 mai a provoqué, d'autre part, une redistribution des cartes, une nouvelle donne politique. L'événement a débloqué une situation ancienne, aussi bien dans l'opinion qu'à l'Assemblée. Le changement le plus visible est le choc subi par le parti communiste. Celui-ci, qui représentait un bloc électoral intangible d'un quart des suffrages exprimés tout au long de la quatrième République échouait à retenir tous ses électeurs sous son drapeau. Déjà, lors du référendum, alors que le P.C.F. avait fait campagne pour le « non », d'importants écarts s'étaient creusés, dans presque tous les départements, entre le pourcentage des voix communistes de 1956 et le pourcentage des votes négatifs. Ainsi, dans le Var, on passait de 35 à 24 %, dans la Seine de 32,8 à 26,9 %, dans le Pas-de-Calais, de 30,8 à 24,9 %... L'érosion de l'électorat communiste était confirmée au premier tour des élections législatives du 23 novembre 1958. Le P.C.F. perdait plus de 1 600 000 suffrages, passant de 25,7 à 18,9 %. Le retour au scrutin majoritaire uninominal à deux tours consommait, le 30 novembre, la déroute communiste, dont la représentation tombait de 145 sièges à 10 ! Cette brèche dans la forteresse de l'extrême gauche, en partie colmatée lors des législatives suivantes, ne devait jamais être comblée entièrement. Le cumul des événements de 1956 (XXe Congrès du P.C. d'U.R.S.S., intervention soviétique en Hongrie) et de 1958 a provoqué une perte d'influence du P.C.F. dont va bénéficier principalement la nouvelle formation gaulliste, l'Union pour la Nouvelle République.

La réapparition d'un parti se réclamant du général de Gaulle est une autre nouveauté de ces élections. L'U.N.R. obtient d'emblée presque autant de voix que le P.C.F. (17,6 %) et, par les faveurs du scrutin majoritaire, 198 élus. Le retour du pendule vers la droite était confirmé par les bons résultats des indépendants et modérés qui emportaient 133 sièges, tandis que la gauche en comptait moins de 90. L'Assemblée se trouvait ainsi massivement renouvelée, mais aussi déséquilibrée au profit d'une écrasante majorité plus ou moins « gaulliste ». Le scrutin « d'arrondissement » autant que le retour du Général avait causé des ravages dans la classe politique : Mendès France, Mitterrand, Ramadier, Bourgès-Maunoury, Lacoste, Duclos, Defferre, Edgar Faure, et bien d'autres caciques de la quatrième République étaient délogés, souvent à l'avantage de nouveaux venus. Les résultats du référendum et des législatives ratifiaient donc le dénouement gaulliste du 13 mai et certifiaient la légitimité du nouveau régime.

Le 2 décembre, le général de Gaulle confirmait sa candidature à la présidence de la République. Le 21, un collège électoral présidentiel composé de quatre-vingt mille représentants des communes, de parlementaires, de conseillers généraux et de membres des assemblées des territoires d'outre-mer, l'élisaient par 77,5 % des voix, contre 13,1 % au candidat communiste, Georges Marrane, et 8,4 % au représentant de la gauche non communiste, le doyen Châtelet.

Le 8 janvier 1959, de Gaulle est à l'Élysée ; le lendemain, Michel Debré est nommé par lui Premier ministre. En moins de huit mois, le paysage politique de la France avait été bouleversé. Pour l'heure, nul ne savait quelle serait la longévité de cette Constitution qui paraissait avoir été faite sur mesure pour Charles de Gaulle. Sa légitimité n'était pas douteuse, eu égard aux résultats du référendum. Mais celui-ci avait pris la tournure d'un plébiscite : en des circonstances exceptionnelles, le peuple souverain avait ratifié l'appel à l'homme providentiel. Lui disparu, que resterait-il de ces nouvelles institutions, si peu conformes aux traditions des deux précédentes républiques, qui établissaient une sorte de monarchie élective et paternaliste ?

Mais il était une autre inconnue, dépendant étroitement de l'événement : comment allait-on régler le problème algérien ? Si les structures politiques étaient changées, la conjoncture algérienne continuait à présider aux destinées de la France. Certes, la crise de mai et le retour du Général avaient eu des répercussions immédiates en Algérie : les « fraternisations » entre les deux communautés, la participation générale des musulmans aux votes de septembre et de novembre — même si elles étaient rendues suspectes en raison du conditionnement et de l'encadrement assurés par l'armée — étaient des signes du recul du F.L.N. De Gaulle jouissait d'une audience certaine dans la communauté musulmane. Cependant, les données maîtresses du problème algérien restaient les mêmes ; les événements politiques, si dramatiques fussent-ils, ne pouvaient modifier les obstacles économiques, démographiques, sociaux, culturels, à l'intégration, par laquelle jurait l'armée et à laquelle les leaders de la communauté pied-noir s'étaient ralliés comme à un canot de sauvetage, après avoir combattu pendant des dizaines d'années toute velléité politique venue de Paris qui allait dans le sens de cette « francisation ». Que de Gaulle, conscient de ces obstacles, voulût infléchir la politique algérienne dans une autre voie, c'était le heurt inévitable et recommencé entre le pouvoir civil et le pouvoir militaire.

Or, dès le début, le Général déçut beaucoup de ceux qui l'avaient amené au pouvoir. Ses intentions n'étaient pas claires ; il semblait donner des assurances aux ultras comme aux libéraux ; on n'en finissait pas de gloser sur ses moindres paroles. C'est après avoir prononcé son discours sur l'autodétermination le 16 septembre 1959, par lequel il offrait aux Algériens trois solutions — la francisation, la séparation, ou, ce qu'il préconisait lui-même à ce moment-là, l'association —, que le Général entreprenait de débloquer la situation. Dès lors qu'il prenait ses distances avec la politique d'intégration, les partisans de celle-ci ouvraient les hostilités contre lui. La « semaine des barricades », en janvier 1960, fut une sorte de 13 mai raté : les émeutiers de l'Algérie française devaient compter désormais avec la puissance de l'État, incarné par un président de la République disposant du soutien populaire. Au cours de l'année 1960, la guerre d'Algérie s'éternisant malgré les succès militaires des forces françaises et affaiblissant la position internationale de la France, de Gaulle a été convaincu du caractère inéluctable de l'indépendance. Des négociations avec le gouvernement provisoire de la République algérienne (G.P.R.A.) ont été entreprises. Mais les officiers et les généraux qui avaient pris des engagements solennels, prêté des serments intraitables et s'étaient résolument prononcés contre toute politique d'« abandon », ne pouvaient se parjurer. Une nouvelle dissidence était à craindre ; une dernière manche restait à jouer. Les soldats les plus déterminés se lancent alors dans le putsch d'Alger, le 21 avril 1961, derrière Jouhaud, Challe, Salan et Zeller. L'échec du coup de force, au bout de quelques jours, lève une dernière hypothèque : la voie de la négociation est complètement dégagée. Non celle de la paix, car il faudra encore près d'un an pour y parvenir — et on n'y aboutira qu'au prix de derniers combats désespérés, sanglants et vains.

Toutefois, l'échec du putsch des généraux, le 25 avril, marque le tournant de la guerre d'Algérie. Le discours impérieux du général de Gaulle à la télévision (contre le « quarteron de généraux en retraite »), la solidarité manifestée par les soldats du contingent avec un chef de l'État, qu'ils ont entendu sur leurs « transistors », la condamnation générale des factieux par l'opinion métropolitaine, tout montrait ce qui avait changé depuis mai 1958. La coupure entre les « ultras » — civils et militaires — et la Nation était totale. La restauration de l'État et le consensus national autour du général de Gaulle rendaient impossible la victoire des « putschistes ». Le nouvel acte d'insubordination militaire d'avril 1961 avait eu son utilité ; par son échec, il avait réaffirmé la prééminence du pouvoir civil et disqualifié l'armée comme acteur politique. Désormais, ceux qui, dans son sein, lutteraient jusqu'au bout contre de Gaulle, ne pourraient plus le faire qu'en des actions marginalisées, et promises à l'échec.

Le vrai dénouement de la crise du 13 mai n'a donc lieu que par la fin de la guerre d'Algérie, les accords d'Évian, les derniers combats de l'O.A.S., la ratification de l'indépendance algérienne par le suffrage universel, l'attentat du Petit-Clamart, dont le Général sort indemne ; enfin par le référendum du 28 octobre 1962 qui ratifie la révision constitutionnelle souhaitée par de Gaulle et instaure l'élection du président de la République au suffrage universel.

Ce référendum, contesté par les juristes, combattu par l'ensemble des partis politiques à l'exception des gaullistes, avait reçu 62,25 % de « oui ». Révision capitale, allant à l'encontre d'une conviction républicaine acquise contre Napoléon III, et plaçant le président de la République, directement élu par la Nation dans une position d'autorité suprême. Rien ne changeait dans l'immédiat mais ce que le pouvoir charismatique avait conféré à de Gaulle, ce serait le pouvoir institutionnel qui en assurerait son successeur.

La Constitution de la cinquième République, ainsi réformée, suscitait de nouvelles oppositions. Les Français n'étaient pas encore d'accord, apparemment, sur le régime qui pût les diviser le moins. En dehors des communistes, François Mitterrand *(le Coup d'État permanent)* et Pierre Mendès France *(la République moderne)* restaient les contestataires les plus éloquents et les plus intransigeants du « pouvoir personnel ». A l'usage, la Constitution gaullienne révéla plus d'avantages que d'inconvénients, y compris pour l'opposition. Qu'en 1981 celle-ci ait pu vaincre et gouverner les années suivantes, malgré toutes les difficultés de l'heure, a été démonstratif : l'alternance était enfin possible, sans crise nouvelle et sans changement fondamental des institutions. En 1962, la classe politique, gardienne des traditions, s'était coupée de la volonté populaire en s'élevant contre l'élection directe du chef de l'État. Or, celle-ci est devenue l'institution la plus populaire de la cinquième République [21]. L'explication en est évidente : c'est la simplicité du scrutin et l'impression qu'il donne à l'électeur d'être devenu *citoyen actif* qui en font le succès. On pourrait se demander si ce n'est pas, en un sens, une tardive revanche du boulangisme ? De ce qui, dans le boulangisme, au milieu du reste, était revendication démocratique : garantir au suffrage universel de n'être pas confisqué par une classe politique sur laquelle il ne peut avoir aucune prise ? René Capitant, gaulliste et juriste, a pu écrire à ce propos :

> « En élisant le président, en l'élisant non pas seulement en fonction de sa personne, mais aussi en fonction du programme et des objectifs que celui-ci fait connaître comme étant ceux de sa politique, le peuple est amené non seulement à choisir le plus haut magistrat de l'État mais aussi à choisir la politique qu'il veut voir poursuivre [22]. »

C'est là, à n'en pas douter, une interprétation optimiste et trop rationaliste du comportement électoral. Mais, dans une comparaison avec les précédentes républiques, l'argument vaut. La meilleure Constitution démocratique sera toujours celle qui, loin d'obscurcir à l'extrême le sens des affrontements et de maintenir un décalage incompréhensible entre la souveraineté populaire et sa traduction gouvernementale, permettra de simplifier la vie politique, offrira des choix clairs et saura assurer la durée à un gouvernement à qui sera épargnée la menace continuelle d'être renversé avant même d'avoir entrepris.

La Constitution de 1958, révisée en 1962, est perfectible : elle a son actif et son passif [23]. Elle n'en a pas moins été la première Constitution, depuis 1791, à rallier peu à peu le consentement quasi unanime des citoyens. Elle demeure le legs le plus précieux dont la France est redevable au retour du général de Gaulle au pouvoir. De ce point de vue, rares sont les crises politiques qui, dans leur relevé de comptes, laissent apparaître un avoir aussi durable.

8

Mai 1968

Il a suffi de deux lustres après l'effondrement de la quatrième République, de six ans après la fin de la guerre d'Algérie, pour que le pays, de nouveau en état de surcompression, remette son avenir au hasard. Pourtant le changement de décor est complet : la stabilité gouvernementale est assurée par les soins d'une Constitution largement approuvée par les citoyens ; le rayonnement de la France — devenue, une fois liquidés ses contentieux coloniaux, championne des souverainetés nationales face aux deux « super-grands » — est perceptible sur tous les continents ; le franc est une des plus solides monnaies du monde et les chiffres de consommation témoignent de niveaux de vie sans cesse améliorés... Rien de ce qui faisait le fond des crises anciennes n'est décelable dans les mois qui précèdent l'explosion de Mai. Celle-ci, hautement imprévisible, présente tous les traits de la nouveauté. Déjà, sa cause immédiate est inédite, puisqu'elle a pris force dans le milieu universitaire. Au-delà, on observe tout au long des événements le rôle majeur tenu par un acteur social mal identifié : la jeunesse prise dans son ensemble. Les partis font longtemps figure de comparses. De là à voir dans la floraison de Mai celle d'abord d'une nouvelle génération, il n'y a qu'un pas. En tout cas, c'est à partir du bouillonnement juvénile que, de proche en proche, presque toutes les couches de la société ont été entraînées dans la marée contestataire montante, avant que les bases de l'État ne se trouvent à leur tour menacées.

Il est remarquable, cependant — autre originalité —, que les lieux du pouvoir politique n'ont jamais été les espaces privilégiés de l'investissement « soixante-huitard ».

Ni l'Élysée ni le Palais-Bourbon n'ont aimanté le mouvement de Mai. Tandis que l'occupation des ateliers et des
usines renouait avec juin 36, d'autres espaces symboliques
ont été pris d'assaut : au premier chef, la Sorbonne, mais
aussi la Maison de la Radio, le théâtre de l'Odéon, etc.

La crise de 1968 n'est donc pas réductible aux limites
ordinaires du conflit politique : peu ou prou, toutes les
sphères de la vie sociale sont travaillées par une immense
fermentation, sans que les acteurs sachent bien de quoi il
s'agit, chacun interprétant l'événement plurivoque de son
point de vue particulier. Quand toutes les forces vivantes
du pays furent entrées dans la danse, on a assisté à une
extraordinaire kermesse aux désirs. Chacun a pu se lancer
dans la turbulence en y jetant ses soucis, en y projetant ses
fantasmes : tel continuait 1789, 1848, 1871, 1917 ; tel
s'émerveillait d'une nouvelle pentecôte ; tel en finissait
avec les interdits de sa morale puritaine ; tel brûlait la
société industrielle, et tel la société de consommation ; tel
mettait en pratique les « familles, je vous hais ! » de Gide ;
tel révolutionnait son lycée et tel autre décrétait la dissolution de la hiérarchie ecclésiastique ; tel vivait enfin sa vie
loin des judas du contrôle social ; tel prenait sa revanche
sur les « petits chefs » ; tel découvrait sa vocation de
brancardier ou de donneur de sang, à moins que ce ne fût,
devant les platanes sciés et abattus du boulevard Saint-
Michel, sa vocation d'écologiste...

D'une crise à l'autre, de 1958 à 1968, on est frappé par la
chute du coefficient d'intelligibilité[1]. Glossateurs et mémo-
rialistes ont rivalisé ensuite dans une littérature interpréta-
tive dont la limpidité est loin d'égaler l'abondance. Pour
clarifier ce tumulte contradictoire, on est tenté d'avoir
recours à la méthode cartésienne, de diviser la difficulté
« en autant de parcelles qui se pourrait », et examiner ainsi
tour à tour la crise universitaire, la crise sociale, la crise
politique et, sur le tout, la crise culturelle ou ce que certains
ont appelé la « crise de civilisation ». Une telle démarche
se justifie aux yeux de l'historien par la succession dans le
temps de séquences dont le poids spécifique est pour
chacune celui d'une catégorie distincte. Cependant, si pour
la simplicité de l'exposé on est amené à séparer les

éléments d'un tout critique, il ne faut pas oublier leur coïncidence, leur coexistence, leurs homologies, leurs interactions simultanées, qui font justement le propre d'une crise généralisée. Aucune crise, depuis les soixante-douze jours de la Commune de Paris (et encore !), n'avait eu à ce point la faculté de synchroniser tant de protestations distinctes, de saper les valeurs symboliques de la société entière, d'ébranler la chaîne des institutions les plus éloignées des centres de décision proprement politiques. Tandis que, dans les crises « classiques », le système de gouvernement est directement mis en cause par les agents de la contestation, tout ici se passe d'abord dans les champs qui lui sont périphériques : ce n'est que peu à peu, quand toutes les instances de la vie sociale ont été touchées par cette poussée circulaire, que celle-ci se met à menacer le pouvoir en place, sans donner prise sur elle, restant longtemps un mouvement insaisissable, trop étranger aux modèles antérieurs pour être aisément endigué.

Pourtant, la nature de cette crise multiforme n'est sans doute pas étrangère au système politique instauré par le général de Gaulle. La méthode comparative nous incite à en faire la supposition. Les valeurs affirmées par le mouvement de Mai, on en voit la défense et la victoire progressive dans les autres pays de l'aire industrielle. S'il leur faut, en France, le levier des barricades, on peut conjecturer que la machine autoritaire et bureaucratique de l'État y a été pour beaucoup : elle leur interdisait le passage. De sorte que, sous les apparences d'une crise avant tout culturelle, il se pourrait que la structure politique reste, par ses déséquilibres, le centre de l'explication.

Ces questions posées, il faut reprendre les différents éléments de la crise dans l'ordre de leur éclatement.

Des signes avant-coureurs

Mai 68 a d'abord été un mouvement de révolte étudiante sans précédent. La crise française n'est elle-même qu'une des variantes dramatiques d'une crise internationale, dont les principaux foyers se situent dans les grands pays industrialisés, au Japon, en Allemagne, en Italie, aux États-Unis... Même de certains pays communistes, on reçoit des nouvelles surprenantes qui, pour être de nature différente d'un pays à l'autre, ont la même particularité de mettre en avant l'action des étudiants : c'est le cas de la « Révolution culturelle » en Chine maoïste comme des troubles de Pologne. Partout, et surtout dans les sociétés les plus avancées, le système éducatif est devenu un enjeu central. Le mouvement français se produit avec un certain décalage chronologique : il n'est pas, et de loin, le plus précoce, même s'il va sans doute devenir le plus ample.

Quelques données quantitatives sont nécessaires à la compréhension du problème universitaire. « La croissance massive du système éducatif est une cause majeure des événements de 1968 », a pu écrire un des meilleurs historiens de l'enseignement. Un chiffre impressionnant peut étayer cette affirmation : « Au cours des dix années qui précèdent 1968, les accroissements sont de 180 % pour les universités[2]. » Les années soixante ont été, en effet, le moment de ce qu'on a appelé l' « explosion scolaire ». Deux facteurs concomitants en sont à l'origine : l'arrivée des classes d'âge nombreuses issues de l'après-guerre et l'allongement de la scolarité, dû à l'élévation générale du niveau de vie. C'est en 1965 que l'abondante cohorte de 1946 atteint l'âge des études supérieures. En 1967, près de 15 % de la classe d'âge née dix-huit ans plus tôt deviennent bacheliers, contre 2,5 % en 1931. Le nombre des étudiants ne cesse de croître : 128 000 en 1950, 250 000 en 1963, ils avoisinent les 500 000 en 1968. Cette croissance des effectifs pose de multiples problèmes financiers et pédagogiques. De poussée massive, elle devient peu à peu une poussée explosive, dans la mesure où les vieilles structures universitaires se révèlent inadaptées : exiguïté des locaux, routine des méthodes d'enseignement, centralisation administrative étouffante, etc.

A ces facteurs de perturbation et de tension, s'ajoute une donnée d'origine sociale. Les étudiants de 1968 n'appartiennent plus, dans leur masse, aux familles des classes dirigeantes ; ils sont plus souvent issus des classes moyennes. Vu leur nombre, le souci des débouchés devient plus prégnant qu'autrefois. Ils ne peuvent pas compter, pour la plupart, sur la position de leurs parents, non plus — comme les étudiants de la génération précédente — sur l'avantage des classes creuses. Les études sont devenues pour beaucoup une aventure, d'autant qu'aucune instance efficace d'orientation ne les guide dans le choix d'une carrière : le hasard en dispose trop souvent. Le pourcentage d'élimination en cours d'études n'en est que plus inquiétant. De surcroît, la mise en application de la réforme Fouchet, à la rentrée de 1967, ne fait qu'ajouter au trouble des esprits. Le gouvernement, conscient de l'explosion scolaire, avait tenté d'y faire face par les décrets du 22 juin 1966 qui établissaient deux cycles successifs en sciences et en lettres. Mais, dans son ensemble et dans ses modalités pratiques qui se révélaient souvent injustes envers les étudiants de l' « ancien régime », frustrés par le système très contesté des équivalences avec le « nouveau régime », la réforme produit une cause générale de mécontentement.

Le malaise est surtout sensible dans les facultés de lettres (et de « sciences humaines »), en particulier dans les sections récentes de psychologie et plus encore de sociologie. Un mot peut en résumer la situation : une crainte montante du chômage et, partant, d'une régression sociale. Tandis que les étudiants issus des couches dominantes risquent le déclassement, ceux — plus nombreux — issus des classes moyennes sont anxieux de ne pouvoir obtenir la promotion que leurs diplômes devraient leur assurer. C'est dans ces départements en apparence surpeuplés, d'avenir incertain, et voués par définition à l'analyse et à la critique sociales que se diffuse avec succès une idéologie combattant l' « Université bourgeoise », la « culture bourgeoise », tout comme les professeurs tenus comme autant de « chiens de garde du capitalisme »... Si pareille dénonciation n'est le fait que d'une minorité active, elle prend forme néanmoins dans un environnement — les nouvelles sections des facultés de lettres — rendu réceptif par le sentiment d'incertitude générale de chacun sur son avenir.

Cependant, le corps professoral a subi, de son côté, une mutation qui est en passe de transfigurer la vieille Université. Pour répondre au flux croissant des étudiants, on a dû faire largement appel à des nouveaux venus, plus ou moins conformes au modèle académique (agrégé, normalien). Une hiérarchie s'est établie entre les professeurs, assimilés à des « mandarins », et tous ces sous-officiers que sont les assistants, maîtres-assistants, et autres chargés de travaux pratiques. De 1960 à 1968, ce corps enseignant des universités a triplé ; les professeurs en titre et les maîtres de conférences sont devenus minoritaires. Entre ceux-ci et les sous-ordres s'est établi un rapport de subordination de plus en plus insupportable pour ceux qui évaluent la médiocrité de leurs chances de carrière. La situation est variable selon les disciplines. Dans les plus traditionnelles, la hiérarchie est encore acceptée parce qu'elle est conforme à un code établi de longue date, à un *cursus honorum* que chacun s'emploie à parcourir sous la protection d'un « patron » ; en revanche, dans ces sections nouvelles que sont la psychologie ou la sociologie, nulle convention de droit coutumier n'existe. Pierre Bourdieu, dans *Homo academicus,* a analysé ces transformations profondes des rapports de force dans le champ universitaire, en montrant bien la diversité de leurs effets selon les disciplines. Dans les plus « canoniques » d'entre elles, les agrégés du secondaire constituent les réserves qui, de mérite en mérite, peuvent suivre des « plans de carrière » ; dans les disciplines nouvelles, l'accession à l'enseignement supérieur est tributaire des « relations sociales universitairement rentables », au moins autant que du « capital scolaire[3] ». La précarité de leur situation, ressentie par les subalternes des « sciences humaines et sociales », entretient chez ceux-ci une puissance de contestation. De manière plus générale, les assistants et maîtres-assistants vont se retrouver pour la plupart du côté des étudiants dans la crise de Mai. Une logique syndicale s'est substituée « à la logique des relations patrimoniales, marquées par le libéralisme et le *fair play* qui étaient de mise aussi longtemps que les professeurs et les assistants étaient issus d'un même mode de recrutement[4] ». Ainsi, au syndicat autonome des professeurs s'oppose le S.N.E.S.-Sup des assistants. En abusant des mots, cette « prolétarisation » d'une majeure partie du corps enseignant va grossir de ses contrecoups les difficultés des étudiants et permettre entre les uns et les autres une solidarité, illustrée dans la grande presse par le trio, si souvent photographié, des étudiants Daniel Cohn-Bendit et Jacques Sauvageot et du maître-assistant Alain Geismar.

Les premiers incidents annonciateurs de Mai se produisent dans le cadre du nouveau campus universitaire de Nanterre :

> « Nanterre, lit-on dans *Paris-Match,* sera un jour la plus belle université d'Europe. Elle est encore en chantier au milieu d'une banlieue misérable et lépreuse. " Nous souffrons cruellement du manque d'environnement, avouait son doyen Pierre Grappin, le nôtre n'est ni urbain, ni agreste. " Avec ses douze mille étudiants, la faculté des lettres et sciences humaines est devenue le bouillon de culture de l'extrémisme. »

De longue date, une partie du monde étudiant a été politisée. La nouveauté des années soixante — outre l'aspect quantitatif évoqué plus haut — tient à l'éclatement des cadres traditionnels des luttes politiques. Pendant la guerre d'Algérie, les étudiants avaient joué un rôle très actif grâce à l'U.N.E.F. (Union nationale des étudiants de France), qui avait su fédérer, exprimer la protestation contre la guerre. Or, après 1962, on a assisté à un émiettement des organisations étudiantes. L'U.N.E.F. peut de moins en moins se prévaloir d'être un syndicat représentatif, elle devient un objet de conquête stratégique pour des organisations d'extrême gauche concurrentes. Celles-ci ne sont plus dominées par le parti communiste, qui a été amené en 1966 à dissoudre l'U.E.C. (Union des étudiants communistes), faute d'en pouvoir contrôler le discours et l'action. De cette crise est née la J.C.R. (Jeunesse communiste révolutionnaire) animée par Alain Krivine, adhérant à la IVe Internationale. Mais la J.C.R., loin de représenter tout le trotskysme, doit compter avec le C.L.E.R. (Comité de liaison des étudiants révolution-

naires). Situationnistes, anarchistes, maoïstes, étudiants du
P.S.U... ajoutent encore leurs nuances et leurs sectarismes
au tableau. Contrairement à la simplicité de l'opposition
dualiste qui avait cours pendant le conflit algérien, un
nouveau ferment révolutionnaire a multiplié les chapelles
rivales. La fin de l'unité du monde socialiste, le conflit sino-
soviétique, les thèses italiennes du polycentrisme, ont
entraîné le nouvel esprit d'orthodoxie à se disperser, à se
fractionner, tout en abjurant le communisme soviétique.

Cette politisation de la jeunesse ne concerne évidemment qu'une minorité d'étudiants et de lycéens. Mais, au-
delà des militants, on peut observer dans les années qui
précèdent 1968, notamment dans les établissements secondaires, un intérêt plus vif que de coutume pour les
questions politiques. Un grand thème de mobilisation
internationale, la guerre du Vietnam, a été repris de pays
en pays à partir des campus américains où les premières
manifestations avaient eu lieu en septembre 1964, à Berkeley. Partout, les partis traditionnels sont débordés par des
organisations de jeunes indépendantes. En France, les
« comités Vietnam de base », hostiles aux « révisionnistes » (aux communistes), influencés par le maoïsme,
soutiennent la cause du « peuple vietnamien » contre
l' « impérialisme américain », tout en élargissant leur critique à l'ensemble du monde capitaliste. La révolution des
médias contribue à cette politisation : tout au long des
années soixante, l'équipement des foyers en téléviseurs
progresse à un rythme élevé ; des images de tous les
continents parviennent chaque jour à domicile ; la guerre
du Vietnam, les bombardements américains, la résistance
quotidienne et héroïque des Vietnamiens, il n'est plus
possible d'en parler de manière abstraite. Plus tard viendra
l'accoutumance à l'horreur. Les premières images d'un
univers déchiré par la guerre, la faim, l'inégalité révoltante
entre les hommes, agissent comme des sommations sur la
jeunesse. La prospérité même de leur pays est scandale aux
yeux de certains. Chacun compare, mais les objets de
comparaison ne sont pas les mêmes entre les générations :
les jeunes, comparant dans l'espace, ont tendance à
imputer aux pays riches la misère du tiers monde ; les aînés,

comparant dans le temps, ont la satisfaction d'être sortis, par le travail, de la pénurie séculaire. Au cœur de la crise de 68 il y aura ce quiproquo entre les générations, ce conflit latent entre la *mémoire* des anciens et le *regard vierge* des nouveaux venus.

Cependant, la politisation ambiante de la jeunesse prend des détours inattendus. La critique atteint un domaine généralement délaissé par les militants : celui de la vie quotidienne. Par là encore, la crise de mai va déborder le cadre ordinaire des débats publics. Les premiers incidents sur ce sujet ont éclaté à la résidence d'Antony, dans la banlieue de Paris, en 1965. Les étudiants protestaient contre un règlement qui interdisait la libre circulation entre les bâtiments des garçons et les bâtiments des filles. A l'automne 1966, les étudiants de Strasbourg élisent, un peu distraitement, à la tête de leur corporation, des *situationnistes*. Ceux-ci publient une plaquette dont le titre est un véritable programme : *De la misère en milieu étudiant considérée sous ses aspects économique, politique, psychologique, sexuel et — notamment — intellectuel, et quelques moyens pour y remédier.* Le Monde, rendant compte du « coup de tonnerre de Strasbourg », analysait « les symptômes d'un malaise certain » :

> « Peu pressés de militer pour la société de confort et de conformisme qui s'élabore sous leurs yeux, déçus par les pâles tractations qui accaparent les partis d'opposition, les étudiants se réfugient dans l'abstention ou, pour quelques-uns, dans une contestation effrénée.
>
> « En l'absence de mouvements structurés, animés d'une dynamique et d'une capacité réelle de mobilisation, le champ est libre pour le ballet des groupuscules qui s'apostrophent, vaticinent et s'entre-déchirent dans l'indifférence générale [5]... »

L'un des situationnistes, Raoul Vaneigem, publie en 1967 un livre manifeste au titre éloquent : *Traité de savoir-vivre à l'usage des jeunes générations* [6]. L'auteur est un aîné, puisqu'il est alors âgé de trente-trois ans, mais il s'impose comme un des animateurs de cette Internationale situationniste, créée en 1957, dont les manifestes retentissent dix ans plus tard. On y lit :

> « La nouvelle vague insurrectionnelle rallie aujourd'hui des jeunes gens qui se sont tenus à l'écart de la politique spécialisée, qu'elle soit de gauche ou de droite, ou qui y sont passés rapidement, le temps d'une erreur de jugement ou d'une ignorance excusable. »

L'objectif a changé de nature :

> « La révolution de la vie quotidienne sera la révolution de ceux qui, retrouvant avec plus ou moins d'aisance les germes de réalisation totale conservés, contrariés, dissimulés dans les idéologies de tout genre, auront aussitôt cessé d'être mystifiés et mystificateurs. »

Du même coup, Vaneigem préconisait avec l'Internationale situationniste une nouvelle stratégie révolutionnaire : non plus la prise de pouvoir sur l'ordre d'un parti bureaucratisé, mais la destruction *totale* du pouvoir « sur la base d'actions parcellaires — au moyen d'une fédération de tacticiens de la vie quotidienne ».

En mai 1967, le ministre de la Jeunesse et des Sports, François Missoffe, présente à l'Assemblée nationale un gros rapport sur « les Jeunes d'aujourd'hui ». Rien n'est dit sur le malaise de la jeunesse. Qui s'y intéresse, il est vrai ? Les conclusions du ministre sont présentées en présence de quelques rares députés ; ceux-ci ne se montrent guère plus nombreux ni plus passionnés par le débat sur l'Éducation nationale qui a lieu quelques jours plus tard.

Au mois de janvier 1968, François Missoffe, inaugurant la piscine du campus de Nanterre, est apostrophé par un étudiant en sociologie, Daniel Cohn-Bendit, appelé à la célébrité. Celui-ci reproche au ministre d'avoir éludé dans son rapport les problèmes sexuels des étudiants. F. Missoffe, interloqué, l'invite à régler les siens par un plongeon dans la piscine. Les incidents vont désormais se succéder. Le 26 janvier, lors d'une manifestation qui entraîne l'affrontement entre porteurs de pancartes et fonctionnaires, le doyen Grappin est traité de « nazi ». Pareille injure en dit long sur le fossé entre générations : le doyen de Nanterre, germaniste, est un ancien résistant, rescapé des camps de concentration. Les mots n'ont plus le même sens : Grappin est un « nazi » ; les C.R.S. sont des « SS »... On retourne le vocabulaire des pères contre leur autorité. Les générations « à mémoire » s'indignent. La rupture, voulue par ceux qu'on appellera « les enragés », prend la forme brutale de l'intervention policière, décidée en désespoir de cause par les responsables de la faculté. Mais rien ne peut mieux rendre solidaires la masse des étudiants, scandalisés par l'irruption des forces de police sur le campus, avec les noyaux « révolutionnaires ».

Le 14 février, jour symbolique de la Saint-Valentin, les résidents des cités universitaires se mettent en grève contre les règlements intérieurs. Des incidents se produisent dans plusieurs villes de province, surtout à Nantes où le rectorat est mis à mal. Le ministre fait une concession : visite autorisée dans les pavillons de filles jusqu'à 23 heures !

Le 22 mars, Nanterre connaît une nouvelle agitation. La veille, quelques étudiants ont été arrêtés pour avoir jeté des pierres et des boulons sur les vitrines de l'American Express, rue Scribe, et brûlé un drapeau américain. Daniel Cohn-Bendit et ses camarades, courant d' « amphi » en « amphi », réussissent à tenir une réunion de protestation à l'issue de laquelle ils décident l'occupation de la tour d'administration. Ils sont là, deux cents environ, à rivaliser d'accusations contre le vieux monde. Le « mouvement du 22 mars » est né. Quelques jours plus tard, le Conseil de la Faculté sous la présidence du doyen Grappin, décide la suspension des cours. Celle-ci va durer jusqu'au 1er avril. La rentrée se fait dans des bâtiments nettoyés des graffiti qui s'étaient mutlipliés depuis des mois ; un amphithéâtre est mis à la disposition des étudiants pour leurs débats, sur la demande des responsables. Peine perdue : l'agitation reprend de plus belle, les murs s'ornent de nouvelles inscriptions, des meetings se tiennent hors de l' « amphi » réservé...

Le 3 avril, la presse annonce des mesures de sélection à l'entrée des facultés pour l'année prochaine. Cette décision, défendue depuis longtemps par un certain nombre d'universitaires dont le plus en vue est le doyen Zamansky, de la faculté des sciences de Paris, a été prise en Conseil des ministres, sur la proposition d'Alain Peyrefitte, ministre de l'Éducation nationale. Le contentieux s'aggrave entre les étudiants protestataires et le « capitalisme technocratique ».

Le dimanche 21 avril, une assemblée générale de l'U.N.E.F. est convoquée pour décider du remplacement du président démissionnaire, Michel Perraud (P.S.U.). La réunion qui se tient rue de la Sorbonne est attaquée par un commando d'étudiants d'extrême droite, d'où s'ensuit une violente bagarre. Chaque jour voit de nouveaux incidents. Le 26 avril, les « enragés » de Nanterre empêchent Pierre Juquin, membre du comité central du parti communiste, de faire un exposé sur « les solutions des communistes à la crise de l'Université ». D'incident en incident, le doyen Grappin, après plusieurs mois de troubles croissants, décide de fermer la faculté le 2 mai. Le lendemain, la crise proprement dite est ouverte.

De Nanterre aux barricades

Le 3 mai, plusieurs centaines d'étudiants de Nanterre et de Paris tiennent un meeting de protestation dans la cour de la Sorbonne. La police, appelée par le doyen et le recteur, fait évacuer sans ménagement et procède à des arrestations. C'est l'incident-détonateur. Tandis que l'U.N.E.F. et le S.N.E.S.-Sup lancent un ordre de grève illimitée, des rassemblements ont lieu et les premiers incidents éclatent entre policiers et étudiants : premières barricades, premières voitures incendiées, près de 600 étudiants interpellés, dont 27 gardés à vue. L'intervention brutale de la police a provoqué la solidarité du milieu étudiant avec la minorité militante hors du champ strictement universitaire. La crise de Mai commence à cet instant précis où le mouvement de protestation, débordant le cercle des activistes — à la fois le groupe et le périmètre de ses interventions — entraîne une masse jusque-là peu réceptive aux mots d'ordre des « enragés ».

> « Alors que le meeting du vendredi 3 mai dans l'après-midi, à l'intérieur de la Sorbonne, n'avait suscité que notre indifférence, celle-là même que nous affichions en général depuis le début de l'année envers les " enragés ", écrit un témoin devenu acteur, il a fallu l'extraordinaire stupidité d'un pouvoir affolé, qui, oubliant sans doute l'histoire de l'apprenti-sorcier, a fait appel aux " forces de l'ordre ", pour déclencher un mouvement sans commune mesure avec son point de départ[7]. »

Les autorités réagissent avec une rigueur convenue : la Sorbonne est fermée à son tour ; treize manifestants, appréhendés le 3, sont condamnés en flagrant délit le dimanche 5. Le schéma stratégique de l'ultra-gauche : « Provocation-Répression-Solidarité », expérimenté à Nanterre, va révéler son efficacité hors-les-murs. Le 6 mai, à l'appel de l'U.N.E.F., une manifestation de solidarité avec les condamnés de la veille dégénère le soir en combat de rue, entre le carrefour Mabillon et la place Saint-Germain-des-Prés. Barricades, voitures renversées, grenades lacrymogènes, heurts violents qui font plusieurs centaines de blessés, arrestations... La guérilla urbaine a commencé à Paris, tandis qu'en province la solidarité étudiante entraîne des manifestations et des meetings dans la plupart des villes universitaires. Tout recommence le lendemain.

Le 9 mai, Alain Peyrefitte refuse de suivre l'avis du recteur et des doyens qui préconisent la réouverture de la Sorbonne. Le lendemain, 10 mai, le mouvement élargit son audience, entraînant des dizaines de milliers d'étudiants dans des cortèges imposants. A Paris, la fin de la journée prend un tour dramatique : le grand carrefour de la place Edmond-Rostand est investi par des milliers de manifestants qui dépavent les rues et renversent des voitures pour dresser des barricades. La police reçoit l'ordre dans la nuit de les prendre d'assaut ; les combats se prolongent cinq heures durant. Cocktails Molotov et grenades offensives s'échangent, sous les balcons des habitants du quartier

Latin, prenant à partie la police. Il est notable qu'au cours de cette phase ascendante les habitants des immeubles bourgeois manifestent une sympathie active aux étudiants : la violence policière choque d'autant plus qu'elle était jadis réservée aux membres des classes sociales dominées. Les Ve et VIe arrondissements (et notamment les quartiers de la Sorbonne, du Val-de-Grâce et de l'Odéon), qui votent en majorité conservateur, accordent encore, à ce jour, leur soutien à leurs « enfants ». Le bilan est sévère : 367 blessés, dont 32 dans un état grave, 460 interpellations, 188 véhicules incendiés ou endommagés, des rues défoncées... La « nuit des barricades » a provoqué l'émotion publique. Pour protester contre la « répression policière », les centrales ouvrières et la Fédération de l'Éducation nationale décident une grève générale de 24 heures et de « puissantes manifestations », le 13 mai.

Ce jour-là, le mouvement étudiant a réussi à susciter un surprenant élan de solidarité dans tout le pays. Jusque dans les rangs des républicains indépendants, on condamne « la brutale répression policière, indigne d'un pays démocratique ». Le Premier ministre, Georges Pompidou, rentré l'avant-veille d'un voyage officiel en Afghanistan, a pris des mesures d'apaisement : il annonce la libération des étudiants arrêtés et la réouverture de la Sorbonne. Il s'agit, pour lui, d'un repli stratégique, analogue à la décision de Thiers du 18 mars 1871 d'abandonner Paris à l'émeute pour mieux y revenir. Raymond Aron reproche à Pompidou ce qu'il considère comme une faute, à quoi le Premier ministre répondra, en juillet :

> « Il n'y avait pas une chance sur cent à mes yeux pour que mes décisions du 11 mai arrêtent le processus. Alors, direz-vous ? Alors j'ai fait ce que fait un général qui ne peut plus tenir une position. Je me suis retiré sur une position défendable. Et j'ai donné à cette retraite un caractère " volontaire " à la fois par souci de sauver les apparences et à cause de l'opinion[8]. »

La grève générale du 13 est inégalement suivie mais, dans toutes les villes, d'immenses cortèges rassemblent ouvriers, étudiants et lycéens. A Paris, plusieurs centaines de milliers de manifestants défilent de la République à Denfert-Rochereau. Les services d'ordre syndicaux s'appliquent à ne pas se laisser déborder par l'avant-garde étudiante, tandis que les C.R.S., bloquant les ponts de la Seine, maintiennent la fin de la manifestation sur la rive gauche.

Le même jour, on s'engouffre dans les salles et les amphithéâtres de la Sorbonne rouverte. Là, comme bientôt dans toutes les autres facultés de Paris et de province, des milliers d'étudiants et de professeurs (les plus nombreux de rang subalterne), tenant réunion sur réunion, votant motion sur motion, concourant d'éloquence et de délire, vont lancer tous les slogans d'une contestation radicale, révolutionner ciel et terre, dans une atmosphère passionnée où l'ardeur n'éliminera jamais la dérision.

Qui vient là, jour après jour, figurer dans cette révolution permanente du Verbe ? Il y a ceux qui, sûrs de leur avenir, ne goûtent que le plaisir d'une formidable et imprévisible récréation. Il y a ceux qui, par altruisme chrétien ou humanisme laïque, se dévouent à la cause politique. Il y a ceux que la « révolution » a révélés à leurs propres yeux : d'obscurs, ils sont devenus éclatants, de silencieux, ils sont passés orateurs, de cabots sans public, ils ont capté les applaudissements. Il y a ceux qui n'ont rien à perdre, mécontents de leur rang, mécontents de leur vie, et qui ont accueilli l'événement comme la promesse d'un autre destin. C'est dans ces lieux d'improvisation verbale et de révolution symbolique qu'on voit accourir tout ce que la grande ville compte en permanence d'individus disponibles : avocats sans cause, prédicateurs d'utopies, inventeurs de panacée, mystagogues, théosophes, illuminés, demi-soldes, « katangais * », désœuvrés de tout poil... Flaubert en avait déjà établi la typologie dans l'*Éducation sentimentale,* Marx et Engels les avaient eux aussi rencontrés, et les communards n'avaient pas échappé à leur sollicitude ; c'est la réserve des comparses, mal insérés,

---

* Les « Katangais » : anciens mercenaires du Katanga sécessionniste de Tschombé qui firent beaucoup parler d'eux.

déclassés, frustrés, qui saisissent l'occasion comme une chance providentielle d'exister enfin au premier rang[9].

Cependant la phase proprement étudiante de la crise s'achève. Le 14 mai, la crise sociale, manifestée par les grèves et les occupations d'usine, s'est ouverte à Nantes, à l'usine Sud-Aviation. Le lendemain, l'usine Renault de Cléon débraye à son tour. Comme en juin 1936, le mouvement gagne la France entière avec une rapidité fulgurante et une ampleur qui déconcertent les tenants de *l'optimisme économique*[10]. Le mouvement étudiant va tenter de fusionner avec le mouvement ouvrier. Mais, en dépit de la journée unitaire du 13 mai et de quelques convergences, dans les jours qui suivent l'un et l'autre vont garder jusqu'au bout leurs caractères propres ; c'est même leur impossible interpénétration qui caractérise la suite des événements et maintient la revendication des usines dans les normes de la lutte des classes tacitement réglementée par un siècle de conflits sociaux, peu à peu apprivoisés.

Neuf millions de grévistes

L'exemple des étudiants a gagné le monde du travail, souvent par l'intermédiaire des jeunes ouvriers qui sont revenus des manifestations du 13 mai pleins de résolutions. A l'usine Renault-Cléon, les jeunes ont séquestré le directeur dans son bureau avec une dizaine de cadres ; ils ont hissé un drapeau rouge sur le portail d'entrée et décrété l'occupation illimitée. Les autres usines Renault, à Flins, à Sandouville, au Mans, à Billancourt, enfin, sont atteintes par le mouvement. L' « effet Renault », firme pilote, agit comme un accélérateur et un amplificateur. Le lendemain, 17 mai, le nombre des grévistes atteint 200 000 ; en quelques jours, la vague va devenir raz de marée.

Comme en 1936, ce sont des grèves parties de « base », sans mot d'ordre syndical. Dans maintes usines, on observe l'action déterminante de la nouvelle génération. Les membres de celle-ci, contrairement à leurs aînés, ont souvent fait des études plus longues et ne peuvent se satisfaire des emplois d'exécution où ils sont cantonnés. Une enquête faite en 1969 révèle que les plus désireux en 1968 de voir les étudiants venir « dans les usines discuter avec les travailleurs » se recrutent dans les classes d'âge 20-24 ans et plus encore 15-19 ans, et — parmi eux — les titulaires d'un C.A.P. [11], ce qui amène l'observation suivante de Pierre Bourdieu : « La participation aux manifestations croît avec le niveau d'instruction et en raison inverse de l'âge [12]. » Les ouvriers chevronnés savent le chemin parcouru depuis vingt ans ; les plus âgés se souviennent des temps où le patronat régnait sans partage sur les entreprises, où le chômage restait une menace permanente, où il fallait prodiguer des réserves d'ingéniosité et de « sacrifices » pour vivre décemment. Ils sont arrivés à un certain degré d'intégration sociale, qu'ils entendent sans doute améliorer mais non risquer à l'aveuglette. Leurs chaînes ne sont plus du même métal qu'au temps de Marx : elles s'appellent traites mensuelles, acquisition de la propriété, équipement des ménages. Leurs cadets, eux, ont grandi dans la société « d'abondance » : les acquis de leurs parents ne sont guère pour eux des sujets de satisfaction car ils vont de soi. Ni leurs salaires, à eux, ni leur statut dans et hors de l'entreprise ne suffiraient à les river dans le conformisme. La grève, par la simple rupture qu'elle opère dans la vie morne de l'usine, leur offre pour le moins un divertissement ludique et, au mieux, une chance rêvée de vie nouvelle. A l'aube de leur vie d'adultes, comment ne seraient-ils pas fouettés par le souffle d'utopie libératrice qui vient des facultés, sensibles aux discours des étudiants contre l'aliénation ouvrière, la répression patronale et l'esclavage capitaliste ?

Le 17 mai, les trains restent en gare ; le 18 mai, le courrier n'est plus distribué... Toutefois, à dater du 18, les appareils des trois grandes centrales ouvrières (C.G.T., C.F.D.T., F.O.) s'emploient à canaliser le courant. Elles se méfient — et notamment la C.G.T., la plus puissante — des fraternisations qui se sont produites un peu partout entre ouvriers et étudiants.

Dès le début des événements, le parti communiste a mis

en garde contre les agissements gauchistes. Le 3 mai, Georges Marchais s'en est pris, dans un article de *l'Humanité,* à « l'anarchiste allemand » Cohn-Bendit et aux « faux révolutionnaires à démasquer » qui émettent « la prétention de donner des leçons au mouvement ouvrier » :

> « Ces faux révolutionnaires doivent être énergiquement démasqués car, objectivement, ils servent les intérêts du pouvoir gaulliste et des grands monopoles capitalistes. »

Le P.C.F. entendait ne pas laisser à d'autres son hégémonie sur la classe ouvrière ; sa stratégie, fondée sur l'alliance avec le parti socialiste, ne devait pas être contrariée par l' « aventurisme gauchiste ». Même après la fermeture de la Sorbonne, *l'Humanité* avait condamné les « agissements irresponsables » de ceux qui avaient provoqué la répression policière. L'expression est reprise chaque jour par le quotidien du P.C.F. : « Les agissements de groupes irresponsables favorisent les buts du pouvoir » (8 mai). Engagé dans la protestation populaire « pour la défense des libertés », le parti communiste, dès le 14 mai, rappelle la seule « perspective claire » : « l'entente des partis de gauche », le refus de « tout mot d'ordre d'aventure ». Pour lui, le combat des ouvriers et le combat des étudiants sont les mêmes, mais il ne peut y avoir de victoire commune que sous la direction des organisations de la classe ouvrière. Le 16 mai, la C.G.T. s'élève contre les « entreprises diverses destinées à propager la confusion et la division parmi les travailleurs ». Le mouvement de grèves étant lancé, le Bureau politique du parti communiste rappelle la nécessité de « l'entente entre les partis de gauche sur un programme avancé » et lance une nouvelle mise en garde « contre tout mot d'ordre d'aventure ». La position du P.C.F. et celle de la C.G.T. ne varieront pas : l'union de la gauche, l'accord sur un programme social, ce sont les seuls moyens d'en finir avec « le pouvoir personnel », tandis que les initiatives gauchistes — comme l'occupation du théâtre de l'Odéon ou la manifestation autour de la Maison de la Radio — continuent à être dénoncées comme autant de « provocations ».

Cependant, le nombre des grévistes ne cesse de croître : le 24 mai, il n'est pas loin de 9 millions. En 1936, les grèves de juin avaient compté environ 3 millions de participants : le record est donc pulvérisé. Aucune branche d'activité n'est épargnée. Même les salariés agricoles sont pris dans l'entraînement collectif, comme on le voit en Picardie, en Anjou, dans le Languedoc...

La grève générale paralyse le pays. Comment peut-on l'expliquer ? Les années soixante n'ont-elles pas été celles de la croissance et de l'élévation sensible du niveau de vie ? Rien de comparable, de ce point de vue, entre le contexte du Front populaire et celui de Mai 68. Mais on ne saurait réduire à des données économiques globales les motivations d'un mouvement social d'une pareille ampleur. Dire aux ouvriers et aux autres salariés du « bas de l'échelle » que leur pouvoir d'achat, depuis vingt ans, a fait un bond impensable dans les périodes antérieures, on savait déjà que ce discours d'économiste et d'historien laissait les jeunes insensibles ; de surcroît, un pouvoir d'achat ne s'apprécie pas en termes froidement objectifs. Il faut y ajouter le coefficient de satisfaction ou de frustration qui lui est lié. Or, la frustration croît en proportion de l'enrichissement de la société chez ceux qui ont le sentiment de ne recevoir que les miettes de la prospérité [13].

Les grèves offensives bénéficient du climat de croissance. Les ouvriers et employés qui ont conscience de vivre dans un pays riche se jugent des « laissés-pour-compte » en fonction des richesses qu'ils créent. Cependant, on ne peut ignorer les inquiétudes que fait naître la conjoncture. Au cours des premiers mois de 1968, la situation économique paraît se dégrader aux yeux de l'opinion. A la question de savoir si « l'État est bien informé des problèmes économiques qui concernent les gens comme vous : emploi, niveau de revenus ? », 57 % des personnes interrogées répondent « non », en janvier [14]. Dans une phase de hausse globale, l'année 1967 a été relativement mauvaise, notamment en raison d'une politique économique et financière qui a fait baisser la consommation privée. Les chiffres de production et le taux de croissance marquent le pas, le chômage menace : au début de 1968, les sans-travail sont quatre fois plus nombreux qu'en 1964 ; en avril, on estime leur nombre à 37 000. De plus, la moitié de ces chômeurs sont âgés de moins de vingt-cinq ans, ce qui accroît la combativité de la nouvelle génération.

Ainsi, les grèves de 1968 paraissent combiner deux types de conditionnement : le mouvement de longue durée — la croissance à peu près continue — crée les conditions de l'*offensive* ouvrière, tandis que la conjoncture provoque, là où la menace sur l'emploi est la plus lourde, des positions de *défensive*.

Mais ces conditions ne laissent en rien augurer la vague déferlante des grèves. Seul l'élan donné par la crise universitaire et l'effet de contagion peuvent l'expliquer. L'exemple de la combativité étudiante, l'hostilité à la répression policière, l'entraînement des jeunes, insatisfaits de la vie qui leur est réservée, le contentieux des conflits antérieurs, la personnalité de quelques « meneurs », l'exemple des entreprises plus promptes à entrer dans le conflit, maints facteurs locaux et généraux provoquent la « tache d'huile », avec une célérité renforcée par l'écoute des *mass media*. Il en résulte des revendications variées : augmentation des salaires, qui n'ont pas suivi dans leur ensemble le taux de production, défense de l'emploi, mais aussi, selon les secteurs, des revendications portant sur les conditions de travail, la hiérarchie au sein de l'entreprise, le « pouvoir syndical »... On s'aperçoit que, dans leur registre, la C.G.T. et la C.F.D.T. ne sont pas au diapason, la première énonçant les revendications plus classiques, la seconde avançant les mots d'ordre les plus proches de l'U.N.E.F., du P.S.U., des « gauchistes ». Dans son numéro du 26 mai, *Rouge* se demande si la C.F.D.T. est « la centrale de Mai » ? Tout en accusant Edmond Maire, secrétaire général de la Fédération des industries chimiques, de tenter « d'édulcorer les revendications », l'hebdomadaire trotskiste note qu' « à la différence de la C.G.T., la C.F.D.T. se montre ouverte au mouvement étudiant de Mai et cherche à maintenir la liaison avec lui à travers l'U.N.E.F. ».

Pendant que les grèves s'étendent, étudiants et lycéens dans leurs établissements siègent sans discontinuer dans des commissions et assemblées générales. Les plus ardents dédaignent l'esprit réformateur qui s'y déploie, pour se diriger vers les usines ; avec les mots de Marx ils imitent les *narodniki* de Tourgueniev : ils en connaissent aussi l'échec devant les portails gardés par les services d'ordre syndicaux. Eugène Descamps secrétaire général de la C.F.D.T., fait comprendre à Jacques Sauvageot, vice-président de l'U.N.E.F., que, pour la sécurité de l' « outil de travail », les rencontres étudiants-ouvriers doivent se tenir à l'extérieur des usines. Les communistes, de leur côté, veillent au grain et repoussent toutes les tentatives de débordement. D'où s'ensuivent les attaques gauchistes contre les syndicats, et notamment la C.G.T. : « Les communistes ont peur de la révolution », dira Sartre [15].

Fidèles à leur stratégie, les communistes lancent un mot d'ordre des « comités d'action pour un gouvernement populaire et d'union démocratique ». Pour un programme commun de la gauche, et contre les provocations gauchistes ! Le 22 mai, à la suite de l'interdiction de séjour lancée contre Daniel Cohn-Bendit, qui est de nationalité allemande, des manifestations se développent jusque tard dans la nuit, qui sont désavouées par la C.G.T. La rupture est consommée entre le mouvement étudiant et ce qui, dans le mouvement ouvrier, est sous la coupe des organisations communistes.

Cependant, le 22 mai, après que Georges Pompidou, à l'Assemblée, s'est déclaré prêt à engager le dialogue avec les organisations syndicales, la C.G.T. et la C.F.D.T. publient un communiqué par lequel elles réclament des négociations globales, tandis que Force ouvrière déclare se tenir prête aux discussions. Georges Pompidou les invite donc à se rencontrer avec le C.N.P.F., le samedi 25 mai, au ministère des Affaires sociales, rue de Grenelle.

Entre-temps, le 24, à 20 heures, le général de Gaulle fait une déclaration radiotélévisée par laquelle il annonce un référendum sur la participation. Le ton manque de conviction, la magie du verbe gaullien reste sans effet. Les manifestations de rue ont repris : celles de la C.G.T. rivalisent avec celles des étudiants, sans se confondre. Dans la nuit du 24 au 25 mai, une nouvelle explosion de violence se produit à Paris, qui déborde, cette fois, le quartier Latin, atteint la gare de Lyon, la Bastille, la Nation, où l'on dresse de nouvelles barricades. Geste symbolique : on tente de mettre le feu à la Bourse, « temple du capitalisme »... Au quartier Latin, il faudra cinq heures aux forces de police pour venir à bout des « insurgés ». En province, des manifestations paysannes ont rassemblé plus de 200 000 personnes. Cette fois, on a relevé deux morts : l'un à Paris, l'autre à Lyon.

C'est donc dans un climat extrêmement tendu que s'ouvrent, le 25 mai, les négociations de Grenelle sous la présidence de Georges Pompidou. Après vingt-cinq heures de discussion, entrecoupées d'un long tête-à-tête entre le Premier ministre et le secrétaire général de la C.G.T. Georges Séguy, Pompidou, au petit matin du 27 mai, rend publique la liste des propositions du gouvernement et du patronat. Le Premier ministre voulait intituler le document : « Accord intervenu entre les soussignés énumérés ». Sur le refus de plusieurs représentants syndicaux, le texte n'aura pas de titre. Les « accords de Grenelle », comme on devait les appeler, n'avaient nullement reçu l'aval des syndicats, trop de questions restant en suspens, et Georges Séguy réservant sa réponse à l'appréciation des travailleurs.

Les concessions patronales et gouvernementales n'étaient pourtant pas négligeables : relèvement du S.M.I.G. de 2,22 à 3 francs de l'heure, augmentation des salaires (7 % au 1er juin, de 7 à 10 % en octobre), réduction de la durée du travail de une heure ou deux par semaine avant la fin du Ve Plan, élaboration d'un projet gouvernemental sur le droit syndical, etc.

> « J'estime, déclare Pompidou, que nous avons atteint un résultat de première importance et qui doit permettre la reprise du travail dans des conditions aussi rapides que le permet la technique. »

Au même moment, la C.G.T. a convoqué la « base » de Renault-Billancourt à l'île Seguin, où dix mille ouvriers, sur le rapport du représentant C.G.T. de l'Intersyndicale de l'usine, décident la poursuite de la grève avant même l'arrivée de Georges Séguy qui se garde bien de remettre en cause leur décision. La réunion prend fin sur le slogan entonné : « Gouvernement populaire ! » Dans la plupart des autres entreprises, les grévistes consultés rejettent les « accords de Grenelle », dont ils attendaient beaucoup plus.

A partir de cet échec, la situation devient très inquiétante pour le gouvernement :

> « Si la conclusion des négociations de Grenelle ne réussit pas à résoudre le conflit social et n'est pas admise par la " base ", écrit P. Viansson-Ponté dans *le Monde* du 28 mai, alors la France risque de passer, dans un climat de violence et de troubles, d'une grave crise nationale à une situation révolutionnaire. »

A partir du 27 mai, la crise politique prend le relais de la crise sociale, tandis que le pays continue d'être arrêté par la grève générale et que les premières coupures de courant sont décidées à l'E.D.F.

La crise politique

Depuis le début de la cinquième République, et surtout depuis 1962, la France dispose enfin d'institutions solides et bénéficie de la stabilité gouvernementale qui lui a tant fait défaut jadis. Les sondages d'avril 1968 témoignent de la satisfaction de la majorité des Français, si l'on en juge par la popularité du général de Gaulle (61 % de « satisfaits » et 31 % de « mécontents »[16]).

Toutefois, le style personnel et autoritaire du régime qui avait été si efficace au moment du drame algérien est moins adapté au gouvernement de la France post-coloniale. De plus, la personnalisation même du pouvoir concentre sur de Gaulle et Pompidou tous les mécontentements.

Au début de juin 1968, Raymond Aron, qui ne ménagera

pourtant pas ses critiques à ce qu'il appelle « la révolution introuvable » des étudiants n'en est pas moins lucide sur les faiblesses du pouvoir fort : le régime « a supprimé toutes les soupapes de sûreté. Il a réduit ou supprimé le dialogue avec le Parlement, les partis, les syndicats. La France souffre de la faiblesse de tous les corps intermédiaires, faiblesse que le mode gaulliste d'exercice de l'autorité accentue inévitablement [17] ».

La majorité ne dispose plus à l'Assemblée, depuis les législatives de 1967, que d'un court avantage sur l'opposition. Mais celle-ci est divisée en trois courants au moins : communiste, gauche non communiste, et centriste. La motion de censure visant le gouvernement Pompidou recueille 233 voix, mais il en faudrait 244 pour qu'elle soit adoptée. L'initiative revient donc à la dyarchie en place. Or, de Gaulle et Pompidou ont été pris de court par un mouvement dont ils n'ont pas perçu — comme bien d'autres — le danger à ses débuts. On s'étonne aussi des voyages officiels intempestifs que l'un et l'autre se refusent à décommander, Pompidou, en Iran et en Afghanistan, du 2 au 11 mai, et de Gaulle, en Roumanie, du 14 au 18 ! Ni la crise universitaire ni la grève générale du 13 mai n'ont été, à l'évidence, prises au sérieux. Mais, tandis que l'un, le Premier ministre, va se ressaisir avec un empirisme bonhomme, l'autre, le général de Gaulle, va donner l'impression, jusqu'au 30 mai, d'être dans l'incapacité de maîtriser cette crise insolite.

Sitôt les pseudo-accords de Grenelle rejetés, l'État a donné l'impression de vaciller sur ses bases. Déjà, le dimanche 26 mai, lors d'une réunion à Château-Chinon, François Mitterrand — le candidat de la gauche à l'élection présidentielle de 1965 — a diagnostiqué à côté de Guy Mollet, René Billères, Gaston Defferre, la faillite du régime. Le lendemain, à la suite du meeting de l'île Seguin, tout paraît possible.

Deux faits, cependant, doivent être retenus comme des atouts favorables au pouvoir en place. D'abord la lassitude de l'opinion, indisposée par une grève générale dont elle ne voit pas la fin, et de plus en plus préoccupée par un danger de guerre civile. A cet égard, les sondages enregistrent le

27 mai un renversement de tendance : les manifestations d'étudiants qui bénéficiaient jusque-là de la sympathie publique provoquent désormais une majorité de réponses hostiles [18]. Le seuil du désordre a été franchi, le besoin de sécurité se fait sentir. D'autre part, quel que soit le dynamisme du mouvement de Mai, celui-ci — c'est sa force et sa faiblesse — n'a pas de direction, ne s'est jamais donné une structure d'organisation, et le trio Geismar-Cohn-Bendit-Sauvageot — réduit au duo après l'expulsion de « Dany » — n'est rien moins qu'une troïka bolchevique. Dans ces conditions, seule une union des partis de gauche pourrait prétendre à la relève, en se posant comme le successeur du pouvoir en place défaillant. Or, cette union est loin d'être réalisée. Autant la gauche non communiste et la C.F.D.T. ont tenté de rester « à l'écoute » du mouvement étudiant, autant les communistes se sont montrés, dès le début, de farouches adversaires de l'aventurisme gauchiste. Bon nombre d'observateurs, intellectuels et militants, parlent alors de la « complicité objective » du parti communiste avec le pouvoir gaulliste. La journée du 27 mai va clairement établir le divorce de la gauche.

Ce jour-là, l'U.N.E.F. et le P.S.U. organisent un meeting au stade Charléty, auquel s'associe la C.F.D.T. Devant 30 à 40 000 présents et une forêt de drapeaux rouges et de drapeaux noirs, André Barjonet, qui vient de se démettre de ses fonctions de responsable à la C.G.T. et au P.C., s'écrie : « Aujourd'hui, la révolution est possible. Mais il faut s'organiser vite, très vite. » La présence de Pierre Mendès France, resté silencieux, est notée par tous. L'impression est donnée qu'une grande force de gauche est en train de prendre forme en dehors du parti communiste.

Celui-ci, qui a dénoncé le meeting de Charléty, a organisé en cette même fin d'après-midi du 27, par la C.G.T. interposée, une série de réunions en douze endroits différents de la capitale. Tandis que dans l'entourage gouvernemental un coup de force communiste est de plus en plus redouté — les gauchistes ne faisant qu'ouvrir la voie —, les manifestants de Charléty protestent contre la « trahison » du P.C.

Le lendemain, 28 mai, *l'Humanité* publie la résolution du Bureau politique de la veille qui précise la position communiste.

> « Une manœuvre de grande envergure se développe dans le dos des travailleurs. Un certain nombre d'hommes politiques et des personnalités syndicales cautionnent des manifestations dont l'un des objectifs explicites est de protester contre les négociations entre les syndicats, le patronat et le pouvoir, considérées comme " nulles ". Nous refusons de dissocier la lutte pour les revendications immédiates de la lutte pour une démocratie réelle et pour le socialisme. Nous appelons donc à ne pas participer aux manifestations organisées par l'U.N.E.F. aujourd'hui 27 mai. [...] Pas plus que nous ne voulons donner à de Gaulle le chèque en blanc qu'il demande, nous ne cautionnerons aucune manœuvre tendant à substituer au pouvoir gaulliste un autre gouvernement qui ne satisferait pas les revendications des travailleurs en les déclarant dépassées, qui tiendrait tout autant la classe ouvrière et son parti à l'écart de la direction des affaires du pays, et discréditerait l'idée même d'une démocratie réelle et du socialisme en frayant la voie à un régime dominé par l'anticommunisme et inféodé à la politique américaine. Ce serait le retour au passé. »

La gauche non communiste, et notamment François Mitterrand, sait bien qu'en l'état du rapport de forces la succession à de Gaulle peut difficilement se priver de l'appui du P.C.F. et de la C.G.T. C'est pourquoi François Mitterrand, invité par le parti communiste, en tant que président de la F.G.D.S., à une rencontre immédiate avec les représentants du P.C.F., accepte l'invitation. Mais il décide de tenir une conférence de presse *avant* cette réunion, pour garder l'initiative. A ce moment, le scénario le plus couramment imaginé reste le départ du général de Gaulle, après l'échec du référendum prévu pour le 16 juin. Le mardi matin, 28 mai, F. Mitterrand annonce sa candidature à l'élection présidentielle et propose pour « combler le vide » consécutif au départ du Général — au plus tard le soir du 16 juin — la formation d'un « gouvernement provisoire de gestion » que Mendès France dirigerait. Celui-ci, de son côté, déclare ne pas refuser « les responsabilités qui pourraient lui être confiées par toute la gauche réunie ». A 17 heures, la rencontre prévue entre les représentants du P.C.F. et de la F.G.D.S. ne donne aucun résultat positif ; il n'en émane qu'un bref communiqué, qui dissimule mal la mésentente persistante entre les deux grandes organisations de la gauche.

Comment expliquer l'attitude du parti communiste ? A. Barjonet le fait, comme la plupart des militants de Charléty :

> « L'attitude du P.C.F. en mai 1968 n'a rien de mystérieux, et il n'est pas nécessaire de lui chercher des explications plus ou moins rocambolesques : elle a été l'attitude logique d'un parti qui, ayant depuis longtemps cessé d'être révolutionnaire, venait, en outre, de s'orienter de façon plus précise sur une voie réformiste et social-démocrate [19]. »

En fait, le parti communiste n'a jamais été révolutionnaire qu'à l'intérieur d'une stratégie « internationale ». Il est frappant de retrouver, dans les communiqués du Bureau politique et autres textes publiés par *l'Humanité* au cours de la crise, le refus communiste réitéré de « frayer la voie à un régime inféodé à la politique américaine ». Autrement dit, le remplacement du « pouvoir personnel » ne saurait se faire au bénéfice d'une gauche résolument « atlantique ». De Gaulle a eu le mérite d'affaiblir le camp de l'impérialisme américain, il a fait sortir de l'O.T.A.N. la France, il est autrement utile au camp socialiste que ne saurait l'être le *leadership* des Mitterrand, Mendès France et Mollet. Pour y parer, le P.C.F. doit entrer en force dans un éventuel gouvernement de gauche. De toute façon, il ne peut se résoudre à être débordé par le gauchisme ; il entend bien rester « le parti de la classe ouvrière ». Le « gouvernement populaire », dont il défend la cause, doit largement reposer sur lui. Comme, de son côté, la gauche non communiste, consciente de sa faiblesse structurelle, n'entend pas faire la part trop belle à un allié aussi redoutable, l'accord entre les deux parties est finalement impossible.

Le 29 mai, la C.G.T. organise dans toute la France des

manifestations qui visent à être des démonstrations de force. A Paris, un immense cortège défile de la Bastille à la gare Saint-Lazare, réclamant un « gouvernement populaire ». Ce même mercredi en fin de matinée, le général de Gaulle quitte l'Élysée pour Colombey après avoir décommandé en dernière minute un Conseil des ministres. Aucune explication de sa part. A 17 heures, on apprend qu'il n'est pas arrivé à Colombey. Cette fois, l'idée d'une vacance du pouvoir s'accrédite. Le soir, Pierre Mendès France déclare aux journalistes qu'il se tient prêt à prendre la direction du « gouvernement provisoire de gestion », préconisé la veille par François Mitterrand. La crise politique a atteint son maximum d'intensité. L'affolement est visible dans les rangs de la majorité. Dans l'opposition, on entend le leader centriste, Jean Lecanuet, affirmer : « Si Pierre Mendès France apporte la sauvegarde des libertés, s'il fait une politique européenne et sociale, nous n'avons pas à discuter les hommes qu'il choisira. » Cependant, le lendemain 30 mai, toutes ces supputations étaient balayées par le retour du général de Gaulle et la contre-offensive gaulliste.

Le 29 mai, le général de Gaulle, à l'insu de son entourage, était allé à Baden-Baden pour consulter le commandant supérieur des troupes françaises stationnées en Allemagne, le général Massu. La raison de ce voyage reste un sujet de controverses. D'après le livre posthume de Georges Pompidou, *Pour rétablir une vérité*, « le général avait eu une crise de découragement », il était prêt à s'expatrier :

> « C'est le général Massu qui, par son courage, sa liberté d'expression, son rappel du passé, l'assurance de la fidélité de l'armée, réussit à modifier la détermination du Général, puis à la retourner complètement[20]. »

Ce témoignage a été confirmé par l'aide de camp du général Massu, le colonel Richard, dans *le Point* du 10 janvier 1983. En revanche, cette version est infirmée par François Goguel, qui, dans un article de *l'Espoir* de mars 1984, analysant de près le comportement du Général, entre le 24 et le 29 mai, a voulu démontrer que celui-ci n'avait rien perdu de son sens tactique en se livrant à une mise en scène de grand style. Le voyage auprès de Massu visait d'une part à « vérifier, par un contact personnel avec celui qu'il avait dû relever de son commandement en janvier 1960, que les séquelles des ressentiments dus à l'indépendance de l'Algérie n'avaient pas laissé de trace irrémédiable dans l'esprit d'un officier général particulièrement représentatif de ceux qui avaient cru le plus fermement à l'Algérie française » ; d'autre part, selon François Goguel, ce voyage « avait surtout pour but d'opérer un choc décisif sur l'opinion [...] L'association soudaine de ces deux noms : de Gaulle et Massu [...] ne pouvait manquer d'exercer sur l'opinion un effet considérable, et de convaincre les Français que le chef de l'État était résolu à recourir à tous les moyens propres à mettre fin à la " chienlit " [21] ».

Quoi qu'il en soit, le mérite revint à Pompidou de convaincre de Gaulle sur un point précis : renoncer provisoirement au référendum dont l'annonce avait été si mal accueillie, dissoudre l'Assemblée et préparer de nouvelles élections. A quatre heures et demie de l'après-midi, le 30 mai, le Général annonce ces résolutions dans un appel radiodiffusé, qui produit immédiatement un saisissement de l'opinion : le Premier ministre est maintenu à la tête d'un gouvernement remanié, l'Assemblée est dissoute, le référendum est ajourné, les Français auront à se prononcer par de nouvelles élections législatives. Appelant à l' « action civique », le chef de l'État désigne aux Français l'adversaire à réduire : « Le communisme totalitaire. »

Une demi-heure plus tard, et après que l'Assemblée eut tenu sa dernière séance, une manifestation de soutien à de Gaulle, préparée soigneusement depuis le lundi précédent, rassemblait sur les Champs-Élysées une foule évaluée à 1 million de personnes (en fait 300 000 selon la Préfecture de police, mais c'était de toute façon énorme). Dans un foisonnement de drapeaux tricolores, entraînés par Malraux, Debré et autres ministres en tête du cortège, les manifestants chantent *la Marseillaise* et entonnent : « De Gaulle n'est pas seul », ou « Mitterrand, c'est raté ». Une telle démonstration surprend d'autant plus que, depuis près d'un mois, la rue n'a cessé d'appartenir aux adversaires du régime que seules les forces de police leur disputaient. Le déclenchement de cette contre-offensive avait eu lieu au moment critique où, comme le suggèrent les sondages, l'opinion basculait vers un désir d'apaisement, souhaitait le retour à la norme, la fin des grèves. Le lendemain, 31 mai, des manifestations de soutien impressionnantes ont lieu dans les villes de province. Le 1er juin, l'essence — qui avait manqué jusque-là — coule de nouveau dans les pompes : on pouvait repartir en week-end pour la Pentecôte, c'était un symbole autant qu'un soulagement.

Le soir du 31 mai, Georges Pompidou signe un décret portant le S.M.I.G. à 3 francs : les « accords de Grenelle » entrent dans les faits, en dépit de l'attitude des syndicats. Le retour du balancier s'effectue. La solution par les élections offre un dénouement que les partis de gauche ne peuvent refuser. Dès le 31 mai, Georges Séguy déclare : « La C.G.T. n'entend gêner en rien le déroulement de la consultation électorale. » Dans les jours suivants, les communistes s'emploient à contribuer au « climat d'ordre et de tranquillité publique » dans lequel doit se préparer le scrutin. Les « gauchistes » sont seuls à crier : « Élections, trahison ! » et à tenter d'entretenir l'agitation. Mais il faut en convenir : la révolution n'a pas eu lieu ; la normalisation est en marche. La reprise du travail se fait progressivement : le 6 juin, après l'E.D.F., la sidérurgie, les Charbonnages, c'est le tour de la S.N.C.F. et de la R.A.T.P. ; *l'Humanité* titre : « Reprise victorieuse du travail dans l'unité. » Le quotidien communiste s'en prend aussi, sous la plume d'Étienne Fajon, à ceux qui essaient d'empêcher cette reprise « là où une conclusion victorieuse a couronné la lutte ». De nouveaux conflits, en effet, retardent encore ici et là la réouverture des portes des usines, mais la retombée du mouvement social paraît irrésistible. Le 16 juin, la Sorbonne est évacuée ; le 17, la grève cesse aux usines Renault, tandis que des polémiques entretiennent le désaccord entre la C.G.T. et la C.F.D.T., celle-ci étant accusée par celle-là d'une « complaisance caractérisée à l'égard des groupes gauchistes ».

Du côté du pouvoir gaulliste, tandis qu'on observe une

entrée en force des « gaullistes de gauche » dans le nouveau cabinet Pompidou, on apprend le retour en grâce des *desperados* de l'Algérie française : retour d'exil de Georges Bidault, grâce accordée au général Salan, au colonel Argoud et à neuf autres condamnés de l'O.A.S., retour des contumaces Broizat et Lacheroy... Tout semble mis en œuvre pour rassembler autour du général tous les adversaires du « communisme totalitaire », dont les gauchistes et les socialistes se sont faits les « agents inconscients ».

Les élections législatives, qui ont lieu les 23 et 30 juin, achèvent la reprise en main par les gaullistes et leurs alliés. Ceux-ci gagnent 1 640 000 voix depuis 1967, soit une progression de 7,8 % des suffrages exprimés, dont ils se taillent plus de 46 %. La gauche obtient à peu près 41 % des voix (le P.C. et la F.G.D.S. sont en baisse, tandis que le P.S.U. progresse, sans atteindre 4 %). Dans l'affaire, les centristes sont les grands vaincus, qui perdent près de 1 200 000 voix et ne se situent plus qu'à 10,3 % des suffrages exprimés. Le second tour amplifie la victoire de l'U.D.R. qui, avec ses alliés, obtient près des trois quarts des sièges. Tout le monde parle d'une nouvelle « Chambre introuvable ».

Cependant, cette victoire n'a pas été exactement celle du général de Gaulle. Celui-ci a dû renoncer, au moins provisoirement, au référendum, avouant ainsi son faux pas tactique. Il a dû accepter la solution préconisée par Georges Pompidou, dont l'autorité s'est affirmée tout au long de la crise. Au moment où les députés gaullistes n'ont jamais été aussi nombreux, le prestige du général de Gaulle est atteint aux yeux mêmes de ses partisans. Et pourtant ! Plusieurs observateurs ont dénié que Pompidou ait été, mieux que de Gaulle, l'homme de la situation. Le renversement de tendance est bien dû au Général, au choc provoqué par sa « disparition », à la surprise suscitée par la nouvelle de son voyage auprès de Massu, par la contre-offensive qu'il a dirigée le 30 mai. Peut-être même, si de Gaulle a feint le désarroi, le stratège n'a-t-il jamais été aussi maître de lui. Quoi qu'il en soit, les sondages démontrent que, malgré le redressement du 30 mai, la crise

a profité à Pompidou au détriment du général de Gaulle [22].
Ce qui ne sera pas sans importance pour l'avenir.

Une mutation culturelle

Malgré l'ampleur de la crise sociale et les aléas de la crise
politique, on a peut-être gardé surtout en mémoire ce qui
fut le plus insolite : les assemblées générales de la Sorbonne, les psychodrames de l'Odéon, l'occupation des
lycées, les émissions « sauvages » de l'O.R.T.F., et puis
l'efflorescence des affiches fabriquées par les ateliers des
Beaux-Arts, les graffiti surréalistes sur tous les murs,
l'agitation joyeuse des foules, les voitures incendiées du
quartier Latin, les mobilisations quotidiennes, enfin et
surtout, en tous lieux, dans les entreprises, dans les rues,
dans les immeubles, le déchaînement des mots. Sur ce
« marathon de palabres », comme a dit Raymond Aron,
Michel de Certeau a trouvé une jolie formule devenue
fameuse : « En mai dernier, on a pris la parole comme on a
pris la Bastille en 1789 [23]. » Tout le monde a eu le droit
de s'exprimer, presque tout le monde l'a pris, sans exclure
les C.R.S. dont la nouvelle génération faisait rimer le sigle
avec « SS ». Dans ce flux labial, le meilleur a côtoyé le
pire, on a été ébloui par des éclairs de génie poétique et
l'on a résisté au sommeil sous de graves discours soporifi-
ques ; on a essuyé tous les appels à la fraternité universelle,
étudié toutes les propositions de démocratie directe, rêvé
de la société sans classes, tandis qu'en coulisse, appliqués à
faire passer les motions finales, les stratèges en amphithéâtre prenaient des airs de Trotski ou de Lénine selon qu'ils
étaient myopes ou chauves. Le spectacle était permanent,
la foire aux idées battait son plein et, faute de prendre le
Palais d'Hiver, on a pris de mâles résolutions et quelquefois
du bon temps.

Du même coup, deux types d'interprétation ont coexisté
à propos du mouvement de Mai. Les uns, conservateurs ou
sceptiques, ont tendu à minimiser la portée de ce qui leur

est apparu comme une mascarade. Les plus cultivés ont rappelé les *Souvenirs* de Tocqueville ou l'*Éducation sentimentale,* toutes les absurdités vues et entendues en 1848. De fait, qui a assisté à un certain nombre d'assemblées générales de Mai n'a pu manquer de sourire en se rappelant Frédéric Moreau, entraîné au Club de l'Intelligence et bientôt submergé par les propositions les plus cocasses qui le disputaient aux plus lourdes banalités. Au fond, il s'agissait d'une pause, d'une fête, d'un carnaval que se donnait la société industrielle aux contraintes et aux disciplines éprouvantes. On a joué à la révolution, on l'a mimée. Déjà Tocqueville écrivait en 1848 : « J'avais sans cesse l'impression qu'ils étaient en train de représenter la Révolution française bien plutôt que de la continuer. » Proudhon, quant à lui, à la même époque, notait : « La nation française est une nation de comédiens. »

D'autres, au contraire, ont cru voir dans la nouveauté de ce spectacle une « crise de civilisation » (Georges Pompidou entre autres), l'effondrement des anciennes valeurs, la naissance de la société « post-industrielle ». Il est probable que la crise de Mai a, sinon entièrement provoqué, à tout le moins révélé une coupure culturelle avec l'ordre ancien. Les spectacles et les conduites les plus insolites de Mai ont ébranlé la rigidité des hiérarchies et des disciplines héritées. Tout semble avoir été battu en brèche, dans tous les ordres — en particulier le modèle autoritaire de la société française.

Ce modèle autoritaire — dans la famille, à l'école, dans les Églises, dans les partis, dans l'État, dans l'administration, dans l'entreprise... — a reculé dans tous les pays industriels occidentaux. Une libéralisation des mœurs et des esprits a suivi un peu partout la prospérité des années soixante. L'exemple de la vieille Angleterre victorienne, devenue la patrie des Beatles et de la mini-jupe, est dans tous les esprits. Mais, selon ses habitudes, la France a suivi cette évolution générale par un sursaut brutal, une crise quasi révolutionnaire. Tout se passe comme si la société française, travaillée par un changement sans précédent, était trop conservatrice dans ses profondeurs et ses institutions pour s'adapter tranquillement aux mutations nécessaires. De Gaulle lui-même disait que « les Français ne font de réforme qu'à l'occasion d'une révolution[24] ».

On peut mettre cette tendance au compte d'un « tempérament » national. Freud, à Paris à la fin du XIXe siècle, disait des Français : « C'est le peuple des épidémies psychiques, des conversions historiques de masse et il n'a pas changé depuis le temps de *Notre-Dame de Paris* de Victor Hugo[25]. » Les épigones de Freud, du reste, nous ont offert sur Mai 68 quelques beaux essais d'interprétation, qui piquent souvent la curiosité mais restent malheureusement trop évasifs sur l'enchaînement des faits[26].

Henri Mendras, directeur d'un livre collectif, *la Sagesse et le Désordre,* insiste, quant à lui, sur la coupure de 1965. C'est cette année-là, ou un peu avant ou un peu après, que la plupart des « indicateurs » s'infléchissent et que les innovations se multiplient : baisse de la fécondité, premiers signes de renversements de tendance (baisse de la productivité du capital fixe, baisse amorcée de la durée hebdomadaire de travail, hausse du chômage — après une stabilité datant de 1948), fin du Concile de Vatican II, aux effets profonds sur l'institution ecclésiastique et les comportements religieux chez les jeunes. « A cette époque enfin le nu apparaît dans les magazines et dans les films [...]. L'expression de valeurs hédonistes, jusque-là réprimées, apparaît en même temps qu'une affirmation des différences individuelles et un besoin d'ouverture et de communication avec autrui[27]. » Ajoutons à tout cela, « l'ouverture définitive de la France sur le monde extérieur », le Marché commun, les voyages à l'étranger, l'urbanisation progressive des régions rurales, provoquant une homogénéisation croissante de la société d'où résulte un nouveau problème d'identification.

Or toutes ces transformations se sont heurtées aux scléroses autoritaires et bureaucratiques de la société industrielle renforcées par les traits particuliers du régime gaulliste mono- et technocratique. En 1966, Michel Crozier évoquait la rigidité du mode de fonctionnement des organisations, incapables d'innover, de se prêter naturellement aux transformations, d'où résulte la crise comme mode normal d'adaptation de ce modèle d'organisation. Les caractères du système étaient surtout, disait le sociologue de Nanterre, la peur des relations *face à face* et une conception absolutiste de l'autorité. Dans cette même étude, Michel Crozier désignait les trois foyers de résistance au changement : le monde de l'enseignement, de l'éducation et de la recherche intellectuelle ; le monde de l'administration publique traditionnelle ; le monde de la politique[28].

La crise de Mai a partout porté atteinte au style de commandement, hiérarchique, bureaucratique, qui continue à régir l'État et la société : à l'Université, remise en cause du savoir imposé, du cours *ex cathedra,* par les étudiants ; désaveu de la hiérarchie professorale par les assistants : l'ennemi, c'est le « mandarin » ; dans l'entreprise, remise en question de la hiérarchie industrielle par les cadres et la « nouvelle classe ouvrière » ; dans la vie politique, contestation des appareils partisans, désacralisation du général-président, poussées d'anarchisme... Mais aussi, dans les familles, les Églises, toutes les collectivités, contestation du pouvoir et de ses symboles. Au demeurant, cette expression du désir de libération ne peut franchir un certain seuil de tolérance, au-delà duquel un retour à l'ordre est ressenti comme une nécessité — flux de Mai et reflux de juin. Entre-temps, avant le retour au point d'équilibre, quelques verrous auront sauté.

Les journées de Mai ont pris un aspect de saturnales : transgression des tabous, fugues de jeunes, séparations de couples, il faudrait des piles de romans pour narrer ce que Mai 68 a été dans les destins individuels (métamorphoses, révélations, dérives, naufrages, rédemptions, changements d'itinéraires). Mais ce n'était pas seulement des saturnales, car celles-ci ne sont qu'une parenthèse dans la durée, un arrêt épisodique, un défoulement rituel, après quoi tout rentre dans l'ordre antérieur. Or l'ébranlement de Mai 68 a été profond et prolongé. La libéralisation des mœurs s'est poursuivie, la loi l'a en partie entérinée ; la symbolique des rapports sociaux, les codes d'usage, les styles de vie ont été sensiblement modifiés. Mais, une fois encore, on peut se demander si l'explosion de 68 a été la cause de cette mutation culturelle ou l'accoucheuse de nouveaux compor-

tements, observables dans l'ensemble de la société occidentale.

Le conflit des interprétations

En juin 1970, la *Revue française de science politique*
publiait, sous la signature de Philippe Bénéton et Jean
Touchard les « huit types d'interprétations » que la crise de
Mai avait inspirés[29]. L'énumération de ces catégories laisse
à elle seule supposer la richesse du commentaire que
l'événement, en moins de deux ans, avait suscitée.
1. « Une entreprise de subversion », thèse qui reprenait le
délire interprétatif classique de l'histoire par le complot. Il
était remarquable que le ministre de l'Intérieur, Raymond
Marcellin, y participât, au même titre que les porte-parole
de l'extrême droite. La crise de Mai avait des origines
exogènes dans lesquelles l'Allemagne de l'Est, La Havane,
Pékin, voire la C.I.A., avaient beaucoup compté. 2. « Une
crise de l'Université », ce qui n'était pas original, mais qui
mettait bien en valeur l'*alpha*, sinon l'*oméga* des événements. 3. « Un accès de fièvre, une révolte de la jeunesse », qui avait pour mérite d'insister sur la combinaison
du phénomène démographique — l'arrivée à maturité
d'une nouvelle classe d'âge pléthorique — et du changement de mentalité, lui-même provoqué par les nouvelles
techniques de communication et les effets de la société « de
consommation ». Edgar Morin insistait sur l' « irruption de
la jeunesse », tandis que les psychanalystes ramenaient au
complexe d'Œdipe la clé de toute explication. 4. « Une
révolte spirituelle, une crise de civilisation », interprétation
illustrée de manière lyrique par Maurice Clavel, Jean-
Marie Domenach et Jacques Maritain, qui font de la
« société répressive et absurde » (Clavel), de l' « améri-
nisme » (Domenach), de la « civilisation sans âme » (Maritain), les mauvais démons contre lesquels se seraient
acharnés les insurgés de Mai. De manière plus inattendue,
Edgar Faure mêlait sa voix au chœur de la « primauté du

spirituel », parlant, lui aussi, « d'une crise spirituelle dont l'origine doit être définie dans les bouleversements que connaît notre époque ». Il était rassurant qu'un ministre de l'Agriculture, délaissant un instant le problème des engrais et des primeurs, se posât, comme il disait, « le problème de la signification de la vie ». Dans ce registre, il appartenait à nul autre mieux qu'à Malraux de résumer en termes nietzschéens l' « une des crises les plus profondes que la civilisation ait connues ». Toutes ces tartes à la crème, il faut l'avouer, n'avaient cessé d'être servies au menu des Français depuis — au moins — 1918. On revenait à des réalités plus triviales avec : 5. « Un conflit de classes, un mouvement social de type nouveau », thèse dans laquelle s'illustrait cet autre sociologue de Nanterre, Alain Touraine [30]. Pour lui, le secret de la crise de Mai, comme Engels disait de la Commune de Paris, résidait dans la lutte nouvelle — qui n'est pas réductible au conflit « économique » — « contre des appareils d'intégration, de manipulation et d'agression » ; la lutte contre le capitalisme avait fait place à la lutte contre la technocratie. De sorte que l' « acteur principal » de Mai n'avait pas été la classe ouvrière, mais les « professionnels » (journalistes, étudiants, techniciens, chercheurs...) opposés aux « techno-bureaucrates ». Cette interprétation avait l'avantage de jeter une lumière crue sur le rôle des techniciens et des cadres dans la crise, et, partant, dans la société française, sans rendre raison du mouvement dans sa généralité. 6. « Un conflit social de type traditionnel » : cette version rappelait, chiffres à l'appui, les causes du malaise social ; le parti communiste prenait rang parmi ces exégètes par « l'exploitation capitaliste ». De ce point de vue, Mai 68 est d'abord le soulèvement du « monde du travail », le « premier grand affrontement de la période de la concentration capitaliste » (Waldeck Rochet). 7. « Une crise politique », explicable par les vices d'un système trop rigide, concentrant toutes les responsabilités sur les têtes du chef de l'État et du Premier ministre, au mépris de toute « soupape de sûreté » (Aron). Enfin, *last but not least,* il était indispensable de se poser la question du rôle de la contingence, autrement dit : 8. « Un enchaînement de circonstances »,

car au fond, toutes ces explications, inégalement intéres-
santes, mais toutes fécondes pour l'esprit, négligeaient la
question simple du *pourquoi*. A force de rechercher
l'*essence* de la crise, on perd de vue les petites causes qui
créent une chaîne amplificatrice d'effets incommensu-
rables. Petites causes, après tout, les événements de Nanterre, les maladresses d'un doyen, les modes d'application
d'une réforme universitaire, une irruption brutale de la
police dans la cour de la Sorbonne, les voyages officiels du
Premier ministre et du chef de l'État, une fois la crise
éclatée, et combien d'autres gestes, actes ou paroles en soi
sans portée évidente mais qui concourent à créer des
situations irréversibles.

Les auteurs de l'article-revue concluaient avec sagesse
contre l'ingénuité de l'explication unicausale. Pas plus
qu'en d'autres circonstances, on ne peut ramener la crise de
Mai à une origine unique. A partir de certains événements
contingents, elle a agi comme un « révélateur-catalyseur »,
étalant dans un extraordinaire *happening* les problèmes
majeurs et secondaires d'une société en pleine mutation. Il
serait vain d'en vouloir chercher à tout prix l'unité : la crise
avait agi comme une *catharsis* générale ; chaque secteur de
la société y trouvant l'occasion de faire jaillir son *refoulé,*
mais en gardant ses attributs particuliers. Seuls, les grands
lieux de carrefour fusionnels (Sorbonne ou Odéon) pouvaient donner l'impression, par le discours de la révolution
sublimée, que toutes les consciences et les cellules sociales
s'étaient subordonnées à l'œuvre universelle. Mais, comme
nulle part ailleurs, on y sentait le théâtre. Peut-être en
insistant sur la contradiction vécue, sinon clairement assumée, par ses participants, partagés entre l'ancien testament
(politique) et la nouvelle bonne parole (culturelle). C'est à
la barbe de Marx et sous le menton glabre de Mao qu'on a
expérimenté à la Sorbonne — et ailleurs — la « libération
sexuelle ». C'est au refrain de l'*Internationale* qu'on a
manifesté la légitimité de pulsions individualistes. Dans son
vocabulaire dominant — celui des groupuscules et des
innombrables chapelles sectatrices de Marx et de ses
épigones —, Mai a célébré le culte de la tradition prolétarienne et de la révolution socialiste ; toutefois, dans sa

pratique et à travers ses graffiti, Mai a fait jaillir on ne sait de quelle nappe souterraine un formidable geyser hédoniste — ou fouriériste (« le vrai bonheur ne consiste qu'à satisfaire toutes ses passions »). Même ceux qui avaient conscience de vivre une révolution de type nouveau en revenaient, faute de mieux, aux moyens d'expression obsolètes qui avaient l'avantage de leur prêter une langue universelle et un sens de l'Histoire. Quel rapport existait-il entre le vœu formulé d'une dictature du prolétariat et le désir également exprimé d'en finir avec les tabous, les interdits, les contraintes de tous ordres ? Quel rapport, entre ceux qui se réclamaient de Lénine *ad nauseam* et ceux qui, et c'étaient parfois les mêmes, récusaient toute forme d'organisation centralisée ? Il serait bénéfique de chercher loin des estrades, des masques et des perruques, ce qui fut réellement changé en Mai et par Mai dans tous les foyers de vie sociale : on aurait peut-être de 68 une idée plus juste. La turbulence sociale a probablement été plus productive, suivie de plus de mesures concrètes à la « périphérie » qu'au centre, sur lequel, en raison de la dramaturgie « révolutionnaire », tous les yeux sont restés braqués.

Dans la sphère politique, la crise a démontré combien la France était, depuis 1958, passée d'un excès à l'autre, de l'ingouvernabilité à l'autoritarisme. Le renforcement de l'exécutif, rendu nécessaire par les faiblesses de la quatrième République et la guerre d'Algérie, avait eu à la longue pour conséquence de momifier le pouvoir et de traiter les citoyens en mineurs. La crise sonnait comme un avertissement à la démocratie française : l'autorité gouvernementale était restaurée, il fallait désormais penser à établir de véritables mécanismes démocratiques, aussi bien dans la vie politique que dans l'administration et à l'O.R.T.F., dans l'entreprise et l'Université. De Gaulle parut comprendre le principe de ce « rééquilibrage » : le retour en force du « Père » devait être balancé par l'offre de la « participation ». Ce sera le thème du référendum qu'il n'avait pas renoncé à organiser, une fois la stabilité politique réaffirmée.

Cependant, toutes ces interprétations qui éclairent chacune à sa manière un des traits de cette crise multipolaire ne portent guère sur les causes du dénouement. Celui-ci se situe nécessairement dans la sphère politique : existait-il, en mai-juin 1968, un pouvoir de rechange ? Cette question a été formulée autrement par l'avant-garde du mouvement : n'avait-on pas assisté à une « révolution manquée », n'avait-on pas été dupe d'une « révolution trahie » ? Ce thème avait déjà été illustré à propos du Front populaire : il y aurait eu, de nouveau, une gauche « sociale » trompée par la gauche « politique », comme en 1936. « Le président du Conseil d'alors, le socialiste Léon Blum, porté au pouvoir par cette vague, a d'ailleurs fait tout ce qu'il a pu pour la freiner », dit Sartre[31]. Cette fois, le parti communiste doit supporter le plus clair de l'accusation : il n'a pas été à l'origine du mouvement ; celui-ci ayant éclaté, il s'en est d'abord montré l'adversaire ; celui-ci prenant de l'ampleur, il n'a cessé de vouloir le contraindre dans ses formes légales de revendication et, sur le tout, de l'enterrer dans les urnes :

> « Le P.C., dit encore Sartre, s'est trouvé ainsi dans une situation de complicité objective avec de Gaulle : ils se rendaient mutuellement service, en réclamant, tous deux, des élections. De Gaulle, bien sûr, désignait le P.C. comme l'ennemi nº 1, en l'accusant — ce qu'il savait faux — d'être à l'origine des " troubles " de mai. Mais c'était aussi une façon de redonner aux communistes une espèce de prestige. Et de Gaulle avait tout intérêt à les présenter comme les principaux instigateurs de la révolte puisqu'ils se conduisaient en adversaires " loyaux ", décidés à respecter la règle du jeu — donc en adversaires peu dangereux. »

Pareil dépit à l'endroit du P.C.F. témoigne cependant de l'incapacité éprouvée par le mouvement étudiant, ou par le « gauchisme » en général, de faire lui-même cette révolution espérée. Sartre, du reste, attribue aux étudiants un simple rôle de « détonateur » :

> « Pour avoir une chance de faire la révolution, il faut être capable d'opposer au pouvoir en place un contre-pouvoir [...] le seul contre-pouvoir qui puisse s'exercer est celui des producteurs, c'est-à-dire des travailleurs. »

Toute polémique mise à part, et sans préjudice des raisons politiques de son attitude, on peut se demander si, en 1968, le parti communiste, et la C.G.T., n'étaient pas mieux au fait des aspirations ouvrières que les étudiants gauchistes. La révolution dont ceux-ci rêvaient n'avait pas d'enracinement dans les classes sociales. On doit, à coup sûr, repousser la version manichéenne de la bonne « révolution » sabotée par les méchants « appareils ». Mai 68 a vu deux mouvements principaux, qui ont suivi des chemins parallèles plus souvent qu'ils ne se sont rencontrés. Malgré tout l'effort du mouvement étudiant, et tout particulièrement de ses groupes avant-gardistes, pour faire fusionner leur combat et celui des ouvriers, les rencontres n'ont été que fugitives. Le premier, qui a ébranlé les plus solides bastions de l'Université, ne visait pas à moins, dans son utopie libertaire, qu'à la démolition de la société dite de consommation ; les ouvriers s'en tenaient, quant à eux, avec des méthodes plus radicales, un sang nouveau pourrait-on dire, à des revendications « classiques ». Les étudiants entendaient liquider la société industrielle ; les ouvriers voulaient s'y intégrer un peu plus, réclamant plus de bien-être. Les enquêtes d'opinion de l'année 1968 confirment celles des années précédentes sur ce point : les salariés interrogés préfèrent, à la majorité des deux tiers, une « augmentation de salaires » à une « réduction de la durée du travail ». C'est un signe parmi d'autres du décalage entre les aspirations des deux mouvements — même si l'on doit prendre garde de trop forcer le contraste, et d'oublier les nouvelles revendications « qualitatives » des ouvriers. En fait, la crise de Mai a entraîné une réflexion sur la classe ouvrière des civilisations d'abondance : elle n'était peut-être plus l'agent historique de la révolution, elle n'était peut-être plus l'élément moteur de la lutte des classes, elle était peut-être même devenue une force conservatrice [32]. Mai 68 n'a pas été une révolution « trahie », mais bien plutôt une révolutoin imaginaire, une révolution mimée, un *à la manière de,* comme disait Kojève à Aron [33].

Si nous excluons l'hypothèse d'une révolution proprement dite dans un pays qui s'y refuse dans ses profondeurs, on peut cependant évaluer les risques encourus par le régime en place. Il est incontestable que le prolongement de la grève générale, les affrontements renouvelés entre la police et les étudiants, la démoralisation de la classe politique dirigeante, ont créé une situation de danger extrême pour les autorités publiques. Si l'avantage est resté finalement à celles-ci, la raison en appartient pour une part à la gestion de la crise par les personnalités complémentaires de Pompidou et de De Gaulle (d'autres, en pareilles circonstances, auraient pu lâcher pied), mais aussi à cette autre réalité, déjà mise en avant dans le chapitre précédent : la désunion de la gauche ; l'impossibilité d'une entente entre le P.C.F. et la F.G.D.S. sur un projet de gouvernement ou un *remake* de Front populaire. Trop de méfiance et de rancune se sont accumulées depuis 1936 entre le P.C.F. et la gauche non communiste : leur rapprochement ne se fait qu'à pas très lents, depuis 1962 ; la disproportion des forces est trop à l'avantage du P.C.F. pour ne pas laisser craindre aux autres une opération déficitaire, voire aventureuse ; les antagonismes idéologiques ne peuvent être masqués par la seule présence d'un adversaire commun. Rien, dans cette gauche de 1968, n'est encore prêt pour la relève. Restait cependant une éventualité, celle qui a été saisie par F. Mitterrand et P. Mendès France quand de Gaulle eut annoncé son projet de référendum et son départ éventuel, en cas de victoire des « non ». Personne ne peut et ne pourra jamais dire ce qui se serait alors passé. A moins qu'on ne s'inspire des événements de 1969 pour mieux suggérer l'incapacité de la gauche à reprendre alors le pouvoir ; c'est une hypothèse plus qu'une certitude.

Tout débattu, si l'on veut réduire le dénouement de la crise à sa causalité la plus simple, deux facteurs paraissent s'imposer à l'analyse. L'un tient aux hommes en charge du pouvoir : on pourra encore jauger des mérites respectifs du chef de l'État et du Premier ministre, mais, en définitive, ils ont fait preuve de caractère et, malgré des passages de découragement et des faux pas tactiques, du sens politique nécessaire pour résister à la subversion. Bien secondés par le préfet de police Grimaud, ils ont pu éviter le pire : et l'investissement des lieux du pouvoir politique et le bain de sang. L'image d'un de Gaulle désemparé au cours de ces jours de mai doit être sensiblement corrigée ; c'est encore sa « légitimité historique », son sens de la manœuvre, son pouvoir charismatique qui permettent le succès de la contre-offensive du 30 mai. Pompidou, quant à lui, a au moins inspiré le coup de la victoire finale, la dissolution et le recours aux élections dont l'annonce entraîna la normalisation : aucun parti démocratique ne pouvait refuser la compétition électorale par laquelle le pouvoir en place faisait mine de laisser l'avenir ouvert.

Le second facteur du dénouement a été le rôle exercé, d'un bout à l'autre, par le parti communiste qui a été, *nolens volens,* un des instruments les plus efficaces du retour à l'ordre. Même si l'on juge chimérique le révolutionnarisme de Sartre, celui-ci n'a pas tort de dire qu'entre le P.C. et de Gaulle, il y a eu, en dépit des mots, une alliance de fait. Qu'on donne à la politique du P.C.F. les interprétations qu'on voudra, tenons-nous-en à cette réalité indiscutable : l'action du parti communiste pendant toute la crise a été caractérisée par son opposition à l' « aventure gauchiste », par sa volonté d'encadrer le mouvement social pour le maintenir dans les normes d'un conflit classique, par son acquiescement immédiat aux deux issues légales successivement proposées par le pouvoir — le référendum, puis les élections législatives —, par sa condamnation des complaisances dont faisaient preuve les autres organisations de gauche pour les « gauchistes ». Cela ne signifie pas nécessairement que le P.C.F. voulait à toute force maintenir de Gaulle au pouvoir — même s'il n'est pas interdit d'en faire l'hypothèse. Mais la solution officielle qu'il propose : celui d'un « gouvernement populaire » dans lequel il se taillerait la part du lion, ne pouvait que susciter la réprobation de ses partenaires éventuels. Entre tous les paradoxes de cette crise, celui-ci n'était pas le moindre : le seul parti qui se fût opposé tout entier et sans hésitation à la fondation de la cinquième République avait, dix ans plus tard, fourni à celle-ci un des appuis les plus efficaces qu'elle ait pu imaginer.

Retombées

La crise de Mai 68 a eu un certain nombre de conséquences immédiates ou rapides ; il faut sans doute plus de
recul que nous en avons pour apprécier ses conséquences
profondes.

A la crise universitaire, révélée par le mouvement et
origine de tout, le nouveau gouvernement a répondu par la
loi Edgar Faure, votée à la quasi-unanimité. Celle-ci a
remodelé le système universitaire français sur les principes
d'autonomie, d'interdisciplinarité et de participation. Les
anciennes facultés faisaient place à des unités d'enseignement et de recherche, regroupées dans des universités. Les
étudiants étaient appelés à la cogestion, la politique
recevait droit de cité dans l'enceinte universitaire ; le
contrôle continu se répandait... A Paris, la vieille Sorbonne
était découpée, de nouveaux établissements ouvraient leurs
portes (Vincennes, Dauphine, Villetaneuse...). C'était un
changement radical du système universitaire français ; ce
n'était pas une panacée à tous ses problèmes [34].

La crise sociale s'est conclue par un certain nombre de
gains pour les salariés, en pouvoir d'achat et en droit
syndical. L'économie du pays supporta assez bien, malgré
les avertissements de l'ancien ministre de l'Économie et des
Finances, Michel Debré, les hausses sensibles du S.M.I.G.
et des salaires — même s'il fallut dévaluer le franc au cours
de l'été 1969. La grève générale avait permis de réparer ou
d'atténuer l'injustice criante des bas salaires. Les concessions du patronat lors de la réunion de Grenelle furent
étendues aux salariés agricoles : on supprima le S.M.A.G.,
tandis que le S.M.I.G. portait à 3 francs des salaires
agricoles horaires maintenus à 1,92 franc. D'autre part, la
loi sur les libertés syndicales, votée le 5 décembre 1968, elle
aussi à la quasi-unanimité, permet aux salariés de constituer des sections syndicales dans les entreprises à partir de
50 employés ; les entreprises de plus de 200 salariés sont

dans l'obligation de fournir un local aux sections syndicales. La loi de 1968 est à mettre indiscutablement dans la liste des grandes lois sociales : 1864 (droit de coalition), 1884 (loi sur les syndicats), 1919 (les « 8 heures »), 1936 (« congés payés » et « 40 heures »), 1945 (Sécurité sociale), 1950 (établissement du S.M.I.G.)...

Sur le plan politique, la crise de Mai a eu plusieurs conséquences. D'abord, le remplacement, après les élections, de Georges Pompidou par Maurice Couve de Murville à la tête du gouvernement, le 10 juillet 1968. Ce qui n'était officiellement que le résultat d'une fausse manœuvre — Pompidou ayant remis son poste à la disposition du président de la République avant de faire savoir à celui-ci son intention d'y demeurer, mais après que de Gaulle eut sollicité M. Couve de Murville — n'a pu être interprété que comme un désaveu du Premier ministre par le chef de l'État. Cette impression était d'autant mieux fondée que le Général avait subi, au cours des événements, une perte de popularité au profit de celui qui pouvait désormais passer pour le « dauphin ». Il devait refonder son autorité personnelle, en même temps qu'il avait à cœur de compléter son œuvre : le projet de référendum d'avril 1969 devait lui faire atteindre ces deux objectifs d'un seul coup.

Trop préoccupé de politique extérieure, de Gaulle avait cru régler les grands problèmes intérieurs par la solidité des nouvelles institutions et la compétence de ceux dont il s'était entouré. La crise de Mai lui a révélé de nouvelles mentalités, de nouvelles aspirations, et le décalage entre une satisfaction politique globale et une insatisfaction sociale durable. Depuis 1967, la majorité des Français est hostile aux décisions gouvernementales en matière économique et sociale mais, de façon plus permanente, les mécontents sont plus nombreux que les satisfaits dans ce domaine [35]. La croissance des années soixante, loin de faire régner l'euphorie, entretenait au contraire un climat de fronde : comme Tocqueville l'avait montré à propos de la Révolution française, c'est souvent dans les phases d'amélioration des conditions de vie qu'on prend mieux conscience de leurs inégalités. La politique économique et sociale est restée le talon d'Achille de la République gaullienne. L'État gaulliste va donc prendre à cœur la grande réforme des rapports sociaux par la voie privilégiée de la « démocratie directe ». Un mot résume les réformes proposées à référendum : la *participation ;* dans la pratique, la question portait sur la « création des régions et la rénovation du Sénat ». Les conseils régionaux et le nouveau Sénat devaient notamment représenter les activités économiques, sociales et culturelles. Le texte soumis à l'approbation des électeurs est confus à force de surcharges. Valéry Giscard d'Estaing, président des républicains indépendants, ancien ministre des Finances mis au rancart par de Gaulle depuis trois ans, va saisir l'occasion pour se démarquer de la majorité et préconiser le refus du « oui », ce qui entraînera son parti — un des deux grands partis de la majorité — à décider la liberté de vote le 27 avril. Georges Pompidou, tout en préconisant le « oui », a pu, dans sa retraite, porter un autre coup à de Gaulle. Lors d'un voyage à Rome, dans une conversation semi-privée, il en vient à dire qu'il serait candidat à la présidence de la République après le départ du Général. Cette nouvelle, répandue par la presse, provoque la colère de l'Élysée et offre à l'opinion une des solutions possibles, rassurantes, heureuses, de l' « après-gaullisme ». Le 13 février, Pompidou réitère sa candidature — même s'il n'y a « pas de problème de succession » à ce moment-là : « J'aurai, peut-être, si Dieu le veut, un destin national... » Entre les deux hommes, la rupture est pratiquement consommée. Les Français, eux, savent désormais qu'au prochain référendum, le choix ne sera pas entre le Général et « le chaos ».

En dehors des positions partisanes et des enjeux politiques de l'heure, on peut se demander si la signification du congé donné par les Français à de Gaulle en 1969 n'a pas eu un sens plus profond. En 1958, désemparés par une crise insurmontable, ils l'avaient rappelé, comme un adolescent rappelle son père au cœur du danger. Dans les années suivantes, ils avaient accepté l'autorité tutélaire du Général illustre, qui avait fait sortir la France du guêpier colonial et redoré le blason de l'État. Avaient-ils encore besoin de ce monarque paternaliste ? C'est ce sentiment d'émancipation nécessaire qu'exprime, à sa manière, Michel Crozier, au cours de la campagne du référendum. Lui qui, en sociologue, avait eu la prémonition d'une crise, en raison des *blocages* de la société, écrivait en avril 1969 :

> « C'est à l'homme de Gaulle que nous devons dire non. Avec amertume, mais avec dignité, en nous souvenant des services rendus, des espoirs soulevés, de ce qu'il y a en lui de si passionnément français. Mais en lui signifiant pour nous en persuader nous-mêmes qu'il y a quelque chose de plus grand que les souvenirs, les chimères et les droits acquis du 18 juin, quelque chose de plus important que l'Histoire et la légende : notre volonté de faire face nous-mêmes, aujourd'hui, à notre destin [36]. »

Fidèle à sa conception du référendum, aussitôt connus les résultats de la consultation du 27 avril 1969 (plus de 53 % de « non » en métropole), le président de la République quitte ses fonctions sur-le-champ, laissant le président du Sénat, Alain Poher, assurer l'intérim à l'Élysée. Le dénouement de la crise commencée en mai 1968, aura lieu le 15 juin 1969, second tour d'une élection présidentielle qui porte au pouvoir Georges Pompidou.

Le général de Gaulle, comme chef de gouvernement de la cinquième République, avait été renversé par une coalition hétérogène, celle de la gauche et des conservateurs antigaullistes ; mais cet échec avait eu lieu selon les formes de la République gaullienne : par l'appel au peuple. Une page était tournée, la république plébiscitaire avait fait son temps. En partant, de Gaulle démontrait que son idée de l'État et son pouvoir personnel n'étaient pas contradictoires avec cette règle maîtresse de la démocratie : le contrôle du suffrage universel. Celui-ci avait été l'instrument de la pacification civile en juin 1968 ; il mettait fin, moins d'un an plus tard, à la république gaullienne.

9

Des crises politiques

En moins d'un siècle, la République a connu huit crises politiques insignes, huit poussées de fièvre publique au cours desquelles le système de gouvernement a été l'objet d'une remise en cause. Par huit fois, les autorités civiles ont révélé leur impuissance à régler sans perturbations un problème d'intérêt général : en 1871, le gouvernement Thiers est incapable de désarmer la garde nationale parisienne par la négociation ; en 1877, le président de la République ne peut trouver un compromis avec la nouvelle majorité de la Chambre ; en 1888-1889, le gouvernement, faute d'avoir su endiguer la marée boulangiste, n'échappe au coup d'État qu'en raison du légalisme du candidat dictateur ; en 1898, les cabinets successifs se trouvent dans l'impossibilité de régler l'affaire Dreyfus, ou de l'étouffer ; le 6 février 1934, la majorité issue des élections de 1932, divisée en elle-même, se révèle hors d'état de mettre à la raison l'opposition antiparlementaire ; le 10 juillet 1940, les représentants de la Nation abandonnent leur mandat entre les mains d'un chef suprême, signant ainsi leur démission ; en mai 1958, aucune majorité parlementaire n'est réalisable pour mener une politique conséquente en Algérie ; en mai 1968, le gouvernement se laisse surprendre par une crise universitaire dont il ne perçoit pas la charge explosive. La crise politique est toujours issue d'un aveu de carence de l'autorité publique, privée de force ou d'imagination pour donner, dans la continuité, une solution au problème posé ; elle marque une rupture dans le temps, un dérèglement des mécanismes en place, un déséquilibre momentané entre les différentes composantes du système politique et, comme il se doit, un conflit entre un certain nombre de

protagonistes. Chaque crise est ainsi définissable par de
nombreuses variables qui en font la singularité. Est-ce à
dire qu'on ne peut formuler aucune généralité sur ces huit
crises ? De fait, malgré le caractère particulier de chacune,
l'historien serait en reste s'il se contentait de leur description successive. Il doit se demander, au contraire, quel lien
les rattache l'une à l'autre, l'une aux autres ; quel est le
principe, s'il existe, de leur répétition ; quels caractères les
distinguent et quels caractères les unissent ; si elles ont des
propriétés purement françaises... Sans prétendre donner à
ces questions des réponses d'ordre scientifique, on voudrait
offrir au lecteur, dans ce dernier chapitre, quelques éléments de réflexion, autour de trois interrogations principales portant sur la fréquence des crises, sur leur typologie,
et enfin, si possible, sur leur étiologie.

Fréquence

Huit crises en 97 ans : la fréquence moyenne des grandes
crises politiques en France est de 12 ans. Ce chiffre à lui
seul témoigne de l'extrême *instabilité* du système français
de gouvernement. Si nous nous référons aux trois républiques successives, cette moyenne est variable. Le rythme de
fréquence sous la troisième République est de 14 ans (70/
5) ; la quatrième — de 1947 à 1958 — ne connaît qu'une
seule grande crise, au bout de 11 ans, mais elle est
mortelle ; quant à la cinquième, dont l'histoire est en
cours elle n'a connu qu'une crise en 27 ans, au moment
où nous écrivons, ce qui tendrait à démontrer la normalisation récente des institutions françaises : la crise constitutionnelle permanente, entamée en 1789, serait en passe
de règlement. D'autant plus que Mai 1968 n'a pas été
une crise portant au premier chef sur les institutions
politiques.
Cependant, l'examen de la fréquence nous permet de
repérer un précédent de stabilité :

1871-1877 = 6 ans	haute
1877-1888 = 11 ans	fréquence
1888-1898 = 10 ans	

1898-1934 = 36 ans	stabilisation

1934-1940 = 6 ans	haute
1940-1958 = 18 ans *	fréquence
1958-1968 = 10 ans	

1968-1986 = 12 ans...	stabilisation

* A vrai dire, on devrait décomposer en raison de la guerre et du régime de Vichy : 1939-1944 = 4 ans
1944-1947 = 2 ans ½
1947-1958 = 11 ans

Ce tableau nous invite à considérer la période 1898-1934 — ou si l'on préfère 1900-1934 — comme la plus stable de la troisième République. Cette séquence chronologique comporte en son centre les années de la Grande Guerre. Nous sommes donc portés à caractériser l'apogée organisationnel de la troisième République autour de la Première Guerre mondiale. Du règlement de l'affaire Dreyfus à la guerre, on peut observer une stabilisation remarquable du régime sous la domination du parti radical. Cette « République radicale » réussit à donner des solutions aux questions graves qui agitent la société française : à la question religieuse, par la loi de séparation des Églises et de l'État ; à la question sociale, par l'isolement du mouvement ouvrier, la « fermeté républicaine » opposée aux risques de subversion de la grève et de la révolution ; à la question nationale, par le consensus réalisé en 1914 ; à la question politique elle-même, par la prolongation de la durée des ministères — de 1899 à 1914, la vie moyenne des cabinets dépasse un an, certains d'entre eux apparaissant comme des exemples de stabilité (Waldeck-Rousseau, Combes, Clemenceau). Ces temps de République radicale ont vu se réaliser petit à petit l'intégration des différentes couches sociales et groupes politiques au système républicain : l'épisode dramatique de la guerre mondiale a administré la preuve d'une cohésion socio-politique remarquable en dépit des difficultés multiples de l'heure. En revanche, on peut décrire la période qui s'étend de 1918 à 1934 comme le déclin et finalement l'effondrement de la République

radicale : l'échec répété du parti valoisien au gouvernement, malgré ses succès aux élections de 1924 et de 1932,
établit le dérèglement progressif du système gouvernemental à *leadership* radical qui avait réussi jusqu'à la guerre. Ce
dérèglement, confirmé en 1937-1938 par l'échec du Front
populaire, est avant tout celui de l'Union de la gauche : les
contradictions de celle-ci lui interdisent d'assurer la régulation et la défense efficace du régime.

L'autre plage de stabilité appartient à la cinquième
République : depuis 1968 les Français jouissent d'un système de gouvernement régulier, moyennant le ralliement
devenu quasi général à la Constitution de 1958-1962, ce qui
a permis l'exercice de l'alternance sans perturbation en
1981. Cette date, de ce point de vue, marque un tournant
décisif dans l'histoire des relations entre les partis français,
l'opinion publique et les règles constitutionnelles du pays.
Jamais, jusque-là, un véritable processus d'alternance
n'avait pu s'imposer sans changement de régime. Peut-être
en avait-on observé l'ébauche lors des élections de 1919 et
de 1928, mais la complexité et la multiplicité des partis
autant que la facilité donnée aux représentants de la nation
de renverser un gouvernement ont empêché le bon fonctionnement de la rotation démocratique, d'autant que la
gauche seule — ou les hommes issus de la gauche —
pouvait se prévaloir d'une véritable légitimité républicaine.
Après que la quatrième République s'est montrée, à son
tour, dans l'incapacité d'assurer cette règle de l'alternance,
la cinquième y est parvenue, établissant ainsi la preuve
d'un accord enfin réalisé des Français sur leur Constitution.
Celle-ci laisse cependant planer un doute sur la régularité
dans l'exercice de l'alternance par l'inégalité qu'elle crée
dans la durée entre le mandat présidentiel et le mandat
législatif : le risque d'une coexistence impossible entre un
président et une majorité parlementaire de tendances
opposées reste toujours suspendu sur le système français,
laissant craindre l'éventualité d'un nouveau 16 mai. Le
législateur pourrait donc être tenté par une révision constitutionnelle sur ce point précis, qui est un grain menaçant
tout le mécanisme des institutions. Aucun déterminisme
n'est censé, en effet, imposer en règle d'obligation l'heu-

reuse harmonie jusqu'ici réalisée entre les deux pouvoirs. Nul ne sait encore, sur ce point, quels seront les effets de la nouvelle loi électorale, décidée en 1985, mettant fin au scrutin majoritaire uninominal à deux tours : on peut y trouver un autre facteur de crise, dans la mesure où le retour à un scrutin proportionnel — même pondéré (cadre départemental, répartition des restes à la plus forte moyenne, seuil de 5 %) — pourrait nuire à la réalisation des futures majorités et, du même coup, soit renforcer encore le pouvoir présidentiel, soit réintroduire dans le système une cause d'instabilité néfaste. Dans ce domaine, on peut imaginer plusieurs scénarios, mais d'aucuns dans l'opposition et dans la majorité ont blâmé l'introduction de ce qu'ils considèrent comme un nouveau facteur d'incertitude. A vrai dire, toute Constitution, tout système institutionnel doit être vivant, amendable, adaptable aux nouvelles situations, pourvu qu'en soient préservés les principes fondamentaux : raccourcir la durée du mandat présidentiel, changer de loi électorale, faire coïncider mandat présidentiel et mandat législatif, aucune de ces initiatives ne doit être considérée comme une « trahison » de la Constitution. La retraite même du général de Gaulle a modifié le système qu'il avait instauré. Encore faut-il que les adaptations décidées ne soient pas inspirées par les seuls intérêts de parti et que la bonne règle générale en bénéficie : à la longue, toutes les forces politiques en tirent profit. On doit pouvoir espérer que cette seconde séquence prolongée de stabilité repose sur des bases plus solides que la précédente.

Essai de typologie

La crise politique est un événement par définition imprévisible, qui est provoqué par la conjonction à un moment donné de plusieurs chaînes causales. La part de l'accident nous interdit toute théorie prédictive ; l'historien s'en tient une classification descriptive et empirique. A

cet effet, nous pouvons, en nous inspirant en partie
d'Abraham A. Moles[1], retenir cinq critères : l'origine, le
sens, l'amplitude, le dénouement et la portée. Chacun de
ces critères peut être décomposé lui-même en sous-critères,
dont nous proposons le schéma suivant :

1. L'ORIGINE

a) Le nœud du conflit : quel est l'antagonisme principal ?

b) Le « détonateur » : quel est l'événement qui « lance »
la crise ?

c) Le degré d'imprévisibilité : quelle est la part de la
contingence ou de l' « accident » ? Quelle est la part du
déterminant structurel ?

2. LE SENS

Nous partons du principe qu'il n'y a pas de crise politique
« pure » : la perturbation de la sphère politique n'est,
certes pas, un simple reflet des tensions plus profondes qui
affectent le corps social ; néanmoins, chaque crise, par
définition, a une dominante qui lui donne son sens. Nous
retiendrons les sous-critères suivants.

a) Le critère social : en quoi la crise politique est-elle liée
à une lutte des classes, à des tensions à caractère économique, à des effets de déséquilibre dus à une conjoncture
économique, etc. ?

b) Le critère « religieux » : en quoi le système des
croyances traditionnelles est-il impliqué dans l'événement ?

c) Le critère national : il s'agit ici de la façon dont le
monde politique et l'opinion conçoivent la meilleure
défense possible des intérêts proprement nationaux, des
intérêts de la France face à ses ennemis virtuels ou réels, de
la place de la France dans le monde.

3. L'AMPLITUDE

Les crises politiques retenues ici comme « grandes
crises » restent toutefois de grandeur variable. Pour le
préciser, nous aurons recours aux sous-critères suivants.

a) La durée : sa précision est parfois difficile à établir,
vu l'incertitude sur le début et la fin de l'événement.

b) Le degré d'implication collective : s'agit-il d'un événement à forte ou à faible participation populaire ?

c) La dramatisation : une variable objective peut être ici utilisée : le nombre de morts et de blessés éventuels ; le nombre et l'affluence des manifestations — réunions, défilés — et des heurts avec les forces de l'ordre ; l'importance des ruptures de continuité dans les différents secteurs de la vie sociale (notamment journées de grèves, nombre de grévistes)...

4. LE DÉNOUEMENT

Au long de cette étude nous avons rencontré trois types de dénouement.

a) La répression totale : c'est la destruction de l'adversaire par la force.

b) Le recours aux élections : l'arbitrage du peuple, plus ou moins mythique, permet de débloquer une situation en donnant une nouvelle légitimité au vainqueur.

c) Le recours à l'homme providentiel : autre type d'arbitrage, emprunté à la République romaine (la « dictature » provisoire), à fort coefficient de religiosité (pouvoir charismatique du sauveur suprême).

5. LA PORTÉE DE LA CRISE

La crise, née d'une question insoluble sans perturbation, crée, après perturbation, les conditions provisoires ou définitives d'un nouvel équilibre ou d'une nouvelle complémentarité entre les parties en cause. Les conséquences des huit crises étudiées sont à regrouper, de ce point de vue, sous trois rubriques.

a) Le changement de gouvernement
b) Le changement de régime
c) Des modifications législatives.

A partir de ces composantes nous pouvons donc proposer les tableaux ci-après.

Ce tableau comparatif nous invite à distinguer quatre types de crise. *La Commune* et *Mai 68,* c'est-à-dire la première et la dernière de nos huit crises, représentent l'une et l'autre deux types isolés, tout au moins en apparence. La Commune, comme on l'a dit, paraît bien représenter en effet un type ancien ; elle clôt la longue série des crises du XIXe siècle, éclatant dans une situation

I
L'ORIGINE

Crises	Nœud du conflit	Détonateur	Degré d'imprévisibilité
Commune	Gouvernement de Versailles contre Paris insurgé (révolutionnaire)	Décision unilatérale du gouvernement : *la reprise des canons*	++
16 mai	Droite conservatrice contre Gauche républicaine	Décision du chef de l'État : lettre de désaveu au chef du Cabinet	++
Boulangisme	Conjonction des oppositions de gauche et de droite contre la République parlementaire	Limogeage d'un général populaire par le gouvernement	+++
Affaire Dreyfus	Droite nationaliste contre République parlementaire	« J'accuse » de Zola dans *l'Aurore*	++++
6 février	Droite conservatrice contre République radicale	Limogeage d'un préfet de police par le gouvernement	+++
10 juillet 1940	Partisans de l'armistice contre « bellicistes »	Choix d'un nouveau président du Conseil (Pétain) dans un contexte de débâcle militaire	++
Mai 1958	Partisans de « l'Algérie française » soutenus par l'armée, contre gouvernement en place	Choix d'un nouveau président du Conseil (Pflimlin) dans un contexte de décolonisation dramatique	+
Mai 1968	Partisans d'une nouvelle société contre les pouvoirs en place	Répression policière dans un contexte de crise universitaire	++++

d'incertitude révolutionnaire. Les autres critères que nous examinerons confirmeront son appartenance à un « autre siècle ». A l'inverse, Mai 68 ne ressemble en rien aux perturbations précédentes : ses origines universitaires et son haut degré d'imprévisibilité laissent supposer qu'il relève d'un nouveau type, éclatant dans une société profondément transformée et sous un régime politique nouveau.

Les six autres crises peuvent être classées en deux types différents : 1. *Les crises intrasystème* (16 mai et 10 juillet 1940) qui ont pour origine une contradiction interne — soit entre l'exécutif et le législatif, soit, dans les conditions particulières de 1940, un antagonisme au sein du Conseil des ministres. 2. *Les crises antisystème* (boulangisme, dreyfusisme, 6 février, 13 mai 1958) : ce sont les plus nombreuses. Elles permettent par leur fréquence de définir le paradigme des crises sous les troisième et quatrième Républiques. On peut les appeler des crises de légitimité ; elles sont en même temps des crises d'autorité. En d'autres termes, le système parlementaire en place, par ses faiblesses et ses insuffisances, dresse contre lui de nombreuses fractions de l'opinion qui aspirent à le réformer ou à le transformer. Cette fronde antiparlementaire laisse planer sur le pays *le danger du coup d'État* : crainte d'un coup de force boulangiste en janvier 1889 et menées subversives autour du Général ; tentative de Déroulède en 1899 ; assaut du Palais-Bourbon en 1934 ; prise du gouvernement général d'Alger et chantage au débarquement des troupes aéroportées en métropole en 1958. Quatre crises sur huit se conforment à ce modèle : pareille répétition est évidemment révélatrice des déséquilibres inhérents au système. On peut regretter que les constituants de la quatrième République n'aient pas tenu compte du caractère récurrent de ce divorce entre le régime parlementaire et une partie de l'opinion. La crise d'autorité (faiblesse de l'exécutif, instabilité gouvernementale) se double d'une crise de légitimité, bien mise en évidence par le boulangisme : le suffrage universel qui est devenu la source du pouvoir légitime se juge lésé par la distance éprouvée entre l'expression de la « volonté populaire » et ses résultats gouvernementaux.

Les règles de la « démocratie gouvernée » (G. Burdeau),
en privant le suffrage universel de la clarté du débat
politique, ont progressivement rejeté la République parlementaire hors du système de fidélités du plus grand
nombre. C'est un des grands mérites du gaullisme d'avoir
restauré cette part de démocratie directe, faute de laquelle
il n'y a guère de démocratie.

La réflexion sur l'origine des crises nous conduit aussi à
prendre en considération ce que nous avons appelé le
« détonateur », ou agent direct de la perturbation. La
plupart du temps, il s'agit d'un acte de gouvernement qui
n'est pas *nécessaire*. Autrement dit, une autre décision, un
autre comportement eût pu éviter la crise. On y pense à
propos de la Commune : la volonté de Thiers de réduire
Paris, de récupérer les canons de vive force n'a-t-elle pas
créé l'irréparable ? A propos du 16 mai, la raideur d'un
Mac-Mahon vis-à-vis de la Chambre nouvellement élue
n'est-elle pas du registre de l'inexpérience politique du
maréchal ? L'envoi de Boulanger à Clermont-Ferrand et,
surtout, sa mise à la retraite anticipée qui le rend éligible,
n'était-ce pas évitable ? La révision du procès inique de
Dreyfus devait-elle attendre l'accusation fracassante de
Zola ? Le limogeage de Chiappe était sans doute devenu
indispensable, vu le rôle que prenait le préfet de police,
n'aurait-on pu y penser avant l'affaire Stavisky ? En 1940,
Reynaud aurait-il dû prendre la décision *personnelle* de
démissionner ? En 1958, le choix de René Coty aurait pu se
porter sur bien d'autres noms que sur celui de Pflimlin...
mais c'était sans doute, cette fois, reculer pour mieux
sauter. Enfin, en 1968, la crise universitaire aurait pu,
moyennant un peu plus d'attention et de sang-froid, ne pas
dégénérer en insurrection étudiante, sans la brutalité de
l'intervention policière... Bref, à y regarder de près
l'imprévisibilité (variable) des crises est confirmée par la
part de l'accident qui entre dans l'origine de chacune
d'elles. C'est un grand art que celui de gouverner car il
exige tout à la fois la démonstration de la force et l'usage de
la ruse : l'excès de l'une au détriment de l'autre est
toujours dangereux. Pour parodier Pascal, disons qu'il faut
à la force suffisamment de ruse pour qu'elle ne se présente

point de façon tyrannique ; et que la ruse ne soit pas l'envers de la force, pour qu'elle ne provoque pas cette demande d'autorité qui résulte de toutes les situations où les attributs de la puissance gouvernementale sont devenus invisibles. Mais ce ne sont là que des principes généraux et les meilleurs gouvernements, dans les moments de tension, ne sont jamais à l'abri soit d'un abus de puissance publique, soit d'une erreur de routine, soit de toute autre faute dont il n'a pas été possible de mesurer la portée. Il leur appartient donc de ne jamais laisser envenimer une situation critique ; de savoir faire les concessions nécessaires aux oppositions sans perdre la face ; de savoir lâcher l'ombre pour mieux tenir la proie... Ce qui nous amène à évoquer les personnalités individuelles, le caractère des gouvernants, leurs qualités et leurs défauts : ces traits font aussi partie de l'indétermination des crises politiques, dont l'origine et le sort sont inséparables des individus qui y sont affrontés, dans les plus hauts rangs de responsabilité.

De la lutte des classes

Si nous nous interrogeons maintenant sur le sens profond des grandes crises politiques, trois grands enjeux y ont présidé : le problème national, la place de l'Église dans la société et dans l'État, enfin l'affrontement des classes.

Sur les huit crises politiques recensées, on s'aperçoit d'après le tableau ci-après que la lutte des classes, loin d'être le moteur, n'est que secondaire, voire marginale. La Commune mise à part, les dimensions « sociales » du boulangisme, du 6 février et de Mai 68 ne correspondent pas au schéma marxiste de l'affrontement direct entre exploiteurs et exploités tel qu'Engels l'attendait notamment du régime républicain : « En ce qui concerne le combat entre bourgeoisie et prolétariat, c'est sous la République qu'il est mené à son terme », disait-il à Eduard Bernstein en 1883, ajoutant :

II
LE SENS

	Caractère national	Caractère religieux	Caractère social
Commune	+	+	+ (ouvriers)
16 mai		+	
Boulangisme	+		+ (ouvriers et classes moyennes)
Affaire Dreyfus	+	+	
6 février	+		+ (classes moyennes)
10 juillet 1940	+		
Mai 1958	+		
Mai 1968			+ (étudiants, ouvriers)

> « Une restauration monarchiste aurait pour conséquence
> de remettre à l'ordre du jour la lutte pour la restauration de
> la république *bourgeoise,* tandis que la poursuite de la
> république signifie une exacerbation croissante de la lutte de
> classes *directe* et non dissimulée [2]. »

Engels n'avait pas prévu que, dans la mesure même où
cette « République bourgeoise » ne laissa pas de susciter
contre elle une contestation de droite, monarchiste, cléricale, nationaliste, elle reçut du mouvement ouvrier un
soutien répété. Dès la crise boulangiste, de larges fractions
du socialisme abandonnent le terrain de la lutte des classes
et s'allient à la bourgeoisie radicale ou républicaine modérée pour faire pièce à l'apprenti dictateur ; dans la crise
dreyfusienne, Jaurès, malgré les résistances guesdistes et

autres, entraîne une bonne partie des forces socialistes dans
la défense du régime, *via* le « ministérialisme » (l'affaire
Millerand) et l'alliance avec le combisme dans le Bloc des
gauches ; même la C.G.T., la plus fermée à l'origine à
l'idéologie de défense républicaine, s'engouffre derrière
Jouhaux en 1914, dans la pratique de l'Union sacrée ; enfin
les communistes, hors du système en raison des grandes
manœuvres diplomatiques de Staline au cours des années
trente et quarante, arrivent, eux aussi, à se plier à la
tradition, à intégrer la gauche républicaine sous la bannière
de l'antifascisme. L'épisode 1939-1941 mis à part, le P.C.F.
gagne par son action dans la Résistance une légitimité
nationale qui lui permet de figurer, pour la première fois,
en 1944, au sein d'un gouvernement français. Ainsi, toutes
les grandes organisations ouvrières ont pris part, sinon
toujours simultanément du moins avec efficacité, à la
défense de cette république dite « bourgeoise ». De ce
point de vue, la Commune de 1871 marque encore la fin
d'une époque. Benoît Malon en avait fait, après le soulèvement des canuts lyonnais de 1831 et les journées de juin
1848, « la troisième défaite du prolétariat français ».
Entendons par là : la troisième défaite de la classe ouvrière
dans l'affrontement *direct* souhaité par Engels. Le mouvement socialiste français, dans ses différentes écoles, n'en a
pas moins rêvé de révolution mais, au moment même où il
s'organisait, prenait de la puissance et élargissait son
influence, il s'intégrait peu à peu dans un système républicain dont le mérite ou l'ingéniosité fut en quelque sorte de
déplacer les conflits sociaux vers les conflits idéologiques,
sur l'Église ou sur le patriotisme. Les luttes de classes sont
restées le plus souvent dans un secteur limité du conflit
politique : les plus grandes vagues de grèves, en 1936
comme en 1968, n'ont pas été des grèves révolutionnaires ;
elles ne remettaient en cause les fondements ni de la
troisième ni de la cinquième Républiques ; elles visaient à
assurer plus de bien-être aux « classes laborieuses » dans
un système politique accepté. Autant le XIXᵉ siècle avait
connu la violence des guerres de classe, autant — une fois
la République établie — les luttes sociales ont été progressivement contenues dans un espace conflictuel de plus en

plus codifié. Les débordements sous la forme de grèves
« sauvages », de batailles rangées avec la police, de violences diverses n'ont pas cessé au long du XXe siècle mais
sans porter atteinte aux fondements mêmes de la démocratie libérale, les avantages de l'État-providence aidant.

   Le conflit idéologique, qui est dans une certaine mesure
une sublimation de la lutte des classes mais qui ne peut être
réduit à cette seule fonction, est au cœur de toutes les
crises. Il a pris deux formes principales : la défense du
catholicisme et la passion nationaliste. Nous serions tentés
d'en faire les deux faces d'un même comportement politique, mais ce serait simplifier abusivement. Néanmoins
l'apologie outrancière d'une certaine conception de la
patrie, sentie comme un héritage menacé, a été pour
beaucoup une variante d'un attachement aux formes traditionnelles du catholicisme. Dans les deux cas, on a vu des
individus, des groupes, des ligues, des partis, des journaux,
hantés par le changement supposé destructeur d'une
ancienne France mise en péril par tous les effets de la
modernité : l'industrie, l'urbanisation, la sécularisation, la
déstructuration de la vieille société, l'internationalisme,
plus tard les ravages de l'inflation, l'idée fixe de l'altération
d'un Moi national à préserver contre vents et marées.
Jusqu'en mai 1958 — on devrait dire jusqu'à la fin de la
guerre d'Algérie —, une minorité souvent active de la
société française reste attachée, pour le meilleur et pour le
pire, aux signes les plus tangibles comme aux symboles les
plus dérisoires d'un temps révolu. La nostalgie monarchiste, les foules ultramontaines, les hymnes barrésiens à la
Terre et aux Morts, les délires antisémites, la phobie du
pluralisme parlementaire, le recours au vieux Maréchal, les
actes de contrition publics d'un épiscopat qui juge la France
« en état de péché mortel » depuis 1789, toutes ces
manifestations de peur — peur de l'autre, de l'avenir, de
l'étranger, de la décadence, etc. —, nous les retrouvons
jusqu'au 13 mai 1958, sans évoquer leur retour à la surface
depuis 1981. La grille de la lutte des classes est commode
mais elle est bien incapable de rendre raison de tout ce
patrimoine de passions transmises, de haines recuites et
d'angoisse profonde[3].

De ce primat de l'idéologie sur le social, il reste encore aujourd'hui ce que les analyses de sociologie électorale montrent à l'évidence : la plus constante des corrélations avec le vote à gauche et à droite reste le comportement religieux — qu'on pourrait résumer ainsi : plus on est catholique pratiquant, plus il y a de chances statistiques qu'on vote « à droite[4] ». Les « chrétiens progressistes », les « curés rouges » ou les députés socialistes catholiques n'y changent rien : cette constante en dit long sur les rapports du religieux et du politique en France. Il ne s'agit plus aujourd'hui d'un comportement conditionné par une doctrine officielle de l'Église mais bien plutôt d'un héritage historique. Évidemment une telle fidélité à la droite de la part du catholicisme s'explique aussi par l'anticatholicisme non moins historique de la gauche, nous y reviendrons plus loin. Pour l'instant, restons-en à ce constat : depuis le 16 mai 1877, les luttes des classes ont cessé d'être le moteur principal des crises politiques.

« Crisométrie »

Une autre approche comparative serait de donner la mesure des crises. On pourrait — mieux qu'ici — affiner un choix de critères quantitatifs (durée en jours ; nombre de condamnations ; nombre de victimes ; variation des participations électorales éventuelles...). D'après le tableau III, on constate que la troisième République s'ouvre et se termine par deux crises diamétralement opposées, aussi bien par le nombre des acteurs que par le nombre des victimes directes.

Trois crises ont été, par leur puissance de mobilisation et le bilan dramatique des morts et des blessés, particulièrement graves. Par le chiffre des victimes, la Commune est encore distincte de toutes les autres, elle seule est une véritable guerre civile. Mais on pourra noter, par comparaison avec le tableau V sur la portée des crises, qu'il n'existe pas de proportion exacte entre l'amplitude de la crise et l'importance de ses effets. Ainsi les cas *inverses* du 10 juillet et de Mai 68 ont provoqué un taux de mobilisation sans commune mesure avec leurs conséquences politiques.

III
L'AMPLITUDE

	Durée *	*Degré d'implication collective* **	*Intensité et dramatisation*
Commune	M (72 jours)	F	≈ 25 000 morts ≈ 10 000 condamnés
16 mai	M (5 mois)	M	Condamnations de journaux Révocations de fonctionnaires
Boulangisme	L (≈ 3 ans)	M/F	Manifestations de rue Campagnes de presse
Affaire Dreyfus	L (≈ 2 ans)	M	Manifestations de rue Ligues Campagnes de presse Duels Suicide
6 février	C (≈ 1 sem.)	F surtout parisienne	16 morts + 1 000 blessés
10 juillet 1940	C (25 jours)	f	Le contexte de guerre étouffe le débat public
13 mai 1958	C (20 jours)	F surtout de la part de la population d'origine européenne en Algérie	Menaces de débarquement en métropole
Mai 1968	C (45 jours)	F	7 morts + 1 700 blessés hospitalisés

* L = longue ; M = moyenne ; C = courte.
** F = fort ; M = moyen ; f = faible.

Vox populi et vox providentiae

La Commune mise à part, la fin des crises ne comporte, à première vue, que deux variantes : l'appel à l'homme providentiel, au héros national, à l'arbitre suprême, ou l'appel aux urnes. Ces deux pratiques d'apaisement ne sont peut-être pas aussi opposées l'une à l'autre qu'on serait tenté de le croire *a priori*. La première présente sans doute l'apparence d'un comportement magique plus prononcé : la société écartelée, désunie, au bord de la guerre civile, s'en remet à l'homme supérieur qui, par sa seule présence, par ses seules vertus, par son charisme, va s'imposer comme un démiurge pacificateur, résolvant (momentanément) les contradictions et les tensions par le retour — plus ou moins symbolique — à la monocratie. Cet appel a pour fonction de délivrer le corps social de l'anxiété où la crise l'a plongé et dont il ne pouvait se débarrasser par les voies ordinaires de la politique. Mais, à tout prendre, l'appel aux urnes ressortit à la même démarche pacificatrice, ritualisée et unifiante. *Voter* au terme d'une crise est une action plus répandue que *voter pour* : il s'agit moins de mimer la guerre civile, par bulletins interposés, que de participer à une cérémonie de cessez-le-feu général[5]. Dans ces élections terminales, trois s'achèvent par la victoire de la gauche unie, en 1877, en 1889 et en 1902 ; et l'une par une victoire massive de la droite, en 1968. En fait, toutes donnent l'avantage au « parti » le plus rassurant, le moins aventureux, celui qui est supposé incarner la plus grande cohésion sociale. Dans ces quatre cas, les électeurs choisissent la voie du moindre risque : en 1877, l'union des républicains contre les droites désunies ; en 1889 et en 1902, le régime en place contre ses adversaires ; en 1968, les tenants du nouvel ordre républicain contre les contestataires ou les aventuriers. Mais, au-delà de ces choix politiques, le fait même de voter participe de cette action réconciliatrice : les citoyens acceptent la même règle du jeu, réaffirment leur appartenance à la communauté, et

subordonnent le pluralisme des convictions à la volonté
générale de paix civile. Les gauchistes de juin 1968 ne s'y
trompent pas. Non que les élections soient une trahison
comme ils dirent (jusqu'à plus ample informé, le suffrage
universel reste bien la seule source de la légitimité démocratique — quand bien même le vote n'est pas le résultat
d'un comportement rationnel), mais parce que l'appel aux
urnes, s'il est accepté, déclenche le processus de la pacification. On ne fait pas une révolution au suffrage universel :
Lénine en son temps avait dispersé les élus du peuple (de la
Constituante) *manu militari*. Ainsi, ce suffrage universel,
que les classes dirigeantes et les conservateurs avaient tant
redouté au XIXe siècle, finit par se révéler un des mécanismes les mieux reçus de modération et d'apaisement
sociaux. Sans doute, dans certains cas, la procédure
électorale peut-elle ouvrir un mouvement social — comme
en 1936 —, mais, dans la crise, elle devient une procédure
de clôture plus ou moins obligée.

IV
LE DÉNOUEMENT

Commune	Répression
16 mai	Élections
Boulangisme	Élections
Affaire Dreyfus	Élections
6 février	Homme providentiel
10 juillet 1940	Homme providentiel
13 mai 1958	Homme providentiel + référendum
Mai 68	Élections

Le comble de la pacification est naturellement atteint
quand on a pu combiner le recours au héros charismatique
et les élections. D'où résulte la portée du dénouement de
1958. En 1934 le pouvoir charismatique de Gaston Doumergue était faible et quasiment parodique ; en 1940, celui
de Pétain était nettement plus fort. Mais ni l'un ni l'autre
n'ont pu ou voulu faire sanctionner leur accession au

pouvoir par le suffrage universel. En revanche, le recours au général de Gaulle — déjà sauveur de la patrie en 1940 — n'a pas été entériné par les seuls *représentants* du peuple : le référendum de septembre sur la nouvelle Constitution a, par ses résultats, non seulement légitimé la solution de Gaulle, mais aussi armé celui qui allait devenir le nouveau chef de l'État contre les crises futures. Le maniement du référendum va perpétuer dans la république gaullienne l'alliance de la *vox populi* et de la Providence — jusqu'au jour où la première aura jugé suffisant l'usage de la seconde.

Crises mortelles et crises d'adaptation

Si nous en venons maintenant à considérer la portée des huit crises étudiées, nous pouvons établir le tableau suivant :

V
LA PORTÉE DE LA CRISE

	Changement de régime	Changement de gouvernement	Modifications législatives
Commune	+		
16 mai		+	
Boulangisme			+
Affaire Dreyfus		+	+
6 février		+	
10 juillet 1940	+		
13 mai 1958	+		
Mai 68			+

La première différence observable sépare les crises mortelles des autres. Deux, au moins, mettent fin au

régime en place : celles de 1940 et 1958. Une troisième —
la Commune — peut être classée dans la même catégorie :
si l'Empire est déjà tombé, la Commune et sa défaite ont
contribué à favoriser l'établissement de la République. Les
autres causes ont toutes pour fonction d'adapter les institutions politiques ou d'actualiser la loi. Le 16 mai arbitre
entre l'exécutif et le législatif, à l'avantage de celui-ci et au
détriment du droit de dissolution. Le boulangisme rend
illégitime la révision constitutionnelle et, par son échec,
consacre le compromis républicain de 1875-1877, le scrutin
d'arrondissement et la république des députés — au
détriment de la république des citoyens en même temps
que des solutions réactionnaires. L'affaire Dreyfus et ses
suites achèvent de modeler le système et réduisent la place
de l'Église par les lois de 1901 (sur les associations) et de
1905 (sur la séparation). Le 6 Février marque la fin de la
République radicale comme Mai 1968 sonne le glas de la
République gaullienne.

Les quatre premières crises sont autant d'étapes dans la
naissance et la consolidation de la troisième République ; la
cinquième (1934) apparaît comme un prologue de la crise
finale (1940) ; la quatrième République, elle, ne résiste pas
à la première explosion et, en un sens, la crise de 1958
reproduit celle de 1940 : aveu de carence d'un Parlement
qui s'en remet à l'homme providentiel ; en revanche, la
cinquième République trouve en elle assez de ressources
pour surmonter la crise de 1968.

Une guerre civile permanente ?

    « Je ne crois pas qu'il y ait plus de haine aujourd'hui chez
nous qu'au bon vieux temps, écrivait Mauriac en 1968. La
guerre civile y a été froide ou chaude selon les époques, mais
perpétuelle[6]. »

D'où vient donc que la France soit à ce point divisée
contre elle-même, qu'elle laisse si régulièrement s'allumer

les feux de la sédition ? Selon l'idée reçue, les Français devraient-ils à leur atavisme celtique ce qu'André Siegfried appelait « le caractère destructif de notre intelligence, plus à l'aise dans l'opposition que dans la coopération [7] » ? Jules César aidant, nous aurions là une clé ethno-historique bien commode : depuis au moins la fin de l'empire arverne, à l'aube du Ier siècle avant Jésus-Christ, les cités et les tribus gauloises n'ont-elles pas cessé de s'entre-déchirer, au bénéfice final du conquérant romain ? Bismarck même n'expliquait-il pas la Révolution par le triomphe de la « gallicité » sur la « germanité [8] » ? Cette guerre des deux « races » qui ont présidé à la genèse de la France, le XIXe siècle en a fourni mille théories, tantôt gallophiles, tantôt germanophiles, au moment même où la *race* était en train de devenir, avec la *classe,* un principe d'explication universelle. Ces constructions ont volé depuis en éclats : laissons la Gaule aux Gaulois et ne nous attardons pas trop sur « l'incertaine généalogie » de la France (Poliakov).

Ce pays qui n'est qu'une construction accessoire de la géographie (*cf.* le mythe des « frontières naturelles »), qui se refuse à toute interprétation raciale, au grand désappointement des racistes (voir Barrès), on doit le considérer avant tout comme un produit historique. Une première clé des divisions françaises est à rechercher dans l'incompatibilité, l'antinomie et finalement l'affrontement de nos deux héritages culturels : le catholicisme romain et la Révolution française.

La France de l' « Ancien Régime » est caractérisée par le fait que l'Église et la monarchie absolue se partagent la direction spirituelle des fidèles et le gouvernement des sujets. L'absolutisme royal, l'unification et la centralisation administrative (bien mise en valeur par Tocqueville), le monopole religieux du catholicisme se sont épaulés. La liberté de croyance, jusqu'à la Révolution, a été quasiment impossible en France. Les Juifs, toute petite minorité, étaient tenus dans un état d'assujettissement et de contrainte permanent, exclus des emplois officiels et de maintes activités profanes, et seulement tolérés pour des raisons théologiques (point de vue de l'Église) et financières (point de vue de la monarchie). Les protestants, dont le nombre n'a cessé de croître au XVIe siècle et reste important au XVIIe, n'ont obtenu, après d'interminables conflits, qu'un édit de tolérance (Nantes, 1598) leur interdisant toute progression, avant que celui-ci ne soit révoqué par le Roi Très-Chrétien (Fontainebleau, 1685). L'Église catholique n'a jamais cessé, depuis les origines, de combattre les « hérésies » au nom d'une Vérité indivisible dont elle se dit dépositaire. Mais c'est la puissance du roi absolu et l'idée qu'il se fait de son pouvoir qui ont imposé l'unicité de la foi : le peuple doit partager la religion du prince. Pareil principe était de tous les États et pouvait provoquer la persécution des catholiques aussi bien que des protestants, selon la confession du monarque. Cependant, alors que le protestantisme peut donner lieu à plusieurs Églises, le catholicisme n'en reconnaît qu'une. Qui s'opposait au catholicisme n'avait pas à redouter les seules foudres des prédicateurs mais aussi le bras séculier de l'État. Pour des raisons diverses (morcellement du territoire, accidents historiques comme la rupture du roi d'Angleterre avec Rome, révolutions et guerres...), la coexistence religieuse a été admise dans un certain nombre de pays. En Europe occidentale, les pays protestants du Nord (Grande-Bretagne, Scandinavie, Pays-Bas, Allemagne, Suisse) ont pris des traits de civilisation contrastés avec ceux du Midi catholique (France, Espagne, Italie, Portugal). On a constaté depuis longtemps que les peuples réformés ont été plus prompts que les peuples catholiques à s'ouvrir au libéralisme, au pluralisme et finalement à la démocratie. On connaît la thèse de Max Weber sur les liens qui unissent le capitalisme libéral et l'éthique protestante [9]. Edgar Quinet, réfléchissant quant à lui sur le continent américain, opposait le Nord anglo-saxon et protestant, ouvert à la démocratie, au Sud ibérique et catholique, dans l'impossibilité d'y accéder.

> « La société se forme, disait-il des États-Unis en 1845, sans que l'individu ait rien à céder de son pouvoir ; et ce spectacle ne s'est pas vu deux fois. L'Évangile, partout ouvert, est le contrat primitif qui, de ces solitaires, fait les citoyens d'une république d'égaux. L'autorité que chacun s'attribue sur la

croyance conduit nécessairement à la souveraineté du peuple en matière politique ; comment celui qui est souverain dans le dogme ne le serait-il pas dans le gouvernement ? Chacun a son vote dans la cité de Dieu et dans la cité des hommes ; et cette liberté qui enfante les sectes a pour forme nécessaire la confédération [10]. »

En France, le carcan catholique a favorisé l'esprit de soumission et son contraire, l'esprit de révolte.

« Cette religion, dit Siegfried, ne nous a enseigné ni les responsabilités morales de l'individu ni la pratique de la liberté politique ; elle nous a encadrés dans une armature de discipline ecclésiastique qui a sa grandeur, mais qui ressemble aussi à une entreprise de haute police des esprits et des mœurs [11]. »

Et contre cette Église hiérarchique s'est développé un anticléricalisme ignoré des pays protestants. Faute de Réforme, pourrait-on dire, la France fait la Révolution. Suivons encore ici Quinet qui nous paraît un guide précieux :

« Seule des nations modernes, la France a fait une révolution politique et sociale avant d'avoir consommé sa révolution religieuse. »

En d'autres termes, malgré les progrès notables de l' « impiété » au long du XVIIIᵉ siècle, les structures mentales sont restées, pour la plupart, accordées au principe de la religion d'État :

« Des hommes qui ne sont pas croyants, et qui conservent le tempérament de leur croyance, extrêmes dans le soupçon et l'intolérance politique, comme on l'était autrefois dans l'intolérance religieuse. »

Entre l'esprit de la Révolution et le catholicisme, le compromis, espéré par beaucoup, se révèle vite impossible. La Constituante s'y essaie mais en vain. La Constitution civile du clergé qu'elle vote maintient au catholicisme sa prééminence de religion d'État, mais une religion trop soumise à l'État : ses prêtres doivent lui prêter serment de fidélité. Pie VI, qui n'accepte pas les principes de la nouvelle loi, la perte de sa souveraineté spirituelle, l'élection des curés et des évêques, condamne, le 10 mars 1791, l'entreprise qui « renverse les dogmes les plus sacrés et la discipline la plus solennelle ». Le conflit entre le pape et la Révolution consomme le schisme du clergé, divisé entre « prêtres jureurs » et « prêtres réfractaires », ceux-ci devenant vite plus nombreux que ceux-là, promis à la clandestinité et menacés de la guillotine.

Le sang versé par la persécution va unir dans la mémoire collective la foi catholique et la fidélité monarchiste : l'exécution du « dernier roi des Français », le 21 janvier 1793, et celle de nombreux prêtres et religieuses sous la Terreur ont été complémentaires. De l'échec du compromis, deux intolérances vont naître et se faire face, dont la Vendée va être le théâtre le plus dramatique. Cette guerre civile gît au fond de la mémoire collective comme le combat acharné des deux France et des deux cultures, même si les historiens d'aujourd'hui se sont employés à nuancer ce tableau bleu et blanc [12].

> « La vieille Église et la vieille Royauté devaient se retrouver et se liguer ensemble. La *politique sacrée* de Bossuet et la politique du droit nouveau devaient s'entrechoquer un jour sur un champ de bataille français, entre des Français, afin que soutenues héroïquement de part et d'autre, et le courage, le sang, le cœur, l'âme étant les mêmes des deux côtés, Dieu seul pût décider, à la fin, quelle cause était désormais la sienne [13]. »

La Révolution fut aussi impitoyable avec les Vendéens que le Roi catholique l'avait été avec les protestants : la France ne pouvait accepter la cohabitation de deux *vérités*. Mais, comme dit encore Quinet, « la France nouvelle ne peut rien ou presque rien contre l'ancien catholicisme tant qu'elle lui emprunte ses vieilles armes, son intolérance, la puissance de maudire, le bûcher changé en échafaud [14] ».

Toute l'histoire du XIXe siècle retentit des cris d'une bataille inachevée entre le catholicisme et la France sortie de la Révolution. L'esprit de la contre-révolution et de la Restauration est pénétré de l'idée qu'il faut redonner à l'Église la place que la tempête révolutionnaire et le *modus vivendi* napoléonien lui ont enlevée, mais cette nouvelle alliance du Trône et de l'Autel après Waterloo devait provoquer l'explosion anticléricale de 1830. Henri Heine dit alors du catholicisme :

> « La majorité des Français ne veut plus entendre parler de ce cadavre et se tient le mouchoir devant le nez quand il s'agit de l'Église. »

Pourtant, en 1848, les révolutionnaires sympathisent avec une religion qui n'a pas partie liée avec le régime de Louis-Philippe ; ce n'est qu'une illusion fugitive, et Tocqueville, qui n'est pas un rouge, de noter :

> « Je suis attristé et troublé plus que je ne l'ai jamais été lorsque j'aperçois chez tant de catholiques cette aspiration vers la tyrannie, cet attrait pour la servitude, ce goût de la force du gendarme, du censeur, du gibet [15]. »

Le ralliement des catholiques à l'Empire, malgré quelques années de brouille à cause de la « question romaine », valut à l'Église de nouvelles faveurs de l'État et l'anticléricalisme radical des nouvelles générations républicaines.

A l'aube de la troisième République, un pacte de tolérance paraît toujours impossible entre l'Église et la Révolution. Les catholiques d'aujourd'hui, qui sont pour la plupart acquis au pluralisme politique, ont peut-être tendance à lire l'histoire du XIXe siècle en suivant les progrès de la liberté et sans toujours mesurer la domination du catholicisme intransigeant, réaffirmé à travers maintes encycliques. L'anticléricalisme, qui a pris souvent le tour ou d'une passion ridicule (M. Homais) ou d'une passion criminelle (les fusilleurs des otages de la Commune), doit être compris aussi, non seulement comme une réaction légitime à un abus d'autorité spirituelle, mais comme une nécessité politique pour le « parti » républicain. Sous le second Empire, Mgr Pie déclarait :

> « A nos yeux, la terre s'agite entre deux grands partis. D'un côté, le parti de Jésus-Christ et de l'Église ; de l'autre le parti de l'Antéchrist et de l'hérésie, ou de la Révolution qui est le terme extrême de l'hérésie. [...] Entre ces deux partis, notre choix est fait [16]. »

Le catholicisme était resté attaché au principe de l'État chrétien, de la loi chrétienne, au droit exclusif pour lui aux privilèges de religion d'État. Encore en 1913, un grand nombre d'articles du *Dictionnaire apologétique de la foi chrétienne* (A. d'Alès) condamnent le libéralisme sous toutes ses formes et rappellent le caractère inconciliable des principes révolutionnaires avec les maximes chrétiennes [17].

Cependant, en face d'un catholicisme emmuré dans sa tradition, verrouillé par les anathèmes des papes et fermé à la tolérance, l'idéologie révolutionnaire, sous sa forme républicaine, a pris les formes intransigeantes que le positivisme et le scientisme lui ont inspirées. L'existence du catholicisme n'était plus, pour les républicains, qu'une survivance, dont il fallait, selon les cas, ou limiter les « méfaits » par la loi en attendant son extinction, ou hâter la disparition par une lutte implacable. La pensée laïque sera « opportuniste » ou « radicale », mais elle envisage, de toute façon, la fin nécessaire du « préjugé religieux ». Très vite, la guerre est ouverte entre l'Église et la nouvelle République : elle ne cessera pratiquement pas. L'État, en devenant laïque, ne se posait pas, selon l'acception courante que nous donnons aujourd'hui à ce mot, en puissance neutre entre des Églises, des croyances et des philosophies libres et concurrentes : le laïcisme était une nouvelle religion d'État, avec ses associations, ses ligues, ses loges, ses rites, son école... Tout naturellement l'école est devenue l'enjeu central des deux cultures antagonistes ; depuis longtemps, on estimait que la direction des esprits était la clé du pouvoir politique et social. En 1818, *la Minerve* écrivait :

> « La France [...] a besoin que ses enfants sucent dès le berceau les mêmes principes, la même doctrine, afin de tarir à jamais la source des divisions [18]... »

En 1897, Léon Bourgeois, plusieurs fois ministre de l'Instruction publique, disait à son tour, à propos de l'école laïque :

> « Une société ne saurait vivre dans la sécurité et dans la paix, si les hommes qui la composent ne sont pas unis et comme volontairement disciplinés par *une même conception de la vie,* de son but et de ses devoirs. L'éducation nationale a pour fin dernière de créer cette unité des esprits et des consciences. » *(L'Éducation de la démocratie française).*

Paul Bert, autre ministre de l'Instruction publique, ne laisse pas d'attaquer l'enseignement de l'Église *au nom de la science :*

> « L'enseignement religieux affirme, et en affirmant il s'appuie sur la foi, mère de la superstition ; l'enseignement de l'École, lui, démontre et s'appuie sur la raison qui engendre la science [19]. »

De tels propos qui nous paraissent aujourd'hui ressortir — venant d'hommes d'État — à une idéologie totalitaire doivent surtout nous faire comprendre les différences de mentalité entre cette époque et la nôtre. Le consensus que nous désirons est fondé sur le pluralisme ; la fin des divisions qui était alors espérée devait reposer soit sur l'unité de la foi à refaire (programme de la chrétienté), soit sur l'unité de la foi dans le progrès et dans la science à réaliser (programme républicain). L'histoire n'avait imposé ni aux uns ni aux autres la tolérance. L'habitude avait été prise, depuis les guerres de Religion, d'éliminer, d'anéantir ou de soumettre l'adversaire. L'idéal progressiste et scientiste ayant été fortement altéré, notamment par les horreurs de la Première Guerre mondiale, on vit, au lendemain de la débâcle provoquée par la Seconde, la revanche de la Tradition et de l'Autorité aux applaudissements des prélats et des aumôniers, qui s'estiment en mesure de donner le sens de la catastrophe :

« Commençons, lit-on dans *la Croix* du 27 juin 1940, commençons par tomber à genoux et frappons-nous la poitrine. Nous avons bien des fautes à expier. Une entreprise officielle de déchristianisation qui a atteint dans ses sources mêmes la vitalité de notre patrie. Beaucoup d'indifférence religieuse de la foule, et pas assez de ferveur dans la minorité croyante pour faire compensation. Trop de blasphèmes et pas assez de prières. Trop d'immoralité et pas assez de pénitence. Tout cela devait se payer un jour [20]. »

La nostalgie active du catholicisme intransigeant a ainsi entretenu un foyer de contre-révolution dont les jaillissements ont été de toutes les crises jusqu'en 1940. La puissance de revanche qui éclate cette année-là, à l'occasion du désastre militaire, n'a pas un contenu exclusivement religieux : c'est toute une conception de la société, organique, hiérarchique, anti-individualiste, telle que Pétain ne cesse de la décrire :

« Un peuple, dit-il ainsi le 8 juillet 1941, est une hiérarchie de familles, de professions, de communes, de responsabilités administratives, de familles spirituelles, articulées et fédérées pour former une patrie animée d'un mouvement, d'une âme, d'un idéal, moteurs de l'avenir pour produire à tous les échelons une hiérarchie des hommes qui se sélectionnent par les services rendus à la communauté, dont un petit nombre conseillent, quelques-uns commandent et, au sommet, un chef gouverne. »

En 1958, on assistera dans certains secteurs de l'armée et dans ses marges à une ultime flambée jaillie des cendres de l'intégrisme contre-révolutionnaire, pas seulement l'esprit de croisade ou de *reconquista* mais « le clair idéal de la *Cité catholique* [21] ». Le terrain du combat — cette fois la défense d'une terre coloniale — avait changé, mais sa signification profonde restait la lutte séculaire entre la chrétienté et la Révolution, lutte élargie par le défi communiste à l'échelle planétaire. Cette extrême droite intégriste ne représentait plus qu'une tendance très minoritaire au sein du catholicisme français mais les textes de ses publications *(Verbe, Itinéraires, l'Homme nouveau...)*, émaillés de références aux encycliques, étaient comme les blocs erratiques déposés par une ancienne glaciation et témoignaient de quelle façon l'Église du XIXᵉ siècle a eu partie liée avec la contre-révolution.

Inversement, la coupure tranchante qu'a représentée la Révolution dans les institutions et les mentalités a laissé en héritage à la gauche française, plus encore qu'un certain style politique, un véritable fétichisme de la « rupture » et de la « table rase ». Le style d'abord. Celui-ci appartient au registre de la guerre civile : le conflit politique prend toujours peu ou prou, en France, une dimension religieuse et théâtrale. Religieuse, car les Français n'ont cessé de se battre sur des principes, des visions du monde, où l'existence de Dieu et la fin de l'Histoire étaient parties prenantes. Quand bien même ils se battaient pour leurs intérêts matériels, ils ont toujours su les sublimer en projets universels. C'est ce qui explique le rôle joué par les intellectuels dans les luttes politiques. Au XVIIIᵉ siècle, note Tocqueville, « les hommes de lettres devinrent les principaux hommes politiques du pays ». Il en résulte un goût accru pour les propositions universelles et les abstractions de la rationalité, au détriment des coutumes et autres mécanismes de régulation empiriques ; une constante revendication de la clarté qui tranche contre le compromis qui obscurcit ; la préférence des idées générales aux solutions « au coup par coup ». La vie politique française prend souvent l'aspect, vrai ou feint, du « il faut vaincre ou il faut mourir ». La formidable dramaturgie de la Révolution a offert aux Français un répertoire unique de rôles, de scènes, d'attitudes grandiloquentes, de serments, de journées populaires avec torches, pics ou barricades, bref une tradition *emphatique* et *dramatique,* qui se perpétue depuis 1789. Les militants de gauche ont toujours gardé leurs perruques et si, en 1968, on ne portait plus celles de Robespierre ou de Saint-Just, on singeait encore la radicalité martiale des bolcheviks, tant la pose est de toutes les crises. Un personnage a ainsi grandi en 1789 et prospéré jusqu'à nos jours : *l'orateur.* Le plus raisonnable des politiciens, doué de quelque talent de tribune, perd vite, devant une centaine de militants ou de sympathisants assemblés devant lui, l'usage de la modération. Désireux de montrer au peuple sa détermination, oubliant vite la complexité de toutes les questions, il simplifie dans le style militaire, lâche des petites phrases assassines, et déchaîne les applaudissements à la proportion de ses diatribes. On ne saurait, de ce point de vue, que se féliciter du nouveau langage politique imposé par la télévision : la recherche de l'effet n'est plus la même et, si l'on ne s'intéresse pas toujours davantage à l'intelligence de ses auditeurs, du moins le style sans nuances et l'appel « aux armes » de la tribune sont-ils proscrits.

Mais, outre le style, la mémoire révolutionnaire a légué à la gauche française une conception sacrée de la politique, qui se vit comme une sorte de mystère chrétien détourné, un perpétuel combat de l'Ange, une attente toujours leurrée mais renouvelée de la parousie. La politique échappe régulièrement aux règles de la gestion raisonnable — comme les Français savent si bien les appliquer à leur domaine privé —, pour devenir la Sorbonne de l'Avenir, le grand moment fusionnel des citoyens, l'utopie en actes. Cette sacralisation de la politique a eu ses facteurs objectifs : la guillotine, la mise à mort du roi et de la reine, le tribunal révolutionnaire, la tribune de la Convention, les fêtes officielles, la contre-religion de la Terreur, la guerre civile… ; elle a son panthéon et ses fosses communes, la galerie des héros tombés « au champ d'honneur » et des arroseurs de sang arrosés ; elle a sa philosophie libératrice contre la dogmatique catholique. Le mouvement ouvrier français en a gardé le goût du tout ou rien, l'espérance du Grand Soir, la phobie du « réformisme ». Faible par le nombre de leurs adhérents, ses organisations ont entretenu le mythe révolutionnaire : soit par la grève générale, soit par la prise du pouvoir d'État, un jour viendrait de la rupture du temps partageant la durée entre l'*avant* « capitaliste » et l'*après* « socialiste », préparant la réconciliation de l'humanité avec elle-même, et la fin de l'Histoire. Cette mentalité a moins été cultivée par le marxisme que par le statut privilégié accordé à la radicalité (à l'extrémisme)

dans la tradition révolutionnaire. Les grandes social-démo-
craties sont souvent issues de l'idéologie marxiste, elles
n'en ont pas moins accepté le compromis historique avec le
capitalisme libéral. En France, le socialisme — même une
fois entré dans l'ère du réformisme et de l'État-providence
— n'a pu se séparer de ses thèses révolutionnaires : Léon
Blum défend la « dictature du prolétariat » ; Guy Mollet
appelle au respect de la doctrine marxiste ; le programme
du parti socialiste ne conçoit pas d'autre perspective de
progrès que la « rupture avec le capitalisme ». Évidemment, la présence d'un parti communiste exercé à la
surenchère révolutionnaire ne fait que renforcer cette
inertie idéologique qui éloigne si souvent les organisations
de gauche des réalités du temps. Le succès même du
communisme en France, si peu redevable à l'influence
marxiste, est dû, pour partie, à l'héritage recueilli de
l'extrémisme révolutionnaire.

Dans la réalité des crises politiques, les grands partis de
gauche ont joué, on l'a vu, un rôle plutôt positif en faveur
du régime républicain en place. L'écart a été constant entre
leur discours révolutionnaire et leur praxis réformiste.
Mais, par leur maximalisme doctrinal, ils ont entretenu un
danger menaçant pour les classes moyennes et contribué à
empêcher le consensus. L'absence d'un grand parti social-
démocrate ou travailliste a été sans doute une cause
d'instabilité politique : l'alliance aléatoire du socialisme et
du communisme n'a jamais compensé cette lacune. D'autre
part, le partage de l'héritage révolutionnaire entre plusieurs courants concurrents a considérablement affaibli
cette gauche, devenue incapable d'assurer la « défense
républicaine ». Si les crises, à partir du 16 mai 1877 et
jusqu'en 1958, sont venues plutôt de la droite, le révolutionnarisme est entré dans les causes de la Commune, dans
une part du boulangisme, et certainement dans le mouvement de Mai 68. Depuis 1789, révolution et contre-
révolution ont maintenu une guerre civile latente, dont les
crises politiques ont révélé la continuité. Cette guerre civile
a pris jusqu'à la Commune l'aspect d'une guerre de classes ;
elle a pris au long de la troisième République les allures
d'une guerre de Religion. La « guerre franco-française » de

1940-1944 s'inscrit dans la suite logique de cette histoire, amorcée par la convocation des états généraux, au mois de mai 1789.

Ce type d'explication idéologique ne saurait suffire néanmoins à tout élucider. Une approche sociologique doit en être le complément indispensable. En comparant avec les États libéraux, de démocratie précoce, nous découvrons vite un des traits persistants des Français : leur individualisme, leur inaptitude à l'association, leur faiblesse d'expression collective. En un mot, leur histoire laisse apparaître durablement l'opposition de plus en plus cristallisée, figée, durcie, entre un État centralisé, de tradition absolutiste, et un émiettement de la citoyenneté. Cette réalité a des origines économiques et sociales. Au moment même où la monarchie capétienne jetait les bases d'un pouvoir central, le pays voyait croître le nombre des possessions allodiales, c'est-à-dire le nombre des terres tenues en propriété directe. Dès la fin du Moyen Age la France est devenue un pays de petits exploitants. Cette structure agraire n'a pas eu seulement des conséquences économiques (comme le retard industriel de la France sur l'Angleterre), elle a été d'une grande portée sur les mentalités politiques. Ce schéma de l'État fort et de la propriété parcellaire (des paysans et des artisans) s'est peu à peu renforcé au cours des siècles, au point d'aboutir à cet achèvement réalisé sous le second Empire, le bonapartisme ayant assis l'autorité de l'État centralisé sur le plébiscite des propriétaires fonciers. L'alliance du pouvoir autoritaire et de la « démocratie » économique, la combinaison de l'État plébiscitaire et de la parcellisation du corps social en millions d'individus isolés, ce système avait pour corollaire la faiblesse des corps intermédiaires, l'absence de véritables contrepoids au pouvoir impérial, en même temps que l'inertie sociale. Décrivant la société d'Ancien Régime, Tocqueville avait bien analysé cette opposition entre un « pouvoir central immense » et la division infime des « petits groupes étrangers et indifférents les uns aux autres ». Car la parcellisation paysanne était complétée par l'extrême individuation des classes urbaines :

« Il semble que le peuple français soit comme ces prétendus corps élémentaires dans lesquels la chimie moderne
rencontre de nouvelles particules séparables à mesure qu'elle
les regarde de plus près [22]. »

Cette mentalité s'est transposée, à titre métaphorique,
dans la banlieue pavillonnaire : n'ayant plus d'exploitation
à lui, le banlieusard, encouragé par la loi Loucheur, s'est
construit, entre les deux guerres, une mini-forteresse
limitée par des murs sertis de tessons de bouteilles et une
porte infranchissable ornée du panneau « chien méchant ».
Ces chiens méchants, qui ont aboyé sur mon passage
quand, enfant, je prenais le chemin du lycée ou en
revenais, je ne les ai pas retrouvés, ni en Angleterre, ni au
Canada, ni aux États-Unis où les jardins entourant les
maisons des *suburbs* sont dépourvus non seulement de
roquets mais aussi de murs : quel ne fut pas mon étonnement en découvrant ce rapport *ouvert* de voisinage, moi qui
avais passé toute ma jeunesse entre deux rangées de
cerbères zélés d'un bout à l'autre de l'avenue qui séparait
notre domicile de la station de ce qui s'appelle aujourd'hui
le R.E.R. ! Transporté après mes études dans l' « Occita-
nie » des troubadours, j'ai pu voir que la passion du
« chacun chez soi », le fusil de chasse aidant, échappait
résolument à la ligne de démarcation Saint-Malo-Genève
chère à nos ethnologues de l'Hexagone. Tandis que l'État
assurait le progrès, avec des réussites variables, selon le
modèle colbertiste, les citoyens, dans leurs corporations,
leurs murs et gardés par leurs bouledogues, *résistaient au
pouvoir*. Il n'a pas fallu moins d'un philosophe pour en
faire la théorie : « Le citoyen contre les pouvoirs », les
propos d'Alain en disent long sur les relations de défiance
entretenues entre un État extérieur à la société et le quant-
à-soi des individus. Le divorce entre l'autorité publique et
les citoyens a pris la forme d'une résistance à l'impôt, aux
« bureaux », aux hommes politiques. Prépotence de l'État,
irresponsabilité des Français, mais du même coup fragilité
de l'État dont les citoyens ne se sentent pas solidaires. J. R.
Pitts a attiré notre attention sur le paradigme de « la
communauté délinquante » : des « groupes de pairs » en

lutte contre l' « autorité supérieure », comme une classe
d'école qui manie le chahut contre le maître. Le résultat a
été, comme l'a mis en évidence Michel Crozier, « la peur
des relations face à face », l'inaptitude française à la
négociation, les pratiques bureaucratiques d'un côté et les
frondes corporatives ou individualistes, de l'autre. En face
d'un État au style de commandement autoritaire hérité de
la tradition absolutiste et napoléonienne, les faiblesses de
la société civile (faiblesses des associations dans tous les
domaines de la vie sociale, y compris les faiblesses des
syndicats) ont été compensées par la surenchère révolutionnaire. Les origines de la Commune illustrent ce
modèle : un chef de gouvernement, nourri de pensée
napoléonienne, qui décide brutalement de désarmer Paris,
où bouillonnent les idées subversives ; entre les deux,
l'impossibilité du face-à-face, si ce n'est le gueule-à-gueule
des canons ; entre les deux, pourtant, quelques dizaines
d'hommes de bonne volonté qui s'entêtent à amener les
deux camps au compromis. Tarare ! Thiers entend faire
« respecter » l'autorité de l'État, fût-ce au prix d'un
massacre ; les communards ne démordent pas de leur
programme, même dans son aspect le plus chimérique : la
parole reste aux chassepots. Ce qui se produit entre
Versailles et la Commune, on en voit la reproduction — les
fusillés en moins — dans les rapports entre la République
et l'Église : l'idée du compromis ne se révèle pas très
catholique, non plus que très républicaine. Alors, faute de
réajustement pacifique selon les nécessités de l'heure, la
crise devient un processus normal de régulation. Ce qui
n'est pas possible faute de négociation devient réalisable à
coups d'effervescence publique. La crise, qui montre le
dysfonctionnement, prépare la solution, ébauche la
réforme, ou, plus brutalement, remplace le régime reconnu
inapte.

   La démocratie vivante implique l'association et la participation. L'individu isolé face à l'État se déprend mal de son
inclination contradictoire à la soumission et à l'anarchie,
qui développe cette histoire à deux temps, de l'inertie et de
la sédition. La démocratie doit s'appuyer sur des organisations formelles, à travers lesquelles les responsabilités

individuelles peuvent partager la responsabilité collective ; par lesquelles l' « opinion » peut coopérer avec l'État autrement que par la méfiance et l'indolence, la fronde et la passivité. Trop longtemps les Français se sont trouvés seuls *sous* l'État tout en réclamant toujours plus au « monstre froid ». André Siegfried écrivait en 1950 :

> « A nos yeux, l'État est un peu comme un ennemi [...] Mais en même temps nous considérons l'État comme un instrument de puissance dont on peut s'emparer : nos ennemis s'en serviront pour nous dominer, ce qui, étant donné notre caractère, nous paraît intolérable ; mais, si ce sont nos amis, nous en profiterons avec eux. D'où cette passion partisane qui rend notre vie publique si différente de celle des Anglais ou des Suisses, pour qui l'État est simplement une expression de la communauté[23]. »

Depuis 1968, un certain nombre de faits paraissent cependant contribuer à la normalisation des mœurs politiques. La possibilité de l'alternance en 1981, de ce point de vue, a une valeur plus que symbolique : enfin, les Français se montraient capables de consensus sur leurs institutions ! Le spectacle de la passation des pouvoirs sur le perron de l'Élysée, c'était le signe tangible d'une maturation : nous étions enfin devenus politiquement adultes. Pourtant, ce nouveau septennat — inachevé au moment où j'écris — n'a pas laissé d'inquiéter les esprits acquis à la libre concurrence démocratique et intellectuelle. On a réentendu, du côté des vainqueurs et du côté des vaincus, les vieux idiomes de la guerre civile. Tandis que le congrès socialiste de Valence, en 1981, embouchait les trompettes d'un sans-culottisme intempestif, il n'était que d'entendre les doutes émis par l'opposition sur la légitimité du nouveau président de la République pour mesurer l'inachèvement de notre démocratie libérale. Peu de temps, en somme, a suffi à la gauche gouvernante pour pondérer sa conduite et ses propos : responsabilité oblige. Cet apprentissage du réalisme, négligé par une trop longue cure d'opposition, espérons qu'il ne sera plus oublié. Parallèlement, on souhaiterait que les forces de droite ne se considèrent pas comme les propriétaires indivis du pouvoir ; qu'elles ne s'imaginent pas les seules modalités de la compétence publique ; et qu'elles acceptent loyalement, quand cela leur arrive, d'être remplacées aux premiers postes, sur la décision populaire. Si la guerre civile est terminée dans les faits, elle reste trop souvent vivace dans les mots. Les Français vivront vraiment en démocratie quand ils sauront respecter l'adversaire, même quand il est au pouvoir ; quand ils auront admis que la gauche et la droite sont conjointement nécessaires ; que c'est de leur rivalité pacifique qu'ils tireront profit, à condition qu'elles ne s'entêtent pas à vouloir l'une l'autre s'anéantir.

Le poids de l'Histoire qui n'a cessé d'entraver la vie politique française doit s'alléger devant les défis de cette fin de siècle : surmonter l'une des grandes mutations techno-économiques des cent dernières années, préserver son identité nationale tout en s'intégrant toujours plus intimement dans la communauté européenne, notre seul horizon imaginable aujourd'hui. On voudrait que l'histoire de nos crises politiques soit celle de nos crises dépassées, une fois pour toutes. Quelles que soient les péripéties de la politique quotidienne, on sent dans l'air du temps un souffle propice à la tolérance. J'y pensais par exemple, en voyant le beau film d'Ettore Scola, *la Nuit de Varennes* : à quelle époque a-t-on pu respecter de la sorte, dans une même œuvre de fiction de grande diffusion, et les images de la monarchie (ici, à travers la somptueuse interprétation de la comtesse de Laborde par Hannah Schygulla) et les espoirs de la Révolution (dans la représentation de Thomas Payne par Harvey Keitel) ? Tout le récit est fait du point de vue de Restif de la Bretonne (Jean-Louis Barrault) qui témoigne d'une égale compréhension pour l'attachement à la royauté et pour la légitimité révolutionnaire. N'est-il pas bien de notre temps, ce Restif, qui allie l'absence de tout fanatisme, le respect des autres cultures et l'exigence de la lucidité ? Le syncrétisme culturel de notre époque, qui horrifie tous les esprits dogmatiques, est-ce pécher par optimisme que d'y voir le signe d'une nouvelle sève de liberté ? Non point qu'il soit permis de rêver d'une société sans heurts et d'un avenir sans risques. La démocratie libérale, au contraire, posant le principe de la concurrence et du pluralisme, est inséparable de la société conflictuelle. Seul l'État totalitaire prétend à la disparition des luttes intestines, des rivalités entre les groupes et les hommes, en construisant la société fermée, monolithique et policière. Les Occidentaux ne se nourrissent plus, en général, des illusions sur la félicité des temps futurs ; ils prennent les hommes pour ce qu'ils sont (la psychanalyse suppléant à la théologie du péché originel) : l'important est que ces tensions et ces luttes puissent rester soumises à des règles du jeu admises par tous.

Cette acceptation de la société ouverte et conflictuelle, il lui faut quelques conditions supplémentaires pour être réalisée : la menée à terme d'une décentralisation, aujourd'hui seulement entamée ; un esprit d'association, opposé à la fronde individualiste et à la bureaucratie étatique qui font système ; enfin, ce qui doit en découler : la participation des citoyens aux responsabilités professionnelles et publiques. Autrement dit, un renversement des tendances profondes de notre société, qui nous semblent être mises en évidence par l'étude des grandes crises politiques. Cela dit, le regard de l'étranger sur la société française atténue sensiblement la vision traditionnelle d'un pays ravagé par ses querelles intestines : « Ce qui fait l'unité foncière, fondamentale, de la France l'emporte largement sur les facteurs de division [24]. » Les excès de langage ne sont-ils pas, à leur façon, une preuve de la tonicité du débat politique ? Même ce qui a fait l'objet, ces derniers temps, des plus grandes émotions publiques — la question scolaire, le débat sur l'immigration et le racisme — tendrait à démontrer la pacification des mœurs politiques. Le problème de l'école s'est révélé étranger au vieil antagonisme religieux : c'est la liberté de choix pédagogique des parents et non l'influence des prêtres qui a été l'enjeu d'une des plus grandes manifestations de rue qu'on ait vues à Paris, le 24 juin 1984 ; le règlement très rapide du conflit, moyennant la démission d'un ministre de l'Éducation nationale, a mis en évidence ce qu'avait d'artificiel le déchaînement des passions [25]. Quant au sujet de l'immigration, s'il faut déplorer qu'il ait donné une nouvelle vie à l'extrême droite qui l'a lié au problème de la sécurité et de la nouvelle délinquance, il suffit d'étudier le langage de ce nouvel extrémisme, les masques dont il doit se couvrir, les euphémismes dont il doit user, les professions de foi « démocratiques » qu'il s'impose, pour apprécier l'œuvre de civilisation accomplie depuis les années trente et la dernière guerre. On pourra toujours, il est vrai, à propos des mêmes faits, se réjouir du verre à moitié plein ou se lamenter du verre à moitié vide[26]. A chacun selon sa sensibilité ! Mais qui étudie les cent dernières années de l'histoire française ne peut rester indifférent à la chute de tension qui s'est manifestée dans les conflits politiques depuis la fin de la République gaullienne. Ne vivons-nous qu'une nouvelle parenthèse d'accalmie entre deux orages ou sommes-nous, au contraire, enfin sortis des guerres de Religion et entrés de plein gré dans la société pluraliste ? Bien des signes plaident en faveur du consensus, n'était l'importance, on l'a vu, des passions résiduelles, de la contingence et des impondérables dont l'histoire politique fait son miel.

Paris, mai-août 1985

Annexe

1947 : l'année terrible

On trouvera ci-dessous en complément un article publié dans le nº 100 de L'Histoire *(mai 1987) et consacré aux événements de l'automne 1947. Que ceux-ci constituent ou non une autre « grande crise », qui eût trouvé normalement sa place dans la série étudiée dans ce livre, reste un objet de discussion. Je tente d'expliquer pourquoi j'avais écarté cette autre « année terrible » sans prétendre convaincre tout le monde : le phénomène de crise n'est pas réductible à la rencontre explosive de faits enregistrables ; sa réalité tient aussi à la perception subjective des contemporains de l'événement. La crise se nourrit de la croyance en la crise.*

Chacun jugera ; le débat reste ouvert.

1947 : l' « année terrible ». La Quatrième République venait officiellement de naître. En janvier, l'élection de son président, le socialiste Vincent Auriol, dès le premier tour du scrutin à Versailles, achevait la mise en place des nouvelles institutions. Un peu plus de dix mois plus tard, le pays était en proie à des grèves dont le même Auriol jugeait le caractère « insurrectionnel [1] ». Entre-temps, la France s'était laissé entraîner dans la guerre d'Indochine ; avait exercé une répression sanglante contre la rébellion malgache : les épreuves de la « décolonisation » commençaient. Sur la scène internationale, on assistait aux premiers raidissements de la Guerre froide. Quant à la vie quotidienne, on désespérait chaque jour un peu plus de la

tirer du marasme. « La dureté des temps, écrivait Gide
dans son *Journal,* est telle que nous imaginons mal [...]
qu'il en pût être d'aussi tragiques en aucun autre moment
de l'Histoire. »

Trois gouvernements successifs sont aux prises avec
l'inflation galopante : les défaillances d'une machine productive en reconstruction en sont la cause principale.
L'indice de production industrielle de l'année ne sera pas
encore au niveau de 1938. Tout manque. Les tickets
d'alimentation et les bons en tout genre sont exigés comme
sous l'Occupation. A l'automne, la ration de pain atteint
même son minimum : 200 grammes par jour. On doit se
contenter souvent du reste d'un médiocre pain à la farine
de maïs ; la récolte de blé sera la plus désastreuse du siècle
(à peine plus de 3 millions de tonnes). La flambée des prix
est décourageante. L'indice des prix de détail, portant alors
sur 34 articles de ménage (base 100 en 1938), passe à Paris
de 856 (janvier) à 1354 (décembre). Jules Moch, ministre
socialiste des Affaires économiques, remet le 24 octobre au
président du Conseil Paul Ramadier, socialiste lui aussi,
une note éloquente sur le retard qu'ont pris les salaires sur
les prix : « En six mois, la hausse des produits alimentaires
a été de 43 % contre 11 % pour les salaires. » Dans ces
conditions, on devine le mécontentement des salariés.
L'année 1947 sera une année de grèves record : 23 361 000
journées de travail perdues, contre 374 000 l'année précédente : il faudra attendre 1968, pour retrouver un chiffre
plus élevé.

La grève commence aux usines Renault.

Le mouvement social commence à devenir sérieux le
25 avril, quand la grève est déclenchée aux usines Renault.
L'action est partie de la base. Les communistes, qui
participent au gouvernement depuis la Libération, ont
encouragé jusque-là les efforts de production et la lutte
contre la hausse des prix, mais l'agitation à Billancourt les
place en porte à faux. Le « parti de la classe ouvrière » peut
difficilement accepter de se laisser tourner sur sa gauche
par les trotskistes et certains socialistes. La combativité de

la base conduit la CGT, où les communistes ont acquis la majorité, à la volte-face du 29 avril : pour parodier un mot célèbre, le « parti de la classe ouvrière » devait suivre la classe ouvrière, puisqu'il était son chef.

Du même coup, une grave dissension éclate au sein du gouvernement entre les ministres communistes et leurs collègues. Les manifestations habituelles du 1er mai prennent une ampleur inquiétante, aux yeux du président du Conseil. A la Concorde, les dirigeants du PCF sont applaudis par les manifestants, tandis que le ministre· du Travail, le socialiste Daniel Mayer, se fait huer. Paul Ramadier, sur le pied de guerre, s'attend à un coup de force. Dans la soirée, Vincent Auriol, de retour de Bamako, réunit le Conseil des ministres. Le désaccord des communistes sur la politique salariale est exprimé par Maurice Thorez, ministre d'État, et Charles Tillon, ministre de la Reconstruction. Le différend est réglé le dimanche 4 mai à l'Assemblée, devant laquelle Paul Ramadier pose la question de confiance. Une majorité approuve son action mais les communistes émettent un vote négatif, y compris leurs *ministres*. La solidarité gouvernementale ayant éclaté, le président du Conseil allait-il remettre sa démission ?

Le départ des communistes n'est qu'une « péripétie ».

Dès les premiers instants du conflit, Vincent Auriol, soucieux — en ce début de mandat — d'éviter l'instabilité ministérielle, a fait savoir que les démissions de ministres ne devaient pas entraîner la chute du gouvernement, et qu'il n'accepterait pas que Paul Ramadier passe la main[2]. Après débat dans les instances du parti socialiste, qui se divisent, qui se ravisent, Ramadier prend finalement la décision de se séparer des ministres qui ont refusé la confiance, moyennant un simple remaniement ministériel. Le 4 mai, tout est joué. Le tripartisme, qui scellait l'alliance conflictuelle du PCF, de la SFIO et du MRP (démocratie chrétienne), a vécu. Les communistes sont retournés à l'opposition. Le tournant, pourtant, ne paraît pas décisif. Dans les jours et les semaines qui suivent, les dirigeants communistes réaffirment leur désir de reprendre leurs responsabilités gouvernementales. Leur départ, pour eux, n'est qu'un épisode, une péripétie, le fruit d'un désaccord provisoire.

Pendant ce temps, la vague de grèves s'amplifie, atteignant en juin les chemins de fer, les banques, les grands magasins, l'industrie automobile... En octobre, le tour est venu des transports parisiens et de la marine marchande. En novembre, le mouvement va repartir de plus belle. Mais, alors, les conditions politiques du conflit ont radicalement changé.

Le premier fait, dont la portée va être durable, est l'entrée du monde dans la Guerre froide. Les Américains accusent les Soviétiques de vouloir bolcheviser toute l'Europe ; les Soviétiques accusent les Américains de préparer une troisième guerre mondiale. Qui a commencé ? Depuis une quinzaine d'années l'école révisionniste américaine a rendu l'administration Truman largement responsable du désaccord entre les anciens alliés ; elle serait justiciable des débuts de la Guerre froide. En fait, la logique des deux blocs en formation était latente dès les premiers indices de la défaite hitlérienne. Vainqueurs, les deux États qu'on allait appeler les « deux supergrands », devenus arbitres de la scène internationale, ne pouvaient régler les problèmes en suspens que dans l'optique de leurs intérêts respectifs. Une compétition s'engagerait nécessairement entre deux systèmes politiques et idéologiques radicalement opposés.

Les Américains voulaient limiter l'expansion du marxisme-léninisme ; Staline, dans l'immédiat, entendait toucher le plus vite possible, sous la forme de gains territoriaux, le salaire d'un effort de guerre écrasant, dont 20 millions de Soviétiques avaient été victimes. Ces deux volontés contradictoires vont nettement s'affirmer en 1947, rendant impossible d'abord tout accord sur l'Allemagne. La conférence de Moscou s'achève au début de juillet de la même année sur un échec qui ne laisse plus d'espoir. Du même coup, les conditions de la politique intérieure française vont être sensiblement modifiées.

Quel est l'objectif le plus immédiat de Staline ? Non pas la révolution mondiale, lors même que la guerre civile déchire la Chine et la Grèce. L'important pour lui est l'établissement de *marches* à l'Ouest de ses frontières. Car, pour les Russes, le danger vient de l'Ouest ; il en est venu sous l'uniforme allemand ; il peut revenir sous un autre habit : cette menace doit être définitivement écartée. Grâce aux succès de l'Armée rouge, Staline a étendu son autorité sur la moitié de l'Europe. Son idée est de transformer les pays qu'il occupe en un « glacis » de protection durable. En 1947, et contrairement à la légende tenace sur les accords de Yalta, les jeux ne sont pas faits. Soucieux de ménager la susceptibilité de ses alliés, Staline a entendu respecter les formes démocratiques, tout en noyautant les États convoités par les communistes nationaux. Or dans ce patient travail d'annexion subreptice, Moscou va se heurter à une initiative américaine redoutable.

Les conseillers du président Truman, convaincus du danger de bolchevisation qui pèse sur toute l'Europe, dont l'état de misère paraît si favorable, conçoivent l'idée d'un plan d'aide dont le double avantage serait économique (l'industrie américaine retrouverait un marché tombé en décrépitude) et diplomatique (la pluie de dollars fertiliserait une zone tombant nécessairement dans la mouvance des États-Unis). Le 5 juin 1947, le général Marshall, dans un discours à Harvard, rend officielle l'offre américaine, dont les Soviétiques pourraient eux-mêmes — clause de pure forme — bénéficier s'ils le désirent. Une conférence des États intéressés est prévue à Paris le 12 juillet. L'URSS a déjà fait savoir, à Londres, en juin, qu'elle n'acceptait pas une proposition dont la finalité était l'ingérence américaine dans les affaires intérieures des pays européens. Pologne, Yougoslavie, Roumanie, Hongrie déclinent à leur tour l'invitation. Cependant, le 9 juillet, la Tchécoslovaquie, qui n'est pas encore aux mains des communistes, fait savoir son acceptation. Staline convoque alors à Moscou le ministre des Affaires étrangères tchèque Masaryk ; le 12 juillet, la Tchécoslovaquie annonce qu'elle s'est finalement ravisée et ne sera pas représentée à la conférence de Paris. Toutes les futures « démocraties populaires » resteront ainsi dans le giron de Moscou.

Cependant, les communistes français n'ont pas encore, à ce moment, changé de ligne. Le 24 juillet, Maurice Thorez parle de « l'aide de nos amis américains » avec « satisfaction ». Jusqu'en septembre la presse du PC appelle de ses vœux la formation d'un nouveau gouvernement, où des ministres communistes participeraient aux affaires aux côtés des socialistes. En octobre, lors de la campagne pour les élections municipales, le ton change. Il n'est plus question d'union avec les socialistes. Ceux-ci sont assimilés désormais au « parti américain », lequel — air nouveau — est devenu « le parti de la guerre ». Le plan Marshall est dénoncé dorénavant comme un « instrument d'asservissement aux mains des milliardaires américains qui veulent écraser les peuples sous leur talon de fer » (*France nouvelle,* 15 novembre).

Le changement de la ligne communiste s'est décidé concrètement en Pologne, dans la petite ville de Szklarska Poreba, près de Wroclaw. Là, s'est constitué, du 22 au 27 septembre, sous la houlette de Jdanov, représentant Staline, et en présence des délégués des partis communistes de l' « Est » (à l'exception de l'Albanie) et des deux principaux partis de l'Ouest, l'Italie et la France, un Bureau d'Information — le Kominform —, un avatar du Komintern visant à resserrer les rangs du mouvement communiste international et à permettre à Staline d'achever la formation du glacis des futures démocraties populaires. Accusés de sombrer dans le « crétinisme parlementaire », les deux grands partis occidentaux sont invités à se mobiliser contre le principal danger de l'heure : le plan Marshall. La stratégie de Staline est alors au point. Dans le contexte de rupture qu'il assume pleinement, il va accélérer dans les pays qui sont sous son contrôle la monopolisation du pouvoir par les communistes. Il s'agira d'une action *politique* et non militaire : par toutes les techniques du noyautage, du trucage électoral, la méthode du « salami [3] », et moyennant, certes, la proximité des forces armées soviétiques, la Hongrie puis la Tchécoslovaquie deviendront, comme la Pologne, la Bulgarie ou la Roumanie, des « démocraties populaires » : le « coup de Prague » en sera le point d'orgue en 1948.

Repères chronologiques.

16 janvier 1947 : Élection du socialiste Vincent Auriol, premier président de la Quatrième République. Démission du gouvernement Léon Blum.
28 janvier : L'Assemblée nationale favorable au gouvernement Ramadier.
10 mars-25 avril : Échec de la conférence de Moscou.
22 mars : Vote des crédits militaires pour l'Indochine.
29 mars : Troubles insurrectionnels à Madagascar.
7 avril : Discours du général de Gaulle à Strasbourg. Fondation du Rassemblement du peuple français.
25 avril : Mouvement de grève aux usines Renault.
4 mai : Révocation des ministres communistes.
5 juin : Discours du général Marshall à Harvard.
5-27 juin : Nombreuses grèves en France.
16 août : Pendaison de Petkow en Bulgarie (plusieurs procès staliniens dans les pays de l'Est).
22-27 septembre : Conférence des partis communistes en Pologne. Création du Kominform.
13 octobre : Grève totale des transports parisiens.
19 octobre : Premier tour des élections municipales.
26 octobre : Second tour. Succès gaullistes.
12 novembre : Troubles à Marseille.
14 novembre : Grève des dockers.
17-18 novembre : Grève à Marseille, dans les mines du Nord, dans la métallurgie parisienne.
22 novembre : Robert Schuman remplace Paul Ramadier à la tête du gouvernement.
23 novembre : Grèves dans tout le pays.
29 novembre-4 décembre : Séances houleuses à l'Assemblée (projet de « lois scélérates »).
3 décembre : Déraillement du Paris-Tourcoing à Arras.
8 décembre : Obsèques du général Leclerc tué accidentellement.
9 décembre : La CGT décrète le « repli général ».
10 décembre : Fin des grèves.

Dans les pays échappant à sa zone d'influence directe, Staline va utiliser les partis communistes pour faire pièce au plan Marshall, entretenir une situation de trouble qui fera diversion et miner de l'intérieur un bloc occidental en voie de construction. Les partis communistes de France et d'Italie ne doivent pas avoir pour objectif la révolution ; la finalité de leur action est « internationaliste », on le leur rappelle : défendre et renforcer la « patrie du socialisme » doit rester le but. L'ennemi est désigné : c'est l'impérialisme américain. Il est identifié : c'est le parti de la guerre. Les communistes vont dès lors mettre en avant les objectifs principaux de leur lutte : pour la « paix », pour « l'indépendance nationale ». Dans cette perspective, les socialistes, qui acceptent le plan Marshall, sont taxés de « fauteurs de guerre » et d' « instruments de l'impérialisme américain ».

Un second fait a bouleversé la scène politique française depuis le printemps : la création du Rassemblement du peuple français (RPF) par le général de Gaulle en avril et la victoire que les gaullistes remportent aux élections municipales d'octobre. Adversaire du « système des partis », du « régime d'assemblée », prônant la révision constitutionnelle dans le sens qui sera celui des institutions de la Cinquième République, de Gaulle tire profit des difficultés économiques du pays et des divisions politiques. Ses voyages en province rencontrent des succès, provoquent des enthousiasmes. A Rennes, le 27 juillet, en présence de 60 000 participants, le général s'en prend pour la première fois directement aux communistes, en les marquant sous la nouvelle estampille de « séparatistes » : « Sur notre sol, au milieu de nous, des hommes ont fait vœu d'obéissance aux ordres d'une entreprise étrangère de domination, dirigés par les maîtres d'une grande puissance slave [...] Ce bloc de près de 400 millions d'hommes borde maintenant la Suède, la Turquie, la Grèce, l'Italie ! Sa frontière n'est séparée de la nôtre que par 500 kilomètres, soit à peine la longueur de deux étapes du Tour de France cycliste ! »

Aux élections municipales d'octobre, les journaux parlent d'un « raz de marée » gaulliste : le RPF obtient, moyennant des alliances avec les modérés, 40 % des voix dans les grandes villes. La Quatrième République se trouve sérieusement ébranlée : de quelle légitimité la majorité parlementaire qui soutient le ministère Ramadier peut-elle se prévaloir dans le pays, puisque le total des voix gaullistes et des voix communistes dépasse de loin 50 % des suffrages ? De Gaulle exige la dissolution de l'Assemblée ainsi désavouée. Pourtant, il n'est pas en mesure de l'imposer et la « troisième force », en train de se constituer sous les feux croisés des communistes et des gaullistes, peut se fortifier de l'antagonisme irréductible qui oppose ceux-ci à ceux-là : il ne peut y avoir d'alliance entre les « séparatistes » et les « suppôts des trusts américains ». Néanmoins, la base du régime est devenue précaire, d'autant que l'agitation sociale reprend de plus belle.

Marseille donne le signal. Les événements dont la ville méditerranéenne devient le théâtre à dater du 12 novembre tiennent à la fois de la situation générale et de la spécificité locale. Les élections municipales d'octobre ont fait perdre la mairie aux communistes, qui l'avaient occupée un an plus tôt, sans qu'une majorité absolue puisse s'imposer : le maire RPF, Me Michel Carlini, avait été élu par 25 voix, contre 24 à l'ancien maire communiste Jean Cristofol, tandis que Gaston Defferre avait recueilli 14 voix de ses amis socialistes et du MRP. Politiquement, la cité phocéenne reflétait la fragilité de la « troisième force » naissante ; à ceci près qu'ultra-minoritaire au Conseil municipal de Marseille elle n'en gardait pas moins la majorité à l'Assemblée nationale sortie des élections de 1946. Mais la défaite des communistes à Marseille illustre une réalité nationale : ils ont perdu aussi les municipalités de Béziers, de Sète, de Toulon, de Lens, de Nantes, de Villeurbanne, ainsi que quarante sur soixante mairies qu'ils contrôlaient dans la Seine.

Devant le piètre état de ses finances, la nouvelle municipalité marseillaise s'avise d'augmenter le tarif des tramways. Ceux-ci jouaient alors un rôle capital dans une ville très étendue et à une époque où les moyens de transport individuels étaient encore réservés aux privilégiés. Cette hausse était sans doute légitime, d'autant que la municipalité précédente l'avait différée, sans s'interdire d'augmenter les salaires des traminots avant l'échéance électorale. La CGT déclenche au début de novembre un mouvement de grèves et de boycott visant les « trams ». Certains militants ou sympathisants communistes bloquent les tramways et en renversent même quelques-uns. Du moins l'a-t-on dit. Robert Mencherini m'écrit à ce sujet : « Je n'ai pas trouvé trace de tramways renversés au cours de la journée du 10 novembre. Peut-être la violence des propos [de la presse CGT ou communiste] a-t-elle été assimilée à une violence réelle » (lettre à l'auteur, 10 mai 1987 ; cf. « Pour en savoir plus », à la suite de l'Annexe). Le 10 novembre, quatre jeunes ouvriers métallurgistes des Aciéries du Nord, usine largement dominée par les hommes du PCF, sont arrêtés. Ils passent en jugement le 12 ; trois d'entre eux sont maintenus en détention, le quatrième devant son salut à sa qualité d'ancien déporté.

Une réaction de colère purificatrice, largement spontanée.

Cependant, le verdict agissant comme un détonateur, une foule de manifestants enveloppe les gendarmes qui veulent reconduire les prisonniers, libère deux de ceux-ci et met le palais de justice au saccage. Sur l'intervention d'élus communistes, le président du tribunal accepte de procéder à la libération des inculpés.

Par une fâcheuse coïncidence, le même jour se tient à la mairie une séance du Conseil municipal. Or les militants qui étaient en force au palais viennent à apprendre que leurs élus seraient malmenés à l'hôtel de ville. La discussion sur le tarif des tramways avait dégénéré. Les élus gaullistes, aidés par les gardes du corps présents dans le public, étaient en train de mettre à mal les conseillers du parti communiste. Les militants de celui-ci, accourus du palais, retournent en force la situation. Dans la confusion générale, le maire Carlini aurait été, dira-t-on, menacé de défenestration ; une version des faits plus nuancée établira que « seulement » un bain forcé dans le Vieux-Port lui avait été promis. Il échappe néanmoins à l'une et à l'autre infamie, cependant que son rival Cristofol, au balcon de l'hôtel de ville, annonce, pure invention destinée à apaiser l'émotion de la rue, la démission du maire gaulliste.

La journée, déjà peu banale, en était restée au registre de la comédie dramatique ; la fin de l'après-midi tourne en vrai drame. Dans leur élan, les militants communistes et leurs amis, forts des batailles gagnées au palais et à la mairie, se lancent dans une expédition punitive contre les bars et les boîtes de nuit du quartier de l'Opéra. Les rues chaudes de Marseille, fréquentées, entre autres, par les profiteurs de guerre, les nantis du marché noir et la pègre, apparaissent aux ouvriers comme scandaleusement symboliques de l'inégalité sociale et judiciaire. « Une réaction de colère purificatrice largement spontanée » : c'est en ces termes que Maurice Agulhon et Fernand Barrat qualifient le mouvement. Des bris de vitrines et autres dégâts sont provoqués. Mais, venant du « Colibri », une des boîtes visées, plusieurs coups de feu partent, qui laissent un jeune ouvrier des Aciéries du Nord — Vincent Voulant — mortellement blessé. Comme on ne prête qu'aux riches, les accusations vont se porter sur les Guérini (Antoine ou « Mémé »), sans preuve certaine ; la presse communiste fera le lien entre les incidents de la mairie et le meurtre du jeune homme : il y avait ainsi à Marseille des hommes de main, issus du « milieu », des « nervis » armés, qui protégeaient le nouveau maire Carlini.

La grève de Marseille, lancée avant le mot d'ordre général de la CGT, allait ensuite se fondre dans le mouvement national. L'une des conséquences de ces incidents fut la dissolution de deux compagnies républicaines de sécurité (CRS), taxées de noyautage par le PC et accusées de complicité avec les manifestants [4]. La psychose d'un complot communiste se nourrit des événements qui suivirent pendant près d'un mois, et cette fois sur l'ensemble du territoire métropolitain.

Les troubles que la France va connaître du 12 novembre au 10 décembre 1947 ont été ressentis par bien des contemporains, et au premier chef par les hommes au pouvoir, à commencer par le président de la République Vincent Auriol, comme autant de signes ou de preuves d'une stratégie insurrectionnelle de la part du PCF. Nous savons aujourd'hui qu'il n'en fut rien ; que la direction communiste, disciplinée, fidèle à la ligne stalinienne (Maurice Thorez est du reste à Moscou du 31 octobre au 29 novembre), n'a orchestré les grèves, *via* la majorité de la CGT et les cellules d'entreprise, qu'à des fins strictement internationales. A savoir la lutte contre le plan Marshall, l'affaiblissement politique des États occidentaux dans la guerre des blocs, que Truman et Jdanov avaient tour à tour définie, avec chacun son vocabulaire propre.

Cette primauté de l'international sur le national n'a pas été comprise par la plupart des acteurs. Bien des militants communistes, à l'instar des gouvernants, ont pensé que la situation était révolutionnaire et que l'heure de la conquête du pouvoir par la rue allait sonner. Quel ne fut pas, ainsi, l'étonnement des mineurs du Nord quand, le 10 décembre, au fort de leur grève, ils virent les dirigeants de la CGT et *l'Humanité* les encourager à la reprise du travail, sans avoir obtenu de concession du gouvernement. Semaines étranges, crise sociale d'une rare gravité, où les violences verbales et physiques se multiplient, où l'on crie à la faillite d'un régime à peine né — chacune des deux parties se vantant de « défendre la République » —, et dont le résultat politique apparent n'est qu'un changement de gouvernement, Ramadier passant le relais au MRP Robert Schuman, à l'issue d'une crise ministérielle — moins que rien sous la Quatrième République.

Reprenons le cours des faits. Le 12 novembre, au moment des graves incidents de Marseille, le comité national de la CGT, achevant ses travaux, lance « aux travailleurs de France » un mot d'ordre d'agitation dans les entreprises et dénonce le plan Marshall, en dépit de l'opposition de la minorité dirigée par Jouhaux. Cette initiative rencontre l'approbation spontanée de trois principaux secteurs : à Marseille, où les ouvriers et les employés n'ont pas attendu les directives nationales, comme on l'a vu ; dans la Région parisienne, où la grève chez Renault déclenchée le 17 novembre entraîne l'ensemble de la métallurgie (l'Union syndicale des métaux de la Région parisienne) dans le mouvement ; dans le Nord et le Pas-de-Calais, où l'avant-garde est le fait des mineurs. Grèves puissantes, grèves de masses, dont les motivations économiques réelles ont anticipé sur la manœuvre du PC. Mais celui-ci, découvrant l'état de la combativité ouvrière, va tendre à généraliser le mouvement, avec plus ou moins de réussite.

Car ces grèves impressionnantes laissent découvrir bientôt des oppositions internes graves. Tantôt, *l'Humanité* clame en première page des bulletins de victoire sans rapport avec la réalité de tel ou tel secteur récalcitrant ; tantôt, au cœur même des grèves de masse, de nombreux ouvriers refusent de suivre, d'où résultent des violences *ad hominem* contre les « jaunes », des menaces contre leurs femmes et leurs enfants. Selon l'*Année politique,* « des groupes mobiles de grévistes circulent en camions, attaquent les positions clés, font irruption dans les bureaux de poste, arrêtent les trains, basculent les feux des locomotives, envahissent les dépôts, obligent leurs camarades à cesser le travail, les brutalisent s'ils refusent ». Des affrontements avec la police prennent un tour dangereux. Le 3 décembre, les grévistes de chez Renault tentent l'assaut des usines Salmson occupées par la police. Le 4, deux manifestants participant à l'assaut de la gare de Valence sont tués. Inégal selon les départements, moins visible à Paris, où les métros continuent à rouler, que dans le Nord ou dans le Midi, le mouvement de grèves paraît d'autant plus redoutable qu'il est scandé par des appels de la CGT et du parti communiste, laissant redouter l'insurrection.

Des mesures de défense républicaine.

Le gouvernement Ramadier, contesté de plus en plus par le MRP, démissionne le 19 novembre. Après un tour de piste parcouru par Léon Blum sans succès, la présidence du Conseil échoit à un démocrate-chrétien, qui détenait le portefeuille des Finances dans le dernier cabinet : Robert Schuman. Le 22 novembre, se présentant à l'Assemblée, il dit son souci majeur : « sauver la République ». Favorable aux réformes sociales, il se déclare néanmoins décidé à parer au plus urgent : maintenir l'ordre, faire respecter la loi, réaffirmer l'autorité de l'État. L'hostilité violente des

communistes lui assure par contrecoup une large majorité. Ce pieux catholique né d'une mère luxembour-
geoise et d'un père mosellan, vieux garçon d'apparence
placide, au visage parcheminé, va se révéler dans la
tourmente un homme d'État. Confirmant une initiative du
précédent gouvernement, il décrète le rappel sous les
drapeaux de 80 000 réservistes; surmontant les tensions
internes de son gouvernement composite, il présente à
l'Assemblée une série de « mesures de défense républicaine », immédiatement taxées de « lois scélérates » par les
communistes. Parmi ces mesures, le droit de grève se
trouve effectivement remis en cause. Les socialistes les
voteront la mort dans l'âme, leur portée étant limitée à
deux mois.

La discussion de ces mesures va occuper l'Assemblée du
29 novembre au 4 décembre. Un extraordinaire parcours
du combattant pour Schuman, un marathon de palabres,
un torrent d'invectives, dus aux manœuvres d'obstruction
développées par les élus communistes qui se relaient à la
tribune. Interminables lectures de Jaurès, de Victor Hugo,
chants du répertoire ouvrier, le chahut est sans précédent
dans les annales parlementaires. Robert Schuman, qui, né
en 1886, avait choisi de mener sa carrière dans une
Lorraine paternelle et allemande jusqu'en 1918 (il fut
incorporé dans le service auxiliaire de la Reichswehr
jusqu'en juillet 1915), est traité, entre autres amabilités, de
« Boche » et de « casque à pointe » par Jacques Duclos.

On s'apostrophe comme des voyous, chacun s'apprêtant
au pugilat, telle Rachelle Lempereur, député socialiste du
Nord, qui ne lâche pas des mains son trousseau de clés pour
parer à toute éventualité. Finalement, quand le texte est
voté au petit matin du 4 décembre, il ne reste plus grand-
chose du projet initial, désamorcé par les amendements.
Du moins Schuman a-t-il fait face aux assauts, aux injures
et aux manœuvres de ses adversaires communistes. Dans
les jours qui vont suivre, la fermeté du nouveau gouvernement, dans lequel Schuman a confié le portefeuille de
l'Intérieur au socialiste Jules Moch, particulièrement
pugnace, va se révéler efficace. D'autant que la nature
politique de ce que les opposants minoritaires de la CGT

appellent les « grèves Molotov » apparaît de plus en plus nettement. Le reflux commence.

Un incident grave l'accélère peut-être. Dans la nuit du 2 au 3 décembre, le train express Paris-Tourcoing déraille non loin d'Arras ; on compte seize morts et une trentaine de blessés. Les accusations s'entrecroisent : « C'est un coup des communistes », « c'est une provocation du gouvernement fasciste ». On ne saura jamais l'identité des coupables. Toutefois, d'autres sabotages, sans effet meurtrier, ont été perpétrés par des grévistes, notamment sur les voies ferrées. Sur les 1 375 arrestations opérées au cours et au lendemain des événements, 112 le seront pour sabotage (1 113 pour entraves à la liberté du travail). Comme si toute cette violence avait atteint son paroxysme, l'essoufflement des grèves est visible à partir du 7 décembre. Le mardi 9, le comité national de grève lance le mot d'ordre de « repli général ». Le gouvernement a fait quelques concessions, notamment l'octroi d'une indemnité de vie chère de 1 500 F par mois. Les grèves cessent l'une après l'autre dans les jours suivants. La crise est finie mais les traces qu'elle va laisser seront indélébiles.

La première conséquence a été une nouvelle scission syndicale. Réunifiée en 1936, la CGT conquise entre-temps par les communistes ne peut empêcher la rupture de la minorité « Force ouvrière », décidée lors d'une Conférence nationale les 17 et 18 décembre 1947. Non que son leader Léon Jouhaux, ancien syndicaliste révolutionnaire et secrétaire général de la CGT, l'ait souhaitée. Il savait quel affaiblissement du mouvement ouvrier français serait le prix de cette séparation. Il en a admis finalement la nécessité, dira-t-il, sur la pression de sa base. Partisans et adversaires des grèves se sont violemment heurtés, une haine insurmontable en est résultée entre cégétistes : la CGT-FO gardera des conditions de sa naissance un anti-communisme sans faille. D'autres ont poussé à la scission : l'influence américaine a été incontestable. En particulier, les fonds nécessaires au démarrage du nouveau syndicat ont été apportés par des syndicats américains adhérant à l'AFL (American Federation of Labor), résolument anti-communistes. Jay Lovestone, David Dubinsky et Irving

Brown ont été, en France, les incitateurs et les bailleurs de
fonds de la séparation. Dans leur lutte contre le bloc
soviétique, la CIA était prête à soutenir tous les mouvements refusant de subir le joug des communistes et, *a
fortiori,* ceux qui étaient décidés à combattre l'hégémonie
stalinienne[5]. Chacun va devoir choisir son camp. Le
« neutralisme », auquel bon nombre d'intellectuels de
gauche vont se raccrocher comme à une bouée de sauvetage, ne sera qu'une idée morale sans bataillon derrière
elle.

Du même coup, la gauche française va se trouver, vu la
force numérique d'un parti communiste qui se condamne à
l'isolement, considérablement affaiblie. Les socialistes garderont de cette période mouvementée un souvenir cuisant
et la formule chère à Guy Mollet et selon laquelle « les
communistes ne sont pas à gauche mais à l'Est ». De leur
côté les militants communistes céderont à la rancune contre
des socialistes qui ont accepté de voter les « lois scélérates », ont compté dans leurs rangs Jules Moch, le
« Noske français » — celui qui, à l'instar du ministre social-
démocrate allemand brisant les spartakistes en 1919, n'a
pas hésité à employer toutes les forces de répression contre
eux. Même au temps des retrouvailles, dans les années
soixante-dix, communistes et socialistes qui ont vécu ces
semaines d'affrontement garderont par-devers eux une
méfiance respective ineffaçable[6].

Cependant, la SFIO, logique avec elle-même, ayant à
défendre le régime à la fois contre les communistes et
contre les gaullistes, n'aura pas d'autre choix que d'accepter l'alliance avec les démocrates-chrétiens du MRP et la
droite modérée. Devenant l'aile gauche d'une troisième
force hétérogène, le parti socialiste, sans base ouvrière de
masse, sans relais syndical, va se trouver de plus en plus
compromis par ses alliances nécessaires avec la droite. Le
parti communiste en tirera profit, gardant jusqu'à la fin de
la Quatrième République son influence sur un quart de
l'électorat, tandis que la CGT, débarrassée de toute
opposition interne, assurera son autorité sur les salariés de
l'industrie.

D'un autre côté, les communistes auront largement

hypothéqué le capital de légitimité qu'ils avaient acquis par la Résistance et la victoire de l'URSS sur l'Allemagne nazie. Pour les uns, ils étaient des « séparatistes » ; pour les autres, ils étaient l'armée avancée de la Russie stalinienne en Europe occidentale. Grâce à la puissance de leur propagande et à l'attrait de leurs organisations de masse, ils allaient pourtant exercer une force de séduction étonnante sur toute une génération d'intellectuels, dont l'influence fera gravement défaut au régime en place.

Dans l'étude [...] sur « les grandes crises politiques » [qui précède], on s'est parfois étonné de ne pas trouver de chapitre consacré à 1947. De fait, l'ampleur des grèves, des manifestations et des émotions provoquées eût largement justifié de faire une place à ces événements dramatiques. Si j'ai finalement résolu de les écarter, c'est en raison de l'écart considérable que l'on peut aujourd'hui constater entre les représentations collectives et les réalités politiques d'alors. Journalistes et historiens qui ont décrit ces journées emploient les mêmes expressions : « psychose collective », « psychose de guerre civile », « phobie du complot », « République en danger »... De fait, les acteurs du drame, à commencer par les ministres et jusqu'au président de la République, tenu en haleine par les rapports du SDECE [7], ont témoigné de cette peur, en même temps que leurs adversaires communistes, qui ont souvent cru leur arrestation imminente. Georgette Elgey et Dominique Desanti [8], entre autres, ont rapporté une série d'anecdotes, aujourd'hui assez comiques, relevant de cet état d'esprit, un « plan Y » de résistance dû à l'esprit fertile de Jules Moch, de prétendus parachutages d'armes, et autres épisodes plus rocambolesques.

A l'Élysée, à Matignon, au ministère de l'Intérieur, on a pensé vraiment à un complot communiste, préludant à l'arrivée de l'Armée rouge. La guerre civile en Grèce incitait à croire à la propagation de l'incendie révolutionnaire. Des communistes eux-mêmes ont cru participer à la première phase de la conquête du pouvoir. Or jamais le plus petit début de coup de force n'est décelable. Au moment de la démission du cabinet Ramadier, les responsables de l'ordre à Paris disposent de forces ridicules : une chiquenaude de la part d'un puissant parti révolutionnaire, dans une période de grèves de masse, suffisait sans doute. Mais rien n'est tenté, ni à ce moment ni à un autre. Staline doit déjà avaler la moitié de l'Europe. Il ne veut certainement pas risquer une intervention américaine en allant trop loin, c'est-à-dire au-delà de ce qu'on appelle déjà le « Rideau de fer ».

Quant au danger gaulliste, il était réel pour la Quatrième République mais d'une tout autre nature. C'est au lendemain des élections municipales d'octobre que le RPF, fort de son triomphe, avait raté le coche. De Gaulle n'entendait pas revenir au pouvoir par la voie illégale. Dans l'impression d'anarchie dominante que laissait derrière elle la rupture du tripartisme, il se donnait pour l'immanquable recours. Mais lui et les siens furent dans l'incapacité d'obtenir les moyens légaux indispensables, au premier chef la dissolution de l'Assemblée, où ils ne comptaient que quelques ralliés. Les gaullistes auraient dû s'efforcer d'amener à leur cause les fidèles du MRP, qui étaient les plus proches d'eux. Ils ne surent pas faire les concessions indispensables à temps. Dans les semaines qui ont suivi, les gaullistes ne pouvaient pas raisonnablement affaiblir davantage un gouvernement qui était aux prises avec les « séparatistes ». Ils se sont maintenus dans une neutralité finalement sans profit.

Évidemment, on peut imaginer un autre scénario : une vraie crise causée par le durcissement des grèves, une situation devenue si explosive que le gouvernement et le président de la République, acculés, dussent faire appel au Général ; bref, une sorte de « 13 Mai » anticipé. Mais les communistes n'entendaient nullement favoriser le retour au pouvoir de De Gaulle : il y allait non seulement de leurs sentiments personnels mais de la stratégie stalinienne. Le gouvernement « fort » et anticommuniste que le Général menaçait d'installer n'entrait nullement dans les vues du Kominform. Finalement, gaullistes et communistes se neutralisaient, à l'avantage d'une troisième force, d'apparence débile, mais soutenue par le Département d'État américain et revivifiée bientôt par la manne du général Marshall.

Moment de transition dramatique : nous savons aujourd'hui que la Guerre froide présidait désormais aux destinées intérieures de la France. Mais personne n'en connaissait encore les règles. Dans l'incertitude du nouveau jeu international, dans la conjoncture d'insécurité économique, tout porte à l'exagération. On ne discerne pas encore que la politique française cessait d'appartenir à la France. Les communistes, plus que jamais, étaient redevenus une force d'appui dans la diplomatie stalinienne, dont les objectifs ne coïncidaient pas forcément avec les intérêts des ouvriers français. En face d'eux, la coalition au pouvoir était sur le chemin de trouver son salut sous le parapluie américain. L'Europe n'existait plus ; il faudrait la réinventer.

Pour en savoir plus.

Sur le contexte général : J. Julliard, *La Quatrième République*, Hachette, coll. « Pluriel », 1982.

J.-P. Rioux, *La France de la Quatrième République*. I. *L'Ardeur et la Nécessité, 1944-1952*, Le Seuil, coll. « Points Histoire », 1980.

Une chronique vivante d'une ancienne journaliste communiste : Dominique Desanti, *L'année où le monde a tremblé, 1947*, Paris, Albin Michel, 1976.

Une source précieuse dans V. Auriol, *Journal du septennat, 1947-1954*. I. *1947*, version intégrale établie, introduite et annotée par P. Nora, préface de R. Rémond, Paris, Colin, 1970.

Sur les incidents de Marseille : M. Agulhon et F. Barrat, *CRS à Marseille, 1944-1947*, Paris, Presses de la FNSP/ Armand Colin, 1971.

Une thèse de 3ᵉ cycle : Robert Mencherini, *L'Union départementale CGT, de la Libération à la scission de 1948*, Université de Provence, 1984.

Parti communiste et Kominform :

F. Fejtö, *Histoire des démocraties populaires*, Le Seuil, coll. « Points Politique », 1972, 2 t.

J.-J. Becker, *Le parti communiste veut-il prendre le pouvoir ? La stratégie du PCF de 1930 à nos jours*, Le Seuil, 1981.

F. Claudin, *La Crise du mouvement communiste du Komintern au Kominform,* Maspero, 1972.

M. Dobry, *Sociologie des crises politiques,* Presses de la FNSP, 1986.

J. Duclos, *Mémoires,* Paris, Fayard, 1971, t. IV ; G. Cogniot, *Parti pris,* Paris, Éditions sociales, 1978, t. II.

Postface
à la nouvelle édition

La première édition de cet ouvrage est antérieure à l'expérience de « cohabitation » entamée en 1986 sous la présidence de François Mitterrand, après le succès de la droite aux élections législatives. La victoire du candidat socialiste en 1981 n'avait pas été suivie d'un bouleversement constitutionnel : les institutions de la Ve République étaient définitivement acceptées par la gauche ; l'alternance était devenue possible comme dans tous les pays de démocratie libérale. L'étape de la cohabitation était plus difficile à imaginer. De Gaulle, fondateur de la nouvelle République, ne l'eût pas admise : à ses yeux comme à ceux de son premier successeur, Georges Pompidou, l'harmonie hiérarchisée devait être la règle des rapports entre l'Élysée et Matignon. Après que le RPR Jacques Chirac eut accédé au poste de Premier ministre, en tant que chef de la nouvelle majorité, sous la présidence d'un chef d'État socialiste, nous pouvions estimer que la pacification politique dont le dernier chapitre de ce livre fait état n'était pas une simple vue de l'esprit.

Pourtant, le courrier que je reçus après la publication de mon étude me laissait entendre ou me disait carrément que j'avais été bien optimiste quant à la fin envisagée de nos guerres civiles. A dire vrai, ni optimiste ni pessimiste, je m'étais contenté d'observer l'évolution. Les dissensions entre Français avaient permis l'instauration d'une nouvelle République sous la houlette d'un héros historique et sur le thème du « rassemblement ». Celui-ci excluait par définition la fonction positive d'une opposition qui surveille les actes du pouvoir en place et qui se prépare à prendre la relève. Face à cette idéologie du rassemblement, la gauche, reconstruite à partir de 1971 autour du Parti socialiste, pensa moins à fonder enfin une démocratie moderne au sein de laquelle des partis ou des coalitions alternent au pouvoir, qu'à préparer, avec les communistes, une autre société de rassemblement sur la base rêvée d'une « rupture avec le capitalisme ». La guerre continuait.

En 1986, venu dans les studios de France-Culture présenter mon livre pour l'émission « Panorama », je fus avisé par une de mes collègues universitaires du caractère inexcusable de cette phrase qu'elle avait relevée : « Les Français vivront vraiment en démocratie quand ils sauront respecter l'adversaire, même quand il est au pouvoir ; *quand ils auront admis que la gauche et la droite sont conjointement nécessaires ;* que c'est de leur rivalité pacifique qu'ils tireront profit, à condition qu'elles ne s'entêtent pas à vouloir l'une l'autre s'anéantir. » Elle me dit en substance que j'avais trahi l'idéal de la gauche. La pacification, apparemment, n'était pas dans tous les esprits. L'appréciation personnelle d'un ancien Premier ministre socialiste sur mon livre m'inclina à croire cependant qu'elle devenait réalité.

Le chemin parcouru depuis cette date paraît confirmer les progrès de la culture démocratique. La seconde cohabitation de 1992 à 1995, Edouard Balladur étant Premier ministre sous le second septennat finissant de François Mitterrand, démontrait que l'alternance devenait une pratique admise en France, et qu'elle ne remettait pas en cause les fondements du régime. Lorsqu'en mai 1995, Jacques Chirac l'emporta au second tour de l'élection présidentielle sur son concurrent socialiste Lionel Jospin, tous les commentaires firent allusion à la « courtoisie » manifestée par les représentants des deux camps en lice après l'annonce des résultats. Jospin souhaita « bonne chance » à Chirac. Chirac, quant à lui, dans son Message au Parlement du 20 mai, rendait ainsi hommage à son prédécesseur :

« Permettant l'alternance, quand le peuple l'a voulu, [*nos institutions*] ont créé les conditions de la stabilité et favorisé un apaisement progressif de notre vie politique. En témoigne, devant notre pays, la façon dont s'est opérée la transition d'un septennat à un autre [...] Je tiens à

rendre hommage au président François Mitterrand qui a
voulu qu'il en soit ainsi. »

Un éditorial anonyme du *Monde* en date du 23 mai
comparait les lendemains de victoire de 1995 et de 1981 :
« La passation des pouvoirs d'un président à l'autre, le
17 mai, s'est faite sans arrogance ni forfanterie. Loin des
éclats lyriques du 21 mai 1981, Jacques Chirac s'est borné
au rituel républicain [...], sans donner à sa prise de fonction
les allures d'une apothéose, comme l'avait fait son prédécesseur il y a quatorze ans. »

Depuis 1986, l'âpreté de la situation sociale, dominée par
le chômage croissant, eût pu, en d'autres temps, stimulé les
constructeurs de barricades. Dieu sait si les conflits de tous
ordres n'ont pas manqué. La montée en puissance d'une
extrême droite malgré ceux qui l'analysaient régulièrement
comme un phénomène fugace, les grèves à répétition, la
contestation d'une classe politique jugée corrompue alors
que « les affaires » succédaient aux « affaires », les ratés
d'une décentralisation nécessaire mais inachevée, l'écart
toujours dénoncé entre les citoyens et les pouvoirs,
l'angoisse de la population face à une construction européenne taxée par tous les nationalismes de tous les vices,
rien dans la société civile ni dans la classe politique ne se
prêtait au rêve d'une nation réconciliée avec elle-même.

En même temps, le contexte international œuvrait en
faveur de la fin des idéologies de rupture. La chute du Mur
de Berlin en 1989 et l'implosion du communisme en 1991
ruinaient les bases de la révolution socialiste, privée
désormais de tout référent étranger. La gauche reconsidé-
rait le courant social-démocrate, dont le mot même cessait
d'être injurieux, on finissait par admettre le bien-fondé du
compromis entre l'idéal d'une société plus juste et les
réalités d'une économie de marché et de libre entreprise.
Dans ces conditions, l'opposition entre la gauche et la
droite perdait ses traits convulsifs et métaphysiques. L'une
et l'autre entraient dans l'ère des concurrences pacifiques.

Reconnaissons dans ce processus d'apaisement leur part
aux institutions mises en place par de Gaulle. Le premier
tour de l'élection présidentielle de 1995 a rendu encore
visible le mal français séculaire : multipartisme, extrê-

mismes, vote protestataire. Le second tour a rétabli la dualité droite-gauche de manière heureuse, les dernières joutes de la campagne étant réservées à deux candidats aux programmes modérés.

Cette modération ne sied pas aux âmes ardentes, aux esprits péremptoires et aux mœurs tribales dont notre histoire a fait les frais. Elle n'est pourtant pas synonyme de mièvrerie politique. Elle exprime un état des mœurs et des idées : il n'y a plus aujourd'hui deux France qui s'affrontent dans un combat d'extermination mutuelle, mais deux grandes tendances qui rivalisent sur des solutions également discutables.

Est-ce à dire qu'à l'instar des démocraties anglo-saxonnes et nordiques, notre République est désormais mithridatisée contre les instabilités et les convulsions dont notre passé regorge ? Il serait imprudent de l'affirmer. Encore une fois, l'auteur de cet ouvrage se borne à l'observation d'un changement dans les mentalités et les conduites des individus, sans se livrer à la spéculation sur l'avenir. L'historien tient le rôle modeste du contrôleur des poids et mesures — et non celui d'une voyante extra-lucide.

Mai 1995.

Notre hypothèse d'une pacification politique de la société française a été, apparemment, confirmée depuis la première édition de cet ouvrage. Nous observions alors (en 1986) une nouvelle phase de stabilisation ; nous comptons aujourd'hui trente-trois années depuis la crise de 1968, alors que celle-ci avait surgi dix ans après la chute de la IVe République (voir p. 377).

Pour autant, la société française reste en proie à de multiples facteurs de trouble. Les grèves à répétition des personnels des services publics, à commencer par celles des cheminots ; la ronde des manifestations en tout genre dont les avenues et les boulevards de la capitale retentissent ; le mouvement social de l'automne 1995, révélant les difficultés extrêmes à faire admettre les réformes ; le « social-corporatisme » allant de pair avec la faiblesse syndicale ; l'insécurité croissante démontrée chaque jour par des faits divers souvent sanglants ou par la progression de ce qu'en termes choisis on appelle l'« incivilité » ; les zones de non-droit en voie d'extension ; les brutalités scolaires ; les défauts de l'intégration des enfants de l'immigration, brutalement médiatisés par les incidents du match France-Algérie du 6 octobre 2001 au Stade de France, où *La Marseillaise* fut largement sifflée avant que le match ne soit interrompu par l'invasion du terrain par des porteurs du drapeau algérien – les médias n'en finissent pas de dérouler les traits de violence au sein d'une communauté historique en perte de repères. Le bilan de la fin du XXᵉ siècle et du début du XXIᵉ n'a rien de rassurant quant à la qualité de nos relations sociales.

Le système politique, lui, tient le choc. Non sans ratés.

La cohabitation, que je relevais dans mon étude comme une preuve de pacification, est devenue une cause de désordre institutionnel. Quand elle ne dure que deux ans (1986-1988, 1993-1995), elle ne semble pas trop dangereuse et atteste plutôt du bon vouloir des acteurs principaux. Quand elle dure cinq ans (dans le cas du duo Chirac-Jospin), elle devient une anomalie redoutable. Le livre d'Olivier Schrameck, directeur de cabinet du Premier ministre Lionel Jospin, *Matignon rive gauche, 1997-2001*, donnait à voir, en octobre 2001, les vices de cette situation lorsqu'elle cesse d'être une exception. C'est une des raisons pour lesquelles une révision constitutionnelle, approuvée par référendum, a ramené la durée du mandat présidentiel à cinq ans. Pourtant, cette réforme ne garantit nullement la cohérence entre la majorité législative et la majorité présidentielle. On peut imaginer que le suffrage populaire donne simultanément l'Élysée à un président de droite et Matignon à un Premier ministre de gauche (ou l'inverse), ce qui reproduirait la figure d'une cohabitation de longue durée. La dissolution de l'Assemblée peut, certes, en rompre le cours, mais l'échec de Jacques Chirac, en 1997, a marqué les esprits : la dissolution est une arme à double tranchant, non une panacée.

Une nouvelle révision s'impose donc si l'on veut que la France adopte les règles de la démocratie libérale telles qu'elles sont appliquées aux États-Unis, au Royaume-Uni et en Allemagne, pour ne parler que de ces trois grands pays.

Rien n'est pire, disait en son temps Tocqueville – et c'était aussi l'avis du général de Gaulle, que la division de l'exécutif : il faut faire en sorte que celui-ci n'ait qu'une tête. Laquelle ? celle du président ou celle du Premier ministre ? Si nous rejetons la formule du régime présidentiel à l'américaine, la France doit se rapprocher du modèle britannique ou allemand, et, dans ce cas, le chef du gouvernement et lui seul doit incarner l'exécutif.

Le problème n'est pas seulement institutionnel ; il ressortit à nos habitudes politiques. Déjà, en 1936, avant la victoire du Front populaire, Léon Blum, dans *La Réforme gouvernementale*, insistait sur la nécessité de partis organisés et disciplinés. Ajoutons : la nécessité d'un bipartisme cohérent. La gauche et la droite, loin de permettre cette tendance à la formation de deux camps qui peuvent alterner au pouvoir, sont morcelées. Lionel Jospin, Premier ministre socialiste, n'a pu obtenir, au long de son mandat, l'approbation régulière d'une majorité de gauche dite « plurielle », et plus encore divisée que plurielle. Un thème politique – l'écologie – a donné naissance à un parti supplémentaire, dont l'identité est aussi incertaine que la fiabilité. Le parti communiste, complètement laminé par l'histoire, reste suffisamment fort pour être utile aux désistements électoraux et nuisible à l'homogénéité de la majorité de gauche, refusant de voter des projets de loi, parfois sauvés grâce au soutien de la droite. Plus à gauche encore, les formations trotskistes prennent une place exorbitante, sans pouvoir jamais prétendre à gouverner. A droite, à côté d'un RPR néo-gaulliste plus ou moins discipliné, les autres formations se déchirent derrière des chefs de file dont la rivalité ridiculise la classe politique, tandis qu'à l'extrême droite le poids du Front national continue à polariser un électorat protestataire.

Ce multipartisme toujours renaissant est encore limité par une loi électorale qui maintient le scrutin uninominal. La revendication du scrutin de liste est permanente de la part des petites ou moyennes formations. On peut la satisfaire, comme du temps de François Mitterrand, par pur esprit tactique : en 1986, le président de la République avait jugé la restauration d'un scrutin de liste avantageuse pour combattre la droite, en favorisant le Front national. A un moindre degré de nuisance pour le régime parlementaire, on peut regretter aussi la possibilité maintenue d'un second tour électoral triangulaire – toujours par esprit tactique. Les Britanniques ont réglé une fois pour toutes la question par le scrutin uninominal à un seul tour, ce qui a pour effet d'éliminer les petits partis. Si l'adoption d'un tel système n'est guère pensable en France, du moins faudrait-il faire du scrutin uninominal un impératif à ne pas remettre en question, et aligner le mode de scrutin des législatives sur celui de la présidentielle : seuls se présenteraient au second tour les deux candidats arrivés en tête.

La simplification du jeu politique passe par la construction de deux grands partis (ou de deux grandes coalitions) disciplinés. Dira-t-on que la démocratie y perdrait ses droits ? Mais rien n'empêche le débat au sein des deux grandes formations, pourvu qu'à son terme la discipline de vote soit respectée. Dans cette hypothèse, l'exécutif reviendrait de droit, comme cela se passe ailleurs, au chef de la majorité. Est-ce à dire que le président de la République serait voué de nouveau, selon l'expression du général de Gaulle, à « inaugurer les chrysanthèmes » ? Certes non, car le président, élu au suffrage universel, aurait alors une double fonction. Il détiendrait, selon l'expression de Benjamin Constant, le « pouvoir préservateur », gardien par excellence des institutions – on se souvient quel vide subit fut créé à la tête de l'État par la « disparition » du général de Gaulle, lorsque celui-ci quitta Paris pour Baden-Baden, en mai 1968. Si le président n'est pas responsable devant le Parlement, il ne devrait pas *gouverner*. Il est, en revanche, le premier gardien du régime. Sa seconde fonction serait d'arbitrage entre le gouvernement et le Parlement. A cette fin, il disposerait du droit de changer le Premier ministre ; il dispose déjà, arme suprême, du droit de dissolution.

On peut imaginer d'autres solutions – les constitutionnalistes ne sont jamais à court d'idées. L'évident aujourd'hui, à mon sens, est le caractère boiteux de notre Constitution, malgré ses vertus par ailleurs. Empêcher un exécutif à deux têtes qui, un jour, peut devenir la source d'une nouvelle crise politique se révèle à l'expérience la réforme souhaitable.

Décembre 2001

Notes

1. La Commune de Paris

1. Jules FAVRE, *Le Gouvernement de la Défense nationale. Simple récit,* Paris, 1871-1875, p. 203.

2. *Ibid.,* p. 398.

3. Georges BATAILLE, « La structure psychologique du fascisme », *La Critique sociale,* n° 10, nov. 1933, pp. 159 et sq. Réimpression 1983, Éditions de la Différence.

4. Cité par Jacques ROUGERIE, *Paris libre 1871,* Le Seuil, 1971, p. 117.

5. Émile ZOLA, *La République en marche,* Fasquelle, 1956, t. I, p. 118.

6. Voir J. ROUGERIE, *op. cit.,* p. 144.

7. Voir, entre autres classifications, celles de Charles RIHS, *La Commune de Paris, sa structure, ses doctrines (1871),* rééd. Le Seuil, 1971, pp. 66 et sq. ; et de J. ROUGERIE, *op. cit.,* p. 146.

8. Témoignage d'Édouard LOCKROY *in : 1871, Enquête sur la Commune de Paris,* Éditions de la Revue Blanche, s.d., p. 24.

9. Jules ANDRIEU, *Notes pour servir à l'histoire de la Commune de Paris en 1871,* édition établie par Maximilien Rubel et Louis Janover, Payot, 1971, pp. 107-108.

10. Jeanne GAILLARD, *Communes de province, Commune de Paris (1870-1871),* Flammarion, 1971.

11. Voir Jacques GIRAULT, *La Commune et Bordeaux, 1870-1871,* Les Éditions sociales, 1971.

12. André LEFÈVRE, *Histoire de la Ligue d'union républicaine des droits de Paris,* G. Charpentier, 1881, p. 126.

13. Cité par Paul DESCHANEL, *Gambetta,* Hachette, p. 132.

14. Henri LEFEBVRE, *La Proclamation de la Commune de Paris,* Gallimard, 1965, p. 21.

15. Jean ALLEMANE, *Mémoires d'un communard,* présenté et annoté par Michel Winock, F. Maspero, 1981.

16. K. MARX et F. ENGELS, *La Commune de 1871,* lettres et déclarations pour la plupart inédites, traduction et présentation de Roger Dangeville, Union Générale d'Éditions, « 10/18 », p. 228.

17. *Cf. Enquête parlementaire sur l'insurrection du 18 mars,* t. I, Versailles, 1872.

18. Paul DE SAINT-VICTOR, *Barbares et Bandits*, Michel Lévy frères, 1871, p. 244.

19. Sur les femmes pendant la Commune, et contre le mythe des « pétroleuses », voir Édith Thomas, *Les « Pétroleuses »*, Gallimard, 1963.

20. « Rapport d'ensemble de M. le général Appert sur les opérations de la Justice militaire relatives à l'insurrection de 1871 », Assemblée nationale, 1875.

21. Voir Jacques ROUGERIE, *Procès des communards*, Julliard, « Archives », 1964, p. 17.

22. J'en ai fait l'essai *in :* M. Winock, « La Commune 1871-1971 », *Esprit*, décembre 1971.

23. « Lettre de K. Marx à Domela Nieuwenhuis », *La Critique sociale*, n° 4, déc. 1931, réimp. 1983, *op. cit.*, pp. 189-190.

24. Voir Michelle PERROT, *Jeunesse de la grève, France 1871-1890*, Le Seuil, 1984, version nouvelle et abrégée de la thèse du même auteur, *Les Ouvriers en grève 1871-1890*, 2 vol., Mouton, 1974.

2. Le 16 Mai

1. Cité par C. LANGLOIS, *in : Histoire des catholiques en France du XVᵉ siècle à nos jours*, sous la direction de François Lebrun, Privat, 1980, et « Pluriel », 1985, p. 395.

2. Voir André JARDIN, *Histoire du libéralisme politique, de la crise de l'absolutisme à la Constitution de 1875*, Hachette, 1985, p. 408.

3. *Ibid.*, p. 410.

4. Voir Jacques GOUAULT, *Comment la France est devenue républicaine, les élections générales et partielles à l'Assemblée nationale, 1870-1875*, A. Colin, 1954.

5. Cité par Paul DESCHANEL, *Gambetta*, Hachette, 1919, pp. 191-192.

6. Les *Souvenirs* inédits de Mac-Mahon ont été utilisés par Fresnette PISANI-FERRY, *in : Le Coup d'État manqué du 16 mai 1877*, R. Laffont, 1965.

7. *L'Univers*, 29 avril 1877.

8. Voir Louis CAPÉRAN, *Histoire contemporaine de la laïcité française*, t. I, Marcel Rivière et Cⁱᵉ, 1957, p. 63.

9. *Journal officiel* du 17 mai 1877.

10. Voir Ludovic HALÉVY, *Trois Dîners avec Gambetta*, Grasset, p. 45.

11. Cité par M. DE MARCÈRE, *Le Seize Mai et la Fin du septennat*, Plon, 1900, p. 83.

12. *Ibid.*, p. 107.

13. Voir le mémoire de maîtrise de Richard DUBREUIL, « Les enterrements et la politique en France au XIXᵉ siècle », Université de Paris-VIII, 1970.

14. Cité par P. DESCHANEL, *op. cit.*, p. 212.

15. Voir un bon récit d'une campagne locale, dans l'arrondissement

d'Avesnes-sur-Helpe (Nord), celle d'un des leaders du centre gauche, M. DE MARCÈRE, dans son livre déjà cité.

16. P. DESCHANEL, *op. cit.*, p. 214.

17. M. DE MARCÈRE, *op. cit.*, p. 33.

18. Cf. C. LANGLOIS, *op. cit.*, pp. 397 et 403.

19. Pour une étude départementale, voir Jean FAURY, *Cléricalisme et Anticléricalisme dans le Tarn (1848-1900)*, Publications de l'Université de Toulouse-le-Mirail, 1980. L'auteur confirme la « prudence et le souci [des républicains] de ne pas froisser les sentiments religieux des populations » ; quant aux « pressions cléricales », leur existence est « importante surtout dans les régions à forte pratique religieuse de la partie montagneuse du département », pp. 101 et 102.

20. Cité par P. DESCHANEL, *op. cit.*, p. 144.

21. M. DE MARCÈRE, *op. cit.*, p. 184.

22. Odile RUDELLE, *La République absolue, 1870-1884*, Publications de la Sorbonne, 1982.

23. Cité par J. FAURY, *op. cit.*, pp. 95-96.

3. Le boulangisme

1. Voir Pierre SORLIN, *Waldeck Rousseau*, A. Colin, 1966.

2. Voir Maurice AGULHON, *Marianne au combat, l'imagerie et la symbolique républicaine de 1789 à 1880*, Flammarion, 1979, p. 223.

3. Pierre SORLIN, « *La Croix* » *et les Juifs*, Grasset, 1967, p. 30.

4. Cité par Pierre BARRAL, *Les Fondateurs de la troisième République*, A. Colin, 1968, p. 137.

5. *Ibid.*, p. 247.

6. Cité par Claude NICOLET, *L'Idée républicaine en France*, Gallimard, 1982, p. 235.

7. C'est la devise dont J. Ferry orne le journal *L'Estafette* en le rachetant ; voir C. NICOLET, *op. cit.*, p. 244.

8. Jacques NÉRÉ. *La Crise économique de 1882 et le Mouvement boulangiste*, thèse multigraphiée.

9. Voir Jeanne GAILLARD, « La petite entreprise entre la droite et la gauche », *in* Georges LAVAU *et al.*, *L'Univers politique des classes moyennes*, Presses de la Fondation nationale des Sciences politiques, 1983, pp. 47-56.

10. Gustave ROUANET, « Les lois sociales au Parlement », *La Revue socialiste*.

11. Michelle PERROT, *Les Ouvriers en grève, France 1871-1890*, t. I, Mouton, 1974, p. 94.

12. Romain ROLLAND, *Mémoires et Feuilles de journal*, A. Michel, 1956, pp. 65-66.

13. *Dictionnaire biographique du mouvement ouvrier français, 1871-1914*, sous la direction de Jean MAITRON, t. XV, Les Éditions ouvrières, 1977, p. 72.

14. Cité par Jeannine VERDÈS-LEROUX, *Scandale financier et Antisémitisme catholique, le krach de l'Union générale*, Le Centurion, 1969, p. 14.

15. *Cf.* P. BARRAL, *op. cit.*, p. 205.

16. *Ibid.*, p. 211.

17. Voir C. NICOLET, *op. cit.*, p. 238.

18. Voir Charles-Robert AGERON, *L'Anticolonialisme en France de 1871 à 1914,* Presses universitaires de France, 1973, pp. 58-59.

19. Voir Antoine PROST, *Vocabulaire des proclamations électorales de 1881, 1885 et 1889,* Presses Universitaires de France, 1974.

20. Voir O. RUDELLE, *op. cit.*

21. Alfred LAISANT, *L'Anarchie bourgeoise,* 1887, p. 221.

22. *Ibid.*, p. 229.

23. Alexandre ZÉVAES, *Au temps du boulangisme,* Gallimard, 1930, pp. 22-23.

24. Clemenceau avait été élu, en 1885, dans le département de la Seine et dans le département du Var. C'est pour ce dernier qu'il opta.

25. Voir Zeev STERNHELL, *La Droite révolutionnaire,* Le Seuil, 1975, p. 97.

26. A. LAISANT, *op. cit.*

27. Voir Philippe LEVILLAIN, *Boulanger, fossoyeur de la monarchie,* Flammarion, 1982, pp. 38-39.

28. *Cf.* MERMEIX, *Les Coulisses du boulangisme,* Paris, 1890.

29. Ph. LEVILLAIN, *op. cit.*, p. 62.

30. Friedrich ENGELS, Paul et Laura LAFARGUE, *Correspondance,* t. II : 1887-1890, Éditions sociales, 1957, pp. 123-124.

31. *Ibid.*, p. 125.

32. Voir Jean GARRIGUES, « Les élections législatives de 1889 dans la Seine », mémoire de maîtrise multigraphié, Université de Paris X, 1981 ; et Z. STERNHELL, *op. cit.*

33. Cité par J. GARRIGUES, *op. cit.*, p. 19-20.

34. Voir Michel WINOCK, « La scission de Châtellerault et la naissance du parti allemaniste (1890-1891) », *Le Mouvement social,* nº 75, avril-juin 1971.

35. Voir Jean-Pierre MACHELON, *La République contre les libertés ?,* P.F.N.S.P., 1976, p. 316.

36. Ph. LEVILLAIN, *op. cit.*, p. 158.

37. *Ibid.*, p. 161.

38. Voir J. GARRIGUES, *op. cit.*

39. René RÉMOND, *Les Droites en France,* Aubier, 1982.

40. Voir Adrien DANSETTE, *Le Boulangisme, 1886-1890,* Librairie académique Perrin, 1938.

41. R. RÉMOND, *op. cit.*, p. 153.

42. F. ENGELS, P. et L. LAFARGUE, *op. cit.*, p. 211.

43. *Ibid.*, p. 212.

44. Benoît MALON, « Physiologie du boulangisme », *La Revue socialiste,* mai 1888.

45. O. RUDELLE, *op. cit.*, p. 284.

46. Z. STERNHELL, *La Droite révolutionnaire : Les origines françaises du fascisme, op. cit.*

47. Voir J. GARRIGUES, *op. cit.*

48. Cité par Z. STERNHELL, *op. cit.*, p. 61.

49. *Ibid.*, p. 76.

50. Voir Ph. LEVILLAIN, *op. cit.*, p. 172.
51. J. NÉRÉ, *op. cit.*, p. 632.
52. A. PROST, *op. cit.*, p. 71-72.

4. L'affaire Dreyfus

1. Cité dans « *Dreyfusards !* » *Souvenirs de Mathieu Dreyfus et autres inédits*, présentés par Robert GAUTHIER, Julliard, « Archives », 1965, p. 28.
2. Georges CLEMENCEAU, « Le traître », repris dans *L'Iniquité*, Stock, 1899, p. 3.
3. *La Dépêche* de Toulouse, 26 décembre 1894, cité par Harvey GOLDBERG, *Jean Jaurès*, Fayard, 1962, p. 157.
4. Un certain nombre de voix dissonantes se firent tout de même entendre. Par exemple, aux antipodes l'une de l'autre, celle du *Parti ouvrier*, le journal des socialistes « allemanistes », et celle de Lyautey, écrivant du Tonkin à ses amis son « scepticisme » sur une sentence réclamée par la « rue », par la « tourbe », pénétrée d'antisémitisme. Voir R. GAUTHIER, *op. cit.*, p. 47.
5. Sur les diverses hypothèses soutenues à ce sujet, voir notamment Henri GUILLEMIN, *L'Énigme Esterhazy*, Gallimard, 1962.
6. Léon BLUM, *Souvenirs sur l'affaire Dreyfus*, Gallimard, rééd. 1981, p. 66.
7. Marcel THOMAS, *L'Affaire sans Dreyfus*, Fayard, 1961.
8. Léon BLUM, *op. cit.*, p. 64.
9. Charles PÉGUY, *Cinquième Cahier de la quatrième série* (4 décembre 1902), *Œuvres en prose 1898-1908*, Gallimard, « La Pléiade », 1959, p. 538.
10. Sur ce sujet, voir Anne-Marie THIESSE, *Le Roman du quotidien, lecteurs et lectures populaires à la Belle Époque*, Le Chemin vert, 1984. Voir aussi Willa Z. Silverman, *Gyp*, Perrin, 1998.
11. Cité par Évelyne LE GARREC, *Séverine, une rebelle, 1855-1929*, Le Seuil, 1982, p. 190.
12. On attend encore une *bonne* biographie d'Henri Rochefort. Plusieurs cartons le concernant peuvent être déjà consultés aux Archives de la Préfecture de Police. Voir mon court essai « Rochefort : la Commune contre Dreyfus », *Mil neuf cent, Revue Histoire intellectuelle*, n° 11, 1993.
13. Cité par P. SORLIN, « *La Croix* » *et les Juifs, op. cit.*, p. 119.
14. Voir M. WINOCK, *Édouard Drumont et Cⁱᵉ*, Le Seuil, 1982.
15. GÉRAULT-RICHARD, *La Petite République*, 9 juillet 1898.
16. Léon BLUM, *op. cit.*, p. 132.
17. Jean JAURÈS, *Les Preuves*, 1898, et Éditions Le Signe, 1981. « Un monument incomparable », Péguy *dixit*.
18. Joseph REINACH, *Histoire de l'affaire Dreyfus*, Charpentier et Fasquelle, t. III, 1903, pp. 246-247.
19. Maurice PALÉOLOGUE, *Journal de l'affaire Dreyfus, 1894-1899*, Plon, 1955, p. 90.
20. Ferdinand BRUNETIÈRE, *Après le procès*, 1898, p. 73.
21. Jean-Paul SARTRE, *Plaidoyer pour les intellectuels*, Gallimard, 1972, p. 13.

22. Julien BENDA, *La Jeunesse d'un clerc*, Gallimard 1937, renouvelé en 1964, p. 115.

23. M. PALÉOLOGUE, *op. cit.*, p. 92.

24. J. BENDA, *op. cit.*, p. 115.

25. Maurice BARRÈS, *Mes Cahiers (1896-1923)*, Plon, 1963, p. 111.

26. *Ibid.*, p. 124.

27. Voir Christophe CHARLE, « La lutte des classes en littérature », in *Les Écrivains et l'Affaire Dreyfus*, Actes du colloque organisé par l'université d'Orléans et le Centre Péguy, les 29, 30, 31 octobre 1981, textes réunis par Géraldi LEROY, Presses Universitaires de France, 1983 ; et, du même auteur « Champ littéraire et champ du pouvoir : les écrivains et l'affaire Dreyfus », *Annales E.S.C.*, mars-avril 1977.

28. Voir Jean-Pierre RIOUX, *Nationalisme et Conservatisme, la ligue de la patrie française, 1899-1904*, Éditions Beauchesne, 1977, p. 11.

29. Léon BLUM, *op. cit.*, p. 96.

30. Charles PÉGUY, *op. cit.*, pp. 551 et sq.

31. Charles ANDLER, *Vie de Lucien Herr (1864-1926)*, Rieder, 1932, p. 119.

32. Ligue française pour la défense des droits de l'homme et du citoyen, brochure, 1898.

33. Anatole FRANCE, « Discours d'Anatole France », *L'Aurore*, 6 octobre 1902.

34. Joseph REINACH, *op. cit.*, p. 577.

35. Cf. M. WINOCK, « Socialisme et patriotisme, 1890-1899 », *Revue d'histoire moderne et contemporaine*, avril-juin 1972.

36. MAITRON, *op. cit.*, t. XV, p. 72.

37. Charles ANDLER, *op. cit.*, p. 115. Voir aussi Jean-Marie MAYEUR, « Les catholiques dreyfusards », *Revue historique*, 1961/2.

38. Voir Maurice MONTUCLARD, *Conscience religieuse et Démocratie*, Le Seuil, 1965, p. 136.

39. Voir P. SORLIN, *op. cit.*, pp. 68-69.

40. Cf. Maurice BARRÈS, *op. cit.*, p. 125. Sur l'ensemble du sujet, voir M. WINOCK, *Édouard Drumont et Cie*, *op. cit.*

41. Joseph REINACH, *op. cit.*, t. IV, 1904, p. 571. Voir aussi Raoul GIRARDET, *Le Nationalisme français*, Le Seuil, 1984.

42. *Idem.*

43. Georges CLEMENCEAU, *Justice militaire*, Stock, 1901, pp. 101-102.

44. Pierre SORLIN, *Waldeck-Rousseau*, A. Colin, 1966, p. 398.

45. *Ibid*, p. 414.

46. Cité par Gaston MONNERVILLE, *Clemenceau*, Fayard, 1968, p. 252.

47. Cf. A. LATREILLE et *al.*, *Histoire du catholicisme en France*, t. 3, Spes, 1962, p. 485.

48. Cité par M. MONTUCLARD, *op. cit.*, p. 136.

49. Cf. Éric CAHM, « Le mouvement socialiste face au nationalisme au temps de l'affaire Dreyfus », *Bulletin de la Société d'études jaurésiennes*, n° 79, oct.-déc. 1980.

50. Cité par Harvey GOLDBERG, *op. cit.*, p. 262.

51. Sur cette question, je me permets de renvoyer le lecteur à mon chapitre « La gauche et les Juifs », *in Édouard Drumont et C*ⁱᵉ, *op. cit*

52. Voir M. WINOCK, « Les affaires Dreyfus », *Vingtième siècle revue d'histoire*, n° 4, octobre 1984.

53. François MAURIAC, *Le Nouveau Bloc-notes, 1958-1960*, Flammarion, p. 349.

5. Le 6 Février 1934

1. Cité par Jean-Jacques BECKER, « L'Union sacrée, l'exception qui confirme la règle », in *Vingtième siècle, revue d'histoire*, n° 5 janv.-mars 1985.

2. Voir Alfred SAUVY, *Histoire économique de la France entre les deux guerres (1930-1939)*, Fayard, 1967, p. 71.

3. Voir Serge BERSTEIN, *Histoire du parti radical*, P.F.N.S.P. 1982, t. II, p. 98.

4. *Ibid.*, chap. IV.

5. François MAURIAC, *Mémoires politiques*, Grasset, 1967, p. 35

6. André TARDIEU, *Le Souverain captif*, Flammarion, 1936, p. 211

7. *Ibid.*, p. 232.

8. Jean TOUCHARD, « L'esprit des années trente », dans l'ouvrage collectif *Tendances politiques dans la vie politique française depuis 1789*, Hachette, 1960.

9. Antoine PROST, *Les Anciens Combattants et la Société française 1914-1939*, P.F.N.S.P., 1977, t. III, pp. 189-190.

10. Jean-Louis LOUBET DEL BAYLE, *Les Non-conformistes des années trente*, Le Seuil, 1969, p. 199.

11. Voir Serge BERSTEIN, « Édouard Herriot ou la République des bons élèves », *L'Histoire*, n° 26, septembre 1980.

12. Philippe HENRIOT, *Le 6 Février*, Flammarion, 1934.

13. Serge BERSTEIN, *Histoire du parti radical*, op. cit., t. 2, p. 278

14. Laurent BONNEVAY, *Les Journées sanglantes de février 1934*, Flammarion, 1935, p. 46.

15. Voir Eugen WEBER, *L'Action française*, Stock, 1962, p. 363.

16. Laurent BONNEVAY, *op. cit.*, p. 54.

17. Voir Serge BERSTEIN, *Le 6 Février 1934*, Gallimard/Julliard « Archives », 1975, p. 129.

18. *Ibid.*, pp. 138-139.

19. *L'Humanité*, 6 février 1934.

20. Voir Mona OZOUF, « Jacobin, fortune et infortunes d'un mot », *in : L'École de la France*, Gallimard, 1984, pp. 74-90.

21. Cité par Nicole RACINE, LOUIS BODIN, *Le Parti communiste français pendant l'entre-deux-guerres*, A. Colin, p. 214.

22. D'après la Commission d'enquête parlementaire ; voir Serge BERSTEIN, *Le 6 Février 1934, op. cit.*, p. 168.

23. L. BONNEVAY, *op. cit.*, pp. 154-155.

24. Serge BERSTEIN, *Le 6 Février 1934, op. cit.*, p. 186.

25. L. BONNEVAY, *op. cit.*, p. 186.

26. Cité par Pierre MENDÈS FRANCE, « La tentative de coup d'Etat du 6 février : voici des preuves », *Œuvres complètes*, Gallimard, 1984, t. I, p. 221.

27. Léon Blum, *Œuvres, 1934-1937,* Albin Michel, 1964, p. 12.

28. Cité par Léon BLUM, *Le Populaire,* 6 mars 1934. Paul VAILLANT-COUTURIER n'avait pas craint d'affirmer, le 19 février 1934, dans *l'Humanité :* « Défendre la République ? dit Blum, comme si le fascisme, ce n'était pas encore la République, comme si la République, ce n'était pas déjà le fascisme. »

29. Sur la genèse du Front populaire, voir, entre autres, André FERRAT, *Contribution à l'histoire du parti communiste français,* extrait de la revue *Preuves,* nᵒˢ 166, 168, 170, Branko Lazitch, « Le Komintern et le Front populaire », *Contrepoint,* 1971, nᵒ 3 ; Philippe ROBRIEUX, *Histoire intérieure du parti communiste,* t. I, 1920-1945, Fayard, 1980, pp. 454 et sq.

30. Cité par Édouard BONNEFOUS, *Histoire politique de la troi-sième République,* t. V (1930-1936), Presses Universitaires de France, 1973, p. 294. On doit cependant à la vérité de dire que le problème de la stabilité n'échappait pas à l'attention de Léon BLUM, comme en témoigne son ouvrage, *La Réforme gouvernementale,* Grasset, 1936.

31. Pierre MENDÈS FRANCE, *op. cit.,* p. 221.

32. Raoul GIRARDET, « Notes sur l'esprit d'un fascisme français, 1934-1940 », *Revue française de science politique,* juil.-sept. 1955.

33. Cité par S. BERSTEIN, *Histoire du parti radical, op. cit.,* t. II, p. 300. Du même auteur, on lira avec profit la réflexion « L'affronte-ment simulé des années 1930 », *Vingtième siècle, revue d'histoire,* nᵒ 5, janv.-mars 1985.

6. Le 10 juillet 1940

1. Voir Jean-Pierre AZÉMA, *De Munich à la Libération,* t. XIV de la *Nouvelle Histoire de la France contemporaine,* Le Seuil, « Points-Histoire », 1979.

2. Voir Georges DUPEUX, « L'échec du premier gouvernement Léon Blum », *Revue d'histoire moderne et contemporaine,* janv.-mars 1963.

3. Voir Alfred SAUVY, *Histoire économique de la France entre les deux guerres, op. cit.,* t. II, p. 483.

4. *Édouard Daladier chef de gouvernement,* sous la direction de René RÉMOND et Janine BOURDIN, Presses de la F.N.S.P., 1977, communication de Roger GENÉBRIER, pp. 75 et sq.

5. *Ibid.*

6. J.-P. AZÉMA, A. PROST, J.-P. RIOUX et al., *Le Parti commu-niste français des années sombres : 1938-1941,* Le Seuil, 1986. Voir aussi la mise au point de J.-P. AZÉMA, *op. cit.*

7. Cf. Branko LAZITCH, *L'Echec permanent,* R. Laffont, 1978.

8. Jules JEANNENEY, *Journal politique, septembre 1939-juillet 1942,* A. Colin, 1972, p. 39.

9. Paul REYNAUD, *Mémoires. Envers et contre tous*, t. II, Flammarion, 1963, p. 358.

10. Voir Jean VIDALENC, *L'Exode de mai-juin 1940*, Presses Universitaires de France, 1957.

11. Emmanuel BERL, *La Fin de la troisième République*, Gallimard, 1968, p. 56.

12. Voir Paul REYNAUD, *La France a sauvé l'Europe*, t. II, Flammarion, 1947 ; Albert LEBRUN, *Témoignage*, Plon, 1945 ; Édouard HERRIOT, *Épisodes, 1940-1944*, Flammarion, 1950. Voir aussi les notes critiques de Jean-Noël JEANNENEY à J. Jeanneney, *op. cit.*, pp. 413-417.

13. Voir É. HERRIOT, *La Démocratie méridionale*, 13 juillet 1946, cité par J.-N. JEANNENEY, *op. cit.*

14. Cf. J. JEANNENEY, *op. cit.*, p. 416.

15. Voir Édouard BONNEFOUS, *Histoire politique de la troisième République. La Course vers l'abîme : la fin de la troisième République (1938-1940)*, t. VII, Presses Universitaires de France, 1967, p. 244.

16. Voir Christiane RIMBAUD, *L'Affaire du Massilia*, Le Seuil, 1984, pp. 99-100.

17. Voir J.-P. AZÉMA, « Le drame de Mers el-Kébir », *L'Histoire*, n° 23, mai 1980.

18. *L'Œuvre de Léon Blum (1940-1945). Mémoires...*, Albin Michel, 1955, p. 89.

19. J. JEANNENEY, *op. cit.*, p. 98.

20. *L'Œuvre de Léon Blum, op. cit.*, p. 88.

21. Voir bibliographie citée *in* J. JEANNENEY, *op. cit.*, p. 443, ainsi que J.-P. AZÉMA et M. WINOCK, *Naissance et Mort de la troisième République*, Calmann-Lévy, 1970 et 1976.

22. J. JEANNENEY, *op. cit.*, p. 98.

23. *L'Œuvre de Léon Blum, op. cit.*, p. 94.

24. William L. SHIRER, *La Chute de la troisième République, une enquête sur la défaite de 1940*, Stock, 1970.

25. Voir François BÉDARIDA, « La gouvernante anglaise », *Édouard Daladier...*, *op. cit.*, pp. 228 et sq.

26. *L'Œuvre de Léon Blum..., op. cit.*, p. 73.

27. Titre d'un article de Maurras dans *Le Petit Marseillais* du 9 février 1941, à la louange des capacités politiques de Pétain.

28. Voir par exemple Michel MOHRT, *Les Intellectuels devant la défaite de 1870*, Corréa, 1942 ; il y est question, entre autres, du « Grand Reich démocratique de 1940 » (*sic*), p. 13.

7. Le 13 mai 1958

1. Voir notamment la mise au point de René RÉMOND, *Le Retour de De Gaulle*, Éd. Complexe, 1984.

2. Voir Raymond ARON, *La Tragédie algérienne*, Plon, 1957 ; Alfred SAUVY, dans l'ouvrage collectif *La Question algérienne*, Éditions de Minuit, 1957, pp. 97-120.

3. *Sondages*, 1954, n° 4.

4. *Sondages*, 1958, n°3.

5. Jacques JULLIARD, « La Constitution de la quatrième République : une naissance difficile », *Storia e Politica*, anno XIV, fasc. 1-2 (1975), Milan-Dott. A. Giuffre Éd.

6. Georges LAVAU, « Réflexions sur le régime politique de la France », *Revue française de science politique*, décembre 1962.

7. *Ibid.*

8. Cité par *Le Monde*, 1er-2 juin 1958.

9. Raoul GIRARDET (sous la direction de), *La Crise militaire française, 1945-1962*, A. Colin, 1964, p. 159. Nous nous inspirons ici de la troisième partie de ce livre, « Problèmes moraux et idéologiques », rédigée par R. Girardet.

10. Henri NAVARRE, *L'Agonie de l'Indochine*, Plon, 1958, p. 319. Cité par Raoul GIRARDET, *op. cit.*, p. 162.

11. « Le Bloc-Notes de François Mauriac », *L'Express*, 12 juin 1958.

12. Voir l'article à vif de Jean CAU, « Qui prépare le fascisme ? », *L'Express*, 12 juin 1958.

13. Charles de GAULLE, *Lettres, Notes et Carnets, juin 1951-mai 1958*, Plon, 1985, p. 365. Sur tout cet épisode, on se reportera à la mise au point faite par Jean LACOUTURE dans le chapitre intitulé joliment « Le 17 brumaire », *De Gaulle, le politique*, t. II, Le Seuil, 1985.

14. Raoul GIRARDET, *op. cit.*, p. 203.

15. Stanley et Inge HOFFMANN, *De Gaulle artiste de la politique*, Le Seuil, 1973.

16. Pierre VIANSSON-PONTÉ, *Histoire de la République gaullienne*, t. I, p. 46

17. Voir l'article de Pierre VIANSSON-PONTÉ, à la une du *Monde* daté des 1er et 2 juin 1958.

18. René RÉMOND, *Retour de De Gaulle, op. cit.*, où l'auteur insiste beaucoup sur le rôle de la contingence.

19. Pierre MENDÈS FRANCE, « Les raisons du NON », *Le Monde*, 26 septembre 1958.

20. Voir, dans le même numéro du *Monde*, la réplique d'Henri FRENAY, « Le contrat des NON ».

21. Un sondage SOFRES, publié par *Le Monde* du 4 octobre 1983, démontrait l'approbation des grandes règles constitutionnelles par les Français : 86 % de l'échantillon consulté se montraient favorables à l'élection du président de la République au suffrage universel. Victoire posthume et éclatante du général de Gaulle.

22. René CAPITANT, *Démocratie et Participation politique*, Bordas, 1972, pp. 144-145.

23. On peut faire son profit notamment des critiques de Maurice DUVERGER, *La Démocratie sans le peuple*, Le Seuil, 1967.

8. Mai 68

1. Voir « Le mystère 68 », *in* : *Le Débat*, n° 50, mai-août 1988, et n° 51, sept.-oct. 1988.

2. Antoine Prost, *Histoire générale de l'éducation en France*, t. IV, N.L.F., 1981, p. 273.

3. Pierre Bourdieu, *Homo academicus*, Éd. de Minuit, 1984, p. 188.

4. *Ibid.*

5. Frédéric Gaussen, « Le coup de tonnerre de Strasbourg », *Le Monde*, 9 décembre 1966.

6. Raoul Vaneigem, *Traité de savoir-vivre à l'usage des jeunes générations*, Gallimard, 1967.

7. Voir J.-G. Lambert, « Témoignage de l'étudiant de base », *Esprit*, juin-juillet 1968, pp. 1091-1093.

8. Cité par Raymond Aron, *Mémoires*, Julliard, 1983, p. 477.

9. Sur le plus sérieux, voir *La Sorbonne par elle-même*, numéro spécial du *Mouvement social*, n° 64, juillet-septembre 1968.

10. J'emploie cette expression, « *optimisme économique* » par analogie avec celle de Jacques Ozouf, l' « optimisme pédagogique », par laquelle il traduisait la conviction des instituteurs de la génération ferryste que la « question sociale » serait d'abord réglée par l'école et la méritocratie républicaine. Dans les années soixante, le taux de croissance avait remplacé le taux de scolarisation : la pacification sociale serait le fruit d'un mieux-être continu.

11. Voir G. Adam, F. Bon, J. Capdevielle, R. Mouriaux, *L'Ouvrier français en 1970*, A. Colin, 1970, pp. 223-224.

12. P. Bourdieu, *op. cit.*, p. 217.

13. Voir *Sondages*, 1968, n° 2.

14 *Ibid.*, p. 27.

15. Jean-Paul Sartre, *Les communistes ont peur de la révolution*, Les Éditions John Didier, 1968. La première partie de cet ouvrage est faite d'une interview publiée dans le *Spiegel*.

16. *Sondages*, 1968, n° 2.

17. Raymond Aron, « Après la tempête... », *Le Figaro*, 5 juin 1968.

18. *Sondages*, 1968, n° 2.

19. André Barjonet, *Le Parti communiste français*, Les Éditions John Didier, 1969, p. 202.

20. Georges Pompidou, *Pour rétablir une vérité*, Flammarion, 1982, 3ᵉ partie, « Mai 68 ».

21. François Goguel, « Charles de Gaulle du 24 au 29 mai 1968 », *Espoir*, revue de l'Institut Charles-de-Gaulle, n° 46, mars 1984. Voir aussi, dans le même sens, Raymond Tournoux, *Le Mois de mai du général*, Plon, 1969.

22. *Sondages*, 1968, n° 2, p. 87.

23. Michel de Certeau, « Pour une nouvelle culture : prendre la parole », *Études*, t. CCCXXIX, juin-juil. 1968.

24. Cité par Raymond Aron, *Mémoires*, p. 234.

25. S. Freud, *Correspondance*, cité par Elisabeth Roudinesco, *Histoire de la psychanalyse en France*, vol. I, 1885-1939, Éd. Ramsay, 1982, p. 46.

26. Voir ainsi André Stéphane, *L'univers contestationnaire*,

Payot, 1969, ou Gérard MENDEL, *La Révolte contre le père,* Payot, 1968.

27. Sous la direction d'Henri MENDRAS, *La Sagesse et le Désordre,* Gallimard, 1980.

28. Michel CROZIER, « Le modèle d'action administrative à la française est-il en voie de transformation ? », *Tendances et Volontés de la société française,* S.E.D.E.I.S. Futuribles, 1966, pp. 423-444.

29. Philippe BÉNÉTON et Jean TOUCHARD, « Les interprétations de la crise de mai-juin 1968 », *Revue française de science politique,* juin 1970.

30. Alain TOURAINE, *Le Mouvement de mai ou le Communisme utopique,* Le Seuil, 1968. Un des livres les plus stimulants sur Mai 68.

31. Jean-Paul SARTRE, *op. cit.* On se souvient du titre de Daniel GUÉRIN, *Front populaire : révolution manquée,* Julliard, 1963.

32. Voir A. TOURAINE, *op. cit.,* et aussi F. BON et A.-M. BURNIER, *Classe ouvrière et Révolution,* Le Seuil, 1971.

33. R. ARON, *op. cit.,* p. 481.

34. Voir notamment les critiques que la réforme suggère à Raymond ARON, *op. cit.,* p. 496.

35. Voir Jean CHARLOT, *Les Français et de Gaulle,* Plon, 1971, qui parle, au vu des sondages, du « mécontentement endémique des Français » sur la politique économique et sociale, p. 95.

36. Article repris *in :* Michel CROZIER, *La Société bloquée,* Le Seuil, 1970, p. 245-246.

9. Des crises politiques

1. Abraham A. MOLES, « Notes pour une typologie des événements », *Communications,* n° 18, 1972.

2. Friedrich ENGELS à Eduard BERNSTEIN, lettre du 17 août 1883, *in* MARX et ENGELS, *La Commune de 1871, lettres et déclarations...* Union générale d'Édition, « 10/18 », 1971, p. 248.

3. Voir Michel WINOCK, *Drumont et Cie, op. cit.*

4. Voir notamment *Sondages,* 1966, n° 2, pp. 15-20 ; et *ibid.* 1974, n°s 1 et 2, pp. 53-54. L'enquête de l'I.F.O.P. du 22 avril 1974 indiquait que 8 % seulement des pratiquants réguliers avaient l'intention de voter pour Mitterrand, contre 60 % des non-catholiques.

5. Voir Philippe BRAUD, *Le Comportement électoral en France,* Presses Universitaires de France, 1973, pp. 40 et sq.

6. François MAURIAC, *Le Dernier Bloc-Notes, 1968-1970,* Flammarion, 1971, p. 69.

7. André SIEGFRIED, *L'Âme des peuples,* Hachette, 1950, p. 69.

8. Cité par A. KIMMEL et Jacques POUJOL, *Certaines Idées de la France,* Verlag Moritz Diesterweg, Francfort, 1982, p. 68.

9. Max WEBER, *L'Éthique protestante et l'Esprit du capitalisme,* Plon, rééd. 1967.

10. Edgar QUINET, *Le Christianisme et la Révolution française,* Fayard, 1984, p. 202.

11. A. SIEGFRIED, *op. cit.,* p. 63-64.

12. Voir notamment les travaux de Charles TILLY et de Claude PETITFRÈRE.

13. Edgar QUINET, *op. cit.*, p. 235.

14. *Ibid.*

15. Cité par André JARDIN, *Histoire du libéralisme...*, *op. cit.*, p. 451.

16. Cité par A. LATREILLE *et al.*, *Histoire du catholicisme en France*, t. III, p. 320.

17. Voir, entre autres, les articles « Libéralisme » et « Laïcisme ».

18. Cité par A. LATREILLE, *op. cit.*, p. 234.

19. Voir René RÉMOND, *L'Anticléricalisme en France de 1815 à nos jours*, Fayard, 1976, p. 192.

20. Cité par Jacques DUQUESNE, *Les Catholiques français sous l'Occupation*, Grasset, 1966.

21. Voir Madeleine GARRIGOU-LAGRANGE, « Intégrisme et national-catholicisme », *Esprit*, nov. 1959, pp. 515-543.

22. Alexis DE TOCQUEVILLE, *L'Ancien Régime et la Révolution*, Gallimard, « Idées », 1964, p. 174.

23. André SIEGFRIED, *op. cit.*, p. 66.

24. Jean STENGERS, « Regards d'outre-hexagone », avec W. BOREJSZA, Stanley HOFFMANN, Sergio ROMANO, Charles TILLY, *in* : numéro spécial « Les guerres franco-françaises », *Vingtième siècle, revue d'histoire*, n° 5, janv.-mars 1985.

25. Voir Jean-Marie MAYEUR, « La guerre scolaire : ancienne ou nouvelle histoire ? », *ibid.*

26. Voir l'article de René RÉMOND, « Les progrès du consensus », et celui de Jean-Pierre AZÉMA, « Une guerre de deux cents ans ? », qui formulent les conclusions et les interrogations en suspens sur le thème des « guerres franco-françaises », *Vingtième siècle, ibid.*

Annexe. 1947 : l'année terrible

1. Cf. V. Auriol, « Pour en savoir plus », à la suite de l'Annexe.

2. On peut lire dans son *Journal* cette notation d'ordre constitutionnel : « Si des démissions entraînaient la chute des ministères en dehors de l'Assemblée, la dissolution ne pourrait jamais être prononcée puisqu'elle ne peut l'être que lorsque le gouvernement est renversé à la majorité absolue et après deux crises ministérielles survenues au cours d'une période de dix-huit mois » (p. 208). Cependant, les ministres communistes n'acceptant pas de démissionner, un décret invoquant les articles 45, 46 et 47 de la Constitution, d'après lesquels le président du Conseil choisit ses ministres et peut donc se séparer d'eux s'il est en désaccord, met fin aux fonctions de trois ministres communistes. Le quatrième, Georges Marrane, ministre de la Santé publique, échappe à la sanction, n'ayant pu voter contre Ramadier puisqu'il n'appartient pas à l'Assemblée. Il se solidarisera avec ses collègues du P.C.F.

3. C'est-à-dire l'élimination, tranche par tranche, de tous les hommes et de toutes les organisations échappant au contrôle du parti

communiste ; cf. F. Fejtö, « Pour en savoir plus », à la suite de l'Annexe.

4. Cf. M. Agulhon et F. Barrat, « Pour en savoir plus », à la suite de l'Annexe.

5. Cf. Le témoignage de Thomas Braden, ancien assistant d'Allen Dulles à la direction de la C.I.A., publié par le *Saturday Evening Post* et le *Los Angeles Times,* et repris par *le Monde,* 9 mai 1967. Les syndicalistes de l'A.F.L., dit-il, firent appel à la C.I.A. après avoir épuisé leurs ressources. « Voilà comment commencèrent les distributions secrètes de fonds aux syndicats libres, qui s'étendirent bientôt à l'Italie et sans lesquelles l'histoire de l'après-guerre aurait pu être bien différente. »

6. On peut se reporter sur ce point à la thèse de Denis Lacorne, soutenue à Yale en 1976 : *The Red Notables : French Communism and Socialism at the Grassroots,* p. 178.

7. V. Auriol, *op. cit.,* p. 612 et 622.

8. Cf. « Pour en savoir plus », à la suite de l'Annexe.

Orientation bibliographique

1. Ouvrages généraux

POUR LE RÉCIT CHRONOLOGIQUE :

Années 1874-1905 : *L'Année politique*, sous la direction d'André LEBON, puis de Georges BONNEFOUS, un volume par an.

Années 1906-1940 : Édouard BONNEFOUS, *Histoire politique de la troisième République*, 7 tomes, P.U.F., 1956-1967.

Années 1944-1968 : *L'Année politique, économique, sociale et diplomatique en France,* collection publiée sous la direction d'André SIEGFRIED, Édouard BONNEFOUS, Jean-Baptiste DUROSELLE, P.U.F., un volume par an.

La Nouvelle Histoire de la France contemporaine dont les volumes IX (Alain PLESSIS), X (Jean-Marie MAYEUR), XI (Madeleine RÉBERIOUX), XII (Philippe BERNARD), XIII (Henri DUBIEF), XIV (Jean-Pierre AZÉMA), XV et XVI (Jean-Pierre RIOUX) couvrent la période 1852-1958, « Points Histoire », Le Seuil, 1972-1982.

Jean-Pierre AZÉMA et Michel WINOCK, *Naissance et Mort de la troisième République,* Calmann-Lévy, 1970, rééd. 1976, rééd. en Livre de poche « Pluriel », 1978.

Claude BELLANGER, *Histoire de la presse française*, t. III et IV, P.U.F., 1972.

Jean-Jacques CHEVALLIER, *Histoire des institutions et des régimes politiques de la France de 1789 à nos jours*, Dalloz, 6ᵉ éd., 1981.

Georges DUPEUX, *La Société française 1789-1970*, A. Colin, 1972.

J.-B. DUROSELLE, F. GOGUEL, S. HOFFMANN, Ch.-P. KINDLEBERGER, J.-P. PITTS, L. WYLIE, *A la recherche de la France*, Le Seuil, 1963.

François GOGUEL, *Géographie des élections françaises sous la troisième et la quatrième République*, A. Colin, 1970 ; *La Politique des partis sous la troisième République*, Le Seuil, dernière éd. 1970.

André HAURION, *Droit constitutionnel et Institutions politiques*, Éd. Montchrestien, 1966.

Stanley HOFFMANN, *Essais sur la France, déclin ou renouveau*, Le Seuil, 1974.

Jean-Noël JEANNENEY, *L'Argent caché. Milieux d'affaires et pouvoir politique dans la France du XXe siècle*, Fayard, 1980, rééd. Le Seuil « Points Histoire », 1984.

A. LATREILLE *et al., Histoire du catholicisme en France*, t. III, *La Période contemporaine*, Spes, 1962.

François LEBRUN (sous la direction de), *Histoire des catholiques en France*, Toulouse, Privat, 1980, rééd. « Pluriel », 1984.

Yves LEQUIN, *Histoire des Français, XIXe-XXe siècles*, t. III, *Les Citoyens et la Démocratie*, A. Colin, 1984.

Jean-Pierre MACHELON, *La République contre les libertés ? Les restrictions aux libertés publiques de 1879 à 1914*, P.F.N.S.P., 1976.

Jean-Marie MAYEUR, *La Vie politique sous la troisième République, 1870-1940*, Le Seuil, « Points Histoire », 1984.

Claude NICOLET, *L'Idée républicaine en France*, Gallimard, 1982.

Antoine PROST, *L'Enseignement en France, 1800-1967*, A. Colin, 1968.

René RÉMOND, *L'Anticléricalisme en France de 1815 à nos jours*, Fayard, 1976, rééd. « Complexe », 1984 ; *Les Droites en France*, Aubier, 1982.

Anthony ROWLEY, *L'Évolution économique de la France du milieu du XIXe siècle à 1914*, Sedes, 1982.

Alfred SAUVY, *Histoire économique de la France entre les deux guerres*, 4 vol., Fayard, 1975.

Albert THIBAUDET, *Les Idées politiques de la France*, Stock, 1932.

Jean TOUCHARD, *La Gauche en France depuis 1900*, Le Seuil, dernière éd., 1981.

2. Sur la Commune

DES SOURCES IMPRIMÉES

Rapport d'ensemble de M. le général Appert sur les opérations de la justice militaire relatives à l'insurrection de 1871, présenté à l'Assemblée nationale par ordre de M. le maréchal Mac-Mahon, duc de Magenta, président de la République française, par M. le général de Cissey, ministre de la Guerre, Assemblée nationale, annexe au procès-verbal de la séance du 20 juillet 1875.

Dossier de la Commune devant les conseils de guerre, Paris, Librairie des Bibliophiles, 1871.

Enquête parlementaire sur l'insurrection du 18 mars. I. Rapports. II. Dépositions des témoins. III. Pièces justificatives, Paris, Librairie législative, 1872.

DEUX BIBLIOGRAPHIES :

G. DEL BO, *La Commune di Parigi*, Saggio bibliografico a cura di G. d. B., Milan, Feltrinelli, 1957.

J. ROUGERIE, G. HAUPT, « Bibliographie de la Commune de 1871 (travaux parus de 1940 à 1961) », *Le Mouvement social*, 1961, n° 37, oct.-déc. 1962, n° 38, janv.-févr. 1963.

UN ESSAI D'HISTORIOGRAPHIE CRITIQUE
   Michel WINOCK, « La Commune, 1871-1971 », *Esprit*, décembre 1971, pp. 965-1014.

PRINCIPAUX OUVRAGES HISTORIQUES :
   P.-O. LISSAGARAY, *Histoire de la Commune de 1871*, nouvelle édition, Maspéro, 1967, 3 vol.
   J. BRUHAT, J. DAUTZY, E. TERSEN, *La Commune de 1871*, Éd. sociales, rééd. 1970.
   G. BOURGIN, *La Guerre de 1870 et la Commune*, 1939, rééd. 1971.
   J. ROUGERIE, *Paris libre 1871*, Le Seuil, 1971 ; *Procès des communards*, Julliard, « Archives », 1964.
   Ch. RIHS, *La Commune de Paris. Ses structures et ses doctrines*, Genève, Droz, 1955, rééd. Le Seuil, 1973.
   Ch. SEIGNOBOS, *Le Déclin de l'Empire et l'établissement de la troisième République*, tome VII de E. LAVISSE, *Histoire de la France contemporaine depuis la Révolution jusqu'à la paix de 1919*, Hachette, 1921.

QUELQUES OUVRAGES SUR DES POINTS PARTICULIERS :
   H. LEFEBVRE, *La Proclamation de la Commune*, Gallimard, 1965.
   P. LIDSKY, *Les Écrivains contre la Commune*, Maspero, 1970.
   E. THOMAS, *Rossel, 1844-1871*, Gallimard, 1967.
   1871, Jalons pour une histoire de la Commune de Paris, livraison spéciale préparée sous la direction de Jacques ROUGERIE, avec la collaboration de Tristan HAAN, Georges HAUPT et Miklos MOLNAR, *International Review of Social History*, vol. XVII, 1972, Parts 1-2, Amsterdam.

3. Sur le 16 Mai

LES CONTEMPORAINS
   Jules FERRY, *Lettres*, Mme Jules Ferry éd. 1914 ; *Discours et Opinions politiques*, éd. Paul Robiquet, 7 vol., 1893-1898.
   Léon GAMBETTA, *Lettres de 1868 à 1882*, éd. Daniel Halévy et Émile Pillias, 1938 ; *Discours et Plaidoyers politiques*, éd. Joseph Reinach, 11 vol., 1881-1885.
   M. DE MARCÈRE, *Le Seize Mai et la Fin du septennat*, Plon, 1900.
   Vicomte de MEAUX, *Souvenirs politiques*, 1871-1877.
   Joseph REINACH, *La Vie politique de Gambetta*, 1918.

LES HISTORIENS
   Pierre BARRAL, *Les Fondateurs de la troisième République*, A. Colin, 1968.
   Duc DE CASTRIES, *Le Grand Refus du comte de Chambord*, Hachette, 1970.
   Adrien DANSETTE, *Les Présidents de la troisième République*, Plon, rééd. 1981.
   Paul DESCHANEL, *Gambetta*, Hachette, 1919.

Jacques GADILLE, *La Pensée et l'Action politique des évêques français au début de la troisième République, 1870-1883*, 2 vol., Hachette, 1967.

Daniel HALÉVY, *La Fin des notables*, Le Livre de Poche, 1972 ; *La République des ducs*, Le Livre de Poche, 1972.

Léo HAMON (dir.), *Les Opportunistes. Les débuts de la République aux républicains*, Éd. de la Maison des Sciences de l'Homme, 1991.

Fresnette PISANI-FERRY, *Le Coup d'État manqué du 16 mai 1877*, R. Laffont, 1965.

Maurice RECLUS, *Le 16 Mai*.

René RÉMOND, *La Vie politique en France depuis 1789*, t. 2 ; *1848-1879*, A. Colin, 1969.

4. Sur le boulangisme

LES CONTEMPORAINS

Maurice BARRÈS, *L'Appel au soldat*, Fasquelle, 1900.

Paul DÉROULÈDE, *Qui Vive ? France ! « Quand même ». Notes et discours, 1883-1910*, Bloud, 1910.

F. ENGELS, P. et L. LAFARGUE, *Correspondance*, 3 vol., Éd. sociales, 1956.

Charles-Ange LAISANT, *L'Anarchie bourgeoise*, Marpon et Flammarion, 1887.

Francis LAUR, *L'Époque boulangiste. Essai d'histoire contemporaine, 1886-1890*, Le Livre à l'auteur, 1912-1914.

MERMEIX (pseudonyme de Gabriel TERRAIL), *Les Coulisses du boulangisme*, Éd. du Cerf, 1900.

Alfred NAQUET, *Questions constitutionnelles*, Dentu, 1883.

Henri ROCHEFORT, *Les Aventures de ma vie*, Dupont, 1856-1898, 5 vol.

SÉVERINE, *Notes d'une frondeuse*, Simonin, 1894.

LES HISTORIENS

Adrien DANSETTE, *Le Boulangisme*, Fayard, 1946.

Raoul GIRARDET, *Le Nationalisme français, 1871-1914*, Le Seuil, rééd. 1984.

Philippe LEVILLAIN, *Boulanger, fossoyeur de la monarchie*, Flammarion, 1982.

Jacques NÉRÉ, « La crise économique de 1882 et le mouvement boulangiste », Paris, 1959 (thèse pour le doctorat ès lettres soutenue à la faculté des lettres de l'Université de Paris, dact.) ; *Le Boulangisme et la Presse*, A. Colin, 1964.

Odile RUDELLE, *La République absolue, 1870-1889*, Publications de la Sorbonne, 1982.

F. SEAGER, *The Boulanger Affair, Political Crossroad of France (1886-1889)*, Ithaca, Cornell University Press, 1969.

Jean-François SIRINELLI, *Histoire des droites en France*, tome 1, *Politique*, Gallimard, 1992.

Zeev STERNHELL, *La Droite révolutionnaire 1885-1914*, Le Seuil, 1978 ; *Maurice Barrès et le Nationalisme français*, A. Colin, 1972.

Claude WILLARD, *Le Mouvement socialiste en France, 1893-1905 :
les guesdistes*, Éd. sociales, 1965.

Alexandre ZÉVAÈS, *Au temps du boulangisme*, Gallimard, 1930.

5. Sur l'affaire Dreyfus

LES CONTEMPORAINS

Maurice BARRÈS, *Mes Cahiers*, Plon, 1929-1957, 14 vol.

Léon BLUM, *Souvenirs sur l'Affaire*, rééd. Gallimard, 1982.

Georges CLEMENCEAU, *L'Iniquité*, Stock, 1899 ; *Vers la réparation*,
Stock, 1899 ; *Contre la justice*, Stock, 1900 ; *Des juges*, Stock, 1901 ;
Justice militaire, Stock, 1901, *Injustice militaire*, Stock, 1902 ; *La
Honte*, Stock, 1903.

Paul DESACHY, *Bibliographie de l'affaire Dreyfus*, Cornély, 1905.

Jean JAURÈS, *Les Preuves. L'affaire Dreyfus*, rééd. Le Signe, 1981.

Bernard LAZARE, *Une erreur judiciaire*, Stock, 1897, rééd. Allia, 1993.

Jules LEMAÎTRE, *La Patrie française. Première conférence, 19 janvier 1899*, Bureaux de la Patrie française, s.d.

Léon LIPSCHUTZ, *Bibliographie thématique et analytique de l'Affaire Dreyfus*, Fasquelle, 1970.

Pierre QUILLARD, *Le Monument Henry. Listes de souscripteurs classées méthodiquement et selon l'ordre alphabétique*, Stock, 1899.

Joseph REINACH, *Histoire de l'affaire Dreyfus*, 7 vol., La Revue blanche, 1901-1911 ; Fasquelle, 1929.

Jules SOURY, *Campagne nationaliste 1894-1901*, Maretheux, 1902.

R. VIAU, *Vingt Ans d'antisémitisme, 1889-1909*, Charpentier, 1910.

Émile ZOLA, *L'Affaire Dreyfus. La vérité en marche*, rééd.
Garnier-Flammarion, 1969.

LES HISTORIENS

Pierre BIRNBAUM (dir.), *La France de l'affaire Dreyfus*, Gallimard,
1994.

Jean-Denis BREDIN, *L'Affaire*, 1983.

Éric CAHM, *Péguy et le Nationalisme français*, Cahiers de l'Amitié
Charles Péguy, 1972 (Librairie Minard).

Éric CAHM, *L'Affaire Dreyfus*, Le Livre de Poche / Références, 1994.

Claude DIGEON, *La Crise allemande de la pensée française 1870-1914*, P.U.F., 1959.

Les Écrivains et l'Affaire Dreyfus, Actes du colloque organisé par l'Université d'Orléans et le Centre Péguy, les 29, 30, 31 octobre 1981, textes réunis par Géraldi LEROY, P.U.F., 1983.

Michel DROUIN (dir.), *L'Affaire Dreyfus de A à Z*, Flammarion,
1994.

Raoul GIRARDET, *La Société militaire dans la France contemporaine*, rééd. Le Livre de Poche, « Pluriel », 19 .

Harvey GOLDBERG, *Jean Jaurès*, Fayard, 1970 ; *l'Histoire* n° 173,
janvier 1994, n° spécial sur « L'Affaire Dreyfus ».

L'Histoire, n° spécial 173, « L'Affaire Dreyfus », janvier 1994.

Bertrand JOLY, *Déroulède l'inventeur du nationalisme*, Fayard, 1998.

Jean LACOUTURE, *Léon Blum*, Le Seuil, 1977.

Pierre MIQUEL, *L'Affaire Dreyfus*, P.U.F., « Que sais-je », 1973.

Pierre PIERRARD, *Les Chrétiens et l'affaire Dreyfus*, l'Atelier, 1998.

Jean-Pierre RIOUX, *Nationalisme et Conservatisme. La ligue de la patrie française, 1899-1904*, Beauchesne, 1977.

Pierre SORLIN, *Waldeck-Rousseau*, A. Colin, 1966 ; « *La Croix* » et *les Juifs, 1880-1899. Contribution à l'histoire de l'antisémitisme contemporain*, Grasset, 1967.

Robert SOUCY, *Fascism in France : The Case of Maurice Barrès*, Berkeley, University of California Press, 1972.

Marcel THOMAS, *L'Affaire sans Dreyfus*, Fayard, 1961.

P. R. WATSON, *Georges Clemenceau. A Political Biography*, Londres, Eyre Methuen, 1974.

Eugen WEBER, *L'Action française*, Stock, 1962.

Michel WINOCK, *Nationalisme, antisémitisme et fascisme en France*, Le Seuil, 1990.

6. Sur le 6 février 1934

CHAMBRE DES DÉPUTÉS, 15e législature ; session de 1934, *Rapport fait au nom de la Commission d'enquête chargée de rechercher les causes et les origines des événements du 6 février 1934 et jours suivants, ainsi que toutes les responsabilités encourues*, 11 vol. + 2 vol. d'annexes.

Serge BERSTEIN, *Le 6 Février 1934*, Gallimard-Julliard, 1975 ; *Histoire du parti radical*, 2 vol., P. F.N.S.P., 1980-1982.

Laurent BONNEVAY, *Les Journées sanglantes de février 1934*, Flammarion, 1935.

Maurice CHAVARDÈS, *Une campagne de presse, la droite française et le 6 février 1934*, Flammarion, 1970.

G. CHERIAU, *Concorde ! Le 6 février 1934*, Denoël et Steele, 1934.

Philippe HENRIOT, *Le 6 Février*, Flammarion, 1934.

Antoine PROST, *Les Anciens Combattants et la Société française 1914-1939*, P. F.N.S.P., 1977, 3 vol.

René RÉMOND, *Les Catholiques dans la France des années trente*, Cana, 1979.

Georges SUAREZ, *La Grande Peur du 6 février au Palais-Bourbon*, Grasset, 1934.

7. Sur le 10 juillet 1940

Enquête sur les événements survenus en France de 1935 à 1945, Imprimerie de l'Assemblée nationale, 1951, 9 vol.

Procès du maréchal Pétain, compte rendu sténogr., A. Michel, 1945, 2 vol.

Jean-Pierre AZÉMA, *1940, l'Année terrible*, Le Seuil, 1990.

Emmanuel BERL, *La Fin de la troisième République*, Gallimard, 1968.

Marc BLOCH, *L'Étrange Défaite*, Éd. Franc-Tireur, 1946.

Œuvre de Léon Blum, t. V, Albin Michel, 1955.

Janine BOURDIN et René RÉMOND (sous la direction de), *Édouard Daladier, chef de gouvernement ; Les Français en 1938-1939,* P. F. N. S. P., 1977 et 1978.

Yves BOUTHILLIER, *Le Drame de Vichy. Face à l'ennemi,* t. I ; *Face à l'allié,* Plon, 1950.

Hubert COLE, *Pierre Laval,* Fayard, 1964.

Stéphane COURTOIS, *Le P.C.F. dans la guerre,* Ramsay, 1980.

Jean-Louis CRÉMIEUX-BRILHAC, *Les Français de l'An 40,* Gallimard, 1990, 2 volumes.

Charles DE GAULLE, *Mémoires de guerre, L'Appel,* t. I, Plon 1962, Le Livre de Poche, 1968.

Jean-Baptiste DUROSELLE, *Politique étrangère de la France. La Décadence 1932-1939. L'Abîme 1939-1945,* Imprimerie nationale 1979, Le Seuil, « Points Histoire », 1982.

Édouard HERRIOT, *Épisodes 1940-1944,* Flammarion, 1950.

L'Histoire, Études sur la France de 1939 a nos jours, Le Seuil, « Points Histoire », 1985.

Eberhard JÀCKEL, *La France dans l'Europe de Hitier,* Fayard, 1968.

Jules JEANNENEY, *Journal politique, septembre 1939-juillet 1942,* édité par Jean-Noël JEANNENEY, A. Colin, 1972.

Jean LACOUTURE, *De Gaulle, Le Rebelle,* t. I, Le Seuil, 1984.

Albert LEBRUN, *Témoignage,* Plon, 1945.

Dominique LECA, *La Rupture de 1940,* Fayard, 1978.

Henri MICHEL, *Vichy année 1940,* R. Laffont, 1966.

L. MYSYROWICZ, *Autopsie d'une défaite,* Bordeaux, Delmas, 1973.

Robert O. PAXTON, *La France de Vichy,* Le Seuil, 1973, « Points Histoire », 1974.

Christiane RIMBAUD, *L'Affaire du Massilia,* Le Seuil, 1983.

Jean VIDALENC, *L'Exode de mai-juin 1940,* P. U. F., 1957.

8. Sur le 13 mai 1958

Serge et Merry BROMBERGER, *Les Treize Complots du 13 mai,* Fayard, 1959.

Jacques CHAPSAL, *La Vie politique en France de 1940 a 1958,* P.U.F., 1984.

Jean CHARLOT, *Le Gaullisme d'opposition, 1946-1958,* Fayard, 1983.

André DEBATTY, *Le 13 Mai et la Presse,* A. Colin, 1960.

Charles DE GAULLE, *Mémoires d'espoir. Le Renouveau (1958-1962),* Plon, 1970 ; *Notes et Carnets, juin 1951-mai 1958,* Plon 1985.

Bernard DROZ et Évelyne LEVER, *Histoire de la guerre d'Algérie,* Le Seuil, « Points Histoire », 1982.

André DULAC, *Nos guerres perdues,* Fayard, 1969.

Georgette ELGEY, *La République des tourments 1954-1959,* Fayard, 1992.

Jean FERNIOT, *De Gaulle et le 13 Mai,* Plon, 1965.

François GOGUEL, *Chroniques électorales. La Quatrième République,* t. I, P.F.N.S.P., 1981.

Edmond JOUHAUD, *Serons-nous enfin compris ?* A. Michel, 1984.

Jacques JULLIARD, *Naissance et Mort de la quatrième République,* Calmann-Lévy, 1968, « Pluriel », 1980.

Jean LACOUTURE, *De Gaulle, Le Politique,* t. 2, Le Seuil, 1985.

Jacques MASSU, *Le Torrent et la Digue,* Plon.

René RÉMOND, *Le Retour de De Gaulle,* Bruxelles, Complexe, 1983.

SIRIUS (pseudonyme d'Hubert BEUVE-MÉRY), *Le Suicide de la quatrième République,* Le Cerf, 1958.

Jean TOUCHARD, *Le Gaullisme 1940-1969,* Le Seuil, « Points Histoire », 1978.

Pierre VIANSSON-PONTÉ, *Histoire de la République gaullienne,* t. I, Fayard, 1970.

Michel WINOCK, *La République se meurt,* Le Seuil, 1978, rééd. Folio, 1985.

9. Sur Mai 1968

William G. ANDREWS et Stanley HOFFMANN éd., *The Fifth Republic at Twenty,* Albany, State University of New-York Press, 1980, XVIII.

Raymond ARON, *La Révolution introuvable,* Fayard, 1968.

André BARJONET, *La Révolution trahie de 1968,* John Didier, 1968.

Julien BESANÇON, *Les murs ont la parole,* Tchou, 1968.

Michel DE CERITEAU, *La Prise de parole,* Desclée de Brouwer, 1968.

Jacques CHAPSAL, *La Vie politique sous la cinquième République,* P.U.F., 1984.

Daniel COHN-BENDIT, *Le Gauchisme, remède à la maladie sénile du communisme,* Le Seuil, 1968.

Adrien DANSETTE, *Mai 68,* Plon, 1971.

Robert DAVEZIES, *Mai 68, la rue dans l'Eglise,* éd. de l'Épi, 1968.

Guy DEBORD, *La Société du spectacle,* Buchet-Chastel, 1967.

Alain DELALE, Gilles RAGACHE, *La France de 68,* Le Seuil, 1978.

Jacques DUCLOS, *Anarchistes d'hier et d'aujourd'hui, comment le gauchisme fait le jeu de la réaction,* Éd. sociales, 1968.

Olivier DUHAMEL, *La Gauche et la cinquième République,* P.U.F., 1980.

ÉPISTÉMON, *Ces idées qui ont ébranlé la France, Nanterre novembre 1967- juin 1968,* Fayard, 1968.

Claude FRÉDÉRIC, *Libérez l'O. R. T. F.,* Le Seuil, 1968.

Jean FERNIOT, *Mort d'une révolution, la gauche de mai,* Denoël, 1968. André FONTAINE, *La Guerre civile froide,* Fayard, 1969.

Franz-Olivier GIESBERT, *François Mitterrand ou la Tentation de l'histoire,* Le Seuil, 1977.

François GOGUEL, *Chroniques électorales, La Cinquième République du général de Gaulle*, t. 2, P.F.N.S.P., 1983.

Laurent JOFFRIN, *Mai 68*, Le Seuil, rééd. 1998.

J. JOUSSELIN, *Les Révoltes de jeunes*, Éd. ouvrières, 1968.

L'Insurrection étudiante, 2-13 mai 1968, ensemble critique et documentaire établi par Marc KRAVETZ avec la collaboration de R. BELLOUR et A. KARSENTY, « Le cours nouveau », Union Générale d'Éditions, « 10/18 », 1968.

Annie KRIEGEL, *Les Communistes français, essai d'ethnographie politique*, rééd. Le Seuil, 1985.

Alain LANCELOT, *Les Élections sous la cinquième République*, P.U.F., « Que sais-je », 1983.

André MALRAUX, *Les chênes qu'on abat*, Gallimard, 1971.

Gilles MARTINET, *La Conquête des pouvoirs*, Le Seuil, 1968.

Henri MENDRAS (sous la direction de), *Le Désordre et la Sagesse*, Gallimard, 1980.

Jean-Bloch MICHEL, *Une révolution du XXᵉ siècle, les journées de mai 1968*, R. Laffont, 1968.

Claude PAILLAT, *Archives secrètes 1968-1969, les coulisses d'une année terrible*, Denoël, 1969.

Michelle PERROT, Jean-Claude PERROT, Madeleine RÉBERIOUX et Jean MAITRON (documents rassemblés et présentés par), « Mai-juin 1968, la Sorbonne par elle-même », *Le Mouvement social*, n° 64, Éd. ouvrières, 1968.

Jean-Louis QUERMONNE, *Le Gouvernement de la France sous la cinquième République*, Dalloz, 2ᵉ éd. 1983.

Patrick RAVIGNAT, *La Prise de l'Odéon*, Stock, 1968.

Alain SCHNAPP et Pierre VIDAL-NAQUET, *Journal de la Commune étudiante, textes et documents, novembre 67-juin 68*, Le Seuil, 1969.

Georges SÉGUY, *Le Mai de la C.G.T.*, Julliard, 1972.

« Le mouvement ouvrier en mai 68 » numéro spécial de *Sociologie du travail*, Le Seuil, 1970.

Alain TOURAINE, *Le Mouvement de mai ou le Communisme utopique*, Le Seuil, 1968, rééd. « Points », 1972.

Raoul VANEIGEM, *Traité de savoir-vivre à l'usage des jeunes générations*, Gallimard, 1967.

Gérard VINCENT, *Les Français, 1945-1975, chronologie et structures d'une société*, Masson, 1977.

Michel WINOCK, *Chronique des années soixante*, Le Seuil, 1987.

Revues : *Esprit, Les Temps modernes, Preuves, Etudes, Revue française de science politique, Sondages, l'Histoire...*

10. Sur les crises politiques

Alexis DE TOCQUEVILLE, *L'Ancien Régime et la Révolution*, Gallimard, « Idées », 1964.

L'oeuvre d'André SIEGFRIED, notamment *Tableau politique de la*

France de l'Ouest, A. Colin, 1918 ; *Tableau des partis en France*, Grasset, 1930.

L'oeuvre de Raymond ARON, *notamment Mémoires, 50 ans de réflexion politique*, 1983.

L'œuvre de Michel CROZIER, en particulier, *Le Phénomène bureaucratique*, rééd. Le Seuil, « Points », 1971 ; *La Société bloquée*, Le Seuil, 1970.

Communications, n° 18, « L'événement », Le Seuil, 1972. En particulier Abraham A. MOLES, « Notes pour une typologie des événements ».

Communications, n° 25, « La notion de crise », Le Seuil, 1976.

Vingtième siècle, revue d'histoire, n° 5, janv.-mars 1985, « Les guerres franco-françaises », P. F. N. S. P. Ce numéro comprend de nombreux articles intéressant notre sujet.

Serge BERSTEIN, Odile RUDELLE (dir.), *Le Modèle républicain*, P.U.F., 1992.

Pierre BIRNBAUM, *Le Peuple et les Gros*, Grasset, 1979, éd. augmentée dans « Pluriel », 1984.

André BURGUIÈRE et Jacques REVEL (dir.), *Histoire de la France. L'État et les conflits*, tome dirigé par Jacques Julliard, Le Seuil, 1990.

Michel DOBRY, *Sociologie des crises politiques*, P.F.N.S.P., 1992.

Guy HERMET, *Le Peuple contre la démocratie*, Fayard, 1989.

Jean-François KAHN, *La Guerre civile, essai sur les stalinismes de gauche et de droite*, Le Seuil, 1982.

SOFRES, *Opinion publique 1984. Enquête et Commentaires*, Gallimard, 1984 ; *Opinion publique 1985*, Gallimard, 1985.

Charles TILLY, *La France conteste de 1600 à nos jours*, Fayard, 1986.

Index

Table

Du même auteur

Histoire politique de la revue « Esprit », 1930-1950
Seuil, « L'Univers historique », 1975
rééd. sous le titre
« Esprit ». Des intellectuels dans la Cité, 1930-1950
Seuil, « Points Histoire », n° 200

La République se meurt. Chronique 1956-1958
Seuil, 1978 ; Gallimard « Folio », 1985

« La Gauche depuis 1968 »
in *Jean Touchard*, La Gauche en France depuis 1900
Seuil, « Points Histoire », n° 26

Mémoires d'un communard. Jean Allemane
présentation, notes et postface
Maspero, 1981

Edouard Drumont et Cie
Antisémitisme et fascisme en France
Seuil, « XXe siècle », 1982

Chronique des années soixante
« Le Monde » et Seuil, « XXe siècle », 1987 ;
« Points Histoire », n° 136

1789. L'année sans pareille
« Le Monde » et Orban, 1988 ;
Hachette, « Pluriel », 1989

Nationalisme, Antisémitisme et Fascisme en France
Seuil, « Points Histoire », n° 131

L'Échec au roi, 1791-1792
Orban, 1991

Le Socialisme en France et en Europe
XIXe-XXe siècle
Seuil, « Points Histoire », n° 162

Les Frontières vives
Journal de la fin du siècle (1991)
Seuil, 1992

Parlez-moi de la France
Plon, 1995 ; Seuil, « Points », n° 336

Le Siècle des intellectuels,
Seuil, 1997 et « Points », n° 613

La France politique. XIXᵉ-XXᵉ siècle
Seuil, 1999, « Points-Histoire », n° 256

Les Voix de la liberté
Les écrivains engagés au XIXᵉ siècle
Seuil, 2001

en collaboration avec Jean-Pierre Azéma

Les Communards
Seuil, 1964 ; éd. revue et complétée en 1971

Naissance et Mort de la IIIᵉ République
*Calmann-Lévy, 1970 ; éd. revue et complétée en 1976 ;
rééd. sous le titre*
La Troisième République
Hachette, « Pluriel », 1978, 1986

ouvrages collectifs

Pour la Pologne
Seuil, 1982

Pour une histoire politique
*Seuil, « L'Univers historique », 1988 ;
« Points Histoire », n° 199*

« Jeanne d'Arc »
*in Les Lieux de mémoire
(direction : Pierre Nora)
tome VIII, Gallimard, 1992*
Histoire de l'Extrême droite en France
Seuil, « XXᵉ siècle », 1993 ; « Points Histoire », n° 186

La France de l'Affaire Dreyfus
(direction : Pierre Birnbaum)
Gallimard, 1993

Dictionnaire des intellectuels français
(co-dirigé avec Jacques Julliard)
Seuil, 1996

Les Cultures politiques
(direction : Serge Berstein)
Seuil, « L'Univers historique », 1999

IMPRIMERIE BRODARD ET TAUPIN À LA FLÈCHE (02-02)
DÉPÔT LÉGAL NOVEMBRE 1987. N° 28516-2. (11359)